S0-ACC-762

DESCUBRE 1

Lengua y cultura del mundo hispánico

Boston, Massachusetts

On the cover: A Tarahumara Indian woman weaves a basket at the Uno Lodge, an ecolodge located on the rim of the Copper Canyon, Mexico.

Creative Director: José A. Blanco
Chief Content and Innovation Officer: Rafael de Cárdenas
Publisher: Sharla Zwirek
Editorial Director: Harold Swearingen
Editorial Development: Diego García
Project Management: Erik Restrepo
Rights Management: Jorgensen Fernandez, Kristine Janssens, Juan Esteban Mora, Annie Pickert Fuller
Technology Production: Egle Gutiérrez, Lauren Krolick, Fabián Montoya
Design: Paula Díaz, Daniela Hoyos, Radoslav Mateev, Gabriel Noreña, Andrés Vanegas
Production: Oscar Díez, Sebastián Díez, Andrés Escobar, Adriana Jaramillo, Daniel Lopera, Daniela Peláez

Student Text ISBN: 978-1-54333-120-2
Library of Congress Control Number: 2020938730

4 5 6 7 8 9 10 TC 27 26 25 24 23 22

Printed in Canada.

DESCUBRE 1

Lengua y cultura del mundo hispánico

Table of Contents

Lección
Preliminar

Lección 1
Hola, ¿qué tal?

Lección 2
En la clase

Table of Contents

cultura	estructura	adelante

Table of Contents

	contextos	fotonovela
Lección 7 La rutina diaria 	Daily routine . . . 264 Personal hygiene . . . 264 Time expressions . . . 264	**¡Tengo que arreglarme!** . . . 268 **Pronunciación** The consonant **r** . . . 271
Lección 8 La comida 	Food . . . 302 Food descriptions . . . 302 Meals . . . 304	**¡Vamos a comer tapas!** . . . 308 **Pronunciación** **ll, ñ, c,** and **z** . . . 311
Lección 9 Las fiestas 	Parties and celebrations . . . 342 Personal relationships . . . 343 Stages of life . . . 344	**¡Es *mi* cumpleaños!** . . . 346 **Pronunciación** **h, j,** and **g** . . . 349

Consulta

cultura	estructura	adelante

The Spanish-Speaking World

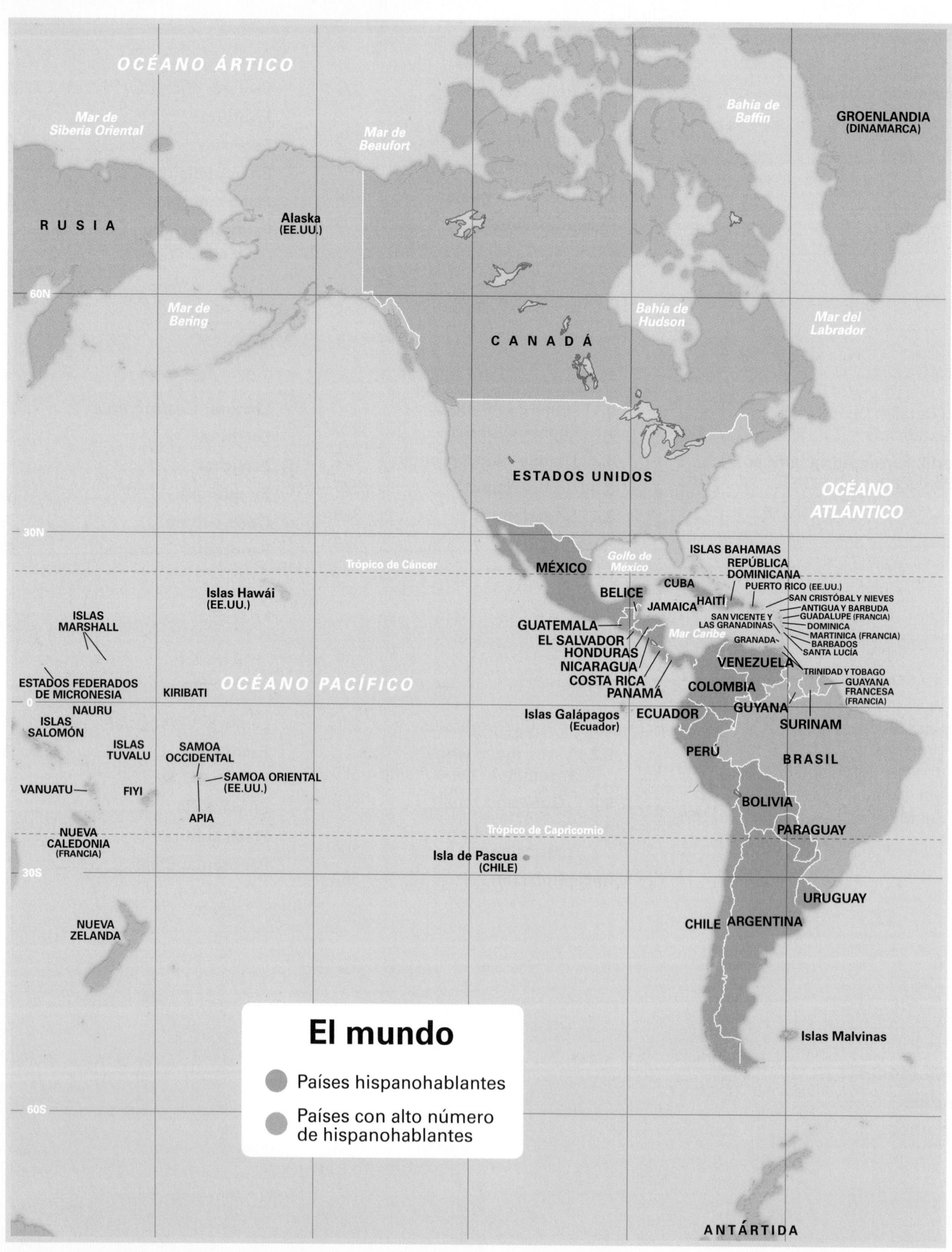

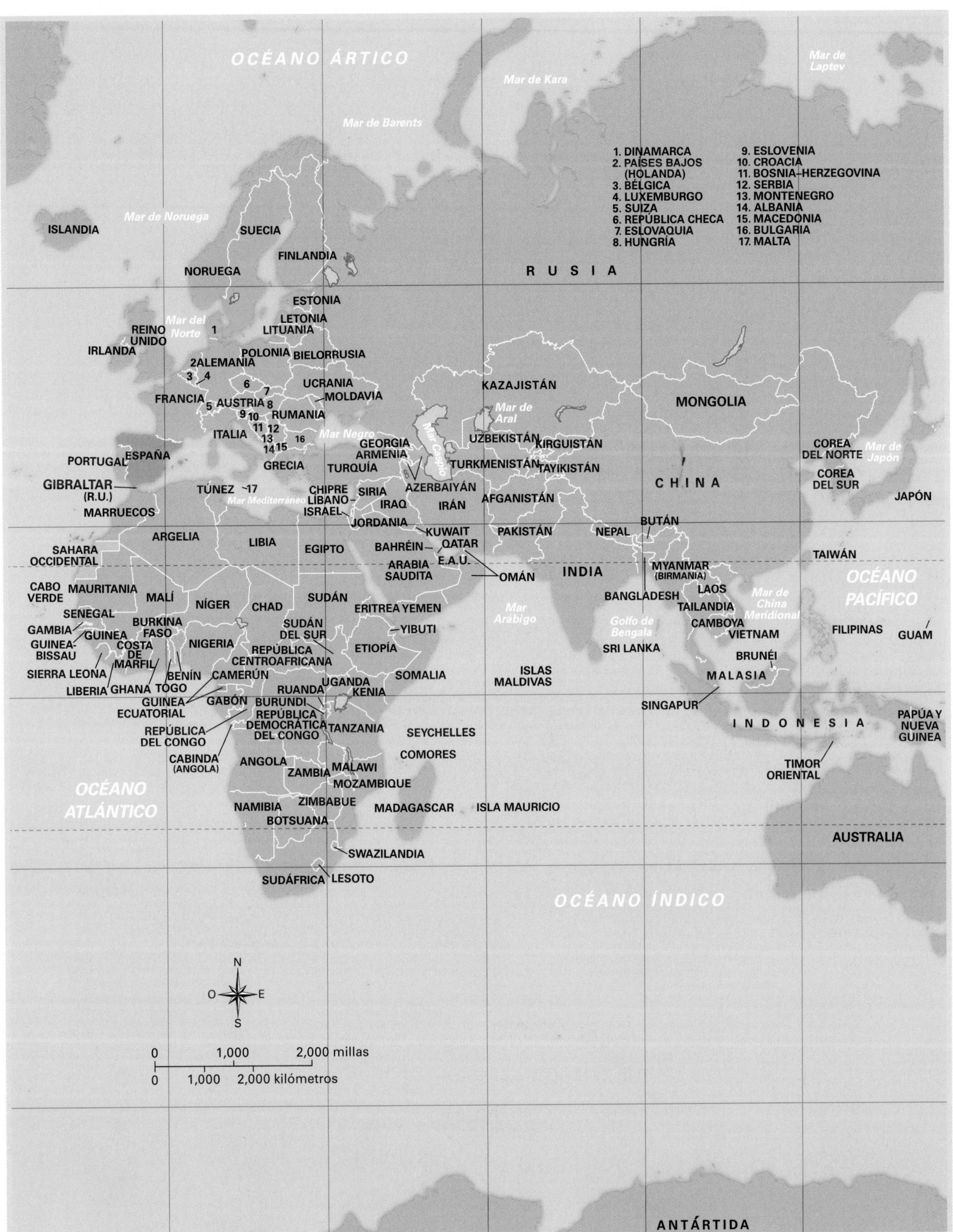
OCÉANO ÁRTICO
Mar de Kara
Mar de Laptev
Mar de Barents
1. DINAMARCA
2. PAÍSES BAJOS (HOLANDA)
3. BÉLGICA
4. LUXEMBURGO
5. SUIZA
6. REPÚBLICA CHECA
7. ESLOVAQUIA
8. HUNGRÍA
9. ESLOVENIA
10. CROACIA
11. BOSNIA-HERZEGOVINA
12. SERBIA
13. MONTENEGRO
14. ALBANIA
15. MACEDONIA
16. BULGARIA
17. MALTA
ISLANDIA
Mar de Noruega
SUECIA
FINLANDIA
NORUEGA
RUSIA
ESTONIA
LETONIA
LITUANIA
Mar del Norte
REINO UNIDO
IRLANDA
POLONIA
BIELORRUSIA
ALEMANIA
UCRANIA
MOLDAVIA
FRANCIA
AUSTRIA
RUMANIA
ITALIA
Mar Negro
Mar Caspio
Mar de Aral
KAZAJISTÁN
MONGOLIA
UZBEKISTÁN
KIRGUISTÁN
TURKMENISTÁN
TAYIKISTÁN
GEORGIA
ARMENIA
AZERBAIYÁN
PORTUGAL
ESPAÑA
GRECIA
TURQUÍA
COREA DEL NORTE
COREA DEL SUR
Mar de Japón
JAPÓN
CHINA
GIBRALTAR (R.U.)
TÚNEZ
Mar Mediterráneo
CHIPRE
LÍBANO
ISRAEL
SIRIA
IRAQ
IRÁN
AFGANISTÁN
MARRUECOS
JORDANIA
KUWAIT
BAHRÉIN
QATAR
E.A.U.
PAKISTÁN
NEPAL
BUTÁN
ARGELIA
LIBIA
EGIPTO
SAHARA OCCIDENTAL
ARABIA SAUDITA
OMÁN
INDIA
MYANMAR (BIRMANIA)
TAIWÁN
CABO VERDE
MAURITANIA
MALÍ
NÍGER
CHAD
SUDÁN
BANGLADESH
LAOS
OCÉANO PACÍFICO
SENEGAL
ERITREA
YEMEN
Mar Arábigo
Golfo de Bengala
TAILANDIA
Mar de China Meridional
GAMBIA
GUINEA
BURKINA FASO
SUDÁN DEL SUR
YIBUTI
CAMBOYA
VIETNAM
FILIPINAS
GUAM
GUINEA-BISSAU
COSTA DE MARFIL
NIGERIA
REPÚBLICA CENTROAFRICANA
ETIOPÍA
SRI LANKA
BRUNÉI
SIERRA LEONA
BENÍN
CAMERÚN
SOMALIA
ISLAS MALDIVAS
MALASIA
LIBERIA
GHANA
TOGO
UGANDA
KENIA
RUANDA
GUINEA ECUATORIAL
GABÓN
BURUNDI
SINGAPUR
REPÚBLICA DEMOCRÁTICA DEL CONGO
TANZANIA
SEYCHELLES
INDONESIA
PAPÚA Y NUEVA GUINEA
REPÚBLICA DEL CONGO
COMORES
CABINDA (ANGOLA)
ANGOLA
ZAMBIA
MALAWI
TIMOR ORIENTAL
MOZAMBIQUE
OCÉANO ATLÁNTICO
NAMIBIA
ZIMBABUE
MADAGASCAR
ISLA MAURICIO
BOTSUANA
AUSTRALIA
SWAZILANDIA
SUDÁFRICA
LESOTO
OCÉANO ÍNDICO
N
O
E
S
0
1,000
2,000 millas
0
1,000
2,000 kilómetros
ANTÁRTIDA

Mexico

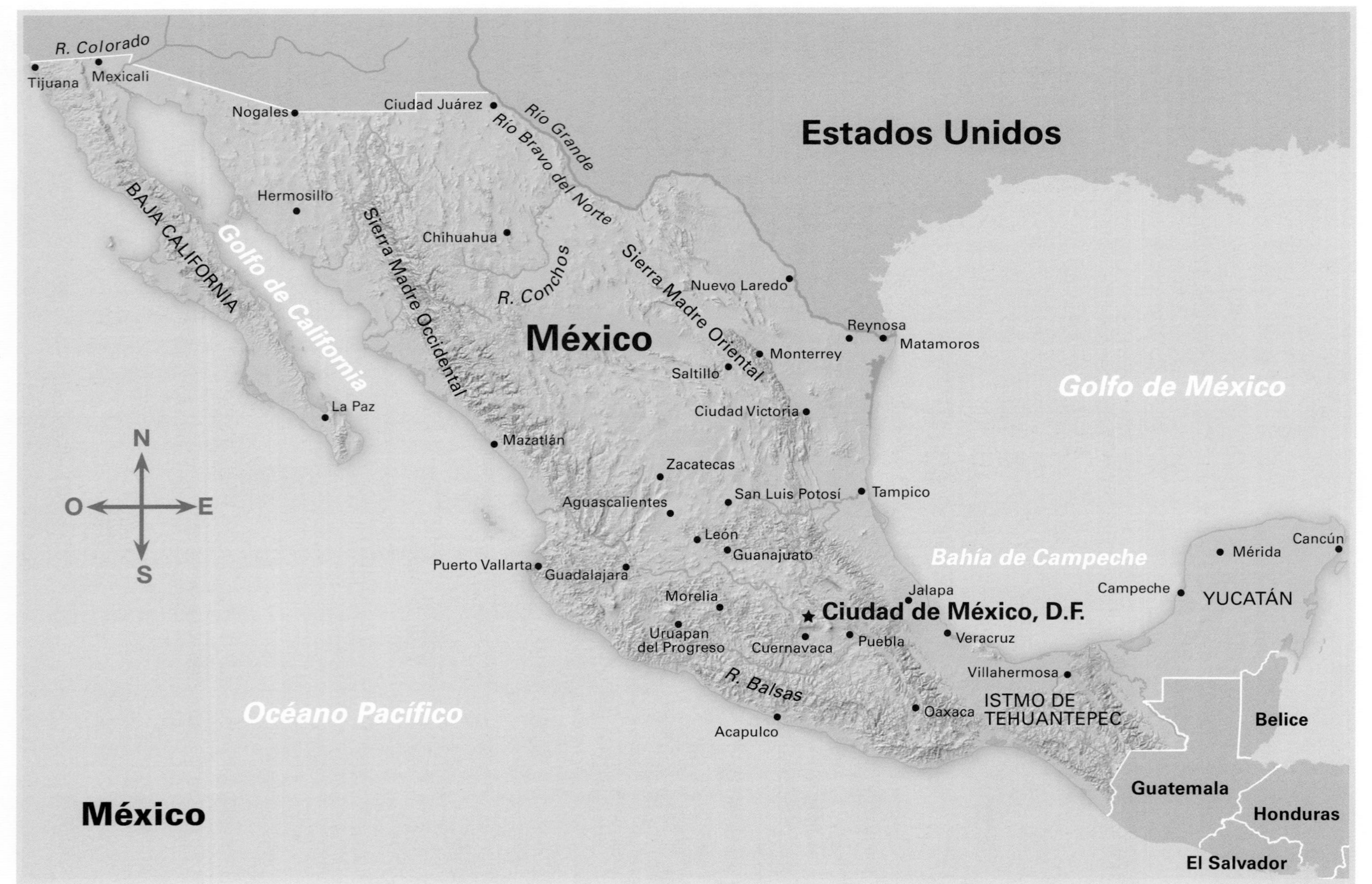

R. Colorado
Tijuana
Mexicali
Nogales
Ciudad Juárez
Río Grande
Río Bravo del Norte
Estados Unidos
Hermosillo
BAJA CALIFORNIA
Golfo de California
Sierra Madre Occidental
Chihuahua
R. Conchos
Sierra Madre Oriental
Nuevo Laredo
Reynosa
Matamoros
México
Monterrey
Saltillo
Golfo de México
La Paz
Ciudad Victoria
N
O
E
S
Mazatlán
Zacatecas
San Luis Potosí
Tampico
Aguascalientes
León
Guanajuato
Bahía de Campeche
Mérida
Cancún
Puerto Vallarta
Guadalajara
Morelia
Jalapa
Campeche
YUCATÁN
Ciudad de México, D.F.
Uruapan del Progreso
Cuernavaca
Puebla
Veracruz
Villahermosa
R. Balsas
Oaxaca
ISTMO DE TEHUANTEPEC
Océano Pacífico
Acapulco
Belice
Guatemala
Honduras
México
El Salvador

Central America and the Caribbean

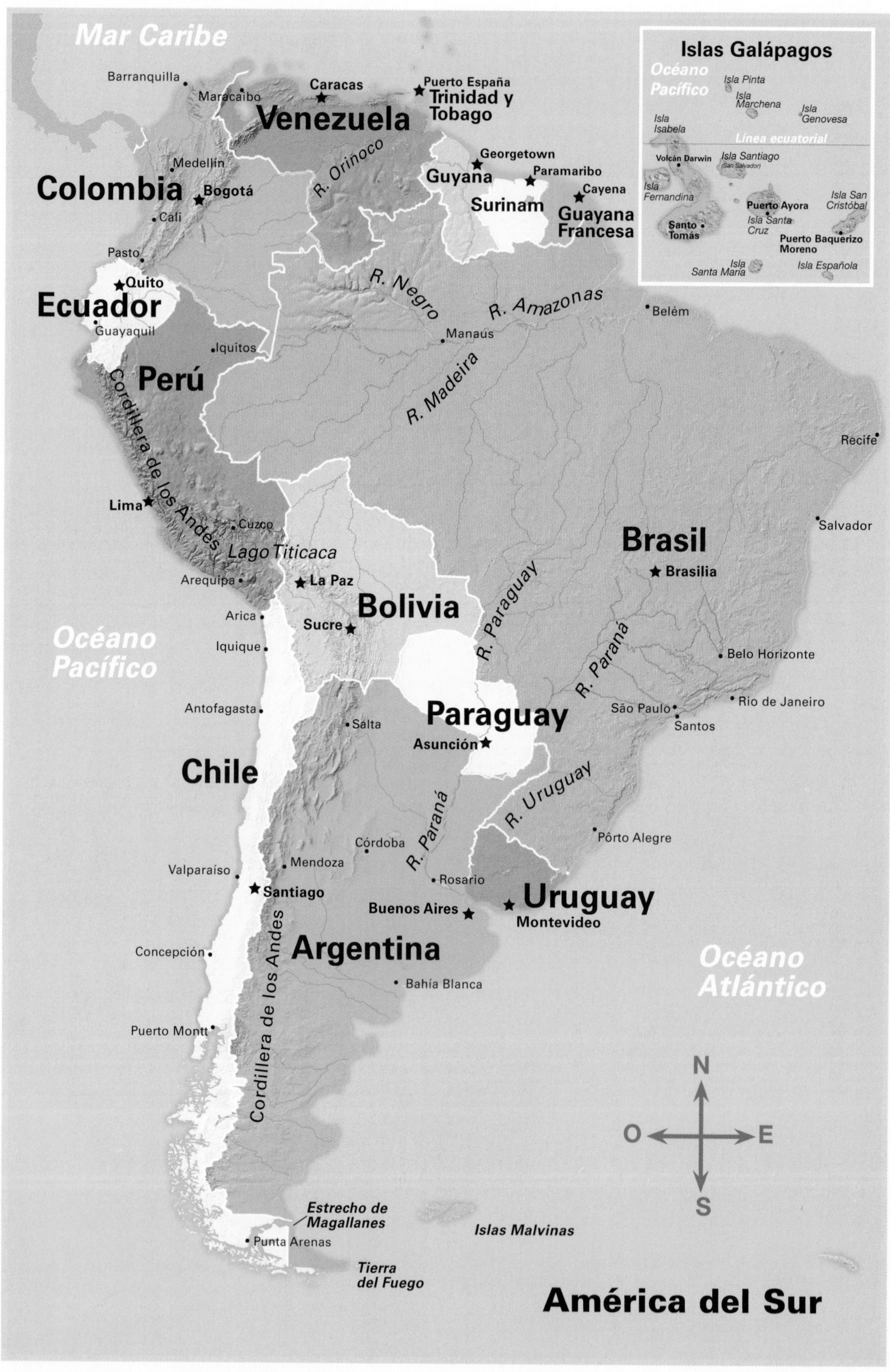
Mar Caribe
Barranquilla
Maracaibo
Caracas
Puerto España
Trinidad y Tobago
Venezuela
R. Orinoco
Georgetown
Guyana
Paramaribo
Surinam
Cayena
Guayana Francesa
Medellín
Colombia
Bogotá
Cali
Pasto
Quito
Ecuador
Guayaquil
Iquitos
Perú
R. Negro
R. Amazonas
Manaus
Belém
R. Madeira
Recife
Cordillera de los Andes
Lima
Cuzco
Lago Titicaca
Salvador
Brasil
Brasilia
Arequipa
La Paz
Bolivia
R. Paraguay
Arica
Sucre
Océano Pacífico
Iquique
R. Paraná
Belo Horizonte
Antofagasta
Sálta
Paraguay
Asunción
São Paulo
Santos
Rio de Janeiro
Chile
R. Uruguay
Córdoba
Pôrto Alegre
Valparaíso
Mendoza
Rosario
Santiago
Uruguay
Buenos Aires
Montevideo
Concepción
Argentina
Océano Atlántico
Bahía Blanca
Puerto Montt
N
O
E
S
Estrecho de Magallanes
Islas Malvinas
Punta Arenas
Tierra del Fuego
América del Sur
Islas Galápagos
Océano Pacífico
Isla Pinta
Isla Marchena
Isla Genovesa
Isla Isabela
Línea ecuatorial
Volcán Darwin
Isla Santiago
(San Salvador)
Isla Fernandina
Puerto Ayora
Isla San Cristóbal
Santo Tomás
Isla Santa Cruz
Puerto Baquerizo Moreno
Isla Santa María
Isla Española

Spain

Mar Cantábrico
Francia
Pirineos
Andorra
Océano Atlántico
La Coruña
Avilés
Gijón
Oviedo
Santander
CANTABRIA
San Sebastián
Bilbao
PAÍS VASCO
Pamplona
NAVARRA
GALICIA
ASTURIAS
Pontevedra
Vigo
Burgos
LA RIOJA
CATALUÑA
Gerona
Palencia
Zamora
Valladolid
Lérida
Braga
CASTILLA-LEÓN
Zaragoza
Barcelona
Tarragona
Oporto
Salamanca
Segovia
España
ARAGÓN
Ávila
Madrid
Coimbra
Serra da Estrela
Toledo
COMUNIDAD VALENCIANA
Islas Baleares
Menorca
Palma de Mallorca
Mallorca
Valencia
Cáceres
Portugal
EXTREMADURA
CASTILLA-LA MANCHA
Ibiza
Mérida
Lisboa
Badajoz
Albacete
Formentera
Setúbal
Sierra Morena
Alicante
Mar Mediterráneo
Córdoba
Jaén
Murcia
ANDALUCÍA
Cartagena
Huelva
Sevilla
Granada
Sierra Nevada
Almería
Málaga
Cádiz
Algeciras
Gibraltar (R.U.)
Estrecho de Gibraltar
Ceuta (Esp.)
Melilla (Esp.)
Marruecos
N
O
E
S
Islas Canarias
La Palma
Santa Cruz de la Palma
Tenerife
Santa Cruz de Tenerife
Lanzarote
Arrecife
Gomera
Puerto del Rosario
Hierro
Las Palmas de Gran Canaria
Fuerteventura
Gran Canaria
Océano Atlántico
Marruecos

Fotonovela video program

The Cast

Here are the main characters you will meet in the **Fotonovela** Video:

From Spain, Sara López

From Spain, Daniel García

From Spain, Valentina Herrera

From Spain, Manuel Vásquez

From Venezuela, Olga Lucía Pérez

From The Dominican Republic, Juan José Reyes (Juanjo)

Fully integrated with your text, the ***Descubre* Fotonovela** Video is a dynamic and contemporary window into the Spanish language. The video centers around a group of students while they live and travel in Spain. In this story, Sara, Olga Lucía, Valentina, Daniel, Manuel, and Juanjo live in the same apartment building and explore the cities of Madrid and Toledo together. Their adventures take them through some of the greatest natural and cultural treasures of Spain, as well as the highs and lows of everyday life.

The **Fotonovela** section in each textbook lesson is actually an abbreviated version of the dramatic episode featured in the video. Therefore, each **Fotonovela** section can be done before you see the corresponding video episode, after it, or as a section that stands alone.

In each dramatic segment, the characters interact using the vocabulary and grammar you are studying. As the storyline unfolds, the episodes combine new vocabulary and grammar with previously taught language, exposing you to a variety of authentic accents along the way. At the end of each episode, the **Resumen** section highlights the grammar and vocabulary you are studying.

We hope you find the **Fotonovela** Video to be an engaging and useful tool for learning Spanish!

En pantalla video program

The ***Descubre*** online content features an authentic video clip for each lesson. Clip formats include commercials and newscasts. These clips have been carefully chosen to be comprehensible for students learning Spanish, and are accompanied by activities and vocabulary lists to facilitate understanding. More importantly, though, these clips are a fun and motivating way to improve your Spanish!

Here are the countries represented in each lesson in **En pantalla**:

Lesson 1 **U.S.A.**
Lesson 2 **The Dominican Republic**
Lesson 3 **Argentina**
Lesson 4 **Spain**
Lesson 5 **Chile**
Lesson 6 **Spain**
Lesson 7 **Argentina**
Lesson 8 **Spain**
Lesson 9 **Mexico**

Flash cultura video program

In the dynamic **Flash cultura** Video, young people from all over the Spanish-speaking world share aspects of life in their countries with you. The similarities and differences among Spanish-speaking countries that come up through their adventures will challenge you to think about your own cultural practices and values. The segments provide valuable cultural insights as well as linguistic input; the episodes will introduce you to a variety of accents and vocabulary as they gradually move into Spanish.

Panorama cultural video program

The **Panorama cultural** videos are integrated with the **Panorama** section in each lesson. These videos provide an exciting visual companion for two of the **Panorama** paragraphs about the featured country. The images were specially chosen for interest level and visual appeal.

Online content

Each section of your textbook comes with resources and activities on the ***Descubre*** online content. You can access them from any computer with an Internet connection. Visit vhlcentral.com to get started.

My Vocabulary Tutorials	**CONTEXTOS** Listen to audio of the **Vocabulary**, watch dynamic **Tutorials**, and practice using Flashcards.
Video: *Fotonovela*	**FOTONOVELA** Follow the adventures of Sara, Olga Lucía, Valentina, Daniel, Manuel, and Juanjo while they live and travel in Spain. Watch the **Video** again at home to see the characters use the vocabulary in a real context.
Audio	**PRONUNCIACIÓN** Improve your accent by listening to native speakers, then recording your voice and comparing it to the samples provided.
Additional Reading	**CULTURA** Explore cultural topics through the ***Entre culturas*** activity or reading the ***Más cultura*** selection.
Tutorial	**ESTRUCTURA** Watch an animated **Tutorial**, and then answer *el profesor*'s questions to make sure you got it.
Audio: Reading Additional Reading Audio Video: TV Clip Video: *Flash cultura* Video: *Panorama cultural* Interactive Map	**ADELANTE** Listen along as the **reading** is read aloud. Read another selection related to the chapter's theme. Listen again to the audio from ***Escuchar***. Watch the **En pantalla**, **Flash cultura**, and **Panorama cultural Videos** again outside of class so that you can pause and repeat to really understand what you hear. Use the **Interactive Map** to explore the places you might want to visit.
My Vocabulary Diagnostics	VOCABULARIO - **RECAPITULACIÓN** Just what you need to get ready for the test! Review the **vocabulary** with **audio**. Practice vocabulary with Flashcards in **My Vocabulary**. Complete the Diagnostic ***Recapitulación*** to see what you might still need to study. Get additional **Remediation Activities**.

Icons

Familiarize yourself with these icons that appear throughout ***Descubre***.

Listening

The listening icon indicates that audio is available. You will see it in the lesson's **Contextos**, **Pronunciación**, **Escuchar**, and **Vocabulario** sections.

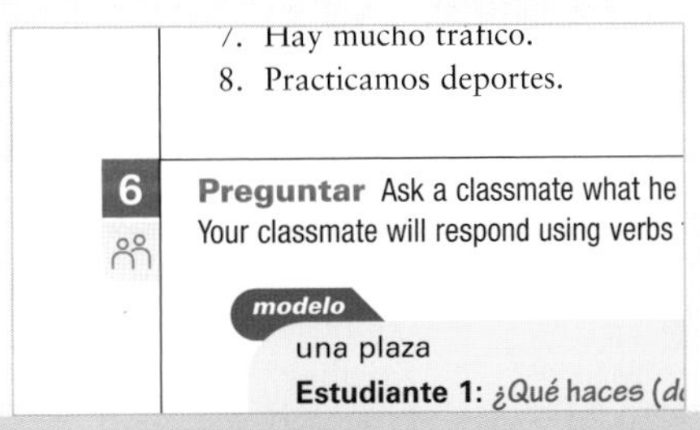

Pair Activities

Two heads indicate a pair activity.

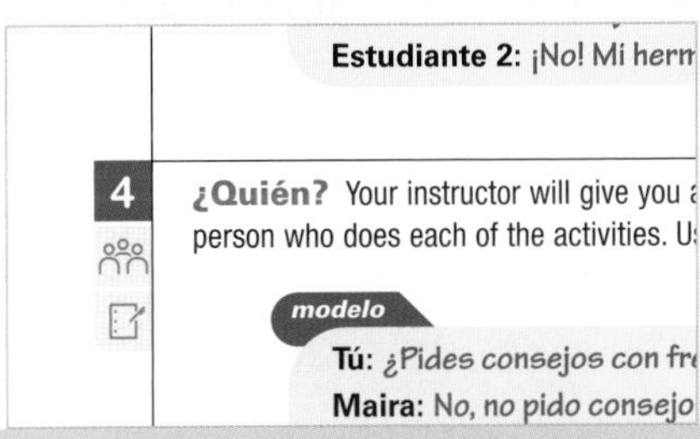

Handout

The activities marked with this icon require handouts that your teacher will give you to help you complete the activity.

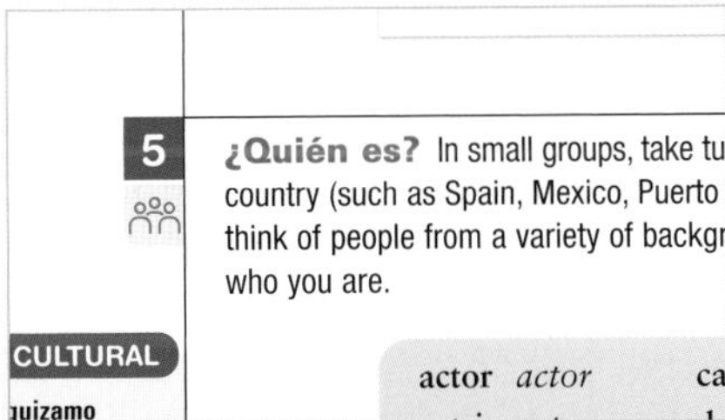

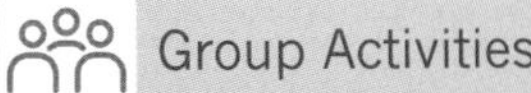

Group Activities

Three heads indicate a group activity.

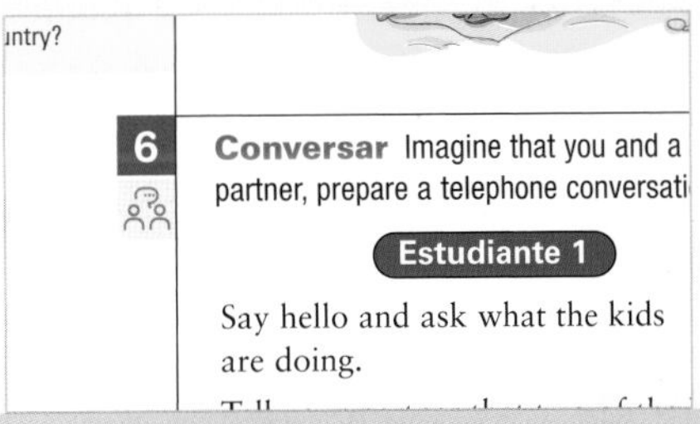

Partner Chat/Virtual Chat Activities

Two heads with a speech bubble indicate that the activity may be assigned as a Partner Chat or a Virtual Chat activity online.

The Spanish-Speaking World

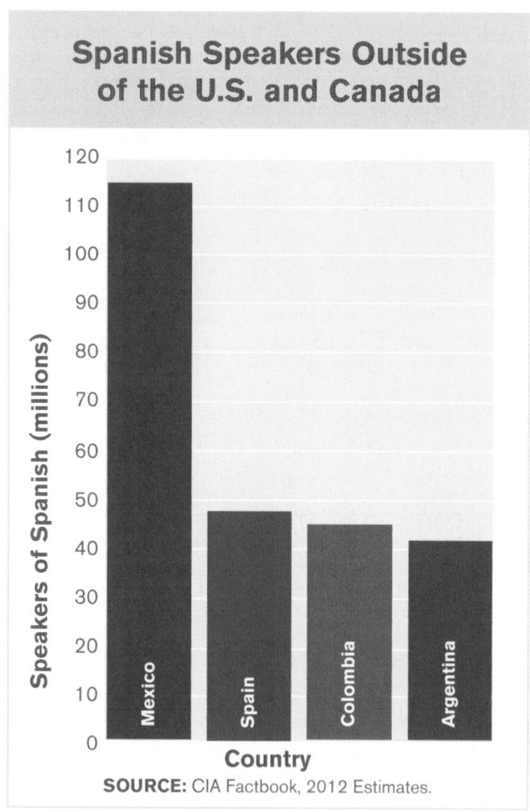

Do you know someone whose first language is Spanish? Chances are you do! More than approximately forty million people living in the U.S. speak Spanish; after English, it is the second most commonly spoken language in this country. It is the official language of twenty-two countries and an official language of the European Union and United Nations.

The Growth of Spanish

Have you ever heard of a language called Castilian? It's Spanish! The Spanish language as we know it today has its origins in a dialect called Castilian (**castellano** in Spanish). Castilian developed in the 9th century in north-central Spain, in a historic provincial region known as Old Castile. Castilian gradually spread towards the central region of New Castile, where it was adopted as the main language of commerce. By the 16th century, Spanish had become the official language of Spain and eventually, the country's role in exploration, colonization, and overseas trade led to its spread across Central and South America, North America, the Caribbean, parts of North Africa, the Canary Islands, and the Philippines.

Spanish in the United States

16th Century
Spanish is the official language of Spain.

1565
The Spanish arrive in Florida and found St. Augustine.

1610
The Spanish found Santa Fe, today's capital of New Mexico, the state with the most Spanish speakers in the U.S.

Spanish in the United States

Spanish came to North America in the 16th century with the Spanish who settled in St. Augustine, Florida. Spanish-speaking communities flourished in several parts of the continent over the next few centuries. Then, in 1848, in the aftermath of the Mexican-American War, Mexico lost almost half its land to the United States, including portions of modern-day Texas, New Mexico, Arizona, Colorado, California, Wyoming, Nevada, and Utah. Overnight, hundreds of thousands of Mexicans became citizens of the United States, bringing with them their rich history, language, and traditions.

This heritage, combined with that of the other Hispanic populations that have immigrated to the United States over the years, has led to the remarkable growth of Spanish around the country. After English, it is the most commonly spoken language in 43 states. More than 12 million people in California alone claim Spanish as their first or "home" language.

You've made a popular choice by choosing to take Spanish in school. Not only is Spanish found and heard almost everywhere in the United States, but it is the most commonly taught foreign language in classrooms throughout the country! Have you heard people speaking Spanish in your community? Chances are that you've come across an advertisement, menu, or magazine that is in Spanish. If you look around, you'll find that Spanish can be found in some pretty common places. For example, most ATMs respond to users in both English and Spanish. News agencies and television stations such as **CNN** and **Telemundo** provide Spanish-language broadcasts. When you listen to the radio or download music from the Internet, some of the most popular choices are Latino artists who perform in Spanish. Federal government agencies such as the Internal Revenue Service and the Department of State provide services in both languages. Even the White House has an official Spanish-language webpage! Learning Spanish can create opportunities within your everyday life.

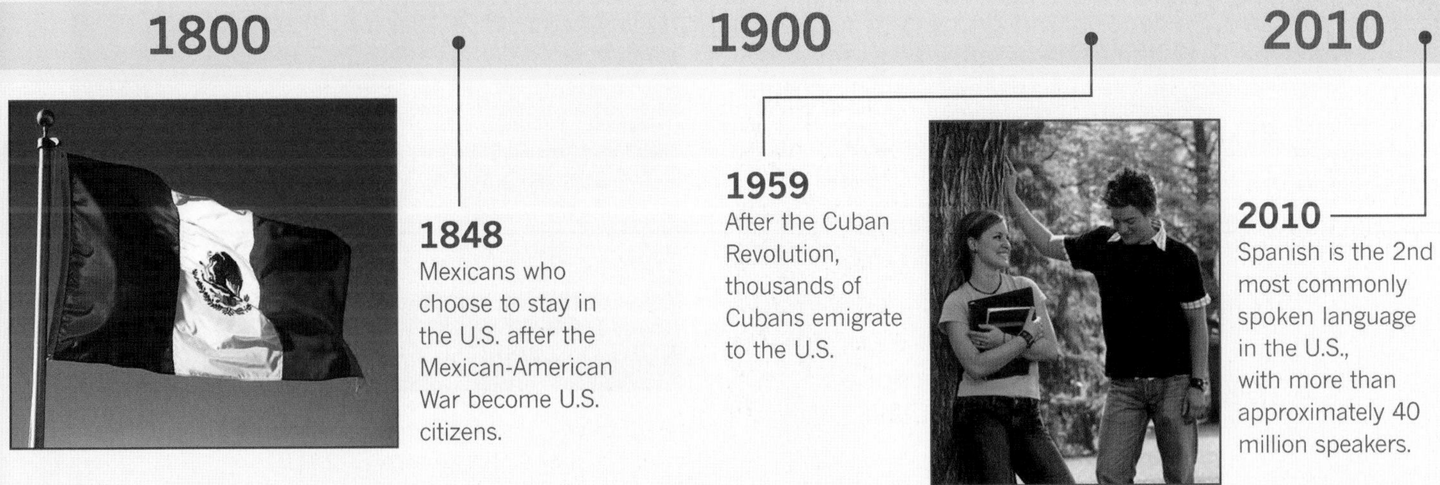

1800
1900
2010
1848
Mexicans who choose to stay in the U.S. after the Mexican-American War become U.S. citizens.
1959
After the Cuban Revolution, thousands of Cubans emigrate to the U.S.
2010
Spanish is the 2nd most commonly spoken language in the U.S., with more than approximately 40 million speakers.

Why Study Spanish?

Learn an International Language

There are many reasons to learn Spanish, a language that has spread to many parts of the world and has along the way embraced words and sounds of languages as diverse as Latin, Arabic, and Nahuatl. Spanish has evolved from a medieval dialect of north-central Spain into the fourth most commonly spoken language in the world. It is the second language of choice among the majority of people in North America.

Understand the World Around You

Knowing Spanish can also open doors to communities within the United States, and it can broaden your understanding of the nation's history and geography. The very names Colorado, Montana, Nevada, and Florida are Spanish in origin. Just knowing their meanings can give you some insight into, of all things, the landscapes for which the states are renowned. Colorado means "colored red;" Montana means "mountain;" Nevada is derived from "snow-capped mountain;" and Florida means "flowered." You've already been speaking Spanish whenever you talk about some of these states!

State Name	Meaning in Spanish
Colorado	"colored red"
Florida	"flowered"
Montana	"mountain"
Nevada	"snow-capped mountain"

Connect with the World

Learning Spanish can change how you view the world. While you learn Spanish, you will also explore and learn about the origins, customs, art, music, and literature of people in close to two dozen countries. When you travel to a Spanish-speaking country, you'll be able to converse freely with the people you meet. And whether in the U.S., Canada, or abroad, you'll find that speaking to people in their native language is the best way to bridge any culture gap.

Why Study Spanish?

Explore Your Future

How many of you are already planning your future careers? Employers in today's global economy look for workers who know different languages and understand other cultures. Your knowledge of Spanish will make you a valuable candidate for careers abroad as well as in the United States or Canada. Doctors, nurses, social workers, hotel managers, journalists, businessmen, pilots, flight attendants, and many other professionals need to know Spanish or another foreign language to do their jobs well.

Expand Your Skills

Studying a foreign language can improve your ability to analyze and interpret information and help you succeed in many other subject areas. When you first begin learning Spanish, your studies will focus mainly on reading, writing, grammar, listening, and speaking skills. You'll be amazed at how the skills involved with learning how a language works can help you succeed in other areas of study. Many people who study a foreign language claim that they gained a better understanding of English. Spanish can even help you understand the origins of many English words and expand your own vocabulary in English. Knowing Spanish can also help you pick up other related languages, such as Italian, Portuguese, and French. Spanish can really open doors for learning many other skills in your school career.

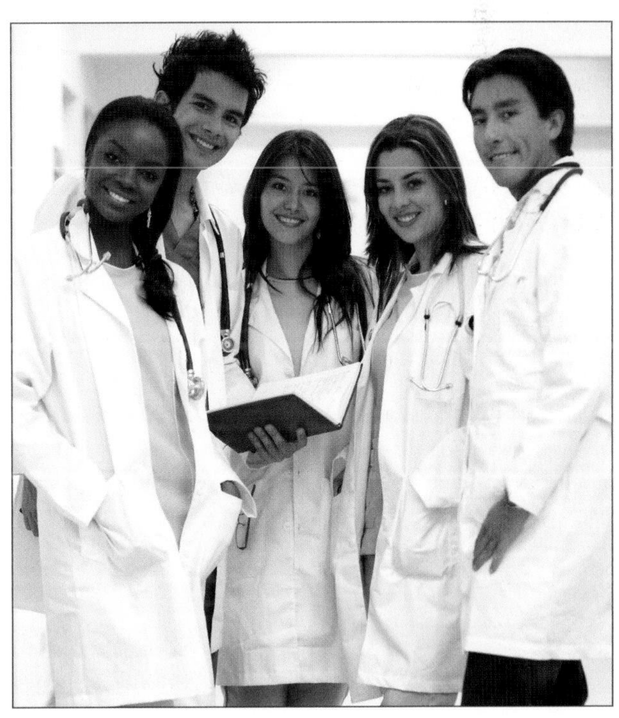

How to Learn Spanish

Start with the Basics!

As with anything you want to learn, start with the basics and remember that learning takes time! The basics are vocabulary, grammar, and culture.

Vocabulary | Every new word you learn in Spanish will expand your vocabulary and ability to communicate. The more words you know, the better you can express yourself. Focus on sounds and think about ways to remember words. Use your knowledge of English and other languages to figure out the meaning of and memorize words like **conversación, teléfono, oficina, clase,** and **música**.

Grammar | Grammar helps you put your new vocabulary together. By learning the rules of grammar, you can use new words correctly and speak in complete sentences. As you learn verbs and tenses, you will be able to speak about the past, present, or future, express yourself with clarity, and be able to persuade others with your opinions. Pay attention to structures and use your knowledge of English grammar to make connections with Spanish grammar.

Culture | Culture provides you with a framework for what you may say or do. As you learn about the culture of Spanish-speaking communities, you'll improve your knowledge of Spanish. Think about a word like **salsa**, and how it connects to both food and music. Think about and explore customs observed on **Nochevieja** (New Year's Eve) or at a **fiesta de quince años** (a girl's fifteenth birthday party). Watch people greet each other or say good-bye. Listen for idioms and sayings that capture the spirit of what you want to communicate!

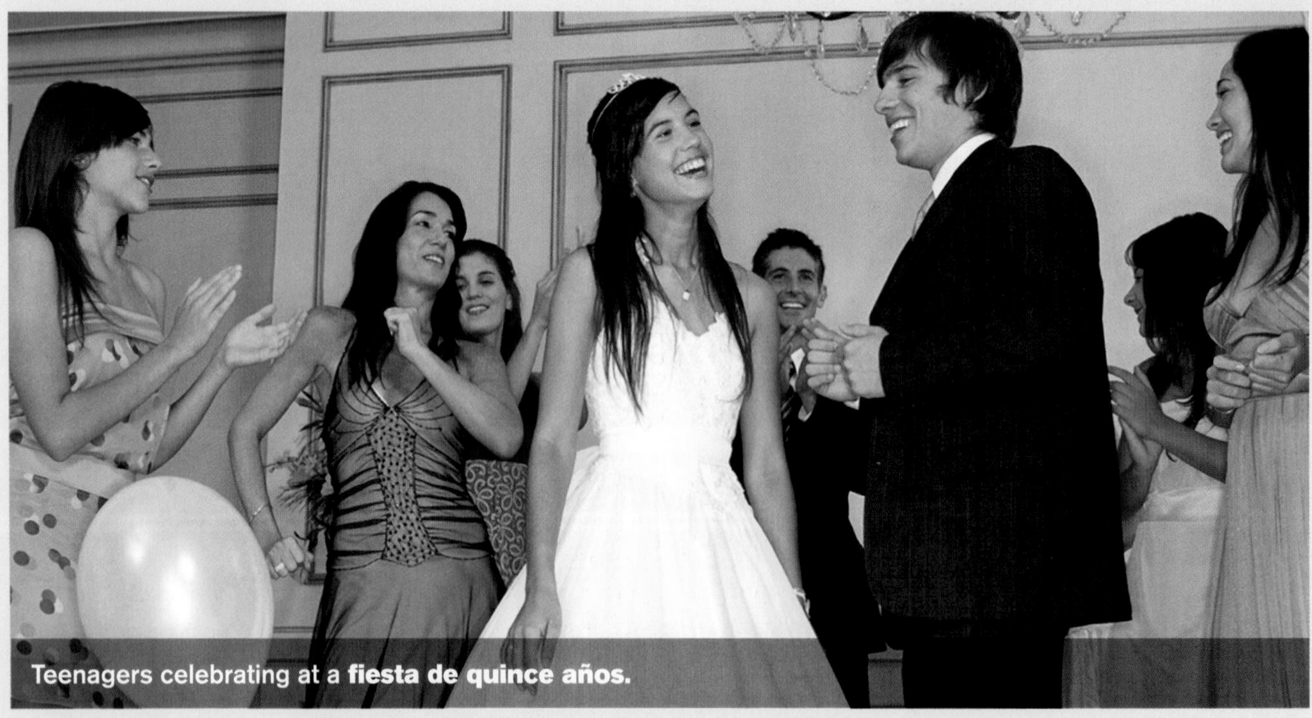

Teenagers celebrating at a **fiesta de quince años.**

Listen, Speak, Read, and Write

Listening | Listen for sounds and for words you can recognize. Listen for inflections and watch for key words that signal a question such as **cómo** (*how*), **dónde** (*where*), or **qué** (*what*). Get used to the sound of Spanish. Play Spanish pop songs or watch Spanish movies. Borrow books on CD from your local library, or try to visit places in your community where Spanish is spoken. Don't worry if you don't understand every single word. If you focus on key words and phrases, you'll get the main idea. The more you listen, the more you'll understand!

Speaking | Practice speaking Spanish as often as you can. As you talk, work on your pronunciation, and read aloud texts so that words and sentences flow more easily. Don't worry if you don't sound like a native speaker, or if you make some mistakes. Time and practice will help you get there. Participate actively in Spanish class. Try to speak Spanish with classmates, especially native speakers (if you know any), as often as you can.

Reading | Pick up a Spanish-language newspaper or a pamphlet on your way to school, read the lyrics of a song as you listen to it, or read books you've already read in English translated into Spanish. Use reading strategies that you know to understand the meaning of a text that looks unfamiliar. Look for cognates, or words that are related in English and Spanish, to guess the meaning of some words. Read as often as you can, and remember to read for fun!

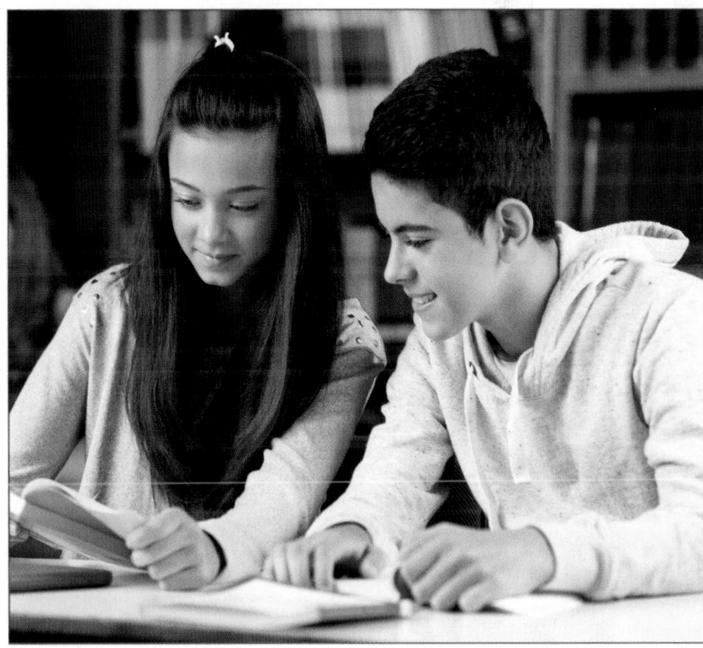

Writing | It's easy to write in Spanish if you put your mind to it. And remember that Spanish spelling is phonetic, which means that once you learn the basic rules of how letters and sounds are related, you can probably become an expert speller in Spanish! Write for fun—make up poems or songs, write e-mails or instant messages to friends, or start a journal or blog in Spanish.

Tips for Learning Spanish

Practice, practice, practice!

Seize every opportunity you find to listen, speak, read, or write Spanish. Think of it like a sport or learning a musical instrument—the more you practice, the more you will become comfortable with the language and how it works. You'll marvel at how quickly you can begin speaking Spanish and how the world that it transports you to can change your life forever!

- Listen to Spanish radio shows. Write down words that you can't recognize or don't know and look up the meaning.
- Watch Spanish TV shows or movies. Read subtitles to help you grasp the content.
- Read Spanish-language newspapers, magazines, or blogs.
- Listen to Spanish songs that you like —anything from Shakira to a traditional mariachi melody. Sing along and concentrate on your pronunciation.

- Seek out Spanish speakers. Look for neighborhoods, markets, or cultural centers where Spanish might be spoken in your community. Greet people, ask for directions, or order from a menu at a Mexican restaurant in Spanish.
- Pursue language exchange opportunities (**intercambio cultural**) in your school or community. Try to join language clubs or cultural societies, and explore opportunities for studying abroad or hosting a student from a Spanish-speaking country in your home or school.
- Connect your learning to everyday experiences. Think about naming the ingredients of your favorite dish in Spanish. Think about the origins of Spanish place names in the U.S., like Cape Canaveral and Sacramento, or of common English words like *adobe, chocolate, mustang, tornado,* and *patio*.
- Use mnemonics, or a memorizing device, to help you remember words. Make up a saying in English to remember the order of the days of the week in Spanish (L, M, M, J, V, S, D).
- Visualize words. Try to associate words with images to help you remember meanings. For example, think of a **paella** as you learn the names of different types of seafood or meat. Imagine a national park and create mental pictures of the landscape as you learn names of animals, plants, and habitats.
- Enjoy yourself! Try to have as much fun as you can learning Spanish. Take your knowledge beyond the classroom and find ways to make the learning experience your very own.

Useful Spanish Expressions

The following expressions will be very useful in getting you started learning Spanish. You can use them in class to check your understanding or to ask and answer questions about the lessons. Read **En las instrucciones** ahead of time to help you understand direction lines in Spanish, as well as your teacher's instructions. Remember to practice your Spanish as often as you can!

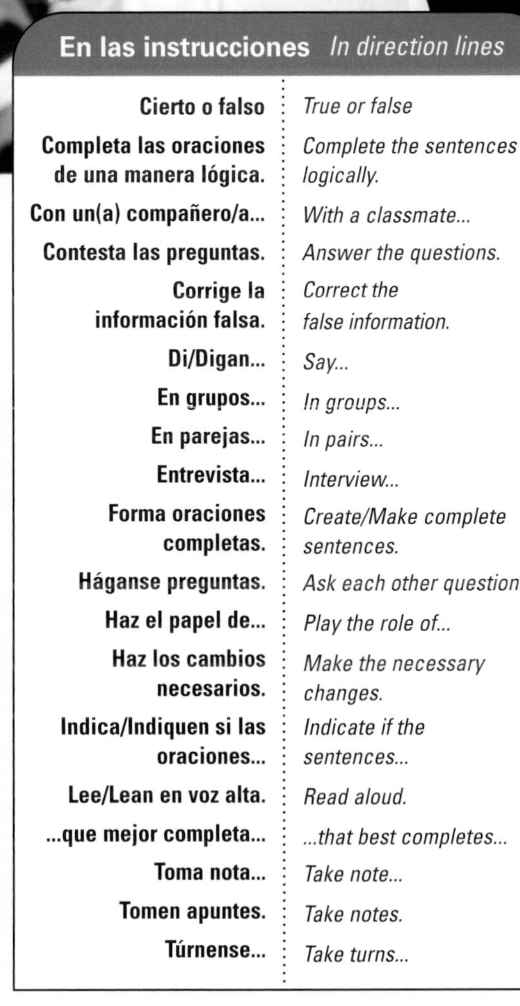

En las instrucciones	*In direction lines*
Cierto o falso	*True or false*
Completa las oraciones de una manera lógica.	*Complete the sentences logically.*
Con un(a) compañero/a...	*With a classmate...*
Contesta las preguntas.	*Answer the questions.*
Corrige la información falsa.	*Correct the false information.*
Di/Digan...	*Say...*
En grupos...	*In groups...*
En parejas...	*In pairs...*
Entrevista...	*Interview...*
Forma oraciones completas.	*Create/Make complete sentences.*
Háganse preguntas.	*Ask each other questions.*
Haz el papel de...	*Play the role of...*
Haz los cambios necesarios.	*Make the necessary changes.*
Indica/Indiquen si las oraciones...	*Indicate if the sentences...*
Lee/Lean en voz alta.	*Read aloud.*
...que mejor completa...	*...that best completes...*
Toma nota...	*Take note...*
Tomen apuntes.	*Take notes.*
Túrnense...	*Take turns...*

Expresiones útiles	*Useful expressions*
¿Cómo se dice ________ en español?	*How do you say ________ in Spanish?*
¿Cómo se escribe ________?	*How do you spell ________?*
¿Comprende(n)?	*Do you understand?*
Con permiso.	*Excuse me.*
De acuerdo.	*Okay.*
De nada.	*You're welcome.*
¿De veras?	*Really?*
¿En qué página estamos?	*What page are we on?*
Enseguida.	*Right away.*
Más despacio, por favor.	*Slower, please.*
Muchas gracias.	*Thanks a lot.*
No entiendo.	*I don't understand.*
No sé.	*I don't know.*
Perdone.	*Excuse me.*
Pista	*Clue*
Por favor.	*Please.*
Por supuesto.	*Of course.*
¿Qué significa ________?	*What does ________ mean?*
Repite, por favor.	*Please repeat.*
Tengo una pregunta.	*I have a question.*
¿Tiene(n) alguna pregunta?	*Do you have questions?*
Vaya(n) a la página dos.	*Go to page 2.*

Common Names

Get started learning Spanish by using a Spanish name in class. You can choose from the lists on these pages, or you can find one yourself. How about learning the Spanish equivalent of your name? The most popular Spanish female names are Lucía, María, Paula, Sofía, and Valentina. The most popular male names in Spanish are Alejandro, Daniel, David, Mateo, and Santiago. Is your name, or that of someone you know, in the Spanish top five?

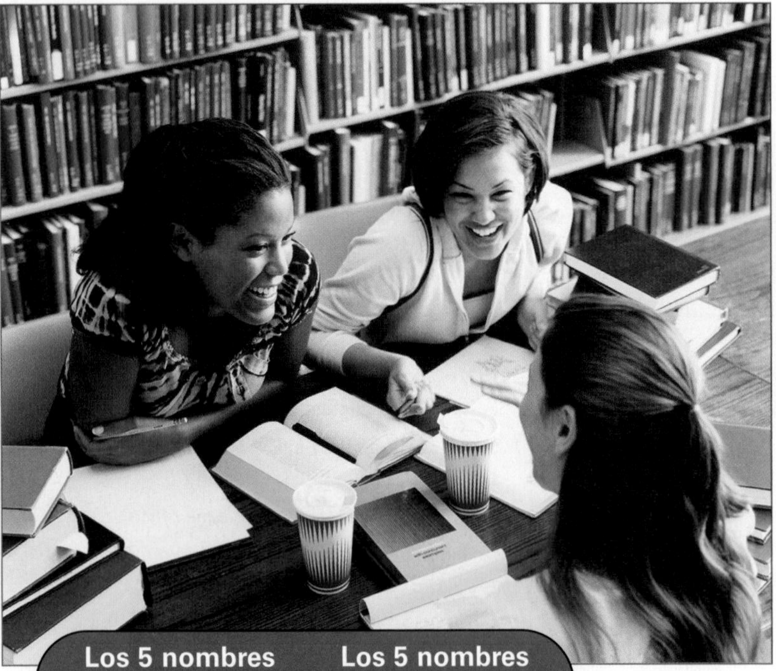

Los 5 nombres masculinos más populares	Los 5 nombres femeninos más populares
Alejandro	Lucía
Daniel	María
David	Paula
Mateo	Sofía
Santiago	Valentina

Más nombres masculinos	Más nombres femeninos
Alfonso	Alicia
Antonio (Toni)	Beatriz (Bea, Beti, Biata)
Carlos	Blanca
César	Carolina (Carol)
Diego	Claudia
Ernesto	Diana
Felipe	Emilia
Francisco (Paco)	Irene
Guillermo	Julia
Ignacio (Nacho)	Laura
Javier (Javi)	Leonor
Leonardo	Liliana
Luis	Lourdes
Manolo	Margarita (Marga)
Marcos	Marta
Oscar (Óscar)	Noelia
Rafael (Rafa)	Patricia
Sergio	Rocío
Vicente	Verónica

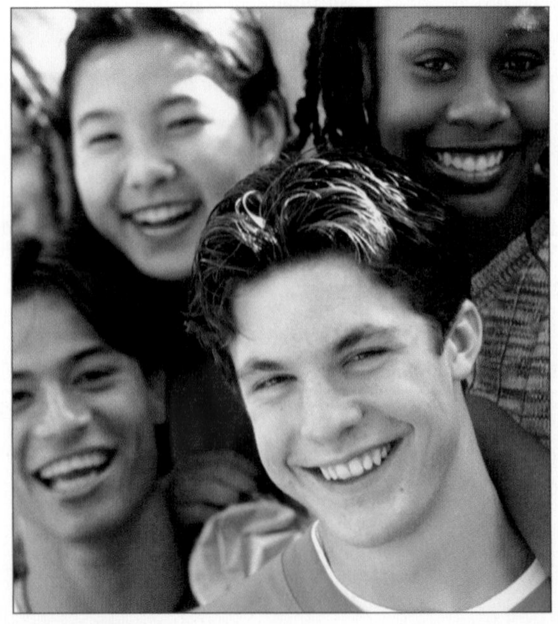

Acknowledgment

On behalf of its authors and editors, Vista Higher Learning expresses its sincere appreciation to the many instructors and teachers across the U.S. who contributed their ideas and suggestions. Their insights and detailed comments were invaluable to us as we created ***Descubre***.

In-depth reviewers

Patrick Brady
Tidewater Community College, VA

Christine DeGrado
Chestnut Hill College, PA

Martha L. Hughes
Georgia Southern University, GA

Aida Ramos-Sellman
Goucher College, MD

Reviewers

Jaclyne Ainlay
Tower School, MA

Jacklyn Alvarez
Snake River High School, ID

Hilda Ávalos
Paloma Valley High School, CA

Melissa Badger
New Albany High School, IN

Delia Bahena
Chino Hills High School, CA

Mary Jo Baldwin
Mullen High School, CO

Darren Belles
Foresthill High School, CA

Susan Bennitt
Hopkins School, CT

Tania Berkowitz
Severn School, MD

Sara Blanco
Holmes Junior High
Cedar Falls School District, IA

Melissa Blazek
Paloma Valley High School, CA

Scott Boydston
Heritage High School, CA

Heather Bradley
Floyd Central High School, IN

Florencia Bray
St. Pius X Catholic School, TX

Jaclyn Browning
Gateway High School, PA

Alexandra Byers
Lakeridge Junior High, OR

Lee-Anne Calhoon
Pleasant Valley High School, CA

Mary Carmignani
Burr Ridge Middle School, IL

Jane Chambers
Thetford Academy, VT

Pamela Chovnick
Kettle Run High School, VA

Debbie Cullum
Grapevine High School, TX

Cecilia de Lankford
River Oaks Baptist School, TX

Sharon Deering
Arlington Independent School
District (AISD), TX

Cristina Deirmengian
Episcopal Academy, PA

Betty Díaz
Crete Middle School, NE

Kathleen Eiden
Academy of Holy Angels, MN

Sam Eisele
Harrisburg High School, SD

Lisa Evonuk
Lake Oswego High School, OR

Yvette Fisher
Sierra High School, CA

Alejandra Galeano
Desert High School, CA

Martha Galviz
Kittatinny Regional High School, NJ

Mariella Garay
Perris Union High School District, CA

Carita García
Laguna Beach High School, CA

Maria Gernert
Wyomissing Area Junior
Senior High School, PA

Sharon Gordon-Link
Del Oro High School, CA

Adrián Gutiérrez
Lindsay High School, CA

Jacqueline M. Gutiérrez
IC Catholic Prep, IL

David Hamilton
Harrisburg High School, SD

Daniel Hanson
Manteca High School, CA

Martha Hardy
Laurel School, OH

Amanda Howard
Mallard Creek High School, NC

Johanna Hribal
New Albany High School, KY

Gabriela F. Irwin
River Oaks Baptist School, TX

Ciro Jiménez
Bishop O'Connell, VA

Norma Jovel
Ramona Convent Secondary School, CA

Reviewers

Nora Kinney
Montini Catholic High School, IL

Dina Knouse
Albuquerque Academy, NM

Amie Kosberg
Marymount High School, CA

Deinorah Kraus
Lynn Classical High School, MA

Traci Lerner
Woodward Academy, GA

Deborah Lewicki
Highland Park High School, IL

José B. López
Dawson School, CO

Shelly D. Loyall
North Oldham High School, KY

Susan Loyd-Turner
Westover School, CT

María F. Maldonado
Albuquerque Academy, NM

Michael Mandel
H-B Woodlawn Secondary Program, DC

Wuiston A. Medina Rodríguez
Bruns Academy, NC

Griselda Mercedes
Lynn Public Schools, MA

Sandra Meyer
South Meck High School, NC

Anita Minguela
Kennesaw Mountain High School, GA

Kelly Nalty
Lake Oswego High School, OR

Jason Nino
Waddell Language Academy, NC

Beatriz O'Connell
Paloma Valley High School, CA

María Olivas
Denair High School, CA

Isaac Ortiz
Anderson High School, CA

Diana Page
The Potomac School, VA

Marino Perea
Bishop Kelly High School, ID

Sherrill Piazza
Middletown High School North, NJ

James Poleto
Clearfield Area Junior Senior High School, PA

Michelle Popovich
Pratt High School, KS

Natalie Puhala
Gateway High School, PA

Araceli Qualls
St. Joseph Central Catholic High School, WV

Cori Quick
Isbell Middle School, CA

Kathleen Ramirez
Charlotte Catholic High School, NC

Samuel Ramírez
Santa Paula High School, CA

Dina Reece
Carroll County High, VA

Scott Rowe
Seabury Academy, KS

Christine D. Ruvalcaba
Saint Bonaventure High School, CA

Xochitl Safady
River Oaks Baptist School, TX

Will Salzman
Bullis Charter School, CA

Jessica Schriever
Chaska High School, MN

Daniel Shannon
The Potomac School, VA

Joan Smith
Concord Christian School, TN

Maria Elena Sonnekalb
Arlington Public Schools, VA

Alyssa Stern
Fox Valley Lutheran High School, WI

Jaqueline Sullivan
St. Joseph High School, CT

Macarena Teixeira
Avenues: The World School, NY

Denise Troha
Notre Dame Cathedral Latin, OH

Virginia Vinales
A.J. Dimond High School, AK

Angela Wagoner
Crete High School, NE

Anna Walcutt
Tower School, MA

Ruth Ward
Auburn Middle School, VA

Stephanie Wittie
Clearfield Area Junior
Senior High School, PA

Scott Wood
Snake River Junior High School, ID

Christina Ziegler
David W. Butler High School, NC

Stephanie Zinzun
Perris High School, CA

About the Authors

José A. Blanco founded Vista Higher Learning in 1998. A native of Barranquilla, Colombia, Mr. Blanco holds degrees in Literature and Hispanic Studies from Brown University and the University of California, Santa Cruz. He has worked as a writer, editor, and translator for Houghton Mifflin and D.C. Heath and Company, and has taught Spanish at the secondary and university levels. Mr. Blanco is also the co-author of several other Vista Higher Learning programs: **Vistas, Panorama, Aventuras,** and **¡Viva!** at the introductory level; **Ventanas, Facetas**, **Enfoques, Imagina,** and **Sueña** at the intermediate level; and **Revista** at the advanced conversation level.

Philip Redwine Donley received his M.A. in Hispanic Literature from the University of Texas at Austin in 1986 and his Ph.D. in Foreign Language Education from the University of Texas at Austin in 1997. Dr. Donley taught Spanish at Austin Community College, Southwestern University, and the University of Texas at Austin. He published articles and conducted workshops about language anxiety management and the development of critical thinking skills, and was involved in research about teaching languages to the visually impaired. Dr. Donley was also the co-author of **Vistas, Aventuras,** and **Panorama**, three introductory college Spanish textbook programs published by Vista Higher Learning. Dr. Donley passed away in 2003.

A primera vista

- Guess where this photo was taken.
  a. Estados Unidos b. Ecuador c. Groenlandia
- What object can you see in it?
  a. una bicicleta b. un carro c. un tren
- You can also see:
  a. vegetación b. animales c. el océano

Essential Questions

1. What elements make up daily social interactions?
2. What elements of culture do people bring with them when they move from their country of origin to another?
3. Why is Spanish spoken so widely in the U.S.?

Lección preliminar

Can Do Goals

By the end of this lesson I will be able to:

- Ask people their names
- Spell my name and other common words
- Ask people where they are from
- Say where I and other people are from
- Interview a classmate and find out basic information about him/her, including age and school classes
- Ask and answer questions about objects in my classroom and class schedules
- Identify a few classroom expressions in Spanish
- Talk about my school schedule, classes, and teachers

Also, I will learn about:

- The Spanish language in the United States
- The names of a few Hispanic foods
- Salvadorians in Washington D.C.

And I will become familiar with the characters in **Fotonovela**.

Práctica: Unos (*About*) 60 millones de personas hablan español en Estados Unidos y Canadá.
¿Hay personas que hablan español en tu comunidad?

Communicative Goal: Greet new acquaintances and say my name

Conversaciones

Vocabulario	
Hola.	*Hello., Hi.*
¿Cómo se llama usted?	*What is your name? (formal)*
¿Cómo te llamas?	*What is your name? (informal)*
Me llamo...	*My name is . . .*
¿Y usted?	*And you? (formal)*
¿Y tú?	*And you? (informal)*
Mucho gusto.	*It's a pleasure.*
El gusto es mío.	*The pleasure is all mine.*
Igualmente.	*Likewise.*
Encantado/a.	*Charmed. Delighted.*
el nombre	*name*
el señor (Sr.)	*Mr.*
la señora (Sra.)	*Ms., Mrs.*

—Hola. Me llamo Tomás.
—Me llamo Victoria. Mucho gusto, Tomás.

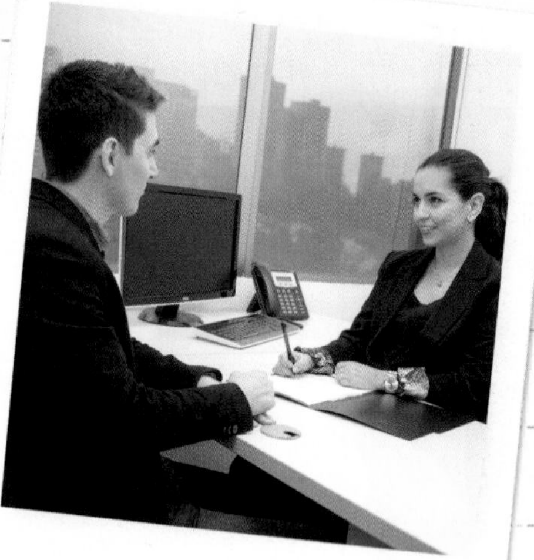

—Me llamo Antonia Guzmán. ¿Y usted?
—Daniel Soto. Encantado, señora Guzmán.
—Igualmente, señor Soto.

—Hola, señor. ¿Cómo se llama usted?
—Mateo Pérez. ¿Y tú? ¿Cómo te llamas?
—Me llamo Eduardo Salinas.
—Mucho gusto, Eduardo.
—El gusto es mío, señor Pérez.

Common Names

Get started learning Spanish by using a Spanish name in class. You can choose from the lists on these pages, or you can find one yourself. How about learning the Spanish equivalent of your name? The most popular Spanish girl's names are Lucía, María, Paula, Sofía, and Valentina. The most popular boy's names in Spanish are Alejandro, Daniel, David, Mateo, and Santiago. Is your name, or that of someone you know, in the Spanish top five?

Los 5 nombres más populares	
Chicos	**Chicas**
Alejandro	Lucía
Daniel	María
David	Paula
Mateo	Sofía
Santiago	Valentina

Más nombres de chicos	Más nombres de chicas
Antonio (Toni)	Alicia
Camilo	Beatriz (Bea, Beti, Biata)
Carlos	Blanca
César	Catalina
Diego	Carolina (Carol)
Ernesto	Claudia
Felipe	Diana
Francisco (Paco)	Emilia
Guillermo	Irene
Ignacio (Nacho)	Julia
Javier (Javi)	Laura
Juan	Liliana
Leonardo	Lourdes
Luis	Margarita (Marga)
Marcos	Marta
Oscar (Óscar)	Natalia
Rafael (Rafa)	Patricia
Sergio	Rocío
Vicente	Verónica

Práctica

1 **Completa el diálogo** Select the answer that completes each mini-dialogue.

1. ¿Cómo se llama?
   a. Igualmente. **b.** Eduardo Vargas.
2. Mucho gusto, señor.
   a. El gusto es mío. **b.** ¿Y tú?
3. Me llamo Sofía. ¿Y tú?
   a. Jaime. b. Encantada.
4. Encantado, señora.
   a. Alicia Núñez. b. Igualmente.
5. ¿Cómo te llamas?
   a. Señor Rivas. b. Enrique. ¿Y tú?

2 **¿Cómo te llamas? ¿Cómo se llama usted?** How would you ask the following people their names? Write down the right question according to the situation.

1. a substitute teacher
2. a student who just transferred to your school
3. the child who moved in across the street
4. the new school librarian
5. your parent's coworker who comes to dinner

El alfabeto

el artista (a)

el bebé (be)

el calendario (ce)

el dinosaurio (de)

el elefante (e)

el karate (ka)

el limón (ele)

el mapa (eme)

el norte (ene)

la lasaña (eñe)

el teléfono (te)

el universo (u)

el volcán (ve)

el sándwich (doble ve)

el saxofón (equis)

Las vocales del español *Spanish vowels*

The Spanish alphabet has five vowels: **a, e, i, o, u.** In some words, the vowels need an accent. When you are spelling out a word that has an accent on it, use the expression **con acento.**

—¿Cómo se escribe teléfono?

—Se escribe t - e - l - e con acento - f - o - n - o.

Repite, por favor

Listen to and repeat each word. Pay attention to how each vowel is pronounced.

a	llama	Encantada.	Alejandro
e	español	elefante	Elena
i	insecto	Igualmente.	Iván
o	cómo	Hola.	Óscar
u	tú	Mucho gusto.	Úrsula

la flor (efe)

la guitarra (ge)

el hospital (hache)

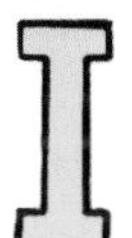

el insecto (i)

la jirafa (jota)

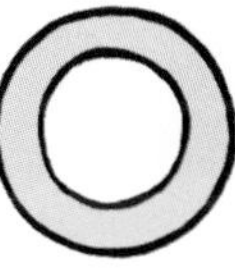

el océano (o)

la pirata (pe)

la química (cu)

la rata (ere)

el sofá (ese)

el yogur (i griega, ye)

el zoológico (zeta)

¿Cómo se escribe...? *How do you write . . . ? (How do you spell . . . ?)*

PROFESORA (*TEACHER*) Elena, ¿cómo se escribe *dinosaurio*?

ELENA Se escribe d - i - n - o - s - a - u- r - i - o.

PROFESORA Y Víctor, ¿cómo se escribe *mapa*?

VÍCTOR Se escribe m - a - p - a.

PROFESORA Muy bien.

3 **¿Cómo se escribe tu nombre?** Listen as each student spells his or her name. Then write down the name you hear spelled.

1. Me llamo...
2. Me llamo...
3. Me llamo...
4. Me llamo...
5. Me llamo...

Communicative Goal: Say where I and other people are from

Soy de los Estados Unidos

Ser *To be*	
yo soy	*I am*
tú eres	*you are (familiar)*
él es	*he is*
ella es	*she is*
usted es	*you are (formal)*
nosotros somos	*we are*
nosotras somos	*we are (all-female group)*
ellos son	*they are*
ellas son	*they are (all-female group)*
ustedes son	*you are (plural)*

Vocabulario	
la bandera	*flag*
la capital	*capital (city)*
la chica	*girl*
el chico	*boy*
la nacionalidad	*nationality*
el país	*country*

—Hola. Me llamo Justin. Yo soy de los Estados Unidos.
—Y yo soy Valentina. Soy de España.

—Marcos, ¿de dónde eres?
—Soy de San Juan, Puerto Rico.
—¿Y tú, Natalia?
—Yo soy de Costa Rica.

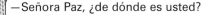

—Señora Paz, ¿de dónde es usted?
—De la República Dominicana. ¿Y usted, señor Hernández?
—Soy de México.

—¿De dónde es Elena Gaetano?
—Ella es de Buenos Aires, Argentina.
—¿Y de dónde son Mateo y Lucas Moreno?
—Ellos son de Bogotá, Colombia.

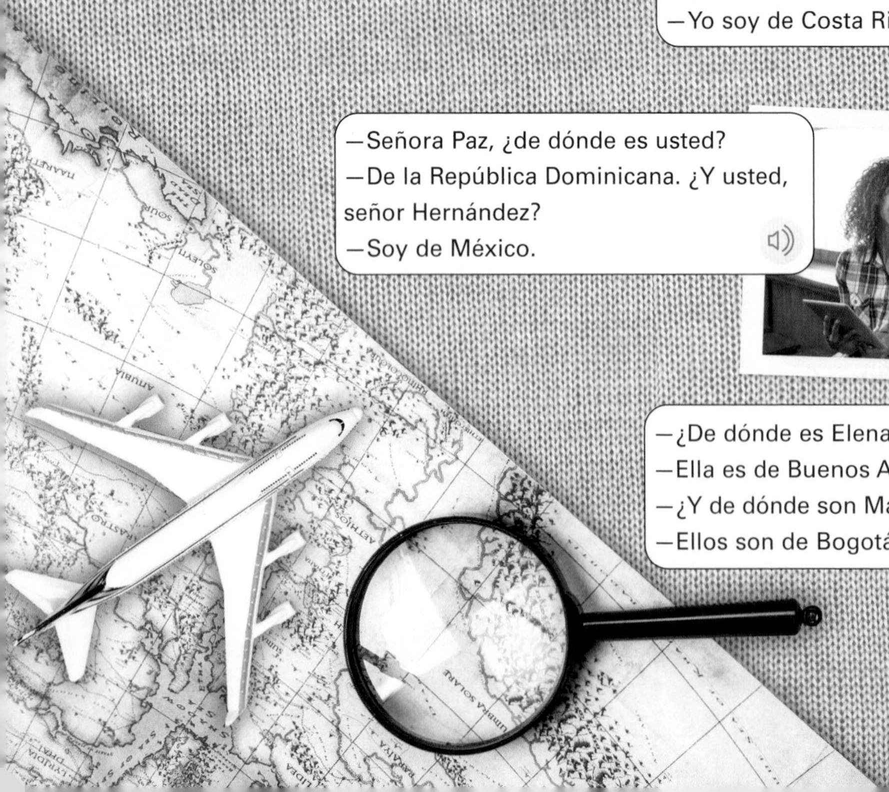

Algunos países y las banderas

Estados Unidos

España

Puerto Rico

República Dominicana

México

Costa Rica

Colombia

Perú

El Salvador

Panamá

Venezuela

Argentina

Las capitales

País	Capital	País	Capital
Argentina	**Buenos Aires**	México	**la Ciudad de México**
Colombia	**Bogotá**	Panamá	**la Ciudad de Panamá**
Costa Rica	**San José**	Perú	**Lima**
El Salvador	**San Salvador**	Puerto Rico	**San Juan**
España	**Madrid**	República Dominicana	**Santo Domingo**
Estados Unidos	**Washington, D.C.**	Venezuela	**Caracas**

Práctica

1 

Concentración In groups of four, create a set of 24 cards to play a matching game. Your teacher will give each group blank cards. Each student takes six cards. On one side of a card, write the name of a country. On a second card, write the capital city of that country. When you're finished, you will have 12 different country cards and 12 different capital city cards.

Argentina	Buenos Aires

To play:

1. Have one member of the group shuffle or mix up the cards well. Then deal them face down on the desk in four rows of six cards.
2. The first player turns over two cards. The object of the game is to match countries with their capitals. If the cards match, that player gets to keep them. If not, turn the cards face down again.
3. The next player turns over two cards, and play continues until all 24 cards have been matched up.
4. The player with the most cards wins.

2

¿De dónde son? The following people are from the capital city of their countries. Say where they are from. Follow the model.

modelo

Cristina: Colombia
Ella es de Bogotá. or Es de Bogotá.

Sergio y Pablo: Estados Unidos
Ellos son de Washington, D.C. or Son de Washington, D.C.

1. Vicente: Costa Rica
2. Lisa y Ana María: Panamá
3. Beatriz: Perú
4. el señor Ortiz: Argentina
5. Antonio y Enrique: República Dominicana
6. Javier Fernández: España
7. la señora Flores: El Salvador
8. Rosario y Natalia: Puerto Rico
9. Matías Muñoz: Venezuela
10. Lupe Sandoval: México

Comunicación

3 **Lee el párrafo** Read the following short paragraph about the members of the Spanish Club (**los miembros del Club de Español**). Then indicate whether each statement about it is **cierto** (true) or **falso** (false). Correct the false statements.

¿De dónde son los miembros del Club de Español? Zack y Carmen son de los Estados Unidos. Zack es de San Diego y Carmen es de Miami. Anita, Rebeca y Antonio son de la capital de México. Jorge es de Bogotá y Linda es de Lima. Ricky es de Puerto Rico y Sandra, la presidenta del Club, es de Madrid.

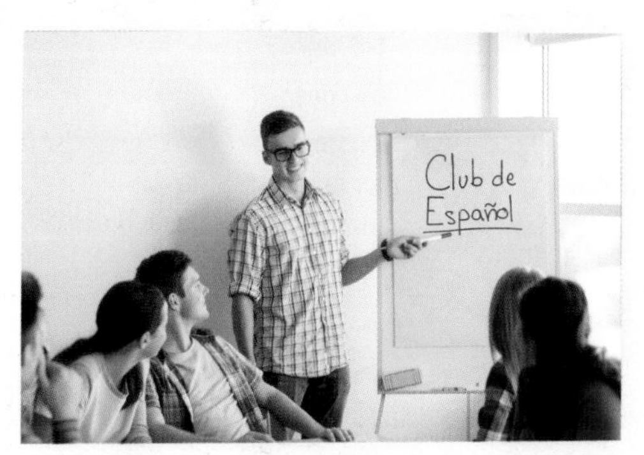

1. Carmen es de los Estados Unidos.
2. Linda es de Argentina.
3. Jorge es de Venezuela.
4. Zack es de California.
5. Ricky es de Costa Rica.
6. Tres (*three*) miembros son de Ciudad de México.
7. La presidenta del Club se llama Rebeca.

4  **Turnos** With a partner, take turns asking and answering the following questions. Follow the model.

modelo

Estudiante 1: *¿Tú eres de Argentina?*
Estudiante 2: *Sí, soy de Argentina. / No. Soy de Perú.*

1. ¿Tú eres de Venezuela?
2. ¿Tú eres de los Estados Unidos?
3. ¿Cómo se escribe tu (*your*) nombre?
4. ¿De dónde eres? (*Answer with a state name.*)
5. ¿De dónde eres? (*Answer with a city or town name.*)

5  **Preguntas** In groups of three, take turns asking each other your own questions about countries and capitals. Follow the model.

modelo

Estudiante 1: *Jackie, ¿de dónde eres?*
Estudiante 2: *Soy de Chicago.*
Estudiante 3: *¿Cómo se escribe Chicago?*
Estudiante 4: *Se escribe c - h - i - c - a - g - o.*

I CAN greet new acquaintances, say my name and where I am from.

P ¿cuántos años tienes?

Communicative Goal:
Say how old I am

Los números

Los números 1 a 30

1	uno
2	dos
3	tres
4	cuatro
5	cinco
6	seis
7	siete
8	ocho
9	nueve
10	diez
11	once
12	doce
13	trece
14	catorce
15	quince
16	dieciséis
17	diecisiete
18	dieciocho
19	diecinueve
20	veinte
21	veintiuno
22	veintidós
23	veintitrés
24	veinticuatro
25	veinticinco
26	veintiséis
27	veintisiete
28	veintiocho
29	veintinueve
30	treinta

—Hola. Me llamo Carlos.
Yo tengo siete años.

—Hola. Soy Mariana.
Tengo doce años. ¿Y tú?

—Tina, ¿cuántos años tienes?
—¿Yo? Tengo quince años.
—¿Y tú, Miguel?
—Tengo dieciséis.

—Señor, ¿cómo se llama usted?
—Me llamo Santiago García.
—¿Y cuántos años tiene usted?
—Tengo veintisiete años.

Vocabulario

el año / los años	*year / years*
¿Cuántos años tienes?	*How old are you? (familiar)*
¿Cuántos años tiene usted?	*How old are you? (formal)*
(Yo) tengo [número] años.	*I am [number] years old.*

Práctica

1 **Asociaciones** Say the number associated with the following items.

1. Number of hours in a day
2. Number of inches in a foot
3. Number of eggs in half a dozen
4. Number of days in April, June, September, and November
5. Number of days in February in a regular year
6. Number of stripes on the American flag
7. Number of dwarfs that lived with Snow White
8. Number of hours you attend school each day
9. Number of socks or gloves in a pair

2 **¡Suerte!** On a separate piece of paper, draw a game grid like a tic-tac-toe board with nine spaces. In each space, write a different number from 1 to 30. Your teacher will then say a series of numbers. When you hear a number on your game grid, mark an **X** through it. When you have three in a row, call out **¡Suerte!** (*Luck!*).

6	17	22
28	4	8
19	11	13

3	24	8
16	22	30
7	15	1

3 **En parejas** With a partner write out the following numbers in Spanish, and then spell them out loud.

1. 23
2. 17
3. 11
4. 29
5. 9
6. 30
7. 15
8. 4
9. 22
10. 16

Comunicación

4 **Entrevista** Interview a classmate in Spanish. Ask for the following information.

- his/her name
- how you spell his/her first or last name
- where he/she is from
- how old he/she is

I CAN Interview a classmate and find out basic information about him/her

Communicative Goal: Ask and answer questions about the characters in the **Fotonovela**

El comienzo de esta historia

Throughout this course, you will follow a group of students while they live and travel in Spain. You will meet a group of friends of different nationalities who live in the same apartment building and go to the same school. Over the course of the series, Sara, Olga Lucía, Valentina, Daniel, Manuel, and Juanjo explore the cities of Madrid and Toledo. Their adventures take them through some of the greatest cultural treasures of Spain, as well as the highs and lows of everyday life. Here are the main characters you will meet in Fotonovela, starting in Lección 1.

netbook amigos fotos más ▼

Acerca de mí

Nombre: Sara López

Nacionalidad: española

Edad: 16

Intereses:
- cantar
- bailar

netbook amigos fotos más ▼

Acerca de mí

Nombre: Daniel García

Nacionalidad: español

Edad: 17

Intereses:
- la música
- la patineta

netbook amigos fotos más ▼

Acerca de mí

Nombre: Olga Lucía Pérez

Nacionalidad: venezolana

Edad: 18

Intereses:
- la fotografía
- el cine

netbook amigos fotos más ▼

Acerca de mí

Nombre: Valentina Herrera

Nacionalidad: española

Edad: 19

Intereses:
- el dibujo
- la historia del arte

netbook amigos fotos más ▼

Acerca de mí

Nombre: Manuel Vásquez

Nacionalidad: español

Edad: 19

Intereses:
- la literatura
- la historia

netbook amigos fotos más ▼

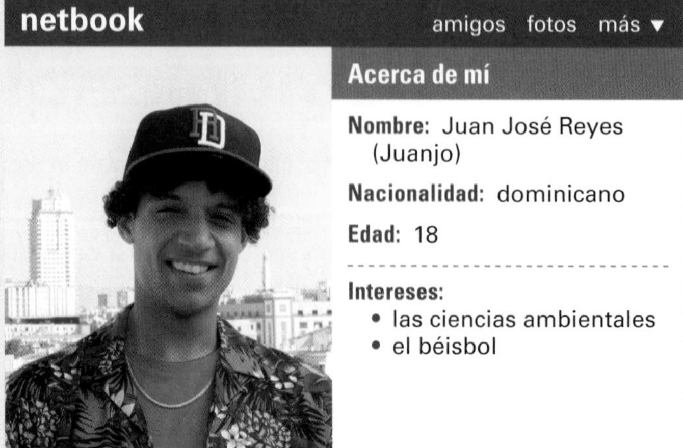

Acerca de mí

Nombre: Juan José Reyes (Juanjo)

Nacionalidad: dominicano

Edad: 18

Intereses:
- las ciencias ambientales
- el béisbol

Práctica

1 **¿Cierto o falso?** Indicate whether each statement is **cierto** or **falso**. Then, correct the false statements.

1. Sara tiene 19 años.
2. Manuel es de la República Dominicana.
3. Valentina tiene 19 años.
4. Olga Lucía es española.
5. Valentina es de España.
6. Juanjo tiene 20 años.

2 **Intereses** Scan the profiles and write down which characters are interested in the following topics:

1. Art: ______________________________
2. Science: ______________________________
3. Sports: ______________________________
4. Music: ______________________________
5. History: ______________________________
6. Film: ______________________________
7. Literature: ______________________________
8. Dancing: ______________________________

SARA

DANIEL

OLGA LUCÍA

VALENTINA

MANUEL

JUAN JOSÉ

3 **Preguntas** With a classmate, take turns asking questions about the **Fotonovela** characters. Follow the model.

modelo

Estudiante 1: *¿Cuáles son los intereses de Olga Lucía?*
Estudiante 2: *La fotografía y el cine.*
Estudiante 1: *¿De dónde es Juanjo?*
Estudiante 2: *Juanjo es de la República Dominicana.*
Estudiante 1: *¿Cuántos años tiene Manuel?*
Estudiante 2: *Manuel tiene 19 años.*

I CAN ask and answer questions about the characters in the **Fotonovela**.

Communicative Goal: Identify a few facts about the Spanish language and culture in the U.S.

EN DETALLE

Aquí se habla español

Spanish is spoken here

In the sixteenth century, Spanish **conquistadores** brought the Spanish language to indigenous territories, some of which later became part of the United States—particularly the present-day areas of California, Florida, and the American Southwest. They came seeking riches, accompanied by Spanish evangelists spreading Catholicism. Later, when neighboring Mexico gained its independence from Spain, most of Spain's western settlements became part of that country. After the Mexican-American War, these same areas became part of the United States. And in 1898, Puerto Rico also became a U.S. territory.

Throughout the twentieth century, people from Spanish-speaking countries came to America for a variety of reasons. Of course, they brought their language with them. Many families have now lived in the United States for three or more generations. As a result, Spanish is the main language of 40 million Americans. Plus, there are another six million students who are learning Spanish just as you are.

There are more Spanish speakers in the United States than all the speakers of French, Chinese, German, Italian, Korean, Vietnamese, and Native American languages combined. Clearly, **¡aquí se habla español!**

"Young" Cities and the Next Generation

Currently, the ten U.S. cities with the largest Hispanic populations are:

1. New York (NY)
2. Los Angeles (CA)
3. Houston (TX)
4. San Antonio (TX)
5. Chicago (IL)
6. Phoenix (AZ)
7. Dallas (TX)
8. El Paso (TX)
9. San Diego (CA)
10. San Jose (CA)

While these cities already have a large Hispanic population, others might move into the top ten within the next 15 to 25 years. They include Seattle, Denver, Atlanta, Washington, D.C., Boston, Las Vegas, and Charlotte (NC), where one third of the "under 18" population is comprised of young people of Hispanic heritage.

ASÍ SE DICE

Comidas hispanas (*Hispanic foods*)

las empanadas	*small pastries filled with meat, cheese, or vegetables*
los tamales	*cornmeal dough with different fillings wrapped in a corn husk and steamed*
el ceviche	*fresh fish and seafood cured in lemon or lime juice*
los maduros fritos	*thinly sliced plantains fried with garlic*
la ropa vieja	*shredded beef, onions, and tomatoes, served with rice, black beans, and plantains*

ACTIVIDADES

1 **¿Cierto o falso?** Indicate whether these statements are true (**cierto**) or false (**falso**). Correct the false statements.

1. No one in the United States spoke Spanish until the twentieth century.
2. The Spanish-speaking population grew because of immigration.
3. Puerto Rico became a U.S. territory in 1989.
4. Spanish explorers first brought the language to North America.
5. Mexico acquired a large territory after the Mexican-American War.
6. Most of the cities with large Hispanic populations are in New York and Arizona.
7. Cities with young Hispanic populations are all in the West.
8. In the United States, there are more people who speak Spanish than speak Asian languages.

2 **Completa la oración** Complete each sentence with the correct missing word or phrase.

1. ______________ is a dish of marinated fish and shellfish.
2. In a Salvadoran restaurant, you can order ______________ that can be served plain or with various fillings.
3. Several Latin American dishes are prepared with a cornmeal dough called ______________.
4. Many Salvadorans who came to the U.S. settled in ______________.
5. To say you hope someone enjoys his/her meal, you would use the expression ______________.

ENTRE CULTURAS

¿Cuáles son otros platos de origen hispano populares en Estados Unidos? ¿De qué países provienen?

*Go to **vhlcentral.com** to find out more cultural information related to this **Cultura** section.*

I CAN identify some facts about the Spanish language in the U.S.

PERFIL

Los salvadoreños de Washington, D.C.

As in many large cities, the Hispanic population of Washington, D.C. includes people from many different national origins, each with its own distinct culture. A large Salvadoran community, many of whom left El Salvador for political and economic reasons, now call the District of Columbia home.

Whether you visit or live in Washington, you can taste the rich culture of El Salvador in the many Salvadoran restaurants and cafes that serve a traditional dish called **pupusas**. Pupusas are thick tortillas prepared with corn **masa** (*dough*) and cooked on a flat griddle called a **comal.** They are delicious plain, but many fans of the dish prefer filling them with pork or other meat, refried beans, and cheese. A fermented cabbage and chile salad called **curtido** often accompanies a serving of pupusas. And don't forget the hot sauce! **¡Buen provecho!** (*Enjoy your meal!*)

I CAN identify some facts about Salvadorians in Washington, D.C.

Communicative Goal: Name a few objects in my classroom

En mi salón de clases hay...

Vocabulario

¿Cuál es...?	*Which is . . .?*
¿cuántos/cuántas?	*how many?*
el profesor	*(male) teacher*
la profesora	*(female) teacher*
hay	*there is; there are*
mi	*my*
su	*your*

Hay

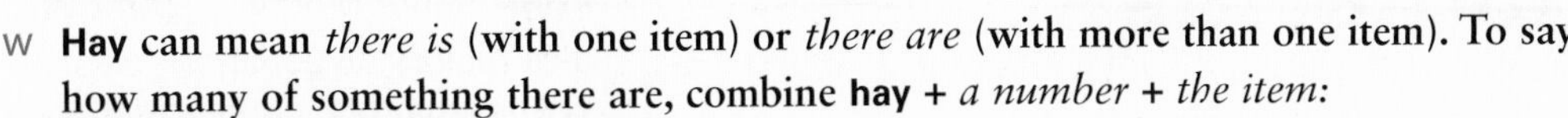

- **Hay** can mean *there is* (with one item) or *there are* (with more than one item). To say how many of something there are, combine **hay** + *a number* + *the item:*

  Hay diez lápices.
  There are ten pencils.

  Hay tres relojes.
  There are three clocks.

  ¿Cuántos libros **hay**?
  How many books are there?

- When saying there is one of something, the number **uno** changes to **un** before masculine nouns and **una** before feminine nouns.

  Hay **un** cuaderno.
  There is one notebook.

  el cuaderno

  Hay **una** silla.
  There is one chair.

  la silla

Práctica

1 **El nuevo salón de clases** Mrs. Martínez asks a school administrator, Mrs. Álvarez, about her new Spanish class and classroom. Listen to their conversation and indicate whether the statements below are true (**cierto**) or false (**falso**). Correct the false statements.

1. El salón de clases de la señora Martínez es el número dos.
2. Hay dos pizarras en el salón de clases.
3. La señora Martínez tiene 30 estudiantes.
4. Hay 25 sillas y 25 escritorios.

Comunicación

2 **En la clase** Take turns asking each other how many of each item there are in your classroom. Follow the model.

modelo

Estudiante 1: ¿Cuántas mochilas hay en la clase?
Estudiante 2: Hay quince mochilas.

1. sillas
2. profesores/profesoras
3. relojes
4. escritorios
5. pizarras
6. estudiantes
7. chicas
8. chicos

I CAN name a few objects in my classroom.

Las materias

Vocabulario

las materias	*subjects*
el arte	*art*
las ciencias	*science*
el español	*Spanish*
la geografía	*geography*
la historia	*history*
el inglés	*English*
las matemáticas	*math*
la música	*music*
estudio	*I study*
estudias	*you study*

ALINA Señor Morales, ¿cómo se dice *history* en español?
SEÑOR MORALES Se dice **historia**.
ALINA Ah... ¿y cómo se escribe, por favor?
SEÑOR MORALES Se escribe h - i - s - t - o - r - i - a.
ALINA Muchas gracias.

Expresiones útiles

¿Cómo se dice ___ en español?	*How do you say ___ in Spanish?*
Con permiso.	*Excuse me.*
De nada.	*You're welcome.*
¿De veras?	*Really?*
¿En qué página estamos?	*What page are we on?*
Más despacio, por favor.	*Slower, please.*
Muchas gracias.	*Thanks a lot.*
No entiendo.	*I don't understand.*
No sé.	*I don't know.*
Por favor.	*Please.*
¿Qué significa ___?	*What does ___ mean?*
Tengo una pregunta.	*I have a question.*

HÉCTOR Pablo, ¿estudias inglés?
PABLO No. Estudio español. ¿Y tú?
HÉCTOR ¡Estudio inglés y español!

VALERIA Hola. ¿Cómo te llamas?
DIANA Soy Diana. ¿Y tú?
VALERIA Me llamo Valeria. ¿Estudias matemáticas?
DIANA Sí, estudio álgebra.

Matemáticas mañana 8:00 a.m.

Práctica

3 **¿Qué estudias?** Match the courses with the topics below.

la historia

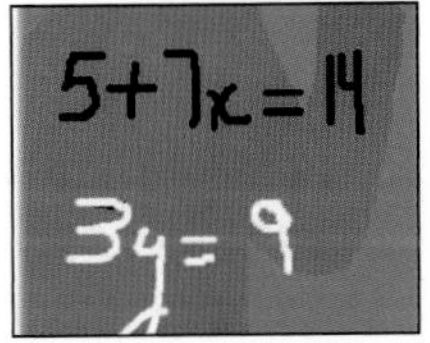

las matemáticas

la música

el arte

el español

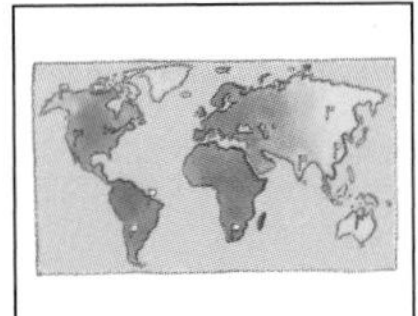

la geografía

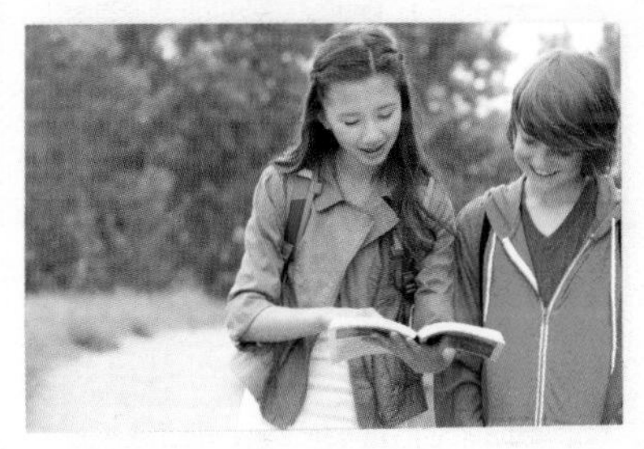

1. Picasso, Van Gogh, Henry Moore
2. el vocabulario, América Latina, las conjugaciones
3. los números, las operaciones, las ecuaciones
4. La Constitución, Lincoln, las trece colonias
5. el mapa, los países, los continentes

4 **¿Qué dices?** What would you say in Spanish in the following situations?

modelo

Your teacher asks you to read sentence 5, but you haven't opened your book yet.

¿En qué página estamos?

1. You need to ask your teacher a question.
2. Your teacher is speaking way too fast.
3. Someone says **Gracias** to you.
4. Two people are blocking the door and you need to get by.
5. You don't understand the word **salud**.
6. Someone asks a question you cannot answer.
7. You'd like to know how to say *fish* in Spanish.

Communicative Goal: Talk about classes and school schedules

¿Qué día es hoy?

Vocabulario

¿Qué día es hoy?	*What day is today?*
Hoy es...	*Today is . . .*
lunes	*Monday*
martes	*Tuesday*
miércoles	*Wednesday*
jueves	*Thursday*
viernes	*Friday*
sábado	*Saturday*
domingo	*Sunday*
el almuerzo	*lunch*
el examen	*test, exam*
el horario (de clases)	*(class) schedule*
la semana	*week*
ayer	*yesterday*
mañana	*tomorrow*

SEÑOR OLIVARES Señora Robles, ¿qué día es hoy?
SEÑORA ROBLES Hoy es miércoles.
SEÑOR OLIVARES Gracias.

PROFESORA Benjamín, ¿cuáles son los días de la semana?
BENJAMÍN Lunes, martes... jueves...
PROFESORA ¡Ah, ah, ah!
BENJAMÍN No, no. Lunes, martes, miércoles, jueves, viernes, sábado y domingo.
PROFESORA Muy bien.

CARLOS Ah, ¡hoy es viernes!
MANUELA No, mañana será viernes. Hoy es jueves. Tengo examen en la clase de matemáticas.
CARLOS ¿Hoy no es viernes? ¿De veras?
PABLO Sí, amigo. Hoy es jueves de veras.

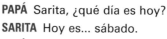

PAPÁ Sarita, ¿qué día es hoy?
SARITA Hoy es... sábado.
PAPÁ Sí, hoy es sábado. Y ayer fue (*was*)...
SARITA Viernes.
PAPÁ Bien. Y mañana será (*will be*)...
SARITA Mañana será domingo.
PAPÁ Muy bien.

AYER viernes

HOY sábado

MAÑANA domingo

lunes	martes	miércoles	jueves	viernes	sábado	domingo
7	8	 9	 10	 11	 12	 13

Práctica

1 **Los horarios** Read about David's and Alina's class schedules. Then, using the information they give about their classes, create their daily schedules on a separate sheet of paper. Use the following grid as a model.

El horario de ____________

7:30	8:30	9:30	10:30	11:30	12:00	1:00
				almuerzo		

1. Hola. Me llamo David. En mi escuela tengo cuatro clases antes del almuerzo (*before lunch*): álgebra, historia, inglés y biología. Después del (*After*) almuerzo, estudio música y español.
2. Hola. Soy Alina. Hoy tengo dos exámenes. Tengo un examen en la primera (*first*) clase del día, ciencias, y después del almuerzo tengo un examen en la clase de matemáticas. Después de ciencias, tengo las clases de inglés, de español y de arte. Y la última (*last*) clase del día es historia americana.

2 **El horario de Mariana** This week, Mariana has only half-days at school. Listen to her schedule for this week. Then indicate whether the statements below are **cierto** (*true*) or **falso** (*false*). Correct the false statements.

Vocabulario útil

cada día *each day*
mi clase favorita *my favorite class*
tiene *(she) has*
estudia *(she) studies, takes*

1. Mariana tiene dos clases cada día.
2. El martes tiene la clase de inglés.
3. Mariana no estudia geografía.
4. Mariana estudia arte y música.
5. Mariana tiene su (*her*) clase favorita el miércoles.

Comunicación

3 **En parejas** Working with a partner, take turns asking each other questions about your schedules. Follow the model.

modelo

Estudiante 1: *¿Estudias historia?*
Estudiante 2: *Sí, estudio historia.*
Estudiante 1: *¿Cómo se llama la profesora?*
Estudiante 2: *Se llama señora Watkins.*

I CAN talk about classes and school schedules.

Recapitulación

Communicative Goal: Interview a classmate and find out basic information about him/her

1

¿Cómo se escribe? You will hear several words spelled out that you have learned in this chapter. Write each word as you hear it.

El alfabeto pp. 6–7

El alfabeto

a	a	j	jota	r	ere
b	be	k	ka	s	ese
c	ce	l	ele	t	te
d	de	m	eme	u	u
e	e	n	ene	v	ve (*or* uve)
f	efe	ñ	eñe	w	doble ve (*or* doble u)
g	ge	o	o	x	equis
h	hache	p	pe	y	i griega (*or* ye)
i	i	q	cu	z	zeta

2

¿De dónde son? Say where these people are from. If a country is mentioned, say that they are from the capital of that country. If a capital is given, say what country they are from. Follow the model.

¿De dónde eres? pp. 8–9

modelo

Elena / Washington, D.C.
Elena es de los Estados Unidos.

Enrique / Estados Unidos
Enrique es de Washington, D.C.

1. el señor Gómez / Madrid
2. Verónica y Beatriz / Costa Rica
3. tú / El Salvador
4. nosotros / San Juan
5. Rebeca / Buenos Aires
6. los chicos / República Dominicana
7. yo / Colombia
8. Marcel y Roberto / Lima

ser ***to be***

yo soy	*I am*
tú eres	*you are (familiar)*
él es	*he is*
ella es	*she is*
usted es	*you are (formal)*
nosotros somos	*we are*
nosotras somos	*we are (all-female group)*
ellos son	*they are*
ellas son	*they are (all-female group)*
ustedes son	*you are (plural)*

3

¿Cuántos años tiene...? Write how old each person is. Spell out their ages in words. Follow the model.

¿Cuántos años tienes? pp. 12–13

modelo

Miguel (15)
Miguel tiene quince años.

1. tú (11)
2. Mónica (19)
3. usted (28)
4. Rafael (7)
5. Amanda (16)
6. yo (*state your age*)

Miguel

Expresiones

(Yo) tengo [número] años.	*I am [number] years old.*
(Tú) tienes [número] años.	*You are [number] years old.*
Usted tiene [número] años.	*You are [number] years old.*
Él/Ella tiene [número] años.	*He/She is [number] years old.*

4 **Tu horario de clases ideal** Create your ideal class schedule. Using a grid, write in the five school days of the week, and plan for five classes per day plus a period for lunch (**el almuerzo**). Once you have completed your grid, write five sentences about your schedule. **Note:** To say you do something on a certain day, use **los** + the day.

modelo

Los lunes tengo geografía, . . .

Lunes				
geografía				
álgebra				

Síntesis

Mi información personal Your teacher will give you a student information form to fill in. Complete the information under the heading **MI INFORMACIÓN**. Use real information or pretend to be someone else! Fill in all the categories on your form. Then, in pairs, you and a partner will take turns asking and answering questions about each other's information. Fill in the **LA INFORMACIÓN DE** ______________________ section of your form with his or her information. Ask:

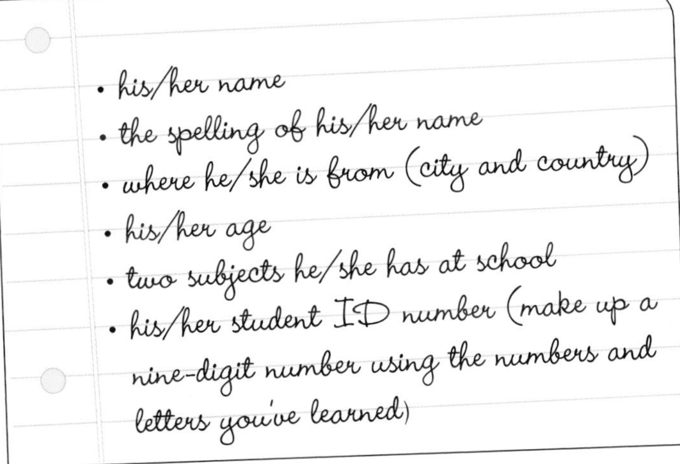

• his/her name
• the spelling of his/her name
• where he/she is from (city and country)
• his/her age
• two subjects he/she has at school
• his/her student ID number (make up a nine-digit number using the numbers and letters you've learned)

You may ask for your partner's information in any order. When you have finished filling out the form, compare what you wrote to the information on your partner's form.

modelo

Estudiante 1: ¿Cuál es tu número de identidad?
Estudiante 2: Es 14 - B 8 3 - Q 22 7.
Estudiante 1: Repite, por favor...

Estudiante 2: ¿Estudias historia?
Estudiante 1: Sí, estudio historia. ¿Y tú?

I CAN Interview a classmate and find out basic information about him/her

A primera vista

- ¿Who are the people in the photo?
  a. amigos b. profesores
- What are they probably saying?
  a. adiós b. hola
- Where are they?
  a. en la clase b. en el parque

Essential Questions

1. How do greetings and personal space vary across cultures?
2. In what ways does culture influence the way we interact with one another?
3. What influence do Spanish speakers have in the U.S. and Canada?

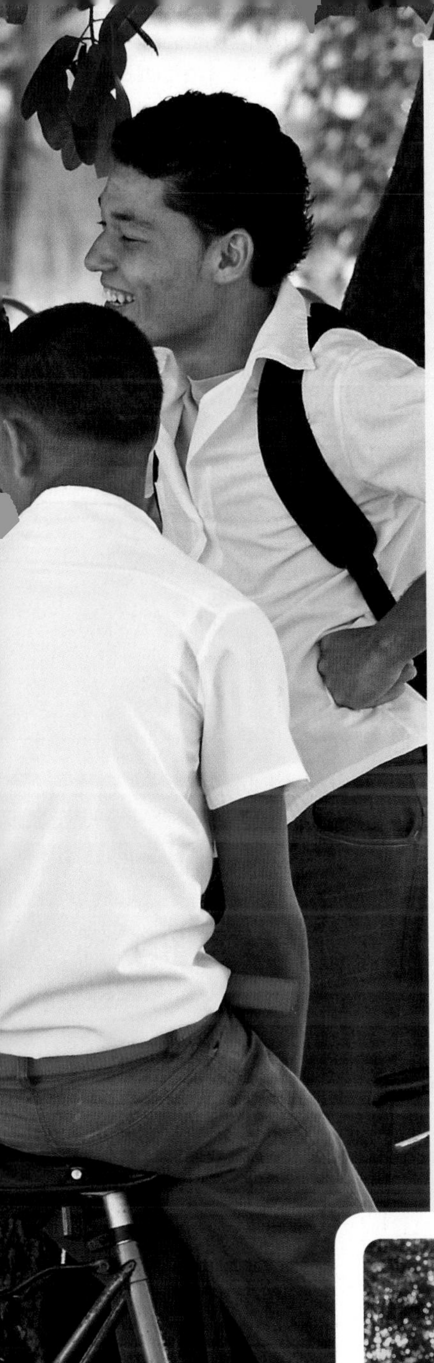

1 Hola, ¿qué tal?

Can Do Goals

By the end of this lesson I will be able to:

- Greet new acquaintances, introduce myself, and say goodbye
- Name familiar objects and people
- Use numbers to say how many there are of something and tell time
- Understand simple descriptions of classmates and classroom objects
- Interview a new Spanish teacher and find out basic information about him/her

Also, I will learn about:

Culture

- Greetings and personal space in Spanish-speaking countries
- The importance of plazas in Spanish-speaking countries
- The Hispanic community in the U.S.

Skills

- Reading: Recognizing cognates
- Writing: Writing in Spanish
- Listening: Listening for words you know

Lesson 1 Integrated Performance Assessment

Context: You are meeting many students in Spanish class for the first time. You will prepare a brief presentation to introduce yourself to the class.

Un saludo común entre amigos hispanos

Práctica: El saludo con puños (*fists*) es común entre los amigos hispanos.
¿Cómo te saludas con tus amigos?

Hola, ¿qué tal?

Más vocabulario

Buenos días.	*Good morning.*
Buenas tardes.	*Good afternoon.*
Buenas noches.	*Good evening; Good night.*
Hasta la vista.	*See you later.*
Hasta pronto.	*See you soon.*
¿Cómo se llama usted?	*What's your name? (formal)*
Le presento a…	*I would like to introduce you to (name). (formal)*
Te presento a…	*I would like to introduce you to (name). (familiar)*
Mucho gusto.	*Pleased to meet you.*
El gusto es mío.	*The pleasure is mine.*
Encantado/a.	*Delighted; Pleased to meet you.*
Igualmente.	*Likewise.*
el nombre	*name*
¿Cómo estás?	*How are you? (familiar)*
No muy bien.	*Not very well.*
Regular	*So-so; OK*
¿Qué pasa?	*What's happening?; What's going on?*
por favor	*please*
De nada.	*You're welcome.*
No hay de qué.	*You're welcome.*
Lo siento.	*I'm sorry.*
Gracias.	*Thank you; Thanks.*
Muchas gracias.	*Thank you very much; Thanks a lot.*

Variación léxica

Items are presented for recognition purposes only.

Buenos días. ←→ Buenas.
De nada. ←→ A la orden.
Lo siento. ←→ Perdón.
¿Qué tal? ←→ ¿Qué hubo? (*Col.*)

1

ELENA Patricia, le presento a Jorge Perales.
PATRICIA Encantada.
SEÑOR PERALES Igualmente. ¿De dónde es usted, señorita?
PATRICIA Soy de México. ¿Y usted?
SEÑOR PERALES De Puerto Rico.

3

SEÑOR VARGAS Buenas tardes, señora Wong. ¿Cómo está usted?
SEÑORA WONG Muy bien, gracias. ¿Y usted, señor Vargas?
SEÑOR VARGAS Bien, gracias.
SEÑORA WONG Hasta mañana, señor Vargas. Saludos a la señora Vargas.
SEÑOR VARGAS Adiós.

5

CARMEN Buenas tardes. Me llamo Carmen. ¿Cómo te llamas tú?
ANTONIO Buenas tardes. Me llamo Antonio. Mucho gusto.
CARMEN El gusto es mío. ¿De dónde eres?
ANTONIO Soy de los Estados Unidos, de California.

2

TOMÁS ¿Qué tal, Alberto?
ALBERTO Regular. ¿Y tú?
TOMÁS Bien. ¿Qué hay de nuevo?
ALBERTO Nada.

4

BERTA Hasta luego, Tere.
TERESA Chau, Berta. Nos vemos mañana.

AYUDA

In Spanish, people can be addressed either formally or informally. Dialogues 1 and 3 are formal exchanges and use **usted** (formal *you*) forms. Dialogues 2, 4, and 5 are informal and use the **tú** (informal *you*) form or other informal expressions. You will learn more about this in **Estructura 1.3.**

Práctica

1 Indicar Check **sí** if you might use the expression you hear to greet someone or **no** if you would not.

	Sí	No		Sí	No
1.	❍	❍	5.	❍	❍
2.	❍	❍	6.	❍	❍
3.	❍	❍	7.	❍	❍
4.	❍	❍	8.	❍	❍

2 Escuchar Choose the correct response for each question or statement you hear.

1. a. Muy bien, gracias. b. Me llamo Graciela.
2. a. Lo siento. b. Mucho gusto.
3. a. Soy de Puerto Rico. b. No muy bien.
4. a. No hay de qué. b. Regular.
5. a. Mucho gusto. b. Hasta pronto.
6. a. Nada. b. Igualmente.
7. a. Me llamo Guillermo Montero. b. Muy bien, gracias.
8. a. Buenas tardes. ¿Cómo estás? b. El gusto es mío.

3 Escoger For each expression, write another word or phrase that expresses a similar idea.

modelo

¿Cómo estás? *¿Qué tal?*

1. De nada.
2. Encantado.
3. Adiós.
4. Te presento a Antonio.
5. Hasta la vista.
6. Mucho gusto.

4 Ordenar Work with a partner to put this scrambled conversation in order. Then act it out.

—Muy bien, gracias. Soy Rosabel.
—Soy de México. ¿Y tú?
—Mucho gusto, Rosabel.
—Hola. Me llamo Carlos. ¿Cómo estás?
—Soy de Argentina.
—Igualmente. ¿De dónde eres, Carlos?

CARLOS ______________________
ROSABEL ______________________
CARLOS ______________________
ROSABEL ______________________
CARLOS ______________________
ROSABEL ______________________

5 **Completlar** Work with a partner to complete these dialogues. Use expressions from the word bank.

Buenos días.	De nada.	Muy bien, gracias.
¿Cómo te llamas?	Encantado/a.	¿Qué pasa?
¿De dónde eres?	Hasta luego.	¿Qué tal?

1. **Estudiante 1:** ________________
   Estudiante 2: Buenos días. ¿Qué tal?
2. **Estudiante 1:** ________________
   Estudiante 2: Me llamo Carmen Sánchez.
3. **Estudiante 1:** ________________
   Estudiante 2: De Canadá.
4. **Estudiante 1:** Te presento a Marisol.
   Estudiante 2: ________________
5. **Estudiante 1:** Gracias.
   Estudiante 2: ________________
6. **Estudiante 1:** ________________
   Estudiante 2: Regular.
7. **Estudiante 1:** ________________
   Estudiante 2: Nada.
8. **Estudiante 1:** ¡Hasta la vista!
   Estudiante 2: ________________

6 **Responder** Work with a partner to complete these dialogues.

modelo

Estudiante 1: ¿Qué tal?
Estudiante 2: Bien. ¿Y tú?

1. **Estudiante 1:** Hasta mañana, señora Ramírez. Saludos al señor Ramírez.
   Estudiante 2: ________________________________
2. **Estudiante 1:** ¿Qué hay de nuevo, Alberto?
   Estudiante 2: ________________________________
3. **Estudiante 1:** Gracias, Tomás.
   Estudiante 2: ________________________________
4. **Estudiante 1:** Miguel, ésta es la señorita Perales.
   Estudiante 2: ________________________________
5. **Estudiante 1:** ¿De dónde eres, Antonio?
   Estudiante 2: ________________________________
6. **Estudiante 1:** ¿Cómo se llama usted?
   Estudiante 2: ________________________________
7. **Estudiante 1:** ¿Qué pasa?
   Estudiante 2: ________________________________
8. **Estudiante 1:** Buenas tardes, señor. ¿Cómo está usted?
   Estudiante 2: ________________________________

¡LENGUA VIVA!

The titles **señor, señora,** and **señorita** are abbreviated **Sr., Sra.,** and **Srta**. Note that these abbreviations are capitalized, while the titles themselves are not.

•••

There is no Spanish equivalent for the English title *Ms.;* women are addressed as **señora** or **señorita**.

Comunicación

7 **Diálogos** With a partner, complete and act out these conversations.

Conversación 1

—Hola. Me llamo Teresa. ¿Cómo te llamas tú?

—________________________________

—Soy de Puerto Rico. ¿Y tú?

—________________________________

Conversación 2

—________________________________

—Muy bien, gracias. ¿Y usted, señora López?

—________________________________

—Hasta luego, señora. Saludos al señor López.

—________________________________

Conversación 3

—________________________________

—Regular. ¿Y tú?

—________________________________

—Nada.

8 **Conversaciones** This is the first day of class. Write four short conversations based on what the people in this scene would say.

9 **Situaciones** In groups of three, write and act out these situations.

1. On your way to the library, you strike up a conversation with another student. You find out the student's name and where he or she is from before you say goodbye.
2. At the library, you meet up with a friend and ask how he or she is doing.
3. As you're leaving the library, you see your friend's father, Mr. Sánchez. You say hello and send greetings to Mrs. Sánchez.
4. Make up and act out a real-life situation that you and your classmates can role-play with the language you have learned.

I CAN greet new acquaintances, introduce myself, and say good-bye.

Communicative Goal: Meet someone for the first time

Amigos de todas partes

Sara presenta a sus amigos.

ANTES DE VER
Look at the images. What do you think the relationships among the people in the video are?

VALENTINA Hola. ¿Cómo estás?

OLGA LUCÍA Pues, ¡no muy bien!

VALENTINA ¿Qué te pasa?

OLGA LUCÍA ¡Ser estudiante de fotografía es agotador!

VALENTINA ¿Por qué?

OLGA LUCÍA ¡Son las seis de la tarde! ¡Todo el día tomando fotos!

MANUEL Veintidós... veintitrés...

JUANJO ¡Veintitrés no es nada! ¡¿Cómo te llamas?!

MANUEL ¡Manuel Vázquez Quevedo! Veinticuatro...

JUANJO ¡¿De dónde eres?!

MANUEL ¡Soy de Valladolid, España! ¡Veinticinco!

SARA Chicos, os presento a Daniel.

VALENTINA Hola, ¿qué tal?

SARA Daniel, ella es Valentina.

DANIEL ¡Hola!

SARA Ella es Olga Lucía, de Venezuela.

DANIEL ¡De Venezuela! ¡Qué guay!

SARA Y él es mi primo, Manuel.

MANUEL ¡Hola! Manuel. ¡De Valladolid!

PERSONAJES

OLGA LUCÍA

DON PACO

VALENTINA

MANUEL

JUANJO

DANIEL

SARA

3

SARA ¡Hola, Daniel!

DANIEL Hola, Sara.

SARA Papá, te presento a Daniel. Un amigo del instituto.

PACO Paco, mucho gusto.

DANIEL El gusto es mío.

6

DANIEL ¡Qué bien, amigos de todas partes!

VALENTINA ¡Olga Lucía, una foto!

OLGA LUCÍA ¡Foto veintiséis!

TODOS ¡Cinco, cuatro, tres, dos, uno!

Expresiones útiles

agotador(a) *exhausting*
el instituto *high school (in Spain)*
el padre *father*
el/la primo/a *cousin*
¡Qué guay! *How cool!*
(de) todas partes *everywhere*
todo/a *all*
tomando *taking*

---

la azotea *rooftop*
la brocheta *shish kebab*
las flexiones *push-ups*
la gorra *baseball cap*

Madrid

Madrid, the capital and the largest city of Spain, has beautiful squares like the **Puerta del Sol**. This is where you'll find the official symbol of Madrid, **El Oso y el Madroño**, a bronze statue of a bear nuzzling a strawberry tree. The image represents the city's coat of arms.

Is your city or town known for an iconic artwork or building? Compare it with **El Oso y el Madroño**.

¿Qué pasó?

1 **¿Cierto o falso?** Indicate if each statement is **cierto** or **falso**. Correct the false statements.

	Cierto	Falso
1. Olga Lucía es de los Estados Unidos.	❍	❍
2. Daniel es amigo del instituto de Olga Lucía.	❍	❍
3. Juanjo es de la República Dominicana.	❍	❍
4. El padre de Sara se llama Daniel.	❍	❍
5. Olga Lucía no está muy bien.	❍	❍
6. Manuel es el primo de Sara.	❍	❍
7. Olga Lucía es estudiante de fotografía.	❍	❍

NOTA CULTURAL

Juanjo is a shortened version of the name **Juan José**. Other popular "combination names" in Spanish are **Maru** (**María Eugenia**) and **Maite** (**María Teresa**). Are shortened names common in your country?

2 **Identificar** Identify the person who made each statement.

DANIEL

JUANJO

MANUEL

OLGA LUCÍA

SARA

1. ¡Soy de Valladolid, España!
2. Papá, te presento a Daniel.
3. ¡Qué bien, amigos de todas partes!
4. Foto número uno de veinticinco.
5. ¡Veintitrés no es nada!
6. ¡De Venezuela! ¡Qué guay!
7. Buenas tardes, don Paco.

¡LENGUA VIVA!

Tell students that it is common for Spanish speakers to go by two names, such as **Olga Lucía**

3 **Preguntas** Answer the questions. Use complete sentences.

1. ¿Cómo se llama el padre de Sara?
2. ¿De dónde es Olga Lucía?
3. ¿Cómo se llama el primo de Sara?
4. ¿Cómo está don Paco?
5. ¿De dónde es Manuel?
6. ¿Cuál (*Which*) es el nombre completo de Manuel?

¡LENGUA VIVA!

In Spanish-speaking countries, **don** and **doña** are used with first names to show respect: **don Paco, doña Carolina.** Note that these titles, like **señor** and **señora**, are not capitalized.

How do you show respect to older people in your culture?

4 **Conversación** With a partner, role-play a conversation between two young people who have just met in Madrid. Use these cues.

- Greet each other.
- Introduce yourselves.
- Ask how your partner is doing.
- Ask where your partner is from.
- Say goodbye.

I CAN meet a new acquaintance.

Pronunciación

The Spanish alphabet

The Spanish and English alphabets are almost identical, with a few exceptions. For example, the Spanish letter **ñ (eñe)** doesn't appear in the English alphabet. Furthermore, the letters **k (ka)** and **w (doble ve)** are used only in words of foreign origin. Examine the chart below to find other differences.

Letra	Nombre(s)	Ejemplos	Letra	Nombre(s)	Ejemplos
a	a	**a**diós	**o**	o	**o**nce
b	be	**b**ien, pro**b**lema	**p**	pe	**p**rofesor
c	ce	**c**osa, **c**ero	**q**	cu	**q**ué
d	de	**d**iario, na**d**a	**r**	ere	**r**egular, seño**r**a
e	e	**e**studiante	**s**	ese	**s**eñor
f	efe	**f**oto	**t**	te	**t**ú
g	ge	**g**racias, **G**erardo, re**g**ular	**u**	u	**u**sted
h	hache	**h**ola	**v**	ve	**v**ista, nue**v**o
i	i	**i**gualmente	**w**	doble ve	***w**alkman*
j	jota	**J**avier	**x**	equis	e**x**istir, Mé**x**ico
k	ka, ca	**k**ilómetro	**y**	i griega, ye	**y**o
l	ele	**l**ápiz	**z**	zeta, ceta	**z**ona
m	eme	**m**apa			
n	ene	**n**acionalidad			
ñ	eñe	ma**ñ**ana			

Dígrafo	Ejemplos
ch	**ch**ico
ll	**ll**ave

El alfabeto Repeat the Spanish alphabet and example words after your instructor.

Práctica Spell these words aloud in Spanish.

1. nada
2. maleta
3. quince
4. muy
5. hombre
6. por favor
7. San Fernando
8. Estados Unidos
9. Puerto Rico
10. España
11. Javier
12. Ecuador
13. Maite
14. gracias
15. Nueva York

Refranes Read these sayings aloud.

Ver es creer.[1]
En boca cerrada no entran moscas.[2]

1 Seeing is believing.
2 Silence is golden.

AYUDA

The letter combination **rr** produces a strong trilled sound which does not have an English equivalent. English speakers commonly make this sound when imitating the sound of a motor. This trilled sound occurs between vowels or at the beginning of a word: **puertorriqueño, terrible, Roberto,** etc. See **Lección 7,** p. 271 for more information.

¡LENGUA VIVA!

Note that **ch** and **ll** are not letters but *digraphs*, or two letters that together produce one sound. Traditionally they were considered part of the alphabet and they were called **che** and **elle**, but nowadays **ch** and **ll** do not have their own entries when placing words in alphabetical order, as in a glossary.

Communicative Goal: Identify a few aspects related to greetings, personal space, and meeting places in Spanish-speaking countries

EN DETALLE

Los saludos y el espacio personal

¿Un beso° o dos? ¿Un abrazo° o un apretón de manos°? ¿De cerca° o un poco más lejos°? Cuando nos presentan a una persona, en ocasiones no sabemos muy bien cuál es la forma apropiada de saludarla según su cultura. En todas las culturas, las personas tienen una "burbuja° personal" que es importante identificar para no invadir su espacio.

Las diferencias en el espacio personal están influenciadas por aspectos como el género°, la edad°, el estatus social y el clima. Los países de Latinoamérica y el sur de Europa (como España) son considerados de "alto contacto", es decir, en esos países las personas se acercan más° unas a otras.

La tradición del beso varía de acuerdo al género y la región. En los países hispanos, los hombres en general se saludan con un abrazo o un apretón de manos.

En España, la costumbre al saludarse es dar dos besos. En países latinoamericanos, como México, Costa Rica, Colombia y Chile, el saludo consiste en un solo beso, casi siempre "al aire". En algunas partes, como en Colombia, las mujeres se saludan con una palmadita en el hombro°.

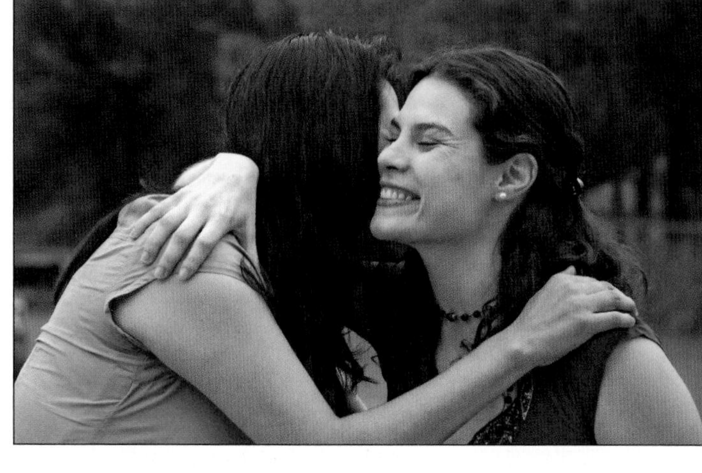

Tendencias

País	Beso	País	Beso
Argentina	💋	España	💋💋
Bolivia	💋	México	💋
Chile	💋	Paraguay	💋💋
Colombia	💋	Puerto Rico	💋
El Salvador	💋	Venezuela	💋 / 💋💋

ASÍ SE DICE

Saludos y despedidas

¿Cómo te/le va?	*How are things going (for you)?*
¡Cuánto tiempo!	*It's been a long time!*
Hasta ahora.	*See you soon.*
¿Qué hay?	*What's new?*
¿Qué onda? (Méx., Arg., Chi.);	*What's going on?*
¿Qué más? (Ven., Col.)	*What's going on?*

beso *kiss* **abrazo** *hug* **apretón de manos** *handshake* **de cerca** *close up* **lejos** *far* **burbuja** *bubble* **género** *gender* **edad** *age* **se acercan más** *get closer* **comportamiento** *behavior* **palmadita en el hombro** *pat on the shoulder*

ACTIVIDADES

1 **¿Cierto o falso?** Indicate whether the following statements are **cierto** (*true*) or **falso** (*false*).

1. According to the reading, aspects like age and gender can influence how people define personal space.
2. A friend in Mexico can greet you saying **¿Qué onda?**
3. It can be difficult to know to greet people from other cultures.
4. Giving kisses and hugs are some of the ways people use to greet each other.
5. Shaking hands is not usually practiced.
6. Men and women across the Spanish-speaking world follow the same styles of greeting.

2 **Entrevista** Use the following questions to interview a classmate. Do you and your partner share the same practices? What do you do differently?

1. How do you greet a friend you see frequently? And a friend you haven't seen for a long time?
2. Who do you greet with a kiss? A handshake?
3. How would you define your own "**burbuja personal**"? Demonstrate it with your partner.
4. Is personal space valued in your community? How?

3 **Comparaciones** With a partner, compare and contrast how people greet and interact with others in Spanish-speaking countries and in your own community. Use the table below to list the customs and include some that are practiced in your family.

What people do in...

Spanish-speaking countries	In my community	In my family

ENTRE CULTURAS

¿Cómo se saludan los jóvenes en los países hispanos? ¿Qué expresiones usan?

Go to ***vhlcentral.com*** *to find out more cultural information related to this* ***Cultura*** *section.*

I CAN recognize variations on personal space and ways to greet someone and say good-bye in my own and other cultures.

PERFIL

La plaza principal

La Plaza Mayor de Salamanca

En los países hispanos, el espacio público es muy apreciado°. La vida de las ciudades grandes y pequeñas° gira en torno° a la plaza principal. En general, alrededor° de estas plazas hay catedrales o edificios° municipales como el ayuntamiento°. Las plazas están diseñadas° para caminar y son un lugar de encuentro° para la familia y los amigos. Además, en las plazas se celebran muchas fiestas o ferias de la ciudad.

La Plaza de Armas, Lima, Perú

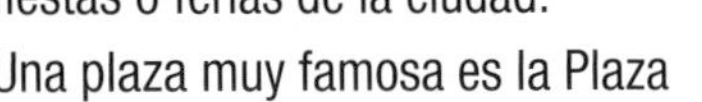

Una plaza muy famosa es la Plaza Mayor de la ciudad universitaria de Salamanca, España. Allí, los estudiantes se reúnen con° los amigos para conversar, descansar° de sus actividades diarias° y tomar un café. Otra plaza importante es la Plaza de Armas en Lima, Perú. Este es el sitio fundacional de la ciudad capital de Perú y está en el centro histórico de Lima. Por su importancia histórica y arquitectónica, es visitada por miles de turistas cada año°.

apreciado *treasured* pequeñas *small* gira en torno *revolves around* alrededor *around* edificios *buildings* ayuntamiento *city council* diseñadas *designed* lugar de encuentro *meeting point* se reúnen con *meet with* descansar *rest* diarias *daily* cada año *each year*

Comprensión Answer these questions.

1. What are two types of buildings found in the **plaza principal**?
2. What two types of events or activities are common at a **plaza principal**?
3. Name two reasons why **Plaza de Armas** in Lima, Perú, is important.

1.1 Nouns and articles

Spanish nouns

ANTE TODO A noun is a word used to identify people, animals, places, things, or ideas. Unlike English, all Spanish nouns, even those that refer to non-living things, have gender; that is, they are considered either masculine or feminine. As in English, nouns in Spanish also have number, meaning that they are either singular or plural.

Nouns that refer to living things

Masculine nouns		Feminine nouns	
el hombre	*the man*	**la mujer**	*the woman*
ending in *–o*		ending in *–a*	
el chico	*the boy*	**la chica**	*the girl*
el pasajero	*the (male) passenger*	**la pasajera**	*the (female) passenger*
ending in *–or*		ending in *–ora*	
el conductor	*the (male) driver*	**la conductora**	*the (female) driver*
el profesor	*the (male) teacher*	**la profesora**	*the (female) teacher*
ending in *–ista*		ending in *–ista*	
el turista	*the (male) tourist*	**la turista**	*the (female) tourist*

- Generally, nouns that refer to males, like **el hombre**, are masculine, while nouns that refer to females, like **la mujer**, are feminine.

- Many nouns that refer to male nouns end in **–o** or **–or**. Their corresponding feminine forms end in **–a** and **–ora**, respectively.

el conductor

la profesora

- The masculine and feminine forms of nouns that end in **–ista**, like **turista**, are the same, so gender is indicated by the article **el** (masculine) or **la** (feminine). Some other nouns have identical masculine and feminine forms.

el joven *the youth; the young man*	**la** joven *the youth; the young woman*
el estudiante *the (male) student*	**la** estudiante *the (female) student*

¡LENGUA VIVA!

Profesor(a) and **turista** are *cognates*—words that share similar spellings and meanings in Spanish and English. Recognizing cognates will help you determine the meaning of many Spanish words. Here are some other cognates: **la administración, el animal, el apartamento, el cálculo, el color, la decisión, la historia, la música, el restaurante, el/la secretario/a**

AYUDA

Cognates can certainly be very helpful in your study of Spanish. However, beware of "false" cognates, those that have similar spellings in Spanish and English, but different meanings:

la carpeta *file folder*
el/la conductor(a) *driver*
el éxito *success*
la fábrica *factory*

Some cognates may have two meanings, i.e., **instituto** means both institute and high school in Spain.

VERIFICA

Nouns that refer to non-living things

Masculine nouns		Feminine nouns	
ending in *-o*		**ending in *-a***	
el cuaderno	*the notebook*	**la cosa**	*the thing*
el diario	*the diary*	**la escuela**	*the school*
el diccionario	*the dictionary*	**la computadora**	*the computer*
el número	*the number*	**la maleta**	*the suitcase*
el video	*the video*	**la palabra**	*the word*
ending in *-ma*		**ending in *-ción***	
el problema	*the problem*	**la lección**	*the lesson*
el programa	*the program*	**la conversación**	*the conversation*
ending in *-s*		**ending in *-dad***	
el autobús	*the bus*	**la nacionalidad**	*the nationality*
el país	*the country*	**la comunidad**	*the community*

¡LENGUA VIVA!

The Spanish word for *video* can be pronounced with the stress on the **i** or the **e**. For that reason, you might see the word written with or without an accent: **video** or **vídeo**.

- As shown above, certain noun endings are strongly associated with a specific gender, so you can use them to determine if a noun is masculine or feminine.
- Because the gender of nouns that refer to non-living things cannot be determined by foolproof rules, you should memorize the gender of each noun you learn. It is helpful to memorize each noun with its corresponding article, **el** for masculine and **la** for feminine.
- Another reason to memorize the gender of every noun is that there are common exceptions to the rules of gender. For example, **el mapa** (*map*) and **el día** (*day*) end in **-a**, but are masculine. **La mano** (*hand*) ends in **-o**, but is feminine.

Plural of nouns

- To form the plural, add **-s** to nouns that end in a vowel. Nouns that end in a consonant add **-es**. Nouns that end in **-z** change the **z** to **c**, then add **-es**.

el chic**o** → los chic**os**

el diari**o** → los diari**os**

el problem**a** → los problem**as**

la nacionalida**d** → las nacionalida**des**

el país → los países

el lápi**z** (*pencil*) → los lápi**ces**

CONSULTA

You will learn more about accent marks in **Lección 4, Pronunciación**, p. 155.

- In general, when a singular noun has an accent mark on the last syllable, the accent is dropped from the plural form.

la lecci**ón** → las lecci**ones**

el autob**ús** → los autob**uses**

VERIFICA

- Use the masculine plural form to refer to a group that includes both males and females.

1 pasajer**o** + 2 pasajer**as** = 3 pasajer**os**

2 chic**os** + 2 chic**as** = 4 chic**os**

Spanish articles

ANTE TODO As you know, English often uses definite articles (*the*) and indefinite articles (*a, an*) before nouns. Spanish also has definite and indefinite articles. Unlike English, Spanish articles vary in form because they agree in gender and number with the nouns they modify.

Definite articles

▶ Spanish has four forms that are equivalent to the English definite article *the*. Use definite articles to refer to specific nouns.

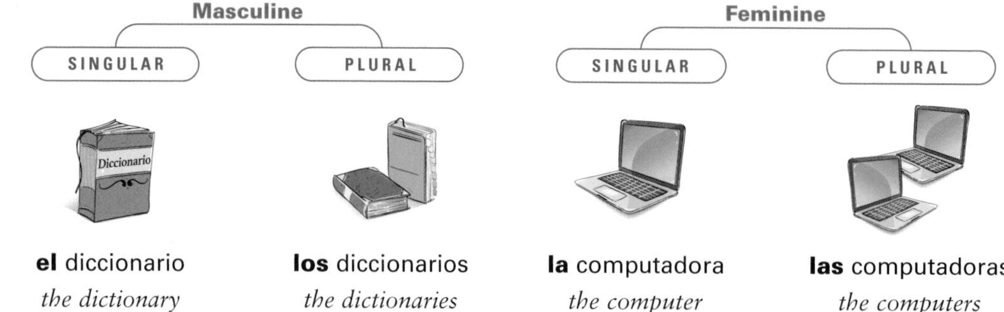

el diccionario *the dictionary* | **los** diccionarios *the dictionaries* | **la** computadora *the computer* | **las** computadoras *the computers*

Indefinite articles

▶ Spanish has four forms that are equivalent to the English indefinite article, which according to context may mean *a*, *an*, or *some*. Use indefinite articles to refer to unspecified numbers of persons or things.

un pasajero *a (one) passenger* | **unos** pasajeros *some passengers* | **una** fotografía *a (one) photograph* | **unas** fotografías *some photographs*

¡LENGUA VIVA!

Feminine singular nouns that begin with stressed **a-** or **ha-** require the masculine articles **el** and **un**. The plural forms still use the feminine articles.

el agua water
las aguas *waters*
un hacha *ax*
unas hachas *axes*

¡LENGUA VIVA!

Since **la fotografía** is feminine, so is its shortened form, **la foto**, even though it ends in **–o**.

¡INTÉNTALO! Provide a definite article for each noun in the first column and an indefinite article for each noun in the second column.

¿el, la, los o las?

1. ___la___ chica
2. ________ chico
3. ________ maleta
4. ________ cuadernos
5. ________ lápiz
6. ________ mujeres

¿un, una, unos o unas?

1. ___un___ autobús
2. ________ escuelas
3. ________ computadora
4. ________ hombres
5. ________ señora
6. ________ lápices

Práctica

1 **¿Singular o plural?** If the word is singular, make it plural. If it is plural, make it singular.

1. el número
2. un diario
3. la estudiante
4. el conductor
5. el país
6. las cosas
7. unos turistas
8. las nacionalidades
9. unas computadoras
10. los problemas
11. una fotografía
12. los profesores
13. unas señoritas
14. el hombre

2 **Identificar** For each drawing, provide the noun with its corresponding definite and indefinite articles.

modelo

las computadoras, unas computadoras

1. ______________ 2. ______________

3. ______________ 4. ______________ 5. ______________

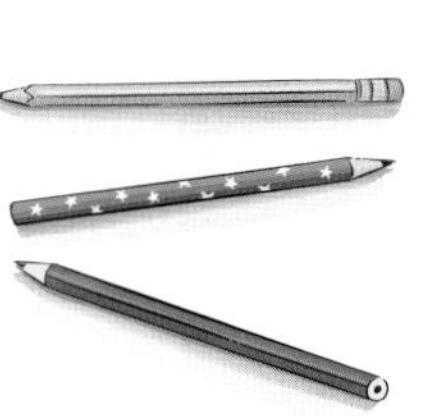

6. ______________ 7. ______________ 8. ______________

Comunicación

3 **Charadas** In groups, play a game of charades. Individually, think of two nouns for each charade, for example, a boy using a computer (**un chico; una computadora**). The first person to guess correctly acts out the next charade.

I CAN name familiar objects and people.

1.2 Numbers 0–30

Los números 0 a 30					
0	cero				
1	uno	**11**	once	**21**	veintiuno
2	dos	**12**	doce	**22**	veintidós
3	tres	**13**	trece	**23**	veintitrés
4	cuatro	**14**	catorce	**24**	veinticuatro
5	cinco	**15**	quince	**25**	veinticinco
6	seis	**16**	dieciséis	**26**	veintiséis
7	siete	**17**	diecisiete	**27**	veintisiete
8	ocho	**18**	dieciocho	**28**	veintiocho
9	nueve	**19**	diecinueve	**29**	veintinueve
10	diez	**20**	veinte	**30**	treinta

- The number **uno** (*one*) and numbers ending in **–uno**, such as **veintiuno**, have more than one form. Before masculine nouns, **uno** shortens to **un**. Before feminine nouns, **uno** changes to **una**.

  un hombre → veinti**ún** hombres **una** mujer → veinti**una** mujeres

- **¡Atención!** The forms **uno** and **veintiuno** are used when counting (**uno, dos, tres... veinte, veintiuno, veintidós...**). They are also used when the number *follows* a noun, even if the noun is feminine: **la lección uno**.

- To ask *how many people* or *things* there are, use **cuántos** before masculine nouns and **cuántas** before feminine nouns.

- The Spanish equivalent of both *there is* and *there are* is **hay**. Use **¿Hay...?** to ask *Is there...?* or *Are there...?* Use **no hay** to express *there is not* or *there are not*.

—**¿Cuántos** estudiantes **hay**?
How many students are there?

—**Hay** seis estudiantes en la foto.
There are six students in the photo.

—**¿Hay** chicos en la fotografía?
Are there guys in the picture?

—**Hay** tres chicas y **no hay** chicos.
There are three girls, and there are no guys.

¡INTÉNTALO! Provide the Spanish words for these numbers.

1. **7** ________
2. **16** ________
3. **29** ________
4. **1** ________
5. **0** ________
6. **15** ________
7. **21** ________
8. **9** ________
9. **23** ________
10. **11** ________
11. **30** ________
12. **4** ________
13. **12** ________
14. **28** ________
15. **14** ________
16. **10** ________

Práctica

1 **Contar** Following the pattern, write out the missing numbers in Spanish.

1. 1, 3, 5, ..., 29
2. 2, 4, 6, ..., 30
3. 3, 6, 9, ..., 30
4. 30, 28, 26, ..., 0
5. 30, 25, 20, ..., 0
6. 28, 24, 20, ..., 0

2 **Resolver** Solve these math problems with a partner.

modelo

5 + 3 = **Estudiante 1:** *cinco más tres son...*
Estudiante 2: *ocho*

AYUDA

+ → **más**
– → **menos**
= → **son**

1. **2 + 15 =**
2. **20 – 1 =**
3. **5 + 7 =**
4. **18 + 12 =**
5. **3 + 22 =**
6. **6 – 3 =**
7. **11 + 12 =**
8. **7 – 2 =**
9. **8 + 5 =**
10. **23 – 14 =**

3 **¿Cuántos hay?** How many persons or things are there in these drawings?

modelo

Hay tres maletas.

1. ________

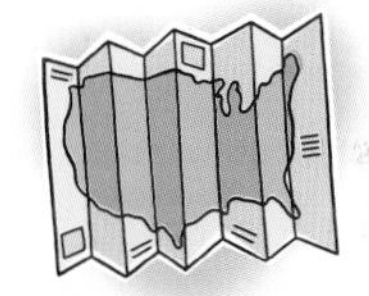

2. ________

3. ________

4. ________

5. ________

6. ________

7. ________

8. ________

Comunicación

4 **En la clase** With a classmate, take turns asking and answering these questions about your classroom.

1. ¿Cuántos estudiantes hay?
2. ¿Cuántos profesores hay?
3. ¿Hay una computadora?
4. ¿Hay una maleta?
5. ¿Cuántos mapas hay?
6. ¿Cuántos lápices hay?
7. ¿Hay cuadernos?
8. ¿Cuántos diccionarios hay?
9. ¿Hay hombres?
10. ¿Cuántas mujeres hay?

5 **Preguntas** With a classmate, take turns asking and answering questions about the drawing. Talk about:

1. how many children there are
2. how many women there are
3. if there are some photographs
4. if there is a boy
5. how many notebooks there are
6. if there is a bus
7. if there are tourists
8. how many pencils there are
9. if there is a man
10. how many computers there are

I CAN ask and answer simple questions about how many there are of something.

1.3 Present tense of ser

Subject pronouns

ANTE TODO In order to use verbs, you will need to learn about subject pronouns. A subject pronoun replaces the name or title of a person or thing and acts as the subject of a verb. In both Spanish and English, subject pronouns are divided into three groups: first person, second person, and third person.

Subject pronouns

	SINGULAR		PLURAL	
FIRST PERSON	**yo**	*I*	**nosotros**	*we* (masc.)
			nosotras	*we* (fem.)
SECOND PERSON	**tú**	*you* (fam.)	**vosotros**	*you* (masc., fam.)
	usted (Ud.)	*you* (form.)	**vosotras**	*you* (fem., fam.)
			ustedes (Uds.)	*you* (form.)
THIRD PERSON	**él**	*he*	**ellos**	*they* (masc.)
	ella	*she*	**ellas**	*they* (fem.)

¡LENGUA VIVA!

In Latin America, **ustedes** is used as the plural for both **tú** and **usted**. In Spain, however, **vosotros** and **vosotras** are used as the plural of **tú**, and **ustedes** is used only as the plural of **usted**.

•••

Usted and **ustedes** are abbreviated as **Ud.** and **Uds.**, or occasionally as **Vd.** and **Vds.**

- Spanish has two subject pronouns that mean *you* (singular). Use **tú** when addressing a friend, a family member, or a child. Use **usted** to address a person with whom you have a formal or more distant relationship, such as a superior at work, a professor, or a person older than you.

  Tú eres de Canadá, ¿verdad, David?
  You are from Canada, right, David?

  ¿**Usted** es la profesora de español?
  Are you the Spanish professor?

- The masculine plural forms **nosotros**, **vosotros**, and **ellos** refer to a group of males or to a group of males and females. The feminine plural forms **nosotras**, **vosotras**, and **ellas** can refer only to groups made up exclusively of females.

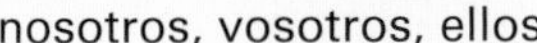

nosotros, vosotros, ellos

nosotros, vosotros, ellos

nosotras, vosotras, ellas

- There is no Spanish equivalent of the English subject pronoun *it*. Generally *it* is not expressed in Spanish.

  Es un problema.
  It's a problem.

  Es una computadora.
  It's a computer.

The present tense of ser

ANTE TODO In **Contextos** and **Fotonovela**, you have already used several present-tense forms of **ser** (*to be*) to identify yourself and others, and to talk about where you and others are from. **Ser** is an irregular verb; its forms do not follow the regular patterns that most verbs follow. You need to memorize the forms, which appear in this chart.

The verb ser (*to be*)

SINGULAR FORMS	yo	**soy**	*I am*
	tú	**eres**	*you are* (fam.)
	Ud./él/ella	**es**	*you are* (form.)*; he/she is*
PLURAL FORMS	nosotros/as	**somos**	*we are*
	vosotros/as	**sois**	*you are* (fam.)
	Uds./ellos/ellas	**son**	*you are* (form.)*; they are*

Uses of *ser*

- Use **ser** to identify people and things.

—¿Quién **es** él?
Who is he?

—**Es** Manuel Vásquez Quevedo.
He's Manuel Vásquez Quevedo.

—¿Qué **es**?
What is it?

—**Es** un mapa de España.
It's a map of Spain.

- **Ser** also expresses possession, with the preposition **de**. There is no Spanish equivalent of the English construction [*noun*] + 's (*Maru's*). In its place, Spanish uses [*noun*] + **de** + [*owner*].

—¿**De** quién **es**?
Whose is it?

—**Es** el diario **de** Valentina.
It's Valentina's diary.

—¿**De** quién **son**?
Whose are they?

—**Son** los lápices **de** la chica.
They are the girl's pencils.

- When **de** is followed by the article **el**, the two combine to form the contraction **del**. **De** does *not* contract with **la**, **las**, or **los**.

—**Es** la computadora **del** conductor.
It's the driver's computer.

—**Son** las maletas **del** chico.
They are the boy's suitcases.

VERIFICA

¡LENGUA VIVA!

Some geographic locations can be referred to either with or without a definite article:

Soy de Estados Unidos./Soy de los Estados Unidos.

• • •

Sometimes a definite article is a part of a proper name, as in **El Salvador, El Paso,** and **Los Ángeles.** In these cases, **de** and **el** do not contract:

Soy de El Salvador.

▶ **Ser** also uses the preposition **de** to express origin.

¿De dónde eres tú?
Yo soy de la República Dominicana.

—¿**De** dónde **es** Manuel?
Where is Manuel from?

—**Es de** España.
He's from Spain.

—¿**De** dónde **es** Olga Lucía?
Where is Olga Lucía from?

—**Es de** Venezuela.
She's from Venezuela.

▶ Use **ser** to express profession or occupation.

Don Francisco **es conductor**.
Don Francisco is a driver.

Yo **soy estudiante**.
I am a student.

▶ Unlike English, Spanish does not use the indefinite article (**un, una**) after **ser** when referring to professions, unless accompanied by an adjective or other description.

Marta **es** profesora.
Marta is a teacher.

Marta **es una** profesora excelente.
Marta is an excellent teacher.

NOTA CULTURAL

LATAM Perú, named LAN Perú when it was created in 1998, is a subsidiary of Chilean-based LATAM Airlines, one of the largest carriers in South America. LATAM Perú operates out of Lima, offering domestic flights and international service to select major cities in the Americas and Spain.

What is the largest airliner in your country?

VERIFICA

¡INTÉNTALO! Provide the correct subject pronouns and the present forms of **ser**. The first item has been done for you.

1. Gabriel ___*él*___ ___*es*___
2. Juan y yo ______ ______
3. Óscar y Flora ______ ______
4. Adriana ______ ______
5. las turistas ______ ______
6. el chico ______ ______
7. los conductores ______ ______
8. los señores Ruiz ______ ______

Práctica

1 **Pronombres** What subject pronouns would you use to (a) talk *to* these people directly and (b) talk *about* them to others?

modelo

un joven *tú, él*

1. una chica
2. el presidente de México
3. tres chicas y un chico
4. un amigo
5. la señora Ochoa
6. dos profesoras

2 **Identidad y origen** With a partner, take turns asking and answering these questions about the people indicated: **¿Quién es?/¿Quiénes son?** and **¿De dónde es?/¿De dónde son?**

modelo

Selena Gomez (Estados Unidos)

Estudiante 1: *¿Quién es?*
Estudiante 2: *Es Selena Gomez.*
Estudiante 1: *¿De dónde es?*
Estudiante 2: *Es de los Estados Unidos.*

1. Enrique Iglesias (España)
2. Robinson Canó (República Dominicana)
3. Eva Mendes y Prince Royce (Estados Unidos)
4. Carlos Santana y Salma Hayek (México)
5. Shakira (Colombia)
6. Antonio Banderas y Penélope Cruz (España)
7. Taylor Swift y Demi Lovato (Estados Unidos)
8. Daisy Fuentes (Cuba)

3 **¿Qué es?** Ask your partner what each object is and to whom it belongs.

modelo

Estudiante 1: *¿Qué es?*
Estudiante 2: *Es un diccionario.*
Estudiante 1: *¿De quién es?*
Estudiante 2: *Es del profesor Núñez.*

1. 

2. 

3. 

4. 

Comunicación

4 **Preguntas** Using the items in the word bank, ask your partner questions about the ad. Be imaginative in your responses.

¿Cuántas?	¿De dónde?	¿Qué?
¿Cuántos?	¿De quién?	¿Quién?

SOMOS ECOTURISTA, S.A.

Los autobuses oficiales de la Ruta Maya

- 25 autobuses en total
- 30 conductores del área
- pasajeros internacionales
- mapas de la región

¡Todos a bordo!

5 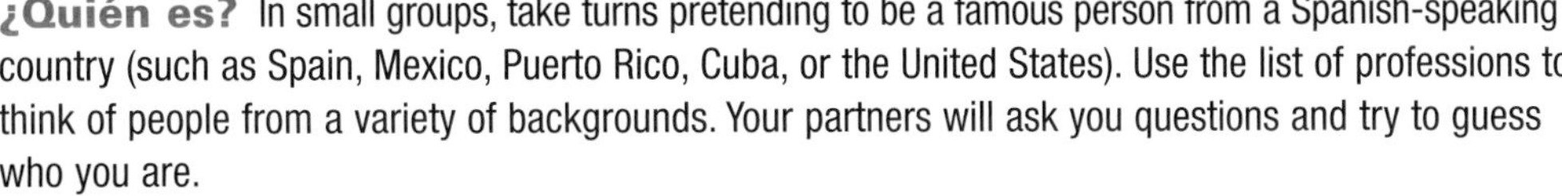

¿Quién es? In small groups, take turns pretending to be a famous person from a Spanish-speaking country (such as Spain, Mexico, Puerto Rico, Cuba, or the United States). Use the list of professions to think of people from a variety of backgrounds. Your partners will ask you questions and try to guess who you are.

actor *actor*	cantante *singer*	escritor(a) *writer*
actriz *actress*	deportista *athlete*	músico/a *musician*

modelo

Estudiante 3: ¿Eres de Puerto Rico?
Estudiante 1: No. Soy de Colombia.
Estudiante 2: ¿Eres hombre?
Estudiante 1: Sí. Soy hombre.
Estudiante 3: ¿Eres escritor?
Estudiante 1: No. Soy actor.
Estudiante 2: ¿Eres John Leguizamo?
Estudiante 1: ¡Sí! ¡Sí!

NOTA CULTURAL

John Leguizamo was born in Bogotá, Colombia. John is best known for his work as an actor and comedian. He has appeared in movies such as *Moulin Rouge*, *The Happening*, and *The Lincoln Lawyer.* Other Hispanic celebrities: Laura Esquivel (writer from Mexico), Andy García (actor from Cuba), and Don Omar (singer from Puerto Rico).

I CAN recognize familiar words in a simple ad.

I CAN guess who someone is by asking simple questions.

1.4 Telling time

ANTE TODO In both English and Spanish, the verb *to be* (**ser**) and numbers are used to tell time.

▶ To ask what time it is, use **¿Qué hora es?** When telling time, use **es + la** with **una** and **son + las** with all other hours.

Es la una.

Son las dos.

Son las seis.

▶ As in English, you express time from the hour to the half hour in Spanish by adding minutes.

Son las cuatro **y cinco.**

Son las once **y veinte.**

▶ You may use either **y cuarto** or **y quince** to express fifteen minutes or a quarter past the hour. For thirty minutes or half past the hour, you may use either **y media** or **y treinta.**

Es la una **y cuarto.**

Son las nueve **y quince.**

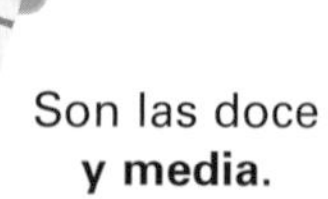
Son las doce **y media.**

Son las siete **y treinta.**

▶ You express time from the half hour to the hour in Spanish by subtracting minutes or a portion of an hour from the next hour.

Es la una **menos cuarto.**

Son las tres **menos quince.**

Son las ocho **menos veinte.**

Son las tres **menos diez.**

VERIFICA

▶ To ask at what time a particular event takes place, use the phrase **¿A qué hora (...)?** To state at what time something takes place, use the construction **a la(s)** + *time*.

¿A qué hora es la clase de biología? *(At) what time is biology class?*	La clase es **a las dos**. *The class is at two o'clock.*
¿A qué hora es la fiesta? *(At) what time is the party?*	**A las ocho.** *At eight.*

¡LENGUA VIVA!

Other useful expressions for telling time:

Son las doce (del día). It is twelve o'clock (p.m.).

Son las doce (de la noche). It is twelve o'clock (a.m.).

▶ Here are some useful words and phrases associated with telling time.

Son las ocho **en punto**. *It's 8 o'clock on the dot/sharp.*	Son las nueve **de la mañana**. *It's 9 a.m./in the morning.*
Es **el mediodía**. *It's noon.*	Son las cuatro y cuarto **de la tarde**. *It's 4:15 p.m./in the afternoon.*
Es **la medianoche**. *It's midnight.*	Son las diez y media **de la noche**. *It's 10:30 p.m./at night.*

¡INTÉNTALO! Practice telling time by completing these sentences. The first item has been done for you.

1. (1:00 a.m.) Es la ____una____ de la mañana.
2. (2:50 a.m.) Son las tres ________ diez de la mañana.
3. (4:15 p.m.) Son las cuatro y ________ de la tarde.
4. (8:30 p.m.) Son las ocho y ________ de la noche.
5. (9:15 a.m.) Son las nueve y quince de la ________.
6. (12:00 p.m.) Es el ________.
7. (6:00 a.m.) Son las seis de la ________.
8. (4:05 p.m.) Son las cuatro y cinco de la ________.
9. (12:00 a.m.) Es la ________.
10. (3:45 a.m.) Son las cuatro menos ________ de la mañana.
11. (2:15 a.m.) Son las ________ y cuarto de la mañana.
12. (1:25 p.m.) Es la una y ________ de la tarde.
13. (6:50 a.m.) Son las ________ menos diez de la mañana.
14. (10:40 p.m.) Son las once menos veinte de la ________.

Práctica

1 Ordenar Put these times in order, from the earliest to the latest.

a. Son las dos de la tarde.
b. Son las once de la mañana.
c. Son las siete y media de la noche.
d. Son las seis menos cuarto de la tarde.
e. Son las dos menos diez de la tarde.
f. Son las ocho y veintidós de la mañana.

2 ¿Qué hora es? Give the times shown.

modelo

Son las cuatro y cuarto/quince de la tarde.

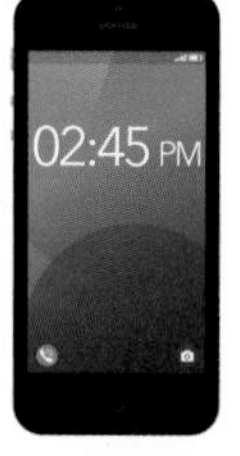

1. ______________ 2. ______________ 3. ______________ 4. ______________

5. ______________ 6. ______________ 7. ______________ 8. ______________

NOTA CULTURAL

Many Spanish-speaking countries use both the 12-hour clock and the 24-hour clock (that is, military time). The 24-hour clock is commonly used in written form on signs and schedules. For example, 1 p.m. is **13 h** or **13:00,** 2 p.m. is **14 h** or **14:00**, and so on. See the photo on p. 59 for a sample schedule.

3 ¿A qué hora? Ask your partner at what time these events take place. Your partner will answer according to the cues provided.

modelo

la clase de matemáticas (2:30 p.m.)
Estudiante 1: ¿A qué hora es la clase de matemáticas?
Estudiante 2: Es a las dos y media de la tarde.

1. el programa *Las cuatro amigas* (*11:30 a.m.*)
2. el drama *La casa de Bernarda Alba* (*7:00 p.m.*)
3. el programa *Las computadoras* (*8:30 a.m.*)
4. la clase de español (*10:30 a.m.*)
5. la clase de biología (*9:40 a.m.*)
6. la clase de historia (*10:50 a.m.*)
7. el partido (*game*) de béisbol (*5:15 p.m.*)
8. el partido de tenis (*12:45 p.m.*)
9. el partido de baloncesto (*basketball*) (*7:45 p.m.*)

NOTA CULTURAL

La casa de Bernarda Alba is a famous play by Spanish poet and playwright **Federico García Lorca** (1898–1936). Lorca was one of the most famous writers of the 20th century and a close friend of Spain's most talented artists, including the painter Salvador Dalí and the filmmaker Luis Buñuel.

Who are some of the most important artists of your country?

Comunicación

4 **Escuchar** Laura and David are taking the same courses and are checking to see if they have the same schedule. Listen as they confirm the times of several of their classes.

	Lógico	Ilógico
1. La clase es a las once y media de la mañana.	❍	❍
2. La clase de historia es a las once y cuarto.	❍	❍
3. La fiesta es a las ocho de la noche.	❍	❍
4. Rafael es estudiante.	❍	❍

5 **Preguntas** Answer your partner's questions based on your own knowledge.

1. Son las tres de la tarde en Nueva York. ¿Qué hora es en Los Ángeles?
2. Son las ocho y media en Chicago. ¿Qué hora es en Miami?
3. Son las dos menos cinco en San Francisco. ¿Qué hora es en San Antonio?
4. ¿A qué hora es el programa *Saturday Night Live*? ¿A qué hora es el programa *American Idol*?

6 **Horas** Write sentences about the times that your favorite TV shows are on. Mention at least three shows.

Síntesis

7 **Situación** With a partner, play the roles of a student reporter interviewing the new Spanish teacher (**profesor(a) de español**) from Venezuela.

Estudiante		Profesor(a) de español
Ask the teacher his/her name.	→	Ask the student his/her name.
Ask the teacher what time his/her Spanish class is.	→	Ask the student where he/she is from.
Ask how many students are in his/her class.	→	Ask to whom the notebook belongs.
Say thank you and goodbye.	→	Say thank you and you are pleased to meet him/her.

I CAN ask and answer questions about the time of day.

I CAN interview a new Spanish teacher and find out basic information about him/her.

Recapitulación

RESUMEN GRAMATICAL

Review the grammar concepts you have learned in this lesson by completing these activities.

1 **Completar** Complete the charts according to the models. 28 pts.

Masculino	Femenino
el chico	*la chica*
	la profesora
	la amiga
el señor	
	la pasajera
el estudiante	
	la turista
el joven	

Singular	Plural
una cosa	*unas cosas*
un libro	
	unas clases
una lección	
un conductor	
	unos países
	unos lápices
un problema	

2 **En la clase** Complete each conversation with the correct word. 22 pts.

César

Beatriz

CÉSAR ¿(1) __________ (Cuántos/Cuántas) chicas hay en la (2) __________ (maleta/clase)?

BEATRIZ Hay (3) __________ (catorce/cuatro) [*14*] chicas.

CÉSAR Y, ¿(4) __________ (cuántos/cuántas) chicos hay?

BEATRIZ Hay (5) __________ (tres/trece) [*13*] chicos.

CÉSAR Entonces (*Then*), en total hay (6) __________ (veintiséis/veintisiete) (7) __________ (estudiantes/chicas) en la clase.

Ariana

Daniel

ARIANA ¿Tienes (*Do you have*) (8) ________ (un/una) diccionario?

DANIEL No, pero (*but*) aquí (9) __________ (es/hay) uno.

ARIANA ¿De quién (10) __________ (son/es)?

DANIEL (11) __________ (Son/Es) de Carlos.

1.1 Nouns and articles pp. 38–40

Gender of nouns

Nouns that refer to people

	Masculine		Feminine
-o	el chico	-a	la chica
-or	el profesor	-ora	la profesora
-ista	el turista	-ista	la turista

Nouns that refer to things

	Masculine		Feminine
-o	el libro	-a	la cosa
-ma	el programa	-ción	la lección
-s	el autobús	-dad	la nacionalidad

Plural of nouns

- ending in vowels + *-s* la chica → las chicas
- ending in consonant + *-es* el señor → los señores (-z → -ces un lápiz → unos lápices)

Spanish articles

- Definite articles: el, la, los, las
- Indefinite articles: un, una, unos, unas

1.2 Numbers 0–30 p. 42

0	cero	8	ocho	16	dieciséis
1	uno	9	nueve	17	diecisiete
2	dos	10	diez	18	dieciocho
3	tres	11	once	19	diecinueve
4	cuatro	12	doce	20	veinte
5	cinco	13	trece	21	veintiuno
6	seis	14	catorce	22	veintidós
7	siete	15	quince	30	treinta

1.3 Present tense of *ser* pp. 45–47

yo	soy	nosotros/as	somos
tú	eres	vosotros/as	sois
Ud./él/ella	es	Uds./ellos/ellas	son

1.4 Telling time *pp. 50–51*

Es la **una.**	*It's 1:00.*
Son las **dos.**	*It's 2:00.*
Son las tres y diez.	*It's 3:10.*
Es la una y cuarto/ quince.	*It's 1:15.*
Son las siete y media/ treinta.	*It's 7:30.*
Es la una menos cuarto/quince.	*It's 12:45.*
Son las once menos veinte.	*It's 10:40.*
Es el mediodía.	*It's noon.*
Es la medianoche.	*It's midnight.*

3 **Presentaciones** Complete this conversation with the correct form of the verb **ser**. **12 pts.**

JUAN ¡Hola! Me llamo Juan. (1) __________ estudiante en la clase de español.

DANIELA ¡Hola! Mucho gusto. Yo (2) __________ Daniela y ella (3) __________ Mónica. ¿De dónde (4) __________ (tú), Juan?

JUAN De California. Y ustedes, ¿de dónde (5) __________ ?

MÓNICA Nosotras (6) __________ de Florida.

4 **¿Qué hora es?** Write out in words the following times, indicating whether it's morning, noon, afternoon, or night. **10 pts.**

1. It's 12:00 p.m.
____
2. It's 7:05 a.m.
____
3. It's 9:35 p.m.
____
4. It's 5:15 p.m.
____
5. It's 1:30 p.m.
____

5 **¡Hola!** Write an e-mail to a new acquaintance introducing yourself and talking about your classes. You may want to include: your name, where you are from, who your Spanish teacher is, the time of your Spanish class, how many students are in the class, etc. **28 pts.**

____
____
____
____

6 **Canción** Write the missing words to complete this children's song. **4 EXTRA points!**

cinco	media
cuántas	quiénes
cuatro	

"¿ __________ patas°
tiene un gato°?
Una, dos, tres y
__________ ."

patas *legs* tiene un gato *does a cat have*

Lectura

Antes de leer

Estrategia

Recognizing cognates

As you learned earlier in this lesson, cognates are words that share similar meanings and spellings in two or more languages. When reading in Spanish, it's helpful to look for cognates and use them to guess the meaning of what you're reading. But watch out for false cognates. For example, **librería** means *bookstore,* not *library,* and **embarazada** means *pregnant,* not *embarrassed*. Look at this list of Spanish words, paying special attention to prefixes and suffixes. Can you guess the meaning of each word?

importante	oportunidad
farmacia	cultura
inteligente	activo
dentista	sociología
decisión	espectacular
televisión	restaurante
medicina	policía

Examinar el texto

Glance quickly at the reading selection on the right. and guess what type of document it is. Explain your answer.

Cognados

Read the document and make a list of the cognates you find. Guess their English equivalents, then compare your answers with those of a classmate.

Joaquín Salvador Lavado nació (*was born*) en Argentina en 1932 (mil novecientos treinta y dos). Su nombre profesional es **Quino**. Es muy popular en Latinoamérica, Europa y Canadá por sus tiras cómicas (*comic strips*). *Mafalda* es su serie más famosa. La protagonista, Mafalda, es una chica muy inteligente de seis años (*years*). La tira cómica ilustra las aventuras de ella y su grupo de amigos. Las anécdotas de Mafalda y los chicos también presentan temas (*themes*) importantes como la paz (*peace*) y los derechos humanos (*human rights*).

Después de leer

Preguntas

Answer these questions.

1. What is Joaquín Salvador Lavado's pen name?
2. What is Mafalda like?
3. Where is Mafalda in panel 1? What is she doing?
4. What happens to the sheep in panel 3? Why?
5. Why does Mafalda wake up?
6. What number corresponds to the sheep in panel 5?
7. In panel 6, what is Mafalda doing? How do you know?

Los animales

This comic strip uses a device called onomatopoeia: a word that represents the sound that it stands for. Did you know that many common instances of onomatopoeia are different from language to language? The noise a sheep makes is *baaaah* in English, but in Mafalda's language it is **béeeee.** Do you think you can match these animals with their Spanish sounds? First, practice saying aloud each animal sound in group B. Then, match each animal with its sound in Spanish. If you need help remembering the sounds the alphabet makes in Spanish, see p. 34.

I CAN understand a short authentic cartoon.

I CAN recognize how language differences relate to cultural differences when representing animal sounds.

A

1. ___ **gato**

2. ___ **perro**

3. ___ **vacas**

4. ___ **gallo**

5. ___ **rana**

6. ___ **pato**

7. ___ **cerdo**

B

a. kikirikí
b. muuu
c. croac
d. guau
e. cuac cuac
f. miau
g. oinc

Communicative Goal: Create a short list with names, phone numbers, and email addresses

Escritura

Estrategia

Writing in Spanish

Why do we write? All writing has a purpose. For example, we may write an e-mail to share important information or compose an essay to persuade others to accept a point of view. Proficient writers are not born, however. Writing requires time, thought, effort, and a lot of practice. Here are some tips to help you write more effectively in Spanish.

DO

- Try to organize your ideas in Spanish
- Use the grammar and vocabulary that you know
- Use your textbook for examples of style, format, and expression in Spanish
- Use your imagination and creativity
- Put yourself in your reader's place to determine if your writing is interesting

AVOID

- Translating your ideas from English to Spanish
- Simply repeating what is in the textbook or on a web page
- Using a dictionary (until you have learned how to use a foreign language dictionary)

I CAN create a list in Spanish with names, phone numbers, and e-mail addresses.

Tema

Hacer una lista

Your school's Spanish class is holding a party to welcome the new members this year, and you are part of the organizing committee. Create a telephone/address list that includes important names, numbers, and websites that will be helpful to organize the party and share with the attendants. You might want to include this information:

- The names, phone numbers, and e-mail addresses of at least four Spanish club members (your classmates)
- Your Spanish teacher's name, e-mail address, and office phone number
- Three phone numbers and e-mail addresses of locations related to your study of Spanish
- Five electronic resources for students of Spanish, such as sites dedicated to the study of Spanish as a second language

Nombre Sally
Teléfono 655-8888
Dirección electrónica sally@uru.edu

Nombre Biblioteca 655-7000
Dirección electrónica library@uru.edu

Communicative Goal: Listen to a short conversation in Spanish and infer the meaning of unknown words

Escuchar

Estrategia

Listening for words you know

You can get the gist of a conversation by listening for words and phrases you already know.

To help you practice this strategy, listen to the following sentence and make a list of the words you have already learned.

Preparación

Based on the photograph, what do you think Dr. Cavazos and Srta. Martínez are talking about? How would you get the gist of their conversation, based on what you know about Spanish?

Ahora escucha

Now you are going to hear Dr. Cavazos's conversation with Srta. Martínez. List the familiar words and phrases each person says.

Dr. Cavazos	Srta. Martínez
1. ______	9. ______
2. ______	10. ______
3. ______	11. ______
4. ______	12. ______
5. ______	13. ______
6. ______	14. ______
7. ______	15. ______
8. ______	16. ______

With a classmate, use your lists of familiar words as a guide to come up with a summary of what happened in the conversation.

I CAN understand familiar words in a short recorded conversation.

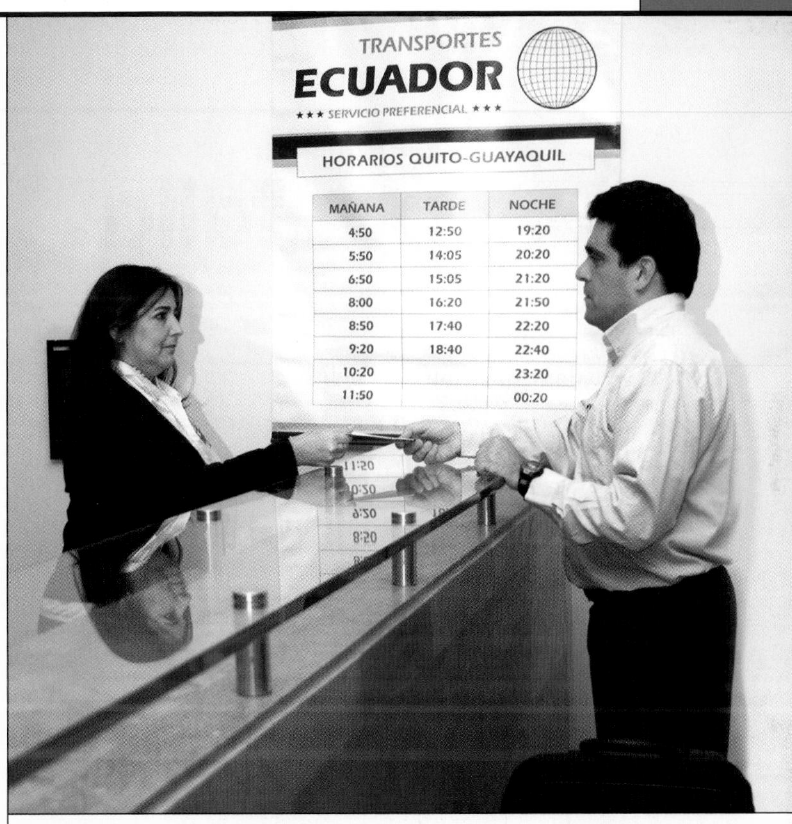

Comprensión

Identificar

Who would say the following things, Dr. Cavazos or Srta. Martínez?

1. Me llamo...
2. De nada.
3. Gracias. Muchas gracias.
4. Aquí tiene usted su documento, señor.
5. Usted tiene tres maletas, ¿no?
6. Tengo dos maletas.
7. Hola, señor.
8. ¿Viaja usted a Buenos Aires?

Contestar

1. Does this scene take place in the morning, afternoon, or evening? How do you know?
2. How many suitcases does Dr. Cavazos have?
3. Using the words you already know to determine the context, what might the following words and expressions mean?
   - boleto
   - un viaje de ida y vuelta
   - ¡Buen viaje!

Preparación

Answer these questions in English.

1. Name some foods your family buys at the supermarket.
2. What is something you consider precious that cannot be bought?

Anuncio de MasterCard

Un domingo en familia...

Anuncios para los latinos

Latinos form the fastest-growing minority group in the United States. The Census Bureau projects that by the year 2060, the Latino population will grow to 30 percent. Viewership of the two major Spanish language TV stations, **Univisión** and **Telemundo**, has skyrocketed, sometimes surpassing that of the four major English-language networks. With a growing Latino purchasing power estimated at $1.7 trillion for 2017, many companies have responded by adapting successful marketing campaigns to target a Spanish-speaking audience. Along with the change in language, there often come cultural adaptations important to Latino viewers.

Vocabulario útil

aperitivo	*appetizer*
carne en salsa	*beef with sauce*
copa de helado	*cup of ice cream*
no tiene precio	*priceless*
plato principal	*main dish*
postre	*dessert*
un domingo en familia	*Sunday with the family*

Comprensión

Complete the chart below based on what you see in the video.

	salami	
plato principal		
		$6

Conversación

Based on the video, discuss in English the following questions with a partner.

1. In what ways do the food purchasing choices of this family differ from your own? In what ways are they alike?
2. How does the role of the pet in this video reflect that of your family or culture? How is it different?

Aplicación

With a partner, use a dictionary to prepare an ad in Spanish like that in the video. Present your ad to the class. How did your food choices vary from the ad? What was your "priceless" item?

I CAN understand some information in a short TV ad using visuals and a familiar context.

I CAN create a short TV ad.

Encuentros en la plaza

Today we are at the Plaza de Mayo.

People come to walk and get some fresh air...

And children come to play...

Preparación

What does the word "plaza" mean to you? What comes to mind when you think of a plaza? What would you expect to see there?

Buenos Aires y sus plazas

Buenos Aires is divided into 48 neighborhoods, several of which have undergone the process of repairing and rebuilding homes and businesses. What do these neighborhoods look like? One of the first to be gentrified was **Palermo Soho**, considered to be one of the trendiest neighborhoods in the city. Its plazas, **Plaza Serrano** and **Plaza Armenia**, are the perfect places to meet young people or to simply people watch.

San Telmo is another favorite for young people. This neighborhood is a mix of the modern and traditional with its popular eateries and antique shops that appeal to a slightly more bohemian crowd than Palermo. People come here to watch tango dancers perform in the open air. Its meeting point is **Plaza Dorrego**.

What is common to all these neighborhoods is the energy of the vibrant plazas where people gather on a daily basis to meet and take in all the local color.

Vocabulario útil	
barrio	*neighborhood*
¡Cuánto tiempo!	*It's been a long time!*
encuentro	*meeting, encounter*
¡Qué bueno verte!	*It's great to see you!*
¡Qué suerte verlos!	*What luck (How lucky) to see you!*

Conversación

Work with a partner and discuss the following questions.

1. What images of Buenos Aires captured your attention the most? Why?
2. Choose from the following cognates to describe Buenos Aires. Do you and your partner agree?

interesante	elegante	moderna	tranquila	espectacular
fantástica	exótica	tradicional	antigua	especial

Buenos Aires es una ciudad ________ *y* ________.

Aplicación

Search online for images of two other plazas in Buenos Aires. Include the name of the plaza, the neighborhood in which it is located and why it's a popular meeting place. Present your findings to the class.

I CAN identify important social meeting places in Buenos Aires.

Estados Unidos

Bandera de EE.UU

El país en cifras°

- **Población° de los EE.UU.:** 326 millones
- **Población de origen hispano:** 57 millones
- **Lugar de origen de hispanos en los EE.UU.:**

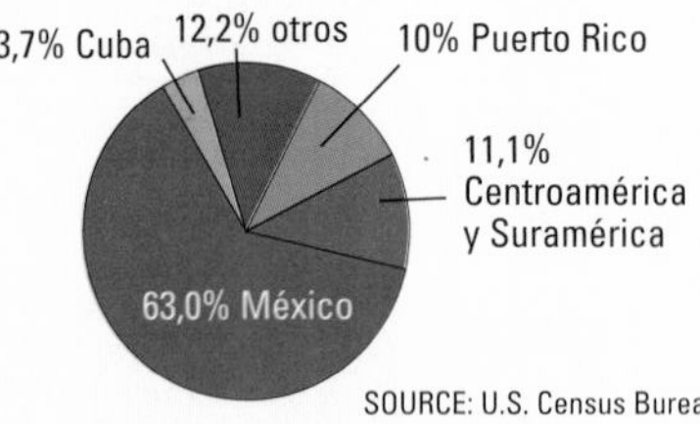

SOURCE: U.S. Census Bureau

- **Estados con la mayor° población hispana:**

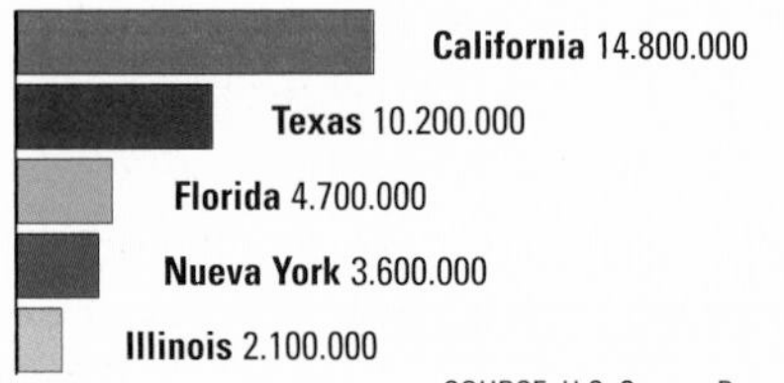

SOURCE: U.S. Census Bureau

Canadá

Bandera de Canadá

El país en cifras

- **Población de Canadá:** 36 millones
- **Población de origen hispano:** 461.000
- **País de origen de hispanos en Canadá:**

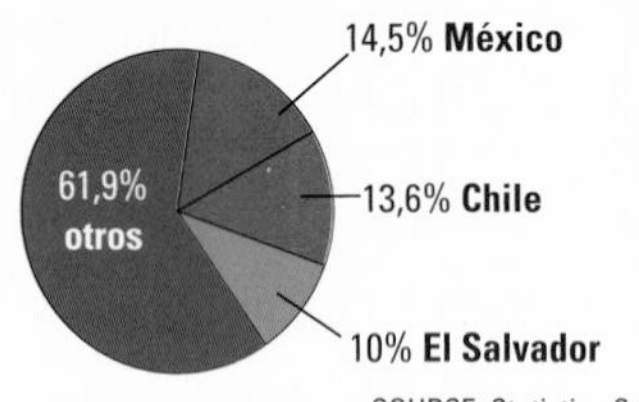

SOURCE: Statistics Canada

- **Ciudades° con la mayor población hispana:** Montreal, Toronto, Vancouver

en cifras *by the numbers* Población *Population* mayor *largest* Ciudades *Cities*

AK
HI

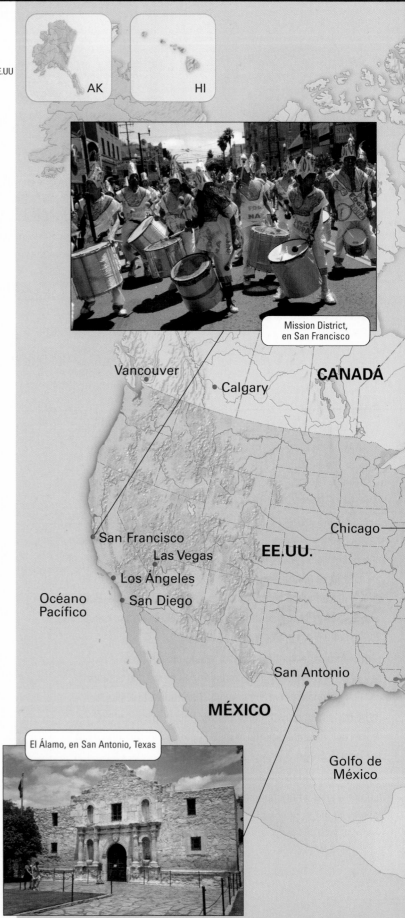

Mission District, en San Francisco

Vancouver
Calgary
CANADÁ
Chicago
San Francisco
Las Vegas
EE.UU.
Los Ángeles
San Diego
Océano Pacífico
San Antonio
MÉXICO
Golfo de México

El Álamo, en San Antonio, Texas

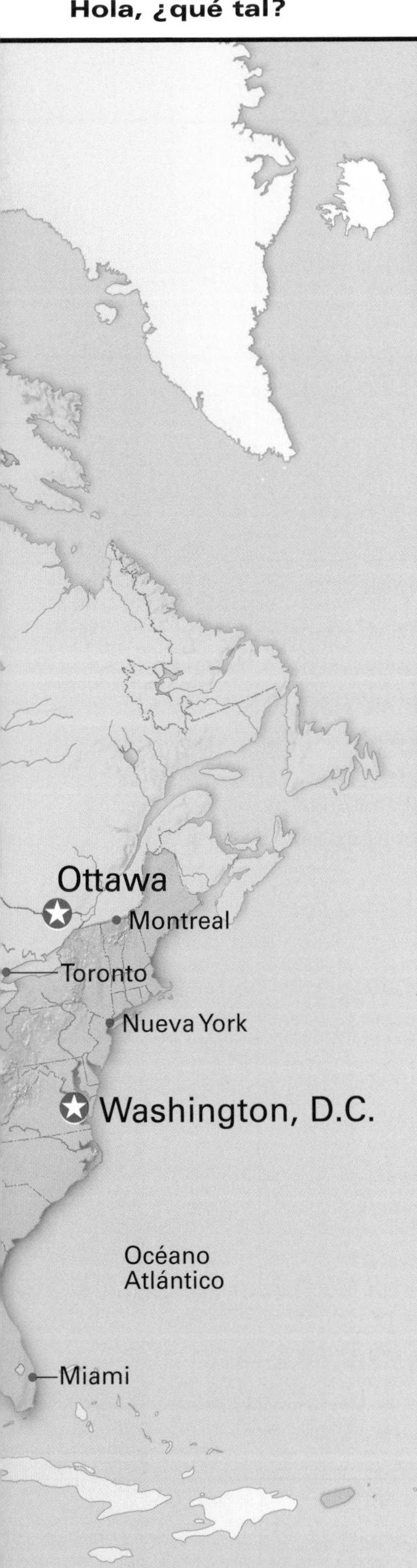

Comida • La comida mexicana

La comida° mexicana es muy popular en los Estados Unidos. Los tacos, las enchiladas, las quesadillas y los frijoles forman parte de las comidas de muchos norteamericanos. También° son populares las variaciones de la comida mexicana en los Estados Unidos: el tex-mex y el cali-mex.

Lugares • La Pequeña Habana

La Pequeña Habana° es un barrio° de Miami, Florida, donde viven° muchos cubanoamericanos. Es un lugar° donde se encuentran° las costumbres° de la cultura cubana, los aromas y sabores° de su comida y la música salsa. La Pequeña Habana es una parte de Cuba en los Estados Unidos.

Costumbres • Desfile puertorriqueño

Cada junio, desde° 1958 (mil novecientos cincuenta y ocho), los puertorriqueños celebran su cultura con un desfile° en Nueva York. Es un gran espectáculo con carrozas° y música salsa, merengue y hip-hop. Muchos espectadores llevan° la bandera° de Puerto Rico en su ropa° o pintada en la cara°.

Comunidad • Hispanos en Canadá

En Canadá viven° muchos hispanos. Toronto y Montreal son las ciudades° con mayor° población hispana. La mayoría de ellos tienen estudios universitarios° y hablan° una de las lenguas° oficiales: inglés o francés°. Los hispanos participan activamente en la vida cotidiana° y profesional de Canadá.

CON RITMO HISPANO

Lin-Manuel Miranda (1980–)

Lugar de nacimiento°: Ciudad de Nueva York, Nueva York

Ganó° dos *Tony Awards* por su musical *Hamilton* (2016) y uno por *In the Heights* (2008), su musical sobre el barrio Washington Heights.

*Go to **vhlcentral.com** to find out more about **Lin-Manuel Miranda**.*

comida *food* También *Also* La Pequeña Habana *Little Havana* barrio *neighborhood* viven *live* lugar *place* se encuentran *are found* costumbres *customs* sabores *flavors* Cada junio desde *Each June since* desfile *parade* con carrozas *with floats* llevan *wear* bandera *flag* ropa *clothing* cara *face* viven *live* ciudades *cities* mayor *most* tienen estudios universitarios *have a college degree* hablan *speak* lenguas *languages* inglés o francés *English or French* vida cotidiana *daily life* Lugar de nacimiento *place of birth* ganó *won*

¿Qué aprendiste?

1 **Escoger** Elige la opción correcta.

1. ¿Cuántos millones de personas de origen hispano hay en los Estados Unidos?
   a. 57 b. 45 c. 36
2. ¿Cuántos millones de hispanos hay en Illinois?
   a. cuatro b. tres c. dos
3. ¿Cómo se llama el barrio cubano de Miami?
   a. La Pequeña Habana b. El Álamo c. Mission District
4. ¿Qué hacen los puertorriqueños en junio?
   a. una conversación b. un desfile c. una comida
5. ¿Qué porcentaje de hispanos en Canadá son de origen mexicano?
   a. 9% b. 63,0% c. 12,4%

2 **Ensayo** Elige la mejor opción entre paréntesis para completar el ensayo sobre la influencia de la cultura hispana en Estados Unidos y Canadá.

La cultura hispana tiene mucha influencia en la comida y las (costumbres / ciudades) de los Estados Unidos y Canadá. Hay (miles / millones) de habitantes de origen hispano.

En Estados Unidos, por ejemplo, el 63% de los hispanos son de origen (mexicano / puertorriqueño) y participan en la cultura del país con su (comida / música), como los tacos y las enchiladas. En el estado de la Florida viven muchos (chilenos / cubanos), en especial en el barrio La Pequeña Habana. La música típica de los cubanoamericanos es la (salsa / merengue).

En Canadá, muchos hispanos estudian en las universidades y participan en la cultura y la vida (profesional / musical) de la nación.

En conclusión, los hispanos son parte importante de la cultura de Estados Unidos y Canadá, y participan con su música, su comida y sus costumbres.

ENTRE CULTURAS

Investiga este tema en vhlcentral.com.

1. **Escoge (*Choose*) seis lugares en los Estados Unidos con nombres hispanos e investiga sobre el origen y el significado (*meaning*) de cada nombre.**

I CAN identify basic aspects of the Hispanic community in the U.S. by reading short informational texts with visuals.

Saludos

Hola.	*Hello; Hi.*
Buenos días.	*Good morning.*
Buenas tardes.	*Good afternoon.*
Buenas noches.	*Good evening; Good night.*

Despedidas

Adiós.	*Goodbye.*
Nos vemos.	*See you.*
Hasta luego.	*See you later.*
Hasta la vista.	*See you later.*
Hasta pronto.	*See you soon.*
Hasta mañana.	*See you tomorrow.*
Saludos a...	*Greetings to...*
Chau.	*Bye.*

¿Cómo está?

¿Cómo está usted?	*How are you?* (form.)
¿Cómo estás?	*How are you?* (fam.)
¿Qué hay de nuevo?	*What's new?*
¿Qué pasa?	*What's happening?; What's going on?*
¿Qué tal?	*How are you?; How is it going?*
(Muy) bien, gracias.	*(Very) well, thanks.*
Nada.	*Nothing.*
No muy bien.	*Not very well.*
Regular.	*So-so; OK.*

Expresiones de cortesía

Con permiso.	*Pardon me; Excuse me.*
De nada.	*You're welcome.*
Lo siento.	*I'm sorry.*
(Muchas) gracias.	*Thank you (very much); Thanks (a lot).*
No hay de qué.	*You're welcome.*
Perdón.	*Pardon me; Excuse me.*
por favor	*please*

Títulos

señor (Sr.); don	*Mr.; sir*
señora (Sra.); doña	*Mrs.; ma'am*
señorita (Srta.)	*Miss*

Presentaciones

¿Cómo se llama usted?	*What's your name?* (form.)
¿Cómo te llamas?	*What's your name?* (fam.)
Me llamo...	*My name is...*
¿Y usted?	*And you?* (form.)
¿Y tú?	*And you?* (fam.)
Mucho gusto.	*Pleased to meet you.*
El gusto es mío.	*The pleasure is mine.*
Encantado/a.	*Delighted; Pleased to meet you.*
Igualmente.	*Likewise.*
Éste/Ésta es...	*This is...*
Le presento a...	*I would like to introduce you to* (name). (form.)
Te presento a...	*I would like to introduce you to* (name). (fam.)
el nombre	*name*

¿De dónde es?

¿De dónde es usted?	*Where are you from?* (form.)
¿De dónde eres?	*Where are you from?* (fam.)
Soy de...	*I'm from...*

Palabras adicionales

¿cuánto(s)/a(s)?	*how much/many?*
¿de quién...?	*whose...?* (sing.)
¿de quiénes...?	*whose...?* (plural)
(no) hay	*there is (not); there are (not)*

Países

Argentina	*Argentina*
Canadá	*Canada*
Costa Rica	*Costa Rica*
Cuba	*Cuba*
Ecuador	*Ecuador*
España	*Spain*
Estados Unidos (EE.UU.)	*United States*
México	*Mexico*
Puerto Rico	*Puerto Rico*

Verbo

ser	*to be*

Sustantivos

el autobús	*bus*
la capital	*capital city*
el chico	*boy*
la chica	*girl*
la computadora	*computer*
la comunidad	*community*
el/la conductor(a)	*driver*
la conversación	*conversation*
la cosa	*thing*
el cuaderno	*notebook*
el día	*day*
el diario	*diary*
el diccionario	*dictionary*
la escuela	*school*
el/la estudiante	*student*
la foto(grafía)	*photograph*
el hombre	*man*
el/la joven	*youth; young person*
el lápiz	*pencil*
la lección	*lesson*
la maleta	*suitcase*
la mano	*hand*
el mapa	*map*
la mujer	*woman*
la nacionalidad	*nationality*
el número	*number*
el país	*country*
la palabra	*word*
el/la pasajero/a	*passenger*
el problema	*problem*
el/la profesor(a)	*teacher*
el programa	*program*
el/la turista	*tourist*
el video	*video*

Numbers 0–30	*See page 42.*
Telling time	*See pages 50–51.*
Expresiones útiles	*See page 33.*

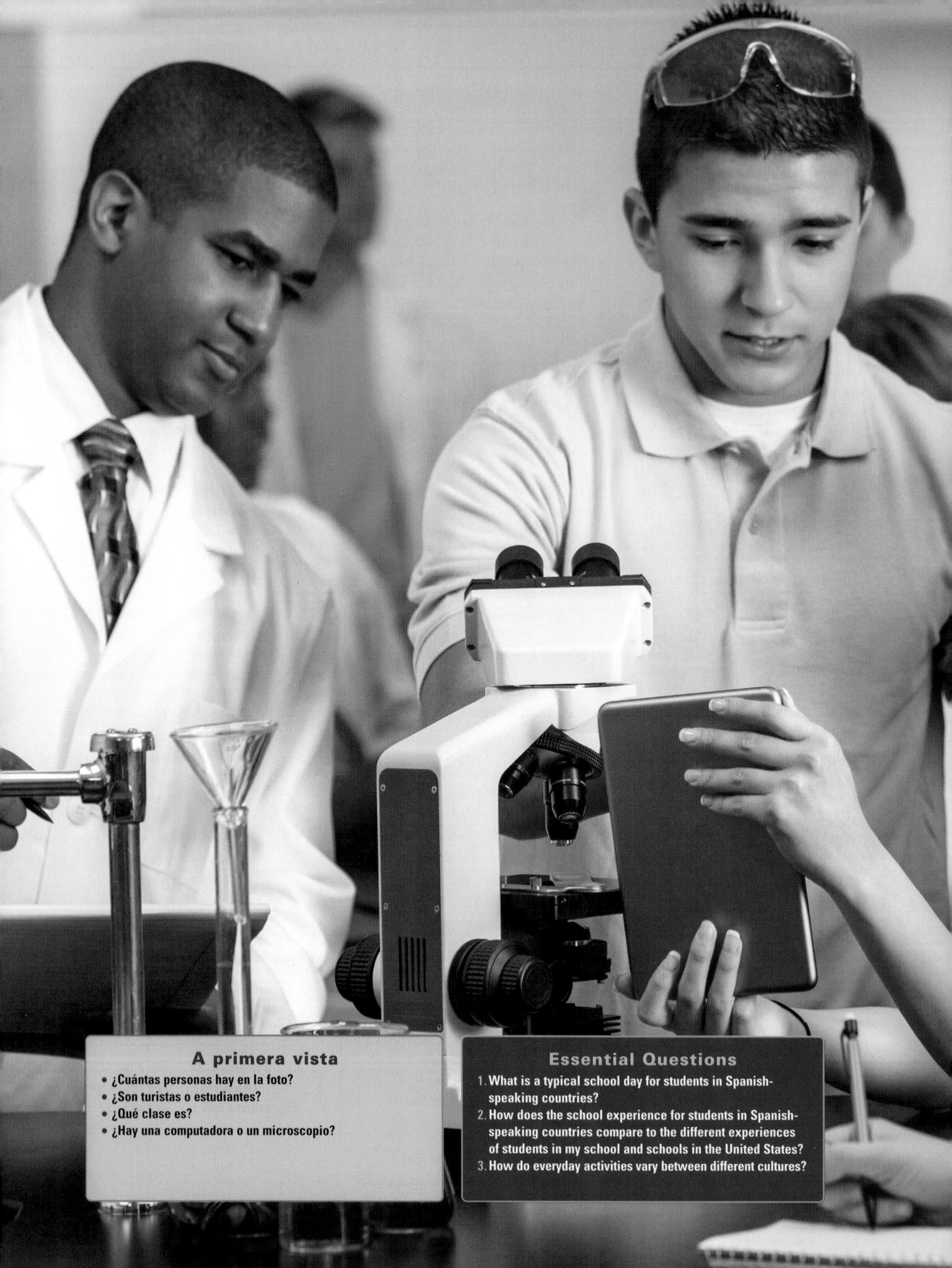

A primera vista

- ¿Cuántas personas hay en la foto?
- ¿Son turistas o estudiantes?
- ¿Qué clase es?
- ¿Hay una computadora o un microscopio?

Essential Questions

1. What is a typical school day for students in Spanish-speaking countries?
2. How does the school experience for students in Spanish-speaking countries compare to the different experiences of students in my school and schools in the United States?
3. How do everyday activities vary between different cultures?

2 En la clase

Can Do Goals

By the end of this lesson I will be able to:

- Meet a new student in school and find out basic information about him/her
- Ask and answer simple questions about academic life
- Talk about my daily activities and my activity preferences
- Explain where objects and people are located
- Solve math problems and say the years of important events in Spanish

Also, I will learn about:

Culture
- High-school studies in Mexico
- Escuela21 and its leader, Alfredo Hernando Calvo
- Universidad Nacional Autónoma de México (UNAM)
- Spain's geography and culture

Skills
- Reading: Predicting content through formats
- Writing: Brainstorming
- Listening: Listening for cognates

Lesson 2 Integrated Performance Assessment
Context: You and a classmate talk about your classes and other daily activities. Then you will tell the class about your own schedule and the classes you take.

Estudiantes en una clase en México

Producto / Práctica: Muchas escuelas de países hispanos requieren que sus estudiantes usen uniforme.
¿Los/as estudiantes de tu comunidad usan uniforme en la escuela?

En la clase

Más vocabulario

la biblioteca	*library*
la cafetería	*cafeteria*
la casa	*house; home*
la escuela	*school*
el estadio	*stadium*
el laboratorio	*laboratory*
la librería	*bookstore*
la universidad	*university; college*
el/la compañero/a de clase	*classmate*
la clase	*class*
el curso	*course*
el examen	*test; exam*
el horario	*schedule*
la prueba	*test; quiz*
el semestre	*semester*
la tarea	*homework*
la tiza	*chalk*
el trimestre	*trimester; quarter*
el arte	*art*
la biología	*biology*
las ciencias	*sciences*
la computación	*computer science*
la contabilidad	*accounting*
la economía	*economics*
el español	*Spanish*
la física	*physics*
la geografía	*geography*
la música	*music*

Variación léxica

pluma ⟷ bolígrafo
pizarra ⟷ tablero (*Col.*)

Práctica

1 **Escuchar** Listen to Ms. Morales talk about her Spanish classroom, then check the items she mentions.

puerta	❍	tiza	❍	plumas	❍
ventanas	❍	escritorios	❍	mochilas	❍
pizarra	❍	sillas	❍	papel	❍
borrador	❍	libros	❍	reloj	❍

2 **Identificar** You will hear a series of words. Write each one in the appropriate category.

Personas	Lugares	Materias
________	________	________
________	________	________
________	________	________

3 **Emparejar** Match each question with its most logical response. **¡Ojo!** (*Careful!*) One response will not be used.

1. ¿Qué clase es?
2. ¿Quién está en la puerta?
3. ¿Qué tiene la profesora?
4. ¿De dónde es la profesora?
5. ¿A qué hora es la clase?
6. ¿Cuántos estudiantes hay?

a. Hay siete.
b. Es un reloj.
c. Es de Perú.
d. Es la clase de geografía.
e. Tiene un papel.
f. Es a las diez en punto.
g. Un estudiante.

4 **Escoger** Identify the word that does not belong in each group.

1. examen • casa • tarea • prueba
2. economía • matemáticas • biblioteca • historia
3. pizarra • tiza • borrador • librería
4. lápiz • cafetería • papel • cuaderno
5. veinte • diez • pluma • treinta
6. conductor • laboratorio • autobús • pasajero

5 **¿Qué clase es?** Name the class associated with the subject matter.

modelo
los elementos, los átomos *Es la clase de química.*

1. Abraham Lincoln, Winston Churchill
2. Picasso, Leonardo da Vinci
3. Newton, Einstein
4. África, el océano Pacífico
5. la cultura de España, verbos
6. Hemingway, Shakespeare
7. geometría, calculadora

Los días de la semana

¡LENGUA VIVA!

The days of the week are never capitalized in Spanish.

•••

Monday is considered the first day of the week in Spanish-speaking countries.

CONSULTA

Note that September in Spanish is **septiembre**. For all of the months of the year, go to **Contextos, Lección 5**, p. 188.

6 **¿Qué día es hoy?** Complete each statement with the correct day of the week.

1. Hoy es martes. Mañana es ________. Ayer fue (*Yesterday was*) ________.
2. Ayer fue sábado. Mañana es ________. Hoy es ________.
3. Mañana es viernes. Hoy es ________. Ayer fue ________.
4. Ayer fue domingo. Hoy es ________. Mañana es ________.
5. Hoy es jueves. Ayer fue ________. Mañana es ________.
6. Mañana es lunes. Hoy es ________. Ayer fue ________.

7 **Analogías** Use these words to complete the analogies. Some words will not be used.

arte	día	martes	pizarra
biblioteca	domingo	matemáticas	profesor
catorce	estudiante	mujer	reloj

1. maleta ⟷ pasajero ⊜ mochila ⟷ ________
2. chico ⟷ chica ⊜ hombre ⟷ ________
3. pluma ⟷ papel ⊜ tiza ⟷ ________
4. inglés ⟷ lengua ⊜ miércoles ⟷ ________
5. papel ⟷ cuaderno ⊜ libro ⟷ ________
6. quince ⟷ dieciséis ⊜ lunes ⟷ ________
7. Cervantes ⟷ literatura ⊜ Dalí ⟷ ________
8. autobús ⟷ conductor ⊜ clase ⟷ ________
9. los EE.UU. ⟷ mapa ⊜ hora ⟷ ________
10. veinte ⟷ veintitrés ⊜ jueves ⟷ ________

Comunicación

8 **Horario** Read Cristina's description of her schedule. Then indicate whether the statements are **lógico** or **ilógico**, based on what you read.

¡ATENCIÓN!

Use **el** + [*day of the week*] when an activity occurs on a specific day and **los** + [*day of the week*] when an activity occurs regularly.

El lunes tengo un examen.

***On Monday** I have an exam.*

Los lunes y miércoles tomo biología.

***On Mondays and Wednesdays** I take biology.*

•••

Except for **sábados** and **domingos,** the singular and plural forms for days of the week are the same.

Las clases de inglés, matemáticas, español, e historia son a la misma (*same*) hora cada (*each*) día, de lunes a viernes. El professor Núñez enseña (*teaches*) la clase de inglés. Empieza (*It starts*) a las ocho. Tomo (*I take*) matématicas a las nueve menos diez, y español a las diez menos veinte. Me gusta (*I like*) la profesora Salazar que enseña la clase de historia. Los lunes y miércoles, voy (*I go*) al laboratorio para biología a la una. Los martes, jueves y viernes, tomo la clase de música. ¡Me gusta mucho la clase de música!

	Lógico	Ilógico
1. Cristina es estudiante.	❍	❍
2. Cristina toma seis clases durante la semana.	❍	❍
3. Cristina toma una clase los lunes a las tres de la tarde.	❍	❍
4. La profesora Salazar enseña la clase de historia.	❍	❍
5. El profesor Núñez enseña la clase de español.	❍	❍
6. Cristina toma clase de música los sábados.	❍	❍

9 **La semana** Write a paragraph about what a typical week looks like for you. Describe your schedule for the week, including classes, times, and teachers.

modelo

El lunes tomo la clase de matemáticas a las nueve con el profesor Smith. A las diez...

10 **Nuevos amigos** During the first week of class, you meet a new student in the cafeteria. With a partner, prepare a conversation using these cues. Then act it out for the class.

Estudiante 1		Estudiante 2
Greet your new acquaintance.	→	Introduce yourself.
Find out about him or her.	→	Tell him or her about yourself.
Ask about your partner's class schedule.	→	Compare your schedule to your partner's.
Say nice to meet you and goodbye.	→	Say nice to meet you and goodbye.

I CAN meet a new student in school and find out basic information about him/her

¡¿Te gustan los lunes?!

Manuel, Valentina y Juanjo caminan a la universidad. Sara llega tarde a la escuela.

ANTES DE VER
Make a list of vocabulary related to school and classes based on what you see.

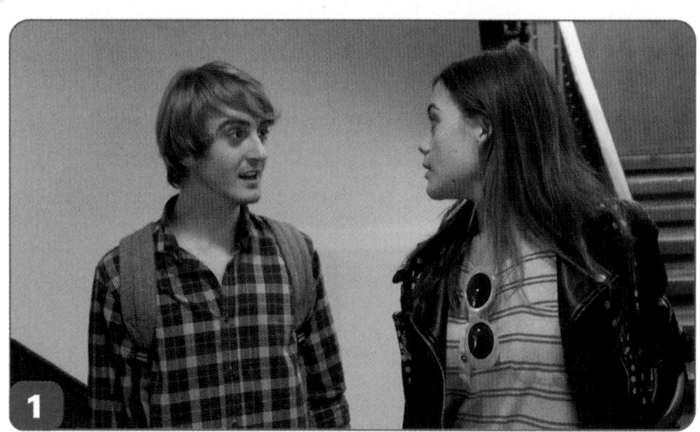

MANUEL ¡Sara! ¿Qué pasa?

SARA La tarea... Está en la mesa... ¡Adiós!

MANUEL ¡Adiós!

MANUEL ¡Buenos días, Valentina!

VALENTINA Buenos días, Manuel.

MANUEL ¿Caminamos a la universidad?

VALENTINA Eh... sí. Busco la mochila y los libros.

MANUEL ¿Y qué clases tomas los lunes?

VALENTINA Por la mañana, dibujo, y por la tarde historia del arte. ¡Me gustan los lunes!

MANUEL La Facultad de Ciencias está por allá, ¿no?

JUANJO Sí.

MANUEL Gracias por caminar con nosotros. Eres un buen compañero. ¡Adiós!

VALENTINA ¡Adiós!

MANUEL A la Facultad de Bellas Artes, ¿no?

VALENTINA ¡Sí! La clase de dibujo es a las diez menos cuarto.

MANUEL ¡En diez minutos! La Facultad de Arte... está...

VALENTINA Está entre la biblioteca y la Facultad de Humanidades. Allí.

MANUEL Sí, sí, claro, allí.

VALENTINA ¿Necesitas un mapa?

PERSONAJES

MANUEL

SARA

VALENTINA

JUANJO

PROFESOR

DANIEL

JAIME

3

JUANJO Valentina. Buenos días.

VALENTINA Hola.

JUANJO ¿Caminan a la universidad?

MANUEL ¡No!

VALENTINA Sí. ¿Caminas con nosotros?

JUANJO ¡Por supuesto!

6

PROFESOR Gracias por la presentación, Jaime. ¡Buenos días, Sara!

SARA Buenos días, profesor.

PROFESOR ¡Llegas treinta y cinco minutos tarde! ¿Estás lista para la presentación?

SARA Sí, claro.

PROFESOR Adelante.

SARA El tema de mi presentación es: ¿Cómo afecta el cambio climático a la geografía?

Expresiones útiles

adelante *go ahead*
las bellas artes *fine arts*
la cama *bed*
el cambio climático *climate change*
el casco *helmet*
el dibujo *drawing*
la energía eólica *wind energy*
la facultad *department/school of a university*
listo/a *ready*
tarde *late*
todavía *still*

La Escuela Secundaria Obligatoria (ESO)

The Spanish education system features a level called ***Escuela Secundaria Obligatoria*** (***ESO***), which spans four years and includes students aged 12 to 16. Once students complete this level, they can go on to ***Bachillerato***. This level, which includes two years of additional study, is not compulsory and is meant to provide students with the opportunity to specialize in one of four areas of their choice: arts, science and technology, humanities, and social sciences.

In 2019, the school with the highest ranking in Spain was Colegio Meres, a private institution located in Asturias—an autonomous community in north-west Spain.

What, if any, areas of specialization can students in your school choose?

¿Qué pasó?

1 **¿Cierto o falso?** Indicate if each statement is **cierto** or **falso**. Correct the false statements.

	Cierto	Falso
1. A Manuel le gustan los lunes.	❍	❍
2. El libro de Sara está en la mesa.	❍	❍
3. Valentina toma una clase de dibujo.	❍	❍
4. La Facultad de Arte está entre la biblioteca y la Facultad de Humanidades.	❍	❍
5. Hoy es sábado y no hay clases.	❍	❍
6. Sara llega treinta y cinco minutos tarde.	❍	❍

2 **Ordenar** Put the events in order.

a. Sara llega tarde a clase. ___
b. Valentina busca la mochila y los libros. ___
c. Manuel mira *(looks at)* el horario. ___
d. Sara busca la tarea. ___
e. Juanjo, Valentina y Manuel caminan a la universidad. ___

3 **Escoger** Choose the correct option to complete these sentences about the video.

1. Hoy Manuel toma una clase de ________.
   a. dibujo b. literatura c. música
2. A ________ le gustan los lunes.
   a. Valentina b. Manuel c. Juanjo
3. La clase de dibujo es a las ________.
   a. diez en punto b. diez y media c. diez menos cuarto
4. La presentación de ________ es sobre la energía eólica en España.
   a. Sara b. Jaime c. Daniel
5. Sara explica (*explains*) qué es la ________.
   a. psicología b. geografía c. sociología
6. A Sara no le gusta ________.
   a. la geografía b. bailar c. llegar tarde

4 **Preguntas personales** Interview a classmate about school. Do you have any answers in common?

1. ¿Qué clases tomas los lunes?
2. ¿Qué clases tomas los martes?
3. ¿Qué clases te gustan?
4. ¿Te gusta la clase de español?
5. ¿Te gustan los lunes?
6. ¿Caminas a la escuela?
7. ¿Te gusta llegar tarde?

I CAN ask and answer questions about school.

Pronunciación

Spanish vowels

a

e

i

o

u

Spanish vowels are never silent; they are always pronounced in a short, crisp way without the glide sounds used in English.

Álex **clase** **nada** **encantada**

The letter **a** is pronounced like the *a* in *father*, but shorter.

el **ene** **mesa** **elefante**

The letter **e** is pronounced like the *e* in *they*, but shorter.

Inés **chica** **tiza** **señorita**

The letter **i** sounds like the *ee* in *beet*, but shorter.

hola **con** **libro** **don Francisco**

The letter **o** is pronounced like the *o* in *tone*, but shorter.

uno **regular** **saludos** **gusto**

The letter **u** sounds like the *oo* in *room*, but shorter.

Práctica Practice the vowels by saying the names of these places in Spain.

1. Madrid
2. Alicante
3. Tenerife
4. Toledo
5. Barcelona
6. Granada
7. Burgos
8. La Coruña

AYUDA

Although **hay** and **ay** are pronounced identically, they do not have the same meaning. As you learned in **Lección 1, hay** is a verb form that means *there is/are*. **Hay veinte libros.** (*There are twenty books.*) **¡Ay!** is an exclamation expressing pain, shock, or affliction: *Ouch!; Oh, my!*

Oraciones Read the sentences aloud, focusing on the vowels.

1. Hola. Me llamo Ramiro Morgado.
2. Estudio arte en la Universidad de Salamanca.
3. Tomo también literatura y contabilidad.
4. Ay, tengo clase de biología. ¡Nos vemos!

Refranes Practice the vowels by reading these sayings aloud.

Del dicho al hecho hay un gran trecho.[1]

1 Easier said than done.
2 To each his own.

Communicative Goal: Identify practices related to academic programs in Spanish-speaking countries

EN DETALLE

La escuela secundaria en México

La escuela secundaria, que en México comienza° después de seis años de escuela primaria, tiene tres grados° para estudiantes de entre 12 y 15 años. Manuel, un estudiante mexicano de 15 años, toma un curso intensivo enfocado en la química.

Los estudiantes como Manuel deben tomar cada año cursos de matemáticas, ciencias, español, lenguas extranjeras (inglés o francés) y música, entre otros. Una vez aprueban° estos cursos, pueden pasar a la preparatoria (o "la prepa") —un programa de tres años de estudios (o dos, en algunos casos) después de la escuela secundaria—. Después de la prepa, pueden comenzar los estudios universitarios.

Algunos bachilleratos (*high school degrees*) son "terminales", lo que significa que cuando los estudiantes se gradúan° tienen todas las habilidades necesarias para comenzar a trabajar en el área de su elección.

Otros programas están diseñados para estudiantes que planean continuar sus estudios en una carrera° universitaria. Por ejemplo:

- Ciencias Biológicas
- Ciencias Contables, Económicas y Bancarias
- Música y Arte

Cada programa tiene cursos diseñados para una carrera específica. Esto significa que, aunque° todos los estudiantes de secundaria toman un curso de matemáticas, el tipo de matemáticas que estudian varía según las necesidades de cada grado.

La escuela y la universidad

Some Mexican high schools are designed and managed by universities as well as by the Secretary of Education. One university that directs such schools is the **Universidad Nacional Autónoma de México (UNAM),** Mexico's largest university.

ASÍ SE DICE

Clases y exámenes

aprobar	*to pass*
el colegio/la escuela	*school*
la escuela secundaria/ la preparatoria (Méx.)/ el liceo (Ven.)/ el instituto (Esp.)	*high school*
el examen parcial	*midterm exam*
el horario	*schedule*
la matrícula	*enrollment (in school)*
reprobar	*to fail*
sacar buenas/ malas notas	*to get good/ bad grades*

comienza *starts* **grados** *degrees* **aprueban** *they pass* **se gradúan** *they graduate* **carrera** *degree program* **aunque** *even though*

ACTIVIDADES

1 **¿Cierto o falso?** Indicate whether the following statements are **cierto** (*true*) or **falso** (*false*).

1. Students in Mexico attend elementary school for six years.
2. After secondary school, students continue their studies in **la prepa** for two or three years.
3. After elementary school, students have the necessary skills to go into the work force.
4. Students prepare for university degree programs by taking the appropriate courses in secondary schools.
5. The **Universidad Nacional Autónoma de México** (**UNAM**) directs all the secondary school programs in Mexico.
6. All students must take the same mathematics courses at the high school level.
7. High school students in Venezuela go to **el liceo**.

2 **Entrevista** Use the following questions to interview a partner about schools in general.

1. What part of schooling in Mexico seems interesting to you?
2. Do you think courses in high school should be specialized according to degree programs in college or should all students take the same classes? Why or why not?
3. Do you feel that U.S. students graduate from high school with the necessary skills to enter the work force? Why or why not?
4. What new courses or programs would you like to see instituted in your school?

3 **Gráfico** With a partner, create a chart outlining the educational school systems of your country and Mexico. What programs or levels are similar? In what ways are they different? Present your findings to the class. Does your chart agree with those of your classmates?

ENTRE CULTURAS

¿Cómo es el código de vestuario en las escuelas de los países hispanos? ¿Hay diferencias entre ellos?

*Go to **vhlcentral.com** to find out more cultural information related to this **Cultura** section.*

I CAN identify practices related to academic programs in my own and other cultures.

PERFIL

Escuela21

Alfredo Hernando Calvo

Educación innovadora

El psicólogo e investigador español Alfredo Hernando Calvo es el líder del proyecto Escuela21. Gracias a este proyecto, Calvo recorrió° el mundo° durante dos años para visitar las escuelas más innovadoras del planeta. Como resultado de sus viajes°, escribió un libro con el título *Viaje a la escuela del siglo XXI. Así trabajan las escuelas más innovadoras del mundo* (2015), que describe las experiencias de 50 instituciones que rompen con° el sistema educativo tradicional. Entre ellas hay 16 colegios de Estados Unidos, cuatro de España, cuatro de Colombia, dos de Uruguay y uno respectivamente en Chile, Perú y Argentina. Todos ellos tienen en común el uso de tecnologías, el juego° como una manera efectiva de aprender, y la promoción del pensamiento° crítico en los estudiantes. Y tú, ¿cómo crees que debe ser una escuela innovadora en el siglo XXI?

recorrió *went around* mundo *world* viajes *travels* rompen con *break with* juego *game* pensamiento *thinking*

Comprensión Complete these sentences with the correct numbers.

1. Alfredo Hernando Calvo led a project to discover the most innovative schools as part of a project entitled School ____.
2. He spent ____ years traveling the world to uncover what innovative schools had in common.
3. In his book, Alfredo Hernando Calvo identifies ____ schools from around the world that broke with traditional systems.
4. He found ____ schools in the U.S. with innovative educational programs.
5. A total of ____ schools in South America also received this designation plus ____ in Spain.

2.1 Present tense of -ar verbs

ANTE TODO In order to talk about activities, you need to use verbs. Verbs express actions or states of being. In English and Spanish, the infinitive is the base form of the verb. In English, the infinitive is preceded by the word to: to study, to be. The infinitive in Spanish is a one-word form and can be recognized by its endings: **-ar**, **-er**, or **-ir**.

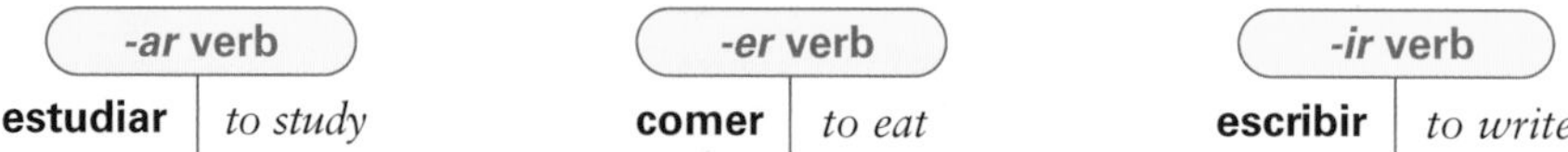

-ar verb	*-er* verb	*-ir* verb
estudiar *to study*	**comer** *to eat*	**escribir** *to write*

▶ In this lesson, you will learn the forms of regular **-ar** verbs.

The verb **estudiar** (*to study*)

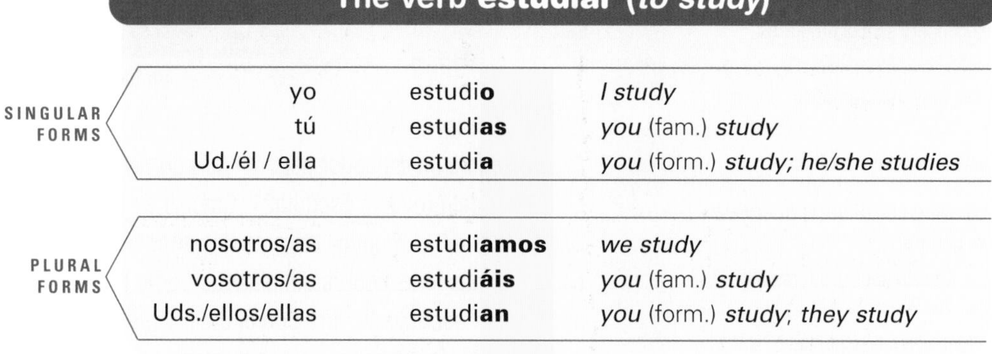

SINGULAR FORMS	yo	estudi**o**	*I study*
	tú	estudi**as**	*you* (fam.) *study*
	Ud./él / ella	estudi**a**	*you* (form.) *study; he/she studies*
PLURAL FORMS	nosotros/as	estudi**amos**	*we study*
	vosotros/as	estudi**áis**	*you* (fam.) *study*
	Uds./ellos/ellas	estudi**an**	*you* (form.) *study; they study*

Estudio fotografía.

Juanjo estudia en la Facultad de Ciencias.

▶ To create the forms of most regular verbs in Spanish, drop the infinitive endings (**-ar**, **-er**, **-ir**). You then add to the stem the endings that correspond to the different subject pronouns. This diagram will help you visualize verb conjugation.

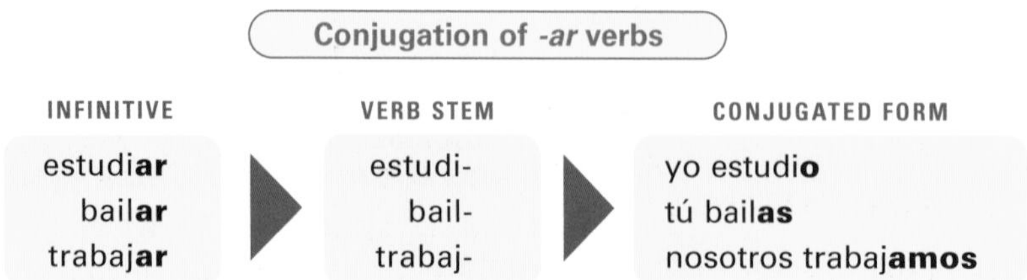

Conjugation of *-ar* verbs

INFINITIVE		VERB STEM		CONJUGATED FORM
estudi**ar**	▶	estudi-	▶	yo estudi**o**
bail**ar**		bail-		tú bail**as**
trabaj**ar**		trabaj-		nosotros trabaj**amos**

VERIFICA

Common *-ar* verbs

bailar	*to dance*	**estudiar**	*to study*
buscar	*to look for*	**explicar**	*to explain*
caminar	*to walk*	**hablar**	*to talk; to speak*
cantar	*to sing*	**llegar**	*to arrive*
cenar	*to have dinner*	**llevar**	*to carry*
comprar	*to buy*	**mirar**	*to look (at); to watch*
contestar	*to answer*	**necesitar (+ *inf.*)**	*to need*
conversar	*to converse, to chat*	**practicar**	*to practice*
desayunar	*to have breakfast*	**preguntar**	*to ask (a question)*
descansar	*to rest*	**preparar**	*to prepare*
desear (+ *inf.*)	*to desire; to wish*	**regresar**	*to return*
dibujar	*to draw*	**terminar**	*to end; to finish*
enseñar	*to teach*	**tomar**	*to take; to drink*
escuchar	*to listen (to)*	**trabajar**	*to work*
esperar (+ *inf.*)	*to wait (for); to hope*	**viajar**	*to travel*

▶ **¡Atención!** Unless referring to a person, the Spanish verbs **buscar**, **escuchar**, **esperar**, and **mirar** do not need to be followed by prepositions as they do in English.

Busco la tarea.
I'm looking for the homework.

Escucho la música.
I'm listening to the music.

Espero el autobús.
I'm waiting for the bus.

Miro la pizarra.
I'm looking at the blackboard.

COMPARE & CONTRAST

English uses three sets of forms to talk about the present: (1) the simple present (*Paco works*), (2) the present progressive (*Paco is working*), and (3) the emphatic present (*Paco does work*). In Spanish, the simple present can be used in all three cases.

Paco **trabaja** en la cafetería.

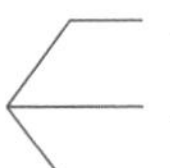

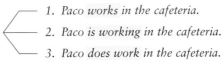

1. *Paco works in the cafeteria.*
2. *Paco is working in the cafeteria.*
3. *Paco does work in the cafeteria.*

In Spanish and English, the present tense is also sometimes used to express future action.

Marina **viaja** a Madrid mañana.

1. *Marina travels to Madrid tomorrow.*
2. *Marina will travel to Madrid tomorrow.*
3. *Marina is traveling to Madrid tomorrow.*

▶ When two verbs are used together with no change of subject, the second verb is generally in the infinitive. To make a sentence negative in Spanish, the word **no** is placed before the conjugated verb. In this case, **no** means *not*.

Deseo hablar con el señor Díaz.
I want to speak with Mr. Díaz.

Alicia **no** desea bailar ahora.
Alicia doesn't want to dance now.

▶ Spanish speakers often omit subject pronouns because the verb endings indicate who the subject is. In Spanish, subject pronouns are used for emphasis, clarification, or contrast.

—¿Qué enseñan?
What do they teach?

—**Ella** enseña arte y **él** enseña física.
She teaches art, and he teaches physics.

—¿Quién desea trabajar hoy?
Who wants to work today?

—**Yo** no deseo trabajar hoy.
I don't want to work today.

The verb gustar

▶ **Gustar** is different from other **-ar** verbs. To express your likes and dislikes, use the expression **(no) me gusta** + **el/la** + [*singular noun*] or **(no) me gustan** + **los/las** + [*plural noun*]. Note: You may use the phrase **a mí** for emphasis, but never the subject pronoun **yo**.

Me gusta la música clásica.
I like classical music.

Me gustan las clases de español y biología.
I like Spanish and biology classes.

A mí me gustan las artes.
I like the arts.

A mí no me gusta llegar tarde.
I don't like to be late.

▶ To talk about what you like and don't like to do, use **(no) me gusta** + [*infinitive(s)*]. Note that the singular **gusta** is always used, even with more than one infinitive.

No me gusta viajar en autobús.
I don't like to travel by bus.

Me gusta cantar y **bailar.**
I like to sing and dance.

▶ To ask a friend about likes and dislikes, use the pronoun **te** instead of **me**. Note: You may use **a ti** for emphasis, but never the subject pronoun **tú**.

—¿Te gusta la geografía?
Do you like geography?

—Sí, me gusta. Y a ti, ¿te gusta el inglés?
Yes, I like it. And you, do you like English?

▶ You can use this same structure to talk about other people by using the pronouns **nos**, **le**, and **les**.

Nos gusta dibujar. (nosotros)
We like to draw.

Nos gustan las clases de español e inglés. (nosotros)
We like Spanish class and English class.

No le gusta trabajar. (usted, él, ella)
You don't like to work.
He/She doesn't like to work.

Les gusta el arte. (ustedes, ellos, ellas)
You like art.
They like art.

¡ATENCIÓN!

Note that **gustar** does not behave like other **-ar** verbs. You must study its use carefully and pay attention to prepositions, pronouns, and agreement.

Note that *gustar* actually means "to be pleasing to" and means "to like" in English.

AYUDA

Use the construction **a** + [*name/pronoun*] to clarify to whom you are referring. This construction is not always necessary.

A Gabriela le gusta bailar.

A Sara y a él les gustan los animales.

A mí me gusta viajar.

¿**A ti** te gustan las clases?

CONSULTA

For more on **gustar** and other verbs like it, see **Estructura 7.4**, pp. 284–285.

VERIFICA

¡INTÉNTALO! Provide the present tense forms of these verbs. The first items have been done for you.

hablar

1. Yo hablo español.
2. Ellos ________ español.
3. Inés ________ español.
4. Nosotras ________ español.
5. Tú ________ español.

gustar

1. Me gusta el café. (a mí)
2. ¿________ las clases? (a ti)
3. No ________ el café. (a ti)
4. No ________ las clases. (a mí)
5. No ________ el café. (a mí)

Práctica

1 **Completar** Complete the conversation with the appropriate forms of the verbs in parentheses.

JUAN ¡Hola, Linda! ¿Qué (1) __________ (llevar) en la mochila?

LINDA (2) __________ (llevar) las cosas que (3) __________ (necesitar) para la clase de español.

JUAN (4) __________ (necesitar) el libro de español?

LINDA Claro que sí.

JUAN ¿Los estudiantes en tu clase de español (5) __________ (estudiar) mucho?

LINDA Sí, nosotros (6) __________ (practicar) y (7) __________ (conversar) en español treinta minutos todos los días (*every day*).

2 **Oraciones** Form sentences using the words provided. Remember to conjugate the verbs and add any other necessary words.

1. ustedes / practicar / vocabulario
2. ¿preparar (tú) / tarea?
3. clase de español / terminar / once
4. ¿qué / buscar / ustedes?
5. (nosotros) buscar / pluma
6. (yo) comprar / calculadora

3 **Gustos** Read what these people do. Then use the information in parentheses to tell what they like.

modelo

Yo enseño en la universidad. (las clases) *Me gustan las clases.*

1. Tú deseas mirar cuadros (*paintings*) de Picasso. (el arte)
2. Soy estudiante de economía. (estudiar)
3. Tú estudias italiano y español. (las lenguas extranjeras)
4. No descansas los sábados. (cantar y bailar)
5. Busco una computadora. (la computación)

4 **Actividades** Get together with a classmate and take turns asking each other if you do these activities. Which activities does your classmate like? Which do you both like?

modelo

tomar el autobús

Estudiante 1: *¿Tomas el autobús?*

Estudiante 2: *Sí, tomo el autobús, pero (but) no me gusta./ No, no tomo el autobús.*

bailar merengue	escuchar música rock	practicar el español
cantar en público	estudiar física	hablar italiano
dibujar bien	mirar la televisión	viajar a Europa

AYUDA

The Spanish **no** translates to both *no* and *not* in English. In negative answers to questions, you will need to use **no** twice:

¿Estudias geografía?

No, no estudio geografía.

Comunicación

5 **Actividades** In small groups, talk about the different activities you and your friends do in your daily life. Then specify which of those activities you like to do and which you don't. Use at least five of the **-ar** verbs you have learned.

modelo

Yo bailo hip hop en una academia. Mary dibuja...
Me gusta bailar. No me gusta dibujar.

6 **Describir** With a partner, describe what you see using the given verbs. Also, ask your partner whether or not he/she likes one of the activities.

modelo

dibujar, escuchar
Estudiante 1: *La chica dibuja y escucha música. ¿Te gusta dibujar?*
Estudiante 2: *Sí, me gusta dibujar.*

1. desayunar, estudiar, conversar

2. llegar, cantar, bailar

3. trabajar, viajar, llevar

4. mirar, esperar, cenar

Síntesis

7 **Conversación** With a classmate, pretend that you are friends who have not seen each other for a few days. Have a conversation in which you catch up on things. Mention how you're feeling, your class schedule this week, which teachers teach those classes, and which classes you like and don't like.

I CAN ask and answer questions about my daily activities and my activity preferences.

2.2 Forming questions in Spanish

ANTE TODO There are several ways to ask questions in Spanish. Notice how it is done in the photos and captions on this page.

¿Caminan a la universidad?

A la Facultad de Bellas Artes, ¿no?

AYUDA

Say the example statements and questions on this page out loud. Your pitch indicates whether you are making a statement or asking a question. Then make up statements of your own and turn them into questions, using all three methods.

▶ One way to form a question is to raise the pitch of your voice at the end of a declarative sentence. When writing any question in Spanish, be sure to use an upside-down question mark (**¿**) at the beginning and a regular question mark (**?**) at the end of the sentence.

Statement	Question
Ustedes estudian los sábados. *You study on Saturdays.*	¿Ustedes estudian los sábados? *Do you study on Saturdays?*
Carlota busca un mapa. *Carlota is looking for a map.*	¿Carlota busca un mapa? *Is Carlota looking for a map?*

▶ You can also form a question by inverting the order of the subject and the verb of a declarative statement. The subject may even be placed at the end of the sentence.

Statement	Question
SUBJECT VERB **Ustedes estudian** los sábados. *You study on Saturdays.*	VERB SUBJECT ¿**Estudian ustedes** los sábados? *Do you study on Saturdays?*
SUBJECT VERB **Carlota regresa** a las seis. *Carlota returns at six.*	VERB SUBJECT ¿**Regresa** a las seis **Carlota**? *Does Carlota return at six?*

▶ Questions can also be formed by adding the tags **¿no?** or **¿verdad?** at the end of a statement.

Statement	Question
Ustedes estudian los sábados. *You study on Saturdays.*	Ustedes estudian los sábados, **¿no?** *You study on Saturdays, don't you?*
Carlota regresa a las seis. *Carlota returns at six.*	Carlota regresa a las seis, **¿verdad?** *Carlota returns at six, right?*

VERIFICA

Question words

Interrogative words			
¿Adónde?	*Where (to)?*	**¿De dónde?**	*From where?*
¿Cómo?	*How?*	**¿Dónde?**	*Where?*
¿Cuál?, ¿Cuáles?	*Which?; Which one(s)?*	**¿Por qué?**	*Why?*
¿Cuándo?	*When?*	**¿Qué?**	*What?; Which?*
¿Cuánto/a?	*How much?*	**¿Quién?**	*Who?*
¿Cuántos/as?	*How many?*	**¿Quiénes?**	*Who* (plural)*?*

▶ To ask a question that requires more than a yes or no answer, use an interrogative word.

¿**Cuál** de ellos estudia en la biblioteca?
Which of them studies in the library?

¿**Cuántos** estudiantes hablan español?
How many students speak Spanish?

¿**Dónde** trabaja Ricardo?
Where does Ricardo work?

¿**Qué** clases tomas?
What classes are you taking?

¿**Adónde** caminamos?
Where are we walking (to)?

¿**Por qué** necesitas hablar con ella?
Why do you need to talk to her?

¿**Quién** enseña la clase de arte?
Who teaches the art class?

¿**Cuánta** tarea hay?
How much homework is there?

CONSULTA

You will learn more about the difference between **qué** and **cuál** in **Estructura** 9.3, p. 358

▶ When pronouncing this type of question, the pitch of your voice falls at the end of the sentence just as it does in a statement.

¿**Cómo** llegas a clase?
How do you get to class?

¿**Por qué** necesitas estudiar?
Why do you need to study?

▶ Notice the difference between **¿por qué?**, which is written as two words and has an accent, and **porque**, which is written as one word without an accent.

¿**Por qué** estudias español?
Why do you study Spanish?

¡**Porque** es divertido!
Because it's fun!

▶ In Spanish **no** can mean both *no* and *not*. Therefore, when answering a yes/no question in the negative, you need to use **no** twice.

¿Caminan a la escuela?
Do you walk to school?

No, no caminamos a la escuela.
No, we do not walk to the school.

VERIFICA

¡INTÉNTALO! Make questions out of these statements. Use the intonation method in column 1 and the tag **¿no?** method in column 2.

Statement	Intonation	Tag question
1. Hablas inglés.	¿Hablas inglés?	Hablas inglés, ¿no?
2. Trabajamos mañana.	____________	____________
3. Ustedes desean bailar.	____________	____________
4. Raúl estudia mucho.	____________	____________
5. Enseño a las nueve.	____________	____________
6. Luz mira la televisión.	____________	____________

Práctica

1 **Preguntas** Change these sentences into questions by inverting the word order.

modelo

Ernesto habla con su compañero de clase.
¿Habla Ernesto con su compañero de clase? / ¿Habla con su compañero de clase Ernesto?

1. La profesora Cruz prepara la prueba.
2. Sandra y yo necesitamos estudiar.
3. Los chicos practican el vocabulario.
4. Jaime termina la tarea.
5. Tú trabajas en la biblioteca.

2 **Completar** Irene and Manolo are chatting in the library. Complete their conversation with the appropriate questions.

IRENE Hola, Manolo. (1) ____________________
MANOLO Bien, gracias. (2) ____________________
IRENE Muy bien. (3) ____________________
MANOLO Son las nueve.
IRENE (4) ____________________
MANOLO Estudio historia.
IRENE (5) ____________________
MANOLO Porque hay un examen mañana.
IRENE (6) ____________________
MANOLO Sí, me gusta mucho la clase.
IRENE (7) ____________________
MANOLO El profesor Padilla enseña la clase.
IRENE (8) ____________________
MANOLO No, no tomo biología.
IRENE (9) ____________________
MANOLO Regreso a mi casa a las tres.
IRENE (10) ____________________
MANOLO No, no deseo tomar una soda. ¡Deseo estudiar!
IRENE ¡Eres un aguafiestas!

¡LENGUA VIVA!

The word "aguafiestas" comes from "agua" + "fiesta". It means "spoilsport" or "wet blanket."

3 **Dos profesores** Create a dialogue, similar to the one in **Actividad 2**, between two teachers, Mr. Padilla and his colleague Mrs. Martínez. Use question words.

modelo

Señor Padilla: *¿Qué enseñas este semestre?*
Señora Martínez: *Enseño matemáticas.*

Comunicación

4 

Muchas preguntas Listen to the conversation between Manuel and Ana. Then indicate whether the following conclusions are **lógico** or **ilógico**, based on what you heard.

	Lógico	Ilógico
1. Ana es profesora.	❍	❍
2. Diana es estudiante.	❍	❍
3. La profesora de español es de España.	❍	❍
4. Diana no toma la clase de computación porque hay mucha tarea.	❍	❍
5. Ana toma la clase de química.	❍	❍

5

Un juego With a classmate, play a game (**un juego**) of Jeopardy®. Remember to phrase your answers in the form of a question.

Es algo que...	**Es un lugar donde...**	**Es una persona que...**
It's something that...	*It's a place where...*	*It's a person that...*

modelo

Estudiante 1: *Es un lugar donde estudiamos.*
Estudiante 2: *¿Qué es la biblioteca?*

Estudiante 1: *Es algo que escuchamos.*
Estudiante 2: *¿Qué es la música?*

Estudiante 1: *Es un director de España.*
Estudiante 2: *¿Quién es Pedro Almodóvar?*

NOTA CULTURAL

Pedro Almodóvar is an award-winning film director from Spain. His films are full of both humor and melodrama, and their controversial subject matter has often sparked great debate. His film ***Hable con ella*** won the Oscar for Best Original Screenplay in 2002. His 2006 hit ***Volver*** was nominated for numerous awards, and won the Best Screenplay and Best Actress award for the entire female cast at the Cannes Film Festival.

6 

El nuevo estudiante Imagine you are a transfer student and today is your first day of Spanish class. Ask your partner questions to find out all you can about the class, your classmates, and the school. Then switch roles.

Estudiante 1: *Hola, me llamo Samuel. ¿Cómo te llamas?*
Estudiante 2: *Me llamo Laura.*
Estudiante 1: *En la escuela hay cursos de artes, ¿verdad?*
Estudiante 2: *Sí, hay clases de música y dibujo.*
Estudiante 1: *¿Cuántos exámenes hay en esta clase?*
Estudiante 2: *Hay dos.*

Síntesis

7

Entrevista Write an article about school life in your community. Write five questions you would ask students about their academic life.

I CAN interview a new acquaintance and find out basic information about him/her.

I CAN write an article about school life in my community.

2.3 Present tense of estar

ANTE TODO

In **Lección 1**, you learned how to conjugate and use the verb **ser** *(to be)*. You will now learn a second verb which means *to be*, the verb **estar**. Although **estar** ends in **-ar**, it does not follow the pattern of regular **-ar** verbs. The **yo** form (**estoy**) is irregular. Also, all forms have an accented **á** except the **yo** and **nosotros/as** forms.

CONSULTA

To review the forms of **ser**, see **Estructura 1.3**, pp. 45–47.

The verb estar (*to be*)

SINGULAR FORMS	yo	est**oy**	*I am*
	tú	est**ás**	*you* (fam.) *are*
	Ud./él/ella	est**á**	*you* (form.) *are; he/she is*
PLURAL FORMS	nosotros/as	est**amos**	*we are*
	vosotros/as	est**áis**	*you* (fam.) *are*
	Uds./ellos/ellas	est**án**	*you* (form.) *are; they are*

Estamos en la universidad.

Sara está en la clase de geografía.

AYUDA

Use **la casa** to express the house, but **en casa** to express at *home*.

CONSULTA

To learn more about the difference between **ser** and **estar**, see **Estructura 5.3**, pp. 204–205.

VERIFICA

COMPARE & CONTRAST

Compare the uses of the verb **estar** to those of the verb **ser**.

Uses of *estar*

Location
Estoy en casa.
I am at home.

Manuel **está** al lado de Valentina.
Manuel is next to Valentina.

Health
Juanjo **está** enfermo hoy.
Juanjo is sick today.

Well-being
—¿Cómo **estás**, Sara?
How are you, Sara

—**Estoy** muy bien, gracias.
I'm very well, thank you.

Uses of *ser*

Identity
Hola, **soy** Olga Lucía.
Hello, I'm Olga Lucía.

Occupation
Soy estudiante.
I'm a student.

Origin
—¿**Eres** de México?
Are you from Mexico?

—No, **soy** de Venezuela.
No, I'm from Venezuela.

Telling time
Son las cuatro.
It's four o'clock.

▶ **Estar** is often used with certain prepositions and adverbs to describe the location of a person or an object.

Prepositions and adverbs often used with estar

al lado de	*next to*	**delante de**	*in front of*
a la derecha de	*to the right of*	**detrás de**	*behind*
a la izquierda de	*to the left of*	**en**	*in; on*
allá	*over there*	**encima de**	*on top of*
allí	*there*	**entre**	*between*
cerca de	*near*	**lejos de**	*far from*
con	*with*	**sin**	*without*
debajo de	*below*	**sobre**	*on; over*

La tiza **está al lado de** la pluma.
The chalk is next to the pen.

Los libros **están encima del** escritorio.
The books are on top of the desk.

El laboratorio **está cerca de** la clase.
The lab is near the classroom.

Maribel **está delante de** José.
Maribel is in front of José.

La maleta **está allí**.
The suitcase is there.

El estadio no **está lejos de** la librería.
The stadium isn't far from the bookstore.

El mapa **está entre** la pizarra y la puerta.
The map is between the blackboard and the door.

Los estudiantes **están en** la clase.
The students are in class.

La calculadora **está sobre** la mesa.
The calculator is on the table.

Los turistas **están allá**.
The tourists are over there.

La tarea está en la mesa.

Está entre la biblioteca y la Facultad de Humanidades.

¡INTÉNTALO! Provide the present tense forms of **estar**.

1. Ustedes ___están___ en la clase.
2. José ________ en la biblioteca.
3. Yo ________ bien, gracias.
4. Nosotras ________ en la cafetería.
5. Tú ________ en el laboratorio.
6. Elena ________ en la librería.
7. Ellas ________ en la clase.
8. Ana y yo ________ en la clase.
9. ¿Cómo ________ usted?
10. Javier y Maribel ________ en el estadio.
11. Nosotros ________ en la cafetería.
12. Yo ________ en el laboratorio.
13. Carmen y María ________ enfermas.
14. Tú ________ en la clase.

Práctica

1 **Completar** Daniela has just returned home from the library. Complete this conversation with the appropriate forms of **ser** or **estar**.

MAMÁ Hola, Daniela. ¿Cómo (1)__________?

DANIELA Hola, mamá. (2)__________ bien. ¿Dónde (3)__________ papá? ¡Ya (*Already*) (4)__________ las ocho de la noche!

MAMÁ No (5)__________ aquí. (6)__________ en la oficina.

DANIELA Y Andrés y Margarita, ¿dónde (7)__________ ellos?

MAMÁ (8)__________ en el restaurante La Palma con Martín.

DANIELA ¿Quién (9)__________ Martín?

MAMÁ (10)__________ un compañero de clase. (11)__________ de México.

DANIELA Ah. Y el restaurante La Palma, ¿dónde (12)__________?

MAMÁ (13)__________ cerca de la Plaza Mayor, en San Modesto.

DANIELA Gracias, mamá. Voy (*I'm going*) al restaurante. ¡Hasta pronto!

2 **Escoger** Choose the preposition that best completes each sentence.

1. La pluma está (encima de / detrás de) la mesa.
2. La ventana está (a la izquierda de / debajo de) la puerta.
3. La pizarra está (debajo de / delante de) los estudiantes.
4. Las sillas están (encima de / detrás de) los escritorios.
5. Los estudiantes llevan los libros (en / sobre) la mochila.
6. La biblioteca está (sobre / al lado de) la cafetería.
7. España está (cerca de / lejos de) Puerto Rico.
8. México está (cerca de / lejos de) los Estados Unidos.
9. Felipe trabaja (con / en) Ricardo en la cafetería.

3 **La librería** Ask the school bookstore clerk (your partner) the location of items in the drawing.

modelo

Estudiante 1: ¿Dónde están las computadoras?
Estudiante 2: Están encima de la mesa.

Comunicación

4 **En la clase** Read Camila's e-mail to her friend, in which she describes her new school. Then, indicate whether each statement is **lógico** or **ilógico**, based on what you read.

Para: Andrés | Asunto:

```
Hola Andrés,
¿Cómo estás? Yo estoy muy bien, ¡adoro la nueva escuela!
Hay dos cafeterías, una gran biblioteca y un laboratorio de
biología. ¡Y mi salón de clases (classroom) es genial! Está
cerca de la biblioteca. Tiene una puerta y dos ventanas, una
mesa y una computadora para mí. También hay un reloj al lado
de la puerta, y hay muchos escritorio usta tu nueva escuela?
¿Cuántos estudiantes hay en tus clases de matemáticas?
¡Hasta pronto!
Camila
```

1. Camila es una estudiante de la escuela de Andrés.
2. El salón de clases está cerca del laboratorio de biología.
3. Hay una computadora en el salón de clases.
4. Camila y Andrés son profesores en la escuela.
5. Andrés es profesor de biología.

5  **¿Dónde estás...?** With a partner, take turns asking each other where you normally are at these times.

lunes / 10:00 a.m.
Estudiante 1: *¿Dónde estás los lunes a las diez de la mañana?*
Estudiante 2: *Estoy en la biblioteca.*

1. sábados / 6:00 a.m.
2. miércoles / 9:15 a.m.
3. lunes / 11:10 a.m.
4. jueves / 12:30 a.m.
5. viernes / 2:25 p.m.
6. martes / 3:50 p.m.
7. jueves / 5:45 p.m.
8. miércoles / 8:20 p.m.

Síntesis

6  **Entrevista** Answer your partner's questions.

1. ¿Cómo estás?
2. ¿Dónde estás ahora?
3. ¿Dónde está tu (*your*) diccionario de español?
4. ¿Dónde está tu profesor/a?
5. ¿Cuándo hay un examen?
6. ¿Estudias mucho?
7. ¿Cuántas horas estudias para (*for*) una prueba?

I CAN explain where objects and people are located.

2.4 Numbers 31 and higher

ANTE TODO You have already learned numbers 0–30. Now you will learn the rest of the numbers.

Numbers 31–100

▶ Numbers 31–99 follow the same basic pattern as 21–29.

Numbers 31–100

31	treinta y uno	**40**	cuarenta	**50**	cincuenta
32	treinta y dos	**41**	cuarenta y uno	**51**	cincuenta y uno
33	treinta y tres	**42**	cuarenta y dos	**52**	cincuenta y dos
34	treinta y cuatro	**43**	cuarenta y tres	**60**	sesenta
35	treinta y cinco	**44**	cuarenta y cuatro	**63**	sesenta y tres
36	treinta y seis	**45**	cuarenta y cinco	**64**	sesenta y cuatro
37	treinta y siete	**46**	cuarenta y seis	**70**	setenta
38	treinta y ocho	**47**	cuarenta y siete	**80**	ochenta
39	treinta y nueve	**48**	cuarenta y ocho	**90**	noventa
		49	cuarenta y nueve	**100**	cien, ciento

▶ **Y** is used in most numbers from **31** through **99**. Unlike numbers 21–29, these numbers must be written as three separate words.

Hay **noventa y dos** exámenes.
There are ninety-two exams.

Hay **cuarenta y dos** estudiantes.
There are forty-two students.

NOTA CULTURAL

When giving phone numbers or house numbers, Spanish speakers tend to give them in tens. For example, the phone number 782-595-1827 would be "**siete ochenta y dos, cinco noventa y cinco, dieciocho veintisiete**.

¡Llegas treinta y cinco minutos tarde!

▶ With numbers that end in **uno** (31, 41, etc.), **uno** becomes **un** before a masculine noun and **una** before a feminine noun.

Hay **treinta y un** chicos.
There are thirty-one guys.

Hay **treinta y una** chicas.
There are thirty-one girls.

▶ **Cien** is used before nouns and in counting. The words **un**, **una**, and **uno** are never used before **cien** in Spanish. Use **cientos** to say *hundreds*.

Hay **cien** libros y **cien** sillas.
There are one hundred books and one hundred chairs.

¿Cuántos libros hay? **Cientos.**
How many books are there? Hundreds.

VERIFICA

Numbers 101 and higher

- As shown in the chart, Spanish uses a period to indicate thousands and millions, rather than a comma, as is used in English.

Numbers 101 and higher

101	ciento uno	**1.000**	mil
200	doscientos/as	**1.100**	mil cien
300	trescientos/as	**2.000**	dos mil
400	cuatrocientos/as	**5.000**	cinco mil
500	quinientos/as	**100.000**	cien mil
600	seiscientos/as	**200.000**	doscientos/as mil
700	setecientos/as	**550.000**	quinientos/as cincuenta mil
800	ochocientos/as	**1.000.000**	un millón (de)
900	novecientos/as	**8.000.000**	ocho millones (de)

- Notice that you should use **ciento**, not **cien**, to count numbers over 100.

  110 = **ciento diez**   118 = **ciento dieciocho**   150 = **ciento cincuenta**

- The numbers 200 through 999 agree in gender with the nouns they modify.

  324 plum**as**
  trescient**as** veinticuatro plum**as**

  605 libr**os**
  seiscient**os** cinco libr**os**

Hay tres mil quinient**os** libr**os** en la biblioteca.

- The word **mil**, which can mean *a thousand* and *one thousand*, is not usually used in the plural form to refer to an exact number, but it can be used to express the idea of *a lot*, *many*, or *thousands*. **Cientos** can also be used to express *hundreds* in this manner.

  ¡Hay miles de personas en el estadio!
  There are thousands of people in the stadium.

  Hay **cientos** de libros en la biblioteca.
  There are hundreds of books in the library.

- To express a complex number (including years), string together all of its components.

  55.422   cincuenta y cinco mil cuatrocientos veintidós

¡LENGUA VIVA!

In Spanish, years are not expressed as pairs of two-digit numbers as they are in English (1979, nineteen seventy-nine): **1776, mil setecientos setenta y seis; 1945, mil novecientos cuarenta y cinco; 2016, dos mil dieciséis.**

¡ATENCIÓN!

When **millón** or **millones** is used before a noun, the word **de** is placed between the two when you read the numbers aloud:
1.000.000 hombres = un millón de hombres
12.000.000 casas = doce millones de casas.

¡INTÉNTALO! Write out the Spanish equivalent of each number.

1. **102** *ciento dos*
2. **5.000.000** ______
3. **201** ______
4. **76** ______
5. **92** ______
6. **550.300** ______
7. **235** ______
8. **79** ______
9. **113** ______
10. **88** ______
11. **17.123** ______
12. **497** ______

Práctica y Comunicación

1

Baloncesto Provide these basketball scores in Spanish.

1. Ohio State 76, Michigan 65
2. Florida 92, Florida State 104
3. Stanford 83, UCLA 89
4. Purdue 81, Indiana 78
5. Princeton 67, Harvard 55
6. Duke 115, Virginia 121

2

Completar Following the pattern, write out the missing numbers in Spanish.

1. 50, 150, 250 ... 1.050
2. 5.000, 20.000, 35.000 ... 95.000
3. 100.000, 200.000, 300.000 ... 1.000.000
4. 100.000.000, 90.000.000, 80.000.000 ... 10.000.000

3

Resolver Solve the math problems. Write out the numbers in Spanish.

AYUDA
+ → **más**
– → **menos**
= → **son**

modelo

200 + 300 =
Doscientos más trescientos son quinientos.

1. 1.000 + 753 =
2. 1.000.000 – 30.000 =
3. 10.000 + 555 =
4. 15 + 150 =
5. 100.000 + 205.000 =
6. 29.000 – 10.000 =

4

Los números de teléfono Write a list of telephone numbers that are important to you. Write out the numbers.

modelo

mi celular: 635-1951 seis-tres-cinco-diecinueve-cincuenta y uno
o: seis-treinta y cinco-diecinueve-cincuenta y uno

Síntesis

5

Preguntas With a classmate, ask each other questions that require numbers in the answers. The questions could be about phone numbers, the number of people in your city or state, the year you finish school, etc.

modelo

Estudiante 1: *¿Cuándo terminas la escuela?*
Estudiante 2: *Termino la escuela en dos mil veintiocho.*

I CAN solve math problems and tell the years of importamt events in Spanish.

Recapitulación

Review the grammar concepts you have learned in this lesson by completing these activities.

1 **Completar** Complete the chart with the correct verb forms. 24 pts.

yo	tú	nosotros	ellas
compro			
	deseas		
		miramos	
			preguntan

2 **Números** Write these numbers in Spanish. 16 pts.

modelo
645: *seiscientos cuarenta y cinco*

1. **49:** ____________
2. **97:** ____________
3. **113:** ____________
4. **632:** ____________
5. **1.781:** ____________
6. **3.558:** ____________
7. **1.006.015:** ____________
8. **67.224.370:** ____________

3 **Preguntas** Write questions for these answers. 12 pts.

1. —¿____________ Patricia?
—Patricia es de Colombia.
2. —¿____________ él?
—Él es mi amigo (*friend*).
3. —¿____________ (tú)?
—Hablo dos idiomas.
4. —¿____________ (ustedes)?
—Deseamos tomar café.
5. —¿____________?
—Tomo biología porque me gustan las ciencias.
6. —¿____________?
—Camilo descansa por las mañanas.

RESUMEN GRAMATICAL

2.1 Present tense of *-ar* verbs *pp. 78–80*

estudiar	
estudio	estudiamos
estudias	estudiáis
estudia	estudian

The verb gustar

(no) me gusta + el/la + [*singular noun*]

(no) me gustan + los/las + [*plural noun*]

(no) me gusta + [*infinitive(s)*]

Note: You may use **a mí** for emphasis, but never **yo**.

To ask a friend about likes and dislikes, use **te** instead of **me**, but never **tú**.

¿Te gusta la historia?

2.2 Forming questions in Spanish *pp. 83–84*

- ¿Ustedes trabajan los sábados?
- ¿Trabajan ustedes los sábados?
- Ustedes trabajan los sábados, ¿verdad?/¿no?

Interrogative words

¿Adónde?	¿Cuánto/a?	¿Por qué?
¿Cómo?	¿Cuántos/as?	¿Qué?
¿Cuál(es)?	¿De dónde?	¿Quién(es)?
¿Cuándo?	¿Dónde?	

2.3 Present tense of *estar* *pp. 87–88*

- estar: estoy, estás, está, estamos, estáis, están

2.4 Numbers 31 and higher *pp. 91–92*

31	treinta y uno	101	ciento uno
32	treinta y dos	200	doscientos/as
	(*and so on*)	500	quinientos/as
40	cuarenta	700	setecientos/as
50	cincuenta	900	novecientos/as
60	sesenta	1.000	mil
70	setenta	2.000	dos mil
80	ochenta	5.100	cinco mil cien
90	noventa	100.000	cien mil
100	cien, ciento	1.000.000	un millón (de)

4 **Al teléfono** Complete this telephone conversation with the correct forms of the verb **estar**. 16 pts.

MARÍA TERESA Hola, señora López. (1) ¿__________ Elisa en casa?

SRA. LÓPEZ Hola, ¿quién es?

MARÍA TERESA Soy María Teresa. Elisa y yo (2) __________ en la misma (*same*) clase de literatura.

SRA. LÓPEZ ¡Ah, María Teresa! ¿Cómo (3) __________?

MARÍA TERESA (4) __________ muy bien, gracias. Y usted, ¿cómo (5) __________?

SRA. LÓPEZ Bien, gracias. Pues, no, Elisa no (6) __________ en casa. Ella y su hermano (*her brother*) (7) __________ en la Biblioteca Cervantes.

MARÍA TERESA ¿Cervantes?

SRA. LÓPEZ Es la biblioteca que (8) __________ al lado del café Bambú.

MARÍA TERESA ¡Ah, sí! Gracias, señora López.

SRA. LÓPEZ Hasta luego, María Teresa.

5 **¿Qué te gusta?** Form complete sentences with the information provided to indicate what is liked. 28 pts.

modelo

yo: las ciencias

Me gustan las ciencias. / A mí me gustan las ciencias.

1. yo: la clase de música __________
2. tú: las lenguas extranjeras __________
3. yo: escuchar la radio __________
4. tú: la historia __________
5. yo: las matemáticas __________
6. tú: viajar __________
7. yo: el arte __________

6 **Canción** Use the appropriate forms of the verb **gustar** to complete the beginning of a popular song by Manu Chao. 4 pts

“Me __________ los aviones°,
me gustas tú,
me __________ viajar,
me gustas tú,
me gusta la mañana,
me gustas tú.”

aviones *airplanes*

Communicative Goal: Read an ad, relying on formats to understand its content

Lectura

Antes de leer

Estrategia

Predicting content through formats

Recognizing the format of a document can help you to predict its content. For instance, invitations, greeting cards, and classified ads follow an easily identifiable format, which usually gives you a general idea of the information they contain. Look at the text and identify it based on its format.

Período	Hora	Clase
1	7:45 – 8:37	*Matemáticas*
2	8:43 – 9:30	*Español*
3	9:36 – 10:23	*Inglés*
4	10:29 – 11:16	*Historia*
Almuerzo	11:16 – 12:06	
5	12:12 – 12:59	*Biología*
6	1:05 – 1:52	*Arte*
7	1:58 – 2:45	*Música*

If you guessed that this is a page from a student's schedule, you are correct. You can now infer that the document contains information about a student's weekly schedule, including days, times, and activities.

Cognados

Make a list of the cognates in the text and guess their English meanings. What do cognates reveal about the content of the document?

Examinar el texto

Look at the format of the document entitled ***Cursos de español en Salamanca*** What type of text is it? What information do you expect to find in this type of document?

Estudiar fuera, **sentirte en casa°**

cursos de español

en Salamanca

Después de leer

Correspondencias

Provide the letter of each item in Column B that matches the words in Column A.

A	B
1. apartamentos	a. un curso
2. excursiones	b. una actividad
3. lengua española y traducción	c. alojamiento
4. Plaza Mayor	d. sitio web
5. una clase	e. máximo 12 estudiantes
6. www.colegiodelibes.com	f. está a cinco minutos a pie

Las ventajas° del colegio Delibes

El colegio Delibes está situado a cinco minutos a pie° de la Plaza Mayor, en una gran plaza con jardines, árboles y zonas verdes°, en un edificio totalmente restaurado°, con tecnología de última° generación, equipado con 23 aulas°, todas con aire acondicionado y equipo multimedia, sala° de video y conferencias, biblioteca, además de red° WIFI en todo el colegio y zonas comunes en las que podrás° relajarte y tomar un café en los descansos con el resto de tus compañeros.

Caracteriza a nuestro centro un auténtico ambiente internacional con un completo programa de actividades extraacadémicas, la mayor parte gratuitas°.

Cursos	Actividades
A. Lengua española	A. Excursiones
B. Lengua y cultura españolas	B. Fiestas
C. Lengua y literatura españolas	C. Deportes°
D. Lengua española y conversacional	D. Películas°
E. Lengua española y traducción	E. Visitas culturales
F. Lengua española y turismo	**Alojamiento°**
G. Superintensivo de lengua española	A. Familias
H. Curso de profesores	B. Residencias
I. Curso para grupos	C. Apartamentos
	D. Hoteles

Los cursos del colegio Delibes

1. Clases durante todo el año
2. Doce estudiantes como máximo en cada° clase
3. Profesores licenciados° en filología y con amplia° experiencia docente°
4. **Duración:** 1 hora de clase = 55 minutos.
5. Tutorías (Gratis)
6. **Créditos:**
   El colegio Delibes ofrece° a los estudiantes la convalidación en créditos universitarios del curso que realicen° durante su estancia° en Salamanca.

Para más información: (34) 91 523 4500 - **www.colegiodelibes.com**

sentirte en casa *feel at home* **ventajas** *adventages* **a pie** *on foot* **árboles y zonas verdes** *trees and green areas* **restaurado** *remodeled* **última** *latest* **aulas** *classrooms* **sala** *room* **red** *net* **podrás** *you will be able* **gratuitas** *free (of charge)* **deportes** *sports* **películas** *movies* **alojamiento** *lodging* **cada** *each* **licenciados** *graduates* **amplia** *wide* **docente** *teaching* **ofrece** *offers* **realicen** *do* **estancia** *stay*

¿Cierto o falso?

Indicate whether each statement is **cierto** or **falso**.

	Cierto	Falso
1. El Colegio Delibes ofrece (*offers*) cursos de italiano.	❍	❍
2. Los profesores del Colegio Delibes son licenciados en historia.	❍	❍
3. Las clases en el Colegio Delibes tienen una duración de una hora y media.	❍	❍
4. Los estudiantes pueden vivir (*can live*) con familias.	❍	❍
5. La escuela que ofrece los cursos de español está en Madrid.	❍	❍
6. Hay red WIFI exclusivamente en la biblioteca.	❍	❍
7. Si deseas información sobre (*about*) los cursos de español, es posible llamar al (34) 91 523 4500.	❍	❍
8. Todas las actividades extraacadémicas tienen un costo de 23 euros.	❍	❍

I CAN read and understand key details in a brochure for a language school.

Escritura

Estrategia

Brainstorming

How do you find ideas to write about? In the early stages of writing, brainstorming can help you generate ideas on a specific topic. You should spend ten to fifteen minutes brainstorming and jotting down any ideas about the topic. Whenever possible, try to write your ideas in Spanish. Express your ideas in single words or phrases, and jot them down in any order. While brainstorming, don't worry about whether your ideas are good or bad. Selecting and organizing ideas should be the second stage of your writing. Remember that the more ideas you write down while you're brainstorming, the more options you'll have to choose from later when you start to organize your ideas.

Me gusta

bailar
viajar
mirar la televisión
la clase de español
la clase de psicología

No me gusta

cantar
dibujar
trabajar
la clase de química
la clase de biología

Tema

Una descripción

Write a description of yourself to post in a forum on a website in order to meet Spanish-speaking people. Include this information in your description:

- your name and where you are from, and a photo (optional) of yourself
- where you go to school
- the courses you are taking
- where you work (if you have a job)
- some of your likes and dislikes

¡Hola! Me llamo Alicia Roberts. Estudio matemáticas y economía. Me gusta dibujar, cantar y viajar.

I CAN write a short description of myself and my preferences to post in a forum.

Escuchar

Estrategia

Listening for cognates

You already know that cognates are words that have similar spellings and meanings in two or more languages: for example, group and **grupo** or *stereo* and **estéreo.** Listen for cognates to increase your comprehension of spoken Spanish.

To help you practice this strategy, you will now listen to two sentences. Make a list of all the cognates you hear.

Preparación

Based on the photograph, who do you think Armando and Julia are? What do you think they are talking about?

Ahora escucha

Now you are going to hear Armando and Julia's conversation. Make a list of the cognates they use.

Armando	Julia
________	________
________	________
________	________
________	________

Based on your knowledge of cognates, decide whether the following statements are **cierto** or **falso**.

	Cierto	Falso
1. Armando y Julia hablan de la familia.	❍	❍
2. Armando y Julia toman una clase de italiano.	❍	❍
3. Julia toma clase de historia.	❍	❍
4. Armando y Julia estudian lenguas extranjeras.	❍	❍
5. Julia toma una clase de religión.	❍	❍

Comprensión

Preguntas

Answer these questions about Armando and Julia's conversation conversation.

1. ¿Qué clases toma Armando?
   ____
2. ¿Qué clases toma Julia?
   ____

Seleccionar

Choose the answer that best completes each sentence.

1. Armando toma ________ clases.
   a. cuatro   b. tres   c. seis
2. Julia toma dos clases de ________.
   a. matemáticas   b. ciencias   c. idiomas
3. Armando toma italiano y ________.
   a. historia   b. música   c. química

Preguntas personales

1. ¿Cuántas clases tomas?
2. ¿Qué clases tomas?
3. ¿Qué clases te gustan y qué clases no te gustan?

I CAN use known and familiar words to understand a short conversation about classes and teachers.

Preparación

Answer the following questions in English.

1. What are your goals at the beginning of each academic year?
2. What do you feel excited about at the start of each academic year?

Anuncio de Universidad UTESA

¡Bienvenido a clases!

Calendarios

The academic calendar in Spanish-speaking countries varies from country to country. However, there are some similarities. In South America, the academic year stars in March and ends in December, with the exception of Venezuela, Ecuador, and Colombia. These three countries have different calendars depending on the region, but the most common is for the year to go from late-January to early-December, with a period of vacation in June-July and a few short breaks in between. Universities tend to break their calendars in either semesters or terms of three (*trimestres*) or four (*cuatrimestres*) months.

Vocabulario útil

el camino	*path*
conocer/conocimiento	*to know/knowledge*
hacia	*towards*
lograr	*to achieve*
moldear	*to shape*
el regreso	*return*
los sueños	*dreams*

Comprensión

Check the expressions that you hear in the video.
Para mí, el regreso a clases es una nueva oportunidad para…

- adquirir conocimientos
- conocer a los profesores
- conocer nuevos compañeros
- estudiar mucho más
- lograr mis sueños
- tomar clases interesantes

Conversación

Complete this sentence with two to three phrases that reflect your opinion.

Para mí, el regreso a clases es una nueva oportunidad de ____________ / ____________ / ____________.

Share your responses with a classmate.

Aplicación

With a partner, describe your school calendar and vacations. Then research and describe the same for a Spanish-speaking culture. Include the following elements: at what age students start school, the first and last days of the school year, and the dates of school vacations. Present your descriptions to the class, comparing the two as you present.

Los estudios

—¿Qué estudias?
—Ciencias de la comunicación.

Estudio derecho en la UNAM.

¿Conoces a algún° profesor famoso que dé° clases... en la UNAM?

Preparación

What would you like to study in college?

Las universidades mexicanas

With 73 institutions of higher education, Mexico City has over 625,000 university students, the largest number in Mexico. Students come from all across the country to attend school here. The most important university in the country is **Universidad Nacional Autónoma de México** (**UNAM**), a public research university that ranks highly in world rankings. It is the largest university in Latin America and has one of the biggest campuses in the world. UNAM's main campus in Mexico City, known as **Ciudad Universitaria**, is a UNESCO World Heritage site that was designed by some of Mexico's best-known architects of the 20th century. All Mexican Nobel laureates are either alumni or faculty of UNAM, including author and diplomat Octavio Paz (1914–1998), Nobel Prize for Literature in 1990.

Vocabulario útil

¿Cuál es tu materia favorita?	*What is your favorite subject?*
¿Qué estudias?	*What are you studying?*
¿Conoces a...?	*Do you know (a person)...?*
(No) lo conozco.	*I (don't) know him.*
la carrera	*degree*
derecho	*law*

Conversación

Discuss the following questions with a classmate.

1. What did you learn about the Universidad Nacional Autónoma de México (UNAM)? What was most interesting for you?
2. What are some of the advantages and disadvantages of studying at UNAM based on what you saw in the video?
3. Ask your partner the same questions asked in the video.

   ¿Cuál es tu materia favorita?

   ¿Cuántos años tienes?

   ¿Conoces a una persona famosa que fue (*was*) estudiante en una escuela o universidad de tu estado?

Aplicación

In groups of three, act out a similar interview in which you ask two other students about their classes in your school. Prepare a brief introduction about your school and use the questions from **Vocabulario útil** to interview your classmates. Present your own **Flash cultura** episode to the class.

I CAN recognize basic details about student life in a video in Mexico City.

I CAN compare everyday activities in student life, in my own and other cultures.

España

Bandera de España

El país en cifras

- **Área:** 505.370 km² (kilómetros cuadrados) o 195.124 millas cuadradas°, incluyendo las islas Baleares y las islas Canarias
- **Población:** 48.958.000
- **Capital:** Madrid—6.199.000
- **Ciudades° principales:** Barcelona, Valencia, Sevilla, Zaragoza
- **Moneda°:** euro
- **Idiomas°:** español o castellano, catalán, gallego, valenciano, euskera

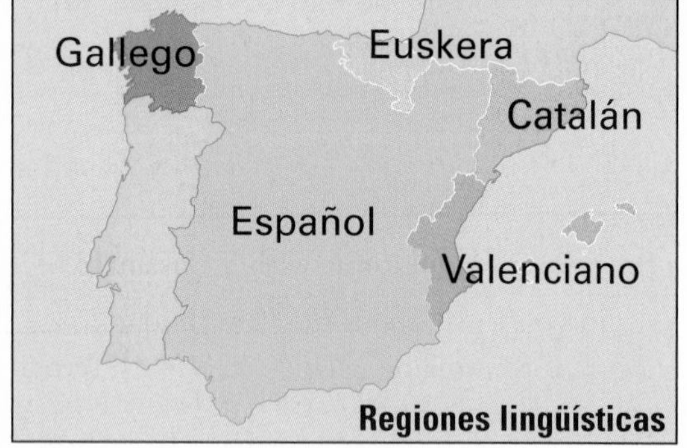

Gallego
Euskera
Catalán
Español
Valenciano
Regiones lingüísticas

millas cuadradas *square miles* Ciudades *Cities* Moneda *Currency* Idiomas *Languages*

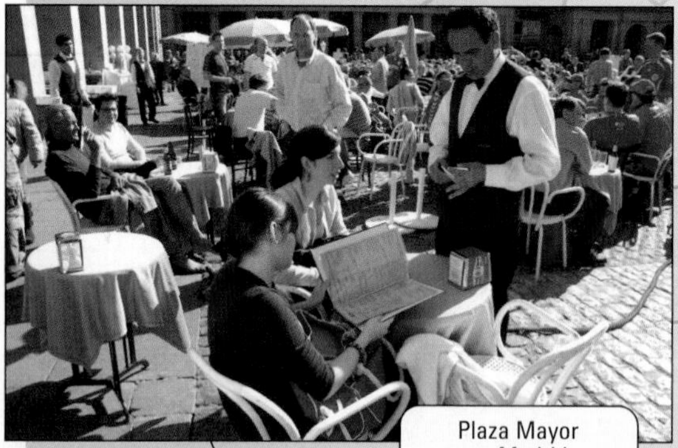

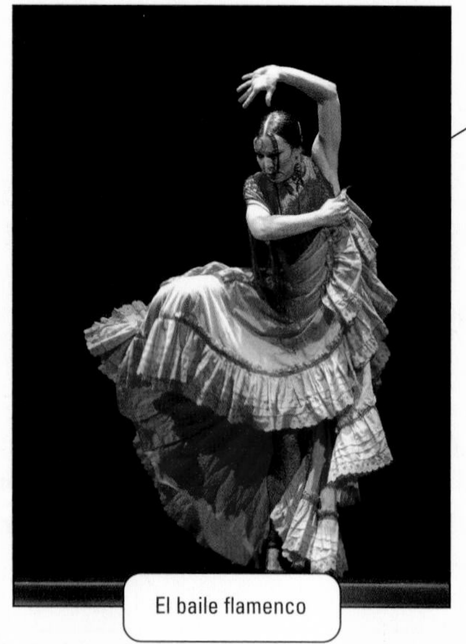

Plaza Mayor en Madrid

El baile flamenco

FRANCIA
Mar Cantábrico
A Coruña
ANDORRA
San Sebastián
Pirineos
Barcelona
Salamanca
Zaragoza
Río Ebro
PORTUGAL
Madrid
Valencia
ESPAÑA
Sevilla
Sierra Nevada
Mar Mediterráneo
Estrecho de Gibraltar
Ceuta
Melilla
MARRUECOS
Menorca
Mallorca
Ibiza
Islas Baleares
OCÉANO ATLÁNTICO
EUROPA
ESPAÑA
ÁFRICA
Islas Canarias
La Palma
Tenerife
Gran Canaria
Lanzarote
Gomera
Hierro

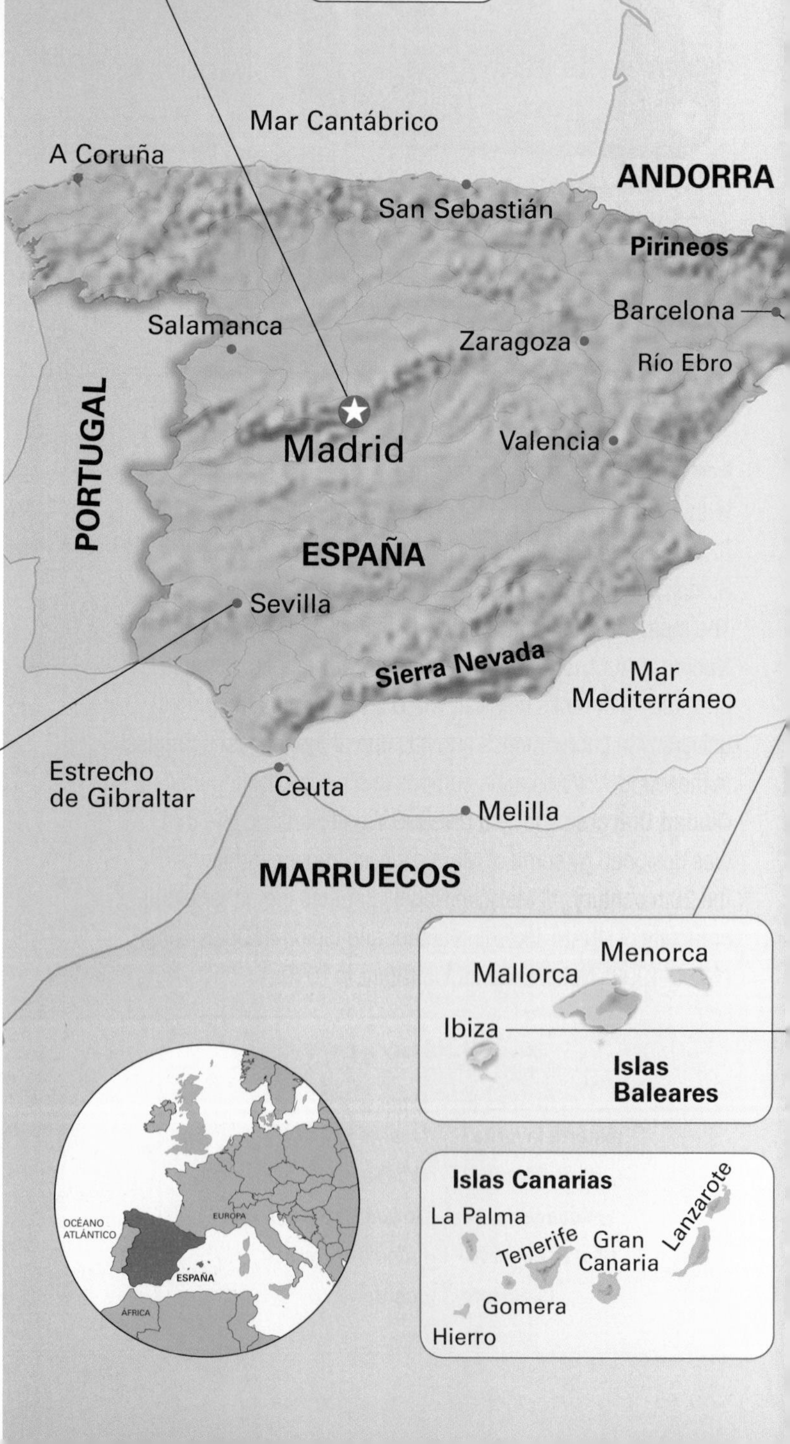

Gastronomía • José Andrés

José Andrés es un chef español famoso internacionalmente°. Le gusta combinar platos° tradicionales de España con las técnicas de cocina más innovadoras°. Andrés vive° en Washington, DC, es dueño° de varios restaurantes en los EE.UU. y presenta° un programa en PBS (foto, izquierda). También° ha estado° en *Late Show with David Letterman* y *Top Chef*.

Comida • La paella

La paella es uno de los platos más típicos de España. Siempre se prepara° con arroz° y azafrán°, pero hay diferentes recetas°. La paella valenciana, por ejemplo, es de pollo° y conejo°, y la paella marinera es de mariscos°.

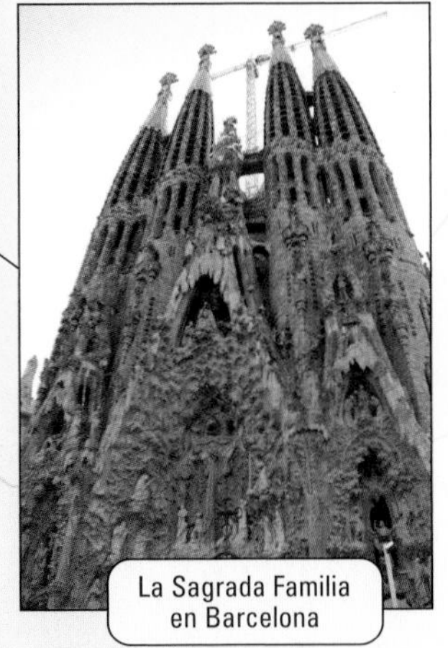

La Sagrada Familia en Barcelona

La costa de Ibiza

Artes • Velázquez y el Prado

El Prado, en Madrid, es uno de los museos más famosos del mundo°. En el Prado hay pinturas° importantes de Botticelli, de El Greco y de los españoles Goya y Velázquez. *Las meninas* es la obra° más conocida° de Diego Velázquez, pintor° oficial de la corte real° durante el siglo° XVII.

Las meninas, Diego Velázquez, 1656

internacionalmente *internationally* platos *dishes* más innovadoras *most innovative* vive *lives* dueño *owner* presenta *he hosts* También *Also* ha estado *he has been* riqueza *richness* han habitado *have lived* durante siglos *for centuries* Siempre se prepara *It is always prepared* arroz *rice* azafrán *saffron* recetas *recipes* pollo *chicken* conejo *rabbit* mariscos *seafood* mundo *world* pinturas *paintings* obra *work* más conocida *best-known* pintor *painter* corte real *royal court* siglo *century* Lugar de nacimiento *place of birth* usaba *he used* primeros *first* quería *wanted* sin *without*

Cultura • La diversidad

La riqueza° cultural y lingüística de España refleja la combinación de las diversas culturas que han habitado° en su territorio durante siglos°. El español es la lengua oficial del país, pero también son oficiales el catalán, el gallego, el euskera y el valenciano.

Sóc molt fan de
la pàgina 335.
Ajuntament de Barcelona

Póster en catalán

CON RITMO HISPANO

Enrique Iglesias (1975–)

Lugar de nacimiento°:
Madrid, España

Usaba° el nombre Enrique Martínez en los demos para sus primeros° contratos porque quería° triunfar en el mundo de la música sin° la influencia de su padre, el famoso cantante español Julio Iglesias.

Go to ***vhlcentral.com*** *to find out more about* ***Enrique Iglesias.***

¿Qué aprendiste?

1 **¿Cierto o falso?** Indica si estas oraciones son **ciertas** o **falsas**.

1. La moneda de España es la peseta.
2. El flamenco es un baile popular en España.
3. El Museo del Prado está ubicado en Barcelona.
4. *Las meninas* es la obra más famosa de Botticelli.
5. El chef José Andrés vive en Madrid.

2 **Completar** Completa las oraciones con la información adecuada.

1. El arroz y el azafrán son ingredientes básicos de la ________________.
2. El chef José Andrés tiene un ________________ de televisión en PBS.
3. El gallego es una de las lenguas oficiales de ________________.
4. Hay dos tipos de paella: la valenciana y la ________________.
5. El padre de Enrique Iglesias (Julio Iglesias) también es ________________.

3 **Ensayo** Elige la mejor opción entre paréntesis para completar el ensayo sobre la cultura española.

España es un país de una cultura variada. Primero, tiene muchas lenguas. El español es la (lengua / ciudad) oficial del país, pero hay otras lenguas, como el gallego y el (catalán / flamenco). Segundo, la gastronomía también es variada. En mi opinión, la paella, un plato típico de España, es una (música / comida) deliciosa.

España además tiene mucho arte. El Prado, un famoso (pintor / museo) de Madrid, tiene pinturas de artistas muy importantes, como El Greco y Velásquez. También hay bailes como el flamenco, que es original de Sevilla.

En conclusión, España tiene mucha riqueza cultural, por su gastronomía, sus museos, su arte y sus (lenguas / pintores) que hablan las personas en diferentes regiones.

ENTRE CULTURAS

Investiga sobre estos temas en vhlcentral.com.

1. **Busca información sobre la Universidad de Salamanca u otra universidad española. ¿Qué cursos ofrece (*does it offer*)?**

I CAN identify basic facts about Spain's geography and culture by reading short informational texts with visuals.

La clase

el/la compañero/a de clase	*classmate*
el/la estudiante	*student*
el/la profesor(a)	*teacher*
el borrador	*eraser*
la calculadora	*calculator*
el escritorio	*desk*
el libro	*book*
el mapa	*map*
la mesa	*table*
la mochila	*backpack*
el papel	*paper*
la papelera	*wastebasket*
la pizarra	*blackboard*
la pluma	*pen*
la puerta	*door*
el reloj	*clock; watch*
la silla	*seat*
la tiza	*chalk*
la ventana	*window*
la biblioteca	*library*
la cafetería	*cafeteria*
la casa	*house; home*
el estadio	*stadium*
el laboratorio	*laboratory*
la librería	*bookstore*
la universidad	*university; college*
la clase	*class*
el curso, la materia	*course*
el examen	*test; exam*
el horario	*schedule*
la prueba	*test; quiz*
el semestre	*semester*
la tarea	*homework*
el trimestre	*trimester; quarter*

Las materias

el arte	*art*
la biología	*biology*
las ciencias	*sciences*
la computación	*computer science*
la contabilidad	*accounting*
la economía	*economics*
el español	*Spanish*
la física	*physics*
la geografía	*geography*
la historia	*history*
las humanidades	*humanities*
el inglés	*English*
las lenguas extranjeras	*foreign languages*
la literatura	*literature*
las matemáticas	*mathematics*
la música	*music*
el periodismo	*journalism*
la psicología	*psychology*
la química	*chemistry*
la sociología	*sociology*

Preposiciones y adverbios

al lado de	*next to*
a la derecha de	*to the right of*
a la izquierda de	*to the left of*
allá	*over there*
allí	*there*
cerca de	*near*
con	*with*
debajo de	*below*
delante de	*in front of*
detrás de	*behind*
en	*in; on*
encima de	*on top of*
entre	*between; among*
lejos de	*far from*
sin	*without*
sobre	*on; over*

Palabras adicionales

¿Adónde?	*Where (to)?*
ahora	*now*
¿Cuál?, ¿Cuáles?	*Which?; Which one(s)?*
¿Por qué?	*Why?*
porque	*because*

Verbos

bailar	*to dance*
buscar	*to look for*
caminar	*to walk*
cantar	*to sing*
cenar	*to have dinner*
comprar	*to buy*
contestar	*to answer*
conversar	*to converse, to chat*
desayunar	*to have breakfast*
descansar	*to rest*
desear	*to wish; to desire*
dibujar	*to draw*
enseñar	*to teach*
escuchar la radio/música	*to listen (to) the radio/music*
esperar (+ *inf.*)	*to wait (for); to hope*
estar	*to be*
estudiar	*to study*
explicar	*to explain*
gustar	*to like*
hablar	*to talk; to speak*
llegar	*to arrive*
llevar	*to carry*
mirar	*to look (at); to watch*
necesitar (+ *inf.*)	*to need*
practicar	*to practice*
preguntar	*to ask (a question)*
preparar	*to prepare*
regresar	*to return*
terminar	*to end; to finish*
tomar	*to take; to drink*
trabajar	*to work*
viajar	*to travel*

Los días de la semana

¿Cuándo?	*When?*
¿Qué día es hoy?	*What day is it?*
Hoy es…	*Today is…*
la semana	*week*
lunes	*Monday*
martes	*Tuesday*
miércoles	*Wednesday*
jueves	*Thursday*
viernes	*Friday*
sábado	*Saturday*
domingo	*Sunday*

Numbers 31 and higher	*See pages 91–92.*
Expresiones útiles	*See page 73.*

A primera vista

- ¿Cuántas personas hay en la foto?
- ¿La mujer está a la izquierda o a la derecha?
- ¿Está el hombre al lado de la mujer?
- ¿Qué hacen ellos? ¿Trabajan? ¿Conversan? ¿Caminan?

Essential Questions

1. How do families and family relationships vary across cultures?
2. How do people identify themselves in relation to other family members?
3. How are family interactions and gatherings in my community similar or different from those in Spanish-speaking communities?

3 La familia

Can Do Goals

By the end of this lesson I will be able to:

- Talk about family members and their relationships to each other
- Introduce my family to a friend
- Write a personal profile to post on social media
- Describe the members of my extended family, including how they are related to one another
- Describe my activities on a typical day
- Talk about the things I have to do

Also, I will learn about:

Culture
- Various family traditions in Spanish-speaking countries
- Spain's Royal Family
- Ecuador's geography and culture

Skills
- Reading: Guessing meaning from context
- Writing: Using idea maps
- Listening: Asking for repetition/Replaying the recording

Lesson 3 Integrated Performance Assessment
Context: Your class is preparing a display for "Parents' Night" that will include short profiles of members of your family. You and a partner discuss ideas for your families' profiles.

¡HOLA!
Me llamo
José Miguel
Pérez Santoro

Práctica: Muchas personas de países hispanos usan dos apellidos.
¿Cuál es tu apellido?

Communicative Goal: Talk about family members and the way they are related to one another

La familia

Más vocabulario

los abuelos	*grandparents*
el/la bisabuelo/a	*great-grandfather/ great-grandmother*
el/la gemelo/a	*twin*
el/la hermanastro/a	*stepbrother/stepsister*
el/la hijastro/a	*stepson/stepdaughter*
la madrastra / el padrastro	*stepmother/stepfather*
el medio hermano/ la media hermana	*half-brother/ half-sister*
los padres	*parents*
los parientes	*relatives*
el/la cuñado/a	*brother-in-law/ sister-in-law*
la nuera	*daughter-in-law*
el/la suegro/a	*father-in-law/ mother-in-law*
el yerno	*son-in-law*
el/la amigo/a	*friend*
el apellido	*last name*
la gente	*people*
el/la muchacho/a	*boy/girl*
el/la niño/a	*child*
el/la novio/a	*boyfriend/girlfriend*
la persona	*person*
el/la artista	*artist*
el/la ingeniero/a	*engineer*
el/la doctor(a), el/la médico/a	*doctor; physician*
el/la periodista	*journalist*
el/la programador(a)	*computer programmer*

Variación léxica

madre ⟷ mamá, mami (*colloquial*)
padre ⟷ papá, papi (*colloquial*)
muchacho/a ⟷ chico/a

La familia de José Miguel Pérez Santoro

Juan Santoro Sánchez

mi abuelo (*my grandfather*)

Ernesto Santoro González

mi tío (*uncle*)
hijo (*son*) **de Juan y Socorro**

Marina Gutiérrez de Santoro

mi tía (*aunt*)
esposa (*wife*) **de Ernesto**

Silvia Socorro Santoro Gutiérrez

mi prima (*cousin*)
hija (*daughter*) **de Ernesto y Marina**

Héctor Manuel Santoro Gutiérrez

mi primo (*cousin*)
nieto (*grandson*) **de Juan y Socorro**

Carmen Santoro Gutiérrez

mi prima
hija de Ernesto y Marina

¡LENGUA VIVA!

In Spanish-speaking countries, it is common for people to go by both their first name and middle name, such as **José Miguel** or **María Teresa.** You will learn more about names and naming conventions on p. 116.

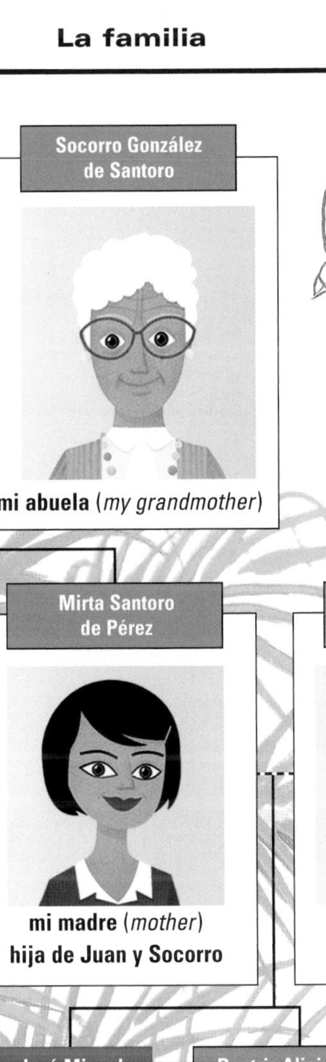
Socorro González de Santoro

mi abuela (*my grandmother*)

Mirta Santoro de Pérez

mi madre (*mother*)
hija de Juan y Socorro

Rubén Ernesto Pérez Gómez

mi padre (*father*)
esposo de mi madre

José Miguel Pérez Santoro

hijo de Rubén y de Mirta

Beatriz Alicia Pérez de Morales

mi hermana (*sister*)

Felipe Morales Zapata

esposo (*husband*) **de Beatriz Alicia**

Víctor Miguel Morales Pérez

mi sobrino (*nephew*)
hermano (*brother*) **de Anita**

Anita Morales Pérez

mi sobrina (*niece*)
nieta (*granddaughter*) **de mis padres**

los hijos (*children*) **de Beatriz Alicia y de Felipe**

Práctica

1 Escuchar Listen to each statement made by José Miguel Pérez Santoro, then indicate whether it is **cierto** or **falso**, based on his family tree.

	Cierto	Falso		Cierto	Falso
1.	❍	❍	6.	❍	❍
2.	❍	❍	7.	❍	❍
3.	❍	❍	8.	❍	❍
4.	❍	❍	9.	❍	❍
5.	❍	❍	10.	❍	❍

2 Personas Indicate each word that you hear mentioned in the narration.

1. _____ cuñado
2. _____ tía
3. _____ periodista
4. _____ niño
5. _____ esposo
6. _____ abuelos
7. _____ ingeniera
8. _____ primo

3 Emparejar Match the letter of each phrase with the correct description. Two items will not be used.

1. Mi hermano programa las computadoras.
2. Son los padres de mi esposo.
3. Son los hijos de mis (*my*) tíos.
4. Mi tía trabaja en un hospital.
5. Es el hijo de mi madrastra y el hijastro de mi padre.
6. Es el esposo de mi hija.
7. Es el hijo de mi hermana.
8. Mi primo dibuja y pinta mucho.
9. Mi hermanastra enseña en la universidad.
10. Mi padre trabaja con la tecnología

a. Es médica.
b. Es mi hermanastro.
c. Es programador.
d. Es ingeniero.
e. Son mis suegros.
f. Es mi novio.
g. Es mi padrastro.
h. Son mis primos.
i. Es artista.
j. Es profesora.
k. Es mi sobrino.
l. Es mi yerno.

4 Definiciones Define these family terms in Spanish.

modelo
hijastro *Es el hijo de mi esposo/a, pero no es mi hijo.*

1. abuela
2. bisabuelo
3. tío
4. primas
5. suegra
6. cuñado
7. nietos
8. sobrina

5 **Escoger** Complete the description of each photo using words you have learned in **Contextos**.

1. La __________ de Sara es grande.

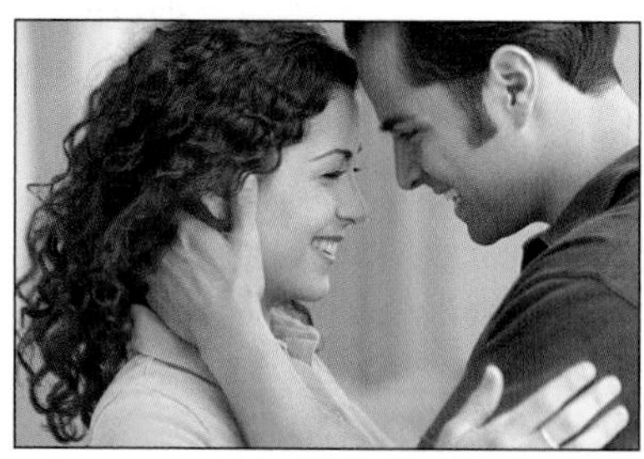

2. Héctor y Lupita son ________.

3. Maira Díaz es __________.

4. Rubén habla con su _______.

5. Los dos __________ están en el parque.

6. Irene es __________.

7. Elena Vargas Soto es __________.

8. Don Armando es el __________ de Martín.

Comunicación

6 **Una familia de Ecuador** With a classmate, identify the members in the family tree by asking how each family member is related to Graciela Vargas García and where they live in Ecuador.

modelo

Estudiante 1: *¿Quién es Beatriz Pardo de Vargas?*
Estudiante 2: *Es la abuela de Graciela. Es de Ibarra.*

CONSULTA

To see the cities in Ecuador where these family members live, look at the map in **Panorama** on p. 142.

Now take turns asking each other these questions. Then invent three original questions.

1. ¿Cómo se llama el primo de Graciela?
2. ¿Cómo se llama la hija de David y de Beatriz?
3. ¿De dónde es María Susana?
4. ¿De dónde son Ramón y Graciela?
5. ¿Cómo se llama el yerno de David y de Beatriz?
6. ¿De dónde es Carlos Antonio?
7. ¿De dónde es Ernesto?
8. ¿Cuáles son los apellidos del sobrino de Lupe?

7 **Preguntas personales** With a classmate, take turns asking each other these questions.

1. ¿Cuántas personas hay en tu familia?
2. ¿Cómo se llaman tus padres? ¿De dónde son? ¿Dónde trabajan?
3. ¿Cuántos hermanos tienes? ¿Cómo se llaman? ¿Dónde estudian o trabajan?
4. ¿Cuántos primos tienes? ¿Cuáles son los apellidos de ellos?
5. ¿Quién es tu pariente favorito?
6. ¿Tienes un(a) mejor amigo/a? ¿Cómo se llama?

AYUDA

tu *your* (sing.)
tus *your* (plural)
mi *my* (sing.)
mis *my* (plural)
tienes *you have*
tengo *I have*

I CAN ask and answer questions about family members and the way they are related to one another.

Una visita inesperada

Manuel, Juanjo, Valentina y Sara esperan a Olga Lucía cuando la familia de Valentina llega.

ANTES DE VER
Look only at the images and predict what will happen in the video.

1

CARMEN ¡Hola, guapa! ¡Tú debes ser Olga!

OLGA LUCÍA Olga Lucía. ¿Y usted quién es?

CARMEN Soy Carmen, la madre de Valentina. Él es Pedro, su padre. ¡Hijo, saluda!

FELIPE Hola, soy Felipe.

CARMEN Y ella es la abuela, Gloria.

GLORIA ¿Y mi nieta? ¡Vivimos en Zaragoza, venimos hasta Madrid y mi nieta no está!

2

OLGA LUCÍA Valentina está en el apartamento de al lado. Ya regreso.

JUANJO ¡Olga Lucía, por favor! ¡Es domingo! Comparte con nosotros un rato y en la tarde terminas.

OLGA LUCÍA Te presento a la familia de Valentina.

JUANJO Hola. ¡Qué simpáticos!

4

VALENTINA Él es Manuel. También es muy inteligente.

MANUEL Manuel Vázquez Quevedo. ¡Mucho gusto!

VALENTINA La mamá de Manuel es la hermana de don Paco, nuestro casero.

MANUEL Y ella es Sara, mi prima.

SARA ¡Mucho gusto!

5

JUANJO Bueno, tenemos prisa.

CHICOS ¡Adiós!

FELIPE ¿Y adónde vais?

VALENTINA Al Parque del Retiro.

FELIPE ¡Pues vamos todos!

PERSONAJES

CARMEN | OLGA LUCÍA | PEDRO | FELIPE | GLORIA | MANUEL | SARA | VALENTINA | JUANJO

3

VALENTINA Juanjo, ¿vienes con nosotros?... Mamá... papá... Os presento a mis amigos. Él es Juanjo, vecino y compañero de universidad.

JUANJO Juan José Reyes Peña, encantado.

VALENTINA Juanjo es un chico muy inteligente. Estudia ciencias ambientales.

CARMEN ¿Y de dónde eres?

JUANJO Soy dominicano.

6

SARA ¡Olga Lucía!

OLGA LUCÍA ¡Hola!

SARA ¡Valentina!

VALENTINA ¡Hola!

SARA ¡Chicos!

FELIPE ¡Hola!

JUANJO Y MANUEL ¡Qué divertido!

Expresiones útiles

ahora *now*
el/la casero/a *landlord/landlady*
las ciencias ambientales *environmental science*
divertido/a *fun*
el proyecto *project*
también *also*
vais *you (fam. pl.) are going*
vamos *let's go*
el/la vecino/a *neighbor*

---

el bote de remos *rowboat*
el estanque *pond*
el salvavidas *life jacket*

El Parque del Retiro

El Parque del Buen Retiro (*Pleasant Retreat*), also known as **el Retiro**, is a 350-acre oasis in the heart of Madrid. Once a getaway for Spanish kings, it is now a park where the public can enjoy a boat ride on a large artificial pond, take a stroll in the **Rosaleda** (*Rose Garden*), or see an art exhibit at the **Palacio de Cristal** (*Glass Palace*).

Is there a large park or green area in your community? Compare it with **el Retiro**.

¿Qué pasó?

1 **Ordenar** Put the events in order.

____ a. Valentina, su familia y sus amigos van (*go*) al Parque del Retiro.
____ b. La mamá de Valentina presenta a su familia.
____ c. Juanjo busca a Olga Lucía.
____ d. Olga Lucía abre la puerta.
____ e. Valentina presenta a sus amigos.

2 **Identificar** Identify the person who made each statement.

CARMEN

FELIPE

GLORIA

OLGA LUCÍA

PEDRO

VALENTINA

1. Juanjo es un chico muy inteligente.
2. ¿Es mexicano?
3. ¡Pues vamos todos!
4. Te presento a la familia de Valentina.
5. ¡Hola, guapa!
6. ¡Qué interesante!
7. El gusto es mío.
8. Y ella... ¿Cómo se llama?

3 **Completar** Complete the sentences.

1. Felipe es el __________ de Valentina.
2. Valentina es la __________ de Gloria.
3. Carmen y Pedro son los __________ de Valentina.
4. La mamá de Manuel es la __________ de don Paco.
5. Sara es la __________ de Manuel.
6. Gloria es la __________ de Felipe.
7. Pedro es el __________ de Gloria.
8. Carmen es la __________ de Pedro.

4 **En el parque** You and your family run into a classmate in a park during the weekend. Introduce your family members to your classmate. Work with several classmates and switch roles.

modelo

Estudiante 1: Laura, te presento a mi familia. Ella es mi madre, Sandra.
Estudiante 2: Hola, mucho gusto.
Estudiante 3: El gusto es mío. ¿De dónde eres?

I CAN introduce my family to a friend.

Pronunciación

Diphthongs and linking

hermano **niña** **cuñado**

In Spanish, **a**, **e**, and **o** are considered strong vowels. The weak vowels are **i** and **u**.

ruido **parientes** **periodista**

A diphthong is a combination of two weak vowels or of a strong vowel and a weak vowel. Diphthongs are pronounced as a single syllable.

la abuela

mi hijo **una clase excelente**

Two identical vowel sounds that appear together are pronounced like one long vowel.

con Natalia **sus sobrinos** **las sillas**

Two identical consonants together sound like a single consonant.

es ingeniera **mis abuelos** **sus hijos**

A consonant at the end of a word is linked with the vowel at the beginning of the next word.

mi hermano **su esposa** **nuestro amigo**

A vowel at the end of a word is linked with the vowel at the beginning of the next word.

Práctica Say these words aloud, focusing on the diphthongs.

1. historia
2. nieto
3. parientes
4. novia
5. residencia
6. prueba
7. puerta
8. ciencias
9. lenguas
10. estudiar
11. izquierda
12. ecuatoriano

Oraciones Read these sentences aloud to practice diphthongs and linking words.

1. Hola. Me llamo Anita Amaral. Soy de Ecuador.
2. Somos seis en mi familia.
3. Tengo dos hermanos y una hermana.
4. Mi papá es de Ecuador y mi mamá es de España.

Refranes Read these sayings aloud to practice diphthongs and linking sounds.

Cuando una puerta se cierra, otra se abre.[1]

Hablando del rey de Roma, por la puerta se asoma.[2]

1 When one door closes, another opens.
2 Speak of the devil and he will appear.

Communicative Goal: Identify some family traditions in Spanish-speaking countries

EN DETALLE

Tradiciones familiares

José Martínez García

Mercedes Velasco Pérez

Juan Martínez Velasco

Apellidos En los países de habla hispana°, es común tener dos apellidos: uno paterno y otro materno. Por ejemplo, en el nombre Juan Martínez Velasco, Martínez es el apellido paterno, y Velasco es el apellido materno (ver la figura). Esta convención de usar dos apellidos es una tradición europea que los españoles trajeron° a América. Es una práctica común en muchos países, como Chile, Colombia, México, Perú y Venezuela. Pero hay excepciones: en Argentina, la costumbre predominante es que los hijos hereden° sólo° el apellido del padre.

Vivir con los padres En los países latinoamericanos, existe poca° presión sobre los adultos jóvenes por abandonar el hogar°, y los hijos suelen° vivir con sus padres hasta que° tienen más de 30 años. Esta es una práctica cultural pero también económica: en ocasiones, la falta° de seguridad laboral° o los bajos salarios y el alto costo de vida pueden hacer difícil para los jóvenes vivir de forma independiente.

¿Cuántos hijos? Las familias de países de habla hispana solían° tener muchos más hijos en el pasado. A principios del° siglo XX, por ejemplo, muchas familias tenían hasta° 12 hijos (o más), sobre todo en el campo°. Ahora, las familias tienen 1 o 2 hijos máximo. Esto también está relacionado con aspectos sociales y económicos: la situación económica actual° y la mayor° participación de la mujer en el mercado laboral hacen difícil para las parejas° tener muchos hijos.

Habla hispana *Spanish-speaking* **trajeron** *brought* **hereden** *inherit* **sólo** *only* **poca** *little* **hogar** *home* **suelen** *tend to* **hasta que** *until* **falta** *lack* **seguridad laboral** *job security* **solían** *used to* **A principios de** *At the beginning of* **tenían hasta** *had up to* **campo** *countryside* **actual** *current* **mayor** *higher* **parejas** *couples*

ASÍ SE DICE

Familia y amigos

el/la bisnieto/a	*great-grandson/daughter*
el/la chamaco/a (Méx.); el/la chamo/a (Ven.); el/la chaval(a) (Esp.); el/la pibe/a (Arg.)	**el/la muchacho/a**
el/la colega (Esp.)	**el/la amigo/a**
mi cuate (Méx.); mi parcero/a (Col.); mi pana (Ven., P. Rico, Rep. Dom.)	*my pal; my buddy*
la madrina	*godmother*
el padrino	*godfather*
el/la tatarabuelo/a	*great-great-grandfather/ great-great-grandmother*

ACTIVIDADES

1 Comprensión Complete the sentences with the correct information according to the readings.

1. In many Spanish-speaking countries, people use two ____________.
2. The first last name refers to the ____________ surname.
3. Adult children in Spanish-speaking countries tend to live at home longer with their ____________.
4. Elements such as ____________ and the high cost of living impact their decisions.
5. As a result of more women in the workforce, it is harder for couples to ____________.

2 Conversación Discuss the following questions with a classmate.

1. Ask your classmate what his or her complete name would be in a country like Colombia for example. Can you identify each parent's last name?

modelo

Estudiante 1: *Mi nombre y apellidos son…*
Estudiante 2: *Ah, entonces tu padre es… y tu madre es…*

2. How many children do families in your community typically have? How does it compare to families in Spanish-speaking countries, according to the reading?

3 Comparación Prepare a chart comparing and contrasting family traditions in Spanish-speaking countries and in your community. Use the information from the reading, class discussions, and your own experiences to complete the chart below. Include at least 4 aspects, then share your chart with the class.

Tradición	En países hispanohablantes	En mi comunidad	En mi familia

ENTRE CULTURAS

¿Qué papel (*role*) desempeñan los padrinos y madrinas en la familia de los países hispanos actualmente?

*Go to **vhlcentral.com** to find out more cultural information related to this **Cultura** section.*

I CAN identify some family traditions in my own and other cultures.

PERFIL

La familia real° española

Sin duda, la familia más famosa de España es la familia real. En 1962, el entonces° príncipe Juan Carlos de Borbón se casó° con la princesa Sofía de Grecia. A finales de la década de los setenta, el rey Juan Carlos y la reina Sofía regresaron° a España y ayudaron a la transición del país a la democracia después de una dictadura° de cuarenta años.

La pareja real, muy querida por el pueblo°, tiene dos hijas: Elena y Cristina, y un hijo, Felipe. En 2004, Felipe se casó con Letizia Ortiz Rocasolano, periodista y presentadora de televisión. En junio de 2014, el rey Juan Carlos abdicó a favor de su hijo Felipe VI, quien ahora es rey de España. El rey y la reina tienen dos hijas, la princesa Leonor (nacida en 2005) y la infanta° Sofía (nacida en 2007).

real *royal* **el entonces** *the then* **se casó** *married* **regresaron** *returned* **dictadura** *dictatorship* **muy querida por el pueblo** *much beloved in their country* **infanta** *princess.*

Completar Complete these sentences with the correct information from the reading.

1. Spain's royals played an important role in guiding the country towards ____________.
2. Prior to Juan Carlos becoming king, Spain was a ____________.
3. When the king abdicated in ____________, his son Felipe became king.
4. Princess Leonor is the ____________ of Queen Sofía.
5. Before becoming Queen of Spain, Letizia was a well-known ____________.

3.1 Descriptive adjectives

ANTE TODO Adjectives are words that describe people, places, and things. In Spanish, descriptive adjectives are used with the verb **ser** to point out characteristics such as nationality, size, color, shape, personality, and appearance.

Forms and agreement of adjectives

COMPARE & CONTRAST

In English, the forms of descriptive adjectives do not change to reflect the gender (masculine/feminine) and number (singular/plural) of the noun or pronoun they describe.

*Juan is **nice**.* *Elena is **nice**.* *They are **nice**.*

In Spanish, the forms of descriptive adjectives agree in gender and/or number with the nouns or pronouns they describe.

Juan es simpátic**o**. Elena es simpátic**a**. Ellos son simpátic**os**.

- Adjectives that end in **-o** have four different forms. The feminine singular is formed by changing the **-o** to **-a**. The plural is formed by adding **-s** to the singular forms.

Masculine		Feminine	
SINGULAR	PLURAL	SINGULAR	PLURAL
el muchach**o** alt**o**	los muchach**os** alt**os**	la muchach**a** alt**a**	las muchach**as** alt**as**

Juanjo es un chico muy inteligente.

¡Qué interesante!

- Adjectives that end in **-e** or a consonant have the same masculine and feminine forms.

Masculine		Feminine	
SINGULAR	PLURAL	SINGULAR	PLURAL
el chico inteligent**e**	los chicos inteligent**es**	la chica inteligent**e**	las chicas inteligent**es**
el examen difíci**l**	los exámenes difíci**les**	la clase difíci**l**	las clases difíci**les**

- Adjectives that end in **-or**, like adjectives that end in **-o**, have four different forms.

Masculine		Feminine	
SINGULAR	PLURAL	SINGULAR	PLURAL
el hombre trabajad**or**	los hombres trabajad**ores**	la mujer trabajad**ora**	las mujeres trabajad**oras**

AYUDA

Many adjectives are cognates, that is, words that share similar spellings and meanings in Spanish and English. A cognate can be a noun like **profesor** or a descriptive adjective like **interesante**.

¡ATENCIÓN!

Note that **joven** takes an accent in its plural form. **Los jóvenes estudian mucho.**

▶ Adjectives that refer to nouns of different genders use the masculine plural form.

Manuel es alt**o**. Lola es alt**a**. Manuel y Lola son alt**os**.

Common adjectives

alto/a	*tall*	**gordo/a**	*fat*	**moreno/a**	*brunet(te)*
antipático/a	*unpleasant*	**grande**	*big; large*	**mucho/a**	*much; many; a lot of*
bajo/a	*short (in height)*	**guapo/a**	*good-looking*	**pelirrojo/a**	*red-haired*
bonito/a	*pretty*	**importante**	*important*	**pequeño/a**	*small*
bueno/a	*good*	**inteligente**	*intelligent*	**rubio/a**	*blond(e)*
delgado/a	*thin; slender*	**interesante**	*interesting*	**simpático/a**	*nice; likeable*
difícil	*hard; difficult*	**joven (jóvenes)**	*young*	**tonto/a**	*silly; foolish*
fácil	*easy*	**malo/a**	*bad*	**trabajador(a)**	*hard-working*
feo/a	*ugly*	**mismo/a**	*same*	**viejo/a**	*old*

Colors

amarillo/a	*yellow*	**negro/a**	*black*
azul	*blue*	**rojo/a**	*red*
blanco/a	*white*	**verde**	*green*

Some adjectives of nationality

alemán, alemana	*German*	**francés, francesa**	*French*
argentino/a	*Argentine*	**inglés, inglesa**	*English*
canadiense	*Canadian*	**italiano/a**	*Italian*
chino/a	*Chinese*	**japonés, japonesa**	*Japanese*
costarricense	*Costa Rican*	**mexicano/a**	*Mexican*
cubano/a	*Cuban*	**norteamericano/a**	*(North) American*
ecuatoriano/a	*Ecuadorian*	**puertorriqueño/a**	*Puerto Rican*
español(a)	*Spanish*	**ruso/a**	*Russian*
estadounidense	*from the U.S.*		

▶ In Spanish, country names are capitalized, but adjectives of nationality are **not**.

¡ATENCIÓN!

Note that adjectives with an accent on the last syllable drop the accent in the feminine and plural forms.

ingl**é**s → ingl**esa**
alem**án** → alem**anes**

▶ Adjectives of nationality that end in a consonant form the feminine by adding **-a.**

japon**és** → japon**esa** españo**l** → españo**la**

▶ Adjectives of color and nationality are formed like other descriptive adjectives.

Masculine		Feminine	
SINGULAR	PLURAL	SINGULAR	PLURAL
argentin**o**	argentin**os**	argentin**a**	argentin**as**
azul	azul**es**	azul	azul**es**
verde	verde**s**	verde	verde**s**

VERIFICA

Position of adjectives

- Descriptive adjectives and adjectives of nationality generally follow the nouns they modify.

El niño **rubio** es de España.
The blond boy is from Spain.

La mujer **española** habla inglés.
The Spanish woman speaks English.

- Unlike descriptive adjectives, adjectives of quantity precede the modified noun.

Hay **muchos** libros en la biblioteca.
There are many books in the library.

Hablo con **dos** turistas puertorriqueños.
I am talking with two Puerto Rican tourists.

- **Bueno/a** and **malo/a** can appear before or after a noun. When placed before a masculine singular noun, the forms are shortened: **bueno → buen; malo → mal.**

Joaquín es un **buen** amigo.
Joaquín es un amigo **bueno.** → *Joaquín is a good friend.*

Hoy es un **mal** día.
Hoy es un día **malo.** → *Today is a bad day.*

- When **grande** appears before a singular noun, it is shortened to **gran,** and the meaning of the word changes: **gran** = *great* and **grande** = *big, large.*

Don Francisco es un **gran** hombre.
Don Francisco is a great man.

La familia de Inés es **grande**.
Inés' family is large.

¡LENGUA VIVA!

Like **bueno** and **grande, santo** (*saint*) is also shortened before masculine nouns (unless they begin with **To-** or **Do-**): **San Francisco, San José** (but: **Santo Tomás, Santo Domingo). Santa** is used with names of female saints: **Santa Bárbara, Santa Clara**.

¡INTÉNTALO! Provide the appropriate forms of the adjectives.

simpático

1. Mi hermano es simpático.
2. La profesora Martínez es __________.
3. Rosa y Teresa son __________.
4. Nosotros somos __________.

alemán

1. Hans es alemán.
2. Mis primas son __________.
3. Marcus y yo somos __________.
4. Mi tía es __________.

azul

1. La calculadora es azul.
2. El papel es __________.
3. Las maletas son __________.
4. Los libros son __________.

guapo

1. Su esposo es guapo.
2. Mis sobrinas son __________.
3. Los padres de ella son __________.
4. Marta es __________.

Práctica

1 **Emparejar** Find the words in column B that are the opposite of the words in column A. One word in B will not be used.

A	B
1. guapo	a. delgado
2. moreno	b. pequeño
3. alto	c. verde
4. gordo	d. feo
5. joven	e. viejo
6. grande	f. rubio
7. blanco	g. negro
	h. bajo

2 **Completar** Indicate the nationalities of these people by selecting the correct adjectives and changing their forms when necessary.

1. Penélope Cruz es __________.
2. Alfonso Cuarón es un gran director de cine de México; es __________.
3. Ellen Page y Avril Lavigne son __________.
4. Giorgio Armani es un diseñador de modas (*fashion designer*) __________.
5. Daisy Fuentes es de La Habana, Cuba; ella es __________.
6. Emma Watson y Daniel Radcliffe son actores __________.
7. Heidi Klum y Boris Becker son __________.
8. Apolo Anton Ohno y Shaun White son ____________.

NOTA CULTURAL

Alfonso Cuarón (1961–) became the first Mexican winner of the Best Director Academy Award for his film *Gravity* (2013).

3 **Describir** Describe the drawing using as many adjectives as possible.

1. Susana Romero Barcos es __________________.
2. Tomás Romero Barcos es __________________.
3. Los dos hermanos son __________________.
4. Alberto Romero Pereda es __________________.
5. Carlos Romero Sandoval es __________________.
6. Josefina Barcos de Romero es __________________.
7. Susana y su (*her*) madre, son ____________________.
8. Tomás y su (*his*) padre, son ____________________.

4 **¿Quiénes son?** Work with a partner. Look at the drawing in Activity 3 and explain who each person in the drawing is in relation to all the others.

modelo

Susana y Tomás son hermanos, son los hijos de Josefina y Carlos y son los nietos de Alberto.

Comunicación

4 **Perfil personal** Read Cecilia's personal profile. Then indicate whether each statement is **lógico** or **ilógico**, based on what you read.

	Lógico	Ilógico
1. Cecilia es profesora.	❍	❍
2. Cecilia desea ser artista.	❍	❍
3. Cecilia dibuja.	❍	❍
4. Cecilia es tonta.	❍	❍
5. La amiga ideal de Cecilia es una persona buena.	❍	❍

SOY ALTA, morena y bonita. Soy cubana, de Holguín. Estudio arte en la universidad. Busco una amiga similar. Mi amiga ideal es alta, morena, inteligente y muy simpática.

5  **Preguntas** Answer your partner's questions.

1. ¿Cómo eres tú?
2. ¿Cómo es tu casa?
3. ¿Cómo es tu escuela?
4. ¿Cómo es tu ciudad?
5. ¿Cómo es tu país?
6. ¿Cómo son tus amigos?

6 **Anuncio personal** Write a personal profile for your school newspaper. Describe yourself and your ideal best friend. Then compare your profile with a classmate's. How are you similar and how are you different? Are you looking for the same things in a best friend?

Síntesis

7  **¿Cómo es?** With a partner, take turns describing people, places, and things. Use the items given below. Tell your partner whether you agree (**Estoy de acuerdo**) or disagree (**No estoy de acuerdo**) with his/her descriptions.

San Francisco
Estudiante 1: *San Francisco es una ciudad (city) muy bonita.*
Estudiante 2: *No estoy de acuerdo. Es muy fea.*

Nueva York	las clases de español/física/matemáticas/química
Chicago	el/la presidente/a de los Estados Unidos
Taylor Swift	
los periodistas	

I CAN ask and answer simple questions to describe people, places, and things.

I CAN write my personal profile to post on social media.

3.2 Possessive adjectives

ANTE TODO Possessive adjectives, like descriptive adjectives, are words that are used to qualify people, places, or things. Possessive adjectives express the quality of ownership or possession.

Forms of possessive adjectives

SINGULAR FORMS	PLURAL FORMS	
mi	**mis**	*my*
tu	**tus**	*your* (fam.)
su	**sus**	*his, her, its, your* (form.)
nuestro/a	**nuestros/as**	*our*
vuestro/a	**vuestros/as**	*your* (fam.)
su	**sus**	*their, your* (form.)

COMPARE & CONTRAST

In English, possessive adjectives are invariable; that is, they do not agree in gender and number with the nouns they modify. Spanish possessive adjectives, however, do agree in number with the nouns they modify.

my cousin	*my cousins*	*my aunt*	*my aunts*
mi primo	**mis** primos	**mi** tía	**mis** tías

The forms **nuestro** and **vuestro** agree in both gender and number with the nouns they modify.

nuestr**o** prim**o** nuestr**os** prim**os** nuestr**a** tí**a** nuestr**as** tí**as**

- Possessive adjectives are always placed before the nouns they modify.

—¿Está **tu novio** aquí?
Is your boyfriend here?

—No, **mi novio** está en la biblioteca.
No, my boyfriend is in the library.

AYUDA

Look at the context, focusing on nouns and pronouns, to help you determine the meaning of **su(s)**.

- Because **su** and **sus** have multiple meanings (*your, his, her, their, its*), you can avoid confusion by using this construction instead: [*article*] + [*noun*] + **de** + [*subject pronoun*].

sus parientes

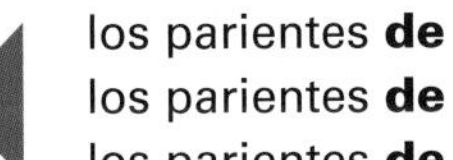

los parientes **de él/ella** — *his/her relatives*
los parientes **de Ud./Uds.** — *your relatives*
los parientes **de ellos/ellas** — *their relatives*

¡INTÉNTALO! Provide the appropriate form of each possessive adjective.

Singular

1. Es ___mi___ (*my*) libro.
2. _______ (*My*) familia es ecuatoriana.
3. _____ (*Your*, fam.) novio es italiano.
4. _______ (*Our*) profesor es español.
5. Es __________ (*her*) reloj.
6. Es __________ (*your*, fam.) mochila.
7. Es __________ (*your*, form.) maleta.
8. _______ (*Their*) casa es amarilla.

Plural

1. ___Sus___ (*Her*) primos son franceses.
2. __________ (*Our*) cuadernos son verdes.
3. Son __________ (*their*) lápices.
4. __________ (*Their*) nietos son japoneses.
5. Son __________ (*our*) plumas.
6. Son __________ (*my*) papeles.
7. __________ (*My*) amigas son inglesas.
8. Son __________ (*his*) cuadernos.

Práctica

1 **La familia de Manolo** Complete each sentence with the correct possessive adjective from the options in parentheses. Use the subject of each sentence as a guide.

1. Me llamo Manolo, y __________ (nuestro, mi, sus) hermano es Federico.
2. __________ (Nuestra, Sus, Mis) madre Silvia es profesora y enseña química.
3. Ella admira a __________ (tu, nuestro, sus) estudiantes porque trabajan mucho.
4. Yo estudio en la misma escuela, pero no tomo clases con __________ (mi, nuestras, tus) madre.
5. Federico trabaja en una oficina con __________ (mis, tu, nuestro) padre.
6. __________ (Mi, Su, Tu) oficina está en el centro de la Ciudad de México.
7. Javier y Óscar son __________ (mis, mi, sus) tíos de Oaxaca.
8. ¿Y tú? ¿Cómo es __________ (mi, su, tu) familia?

AYUDA

Remember that possessive adjectives don't agree in number or gender with the *owner* of an item, but rather with the item(s) or person(s) they describe.

2 **Clarificar** Clarify each sentence with a prepositional phrase. Follow the model.

modelo

Su hermana es muy bonita. (ella)
La hermana de ella es muy bonita.

1. Su casa es muy grande. (ellos) ______________________________
2. ¿Cómo se llama su hermano? (ellas) ______________________________
3. Sus padres trabajan en el centro. (ella) ______________________________
4. Sus abuelos son muy simpáticos. (él) ______________________________
5. Maribel es su prima. (ella) ______________________________
6. Su primo lee los libros. (ellos) ______________________________

3 **¿Dónde está?** With a partner, imagine that you can't remember where you put some of the belongings you see in the pictures. Your partner will help you by reminding you where your things are. Take turns playing each role.

modelo

Estudiante 1: *¿Dónde está mi mochila?*
Estudiante 2: *Tu mochila está encima del escritorio.*

1.
2.
3.
4.
5.
6.

CONSULTA

For a list of useful prepositions, refer to the table *Prepositions often used with **estar***, in **Estructura 2.3**, p. 88.

Comunicación

4 

Noticias de familia Listen to Ana María talk about some family news. Then indicate whether the following inferences are **lógico** or **ilógico**, based on what you heard.

	Lógico	Ilógico
1. Ana María es rubia.	❍	❍
2. Su familia vive en Bogotá.	❍	❍
3. Su primo es inteligente.	❍	❍
4. Su primo habla español.	❍	❍
5. La novia de su primo es argentina.	❍	❍

5

Describir With a partner, describe the people and places listed below.

modelo

la biblioteca de su escuela

La biblioteca de nuestra escuela es muy grande. Hay muchos libros en la biblioteca.

1. tu profesor favorito
2. tu profesora favorita
3. tu clase favorita
4. la cafetería de su escuela
5. tus padres
6. tus abuelos
7. tu mejor (*best*) amigo
8. tu mejor amiga

6

Una familia famosa Assume the identity of a member of a famous family, real or fictional (the Obamas, Clintons, Bushes, Kardashians, Simpsons, etc.), and write a description of "your" family. Reveal your identity at the end of your description.

modelo

Hay cuatro personas en mi familia. Mi padre es delgado y simpático. Él es de Filadelfia. Mi madre es muy inteligente y guapa. Mis padres son actores. Tengo una hermana menor. Nosotros también somos actores... Soy Jaden Smith.

Síntesis

7

Describe a tu familia With a partner, take turns asking each other questions about your families.

modelo

Estudiante 1: *¿Cómo es tu padre?*
Estudiante 2: *Mi padre es alto, guapo y muy inteligente.*

I CAN describe people, places, and things.

I CAN describe the members of my extended family, including how they are related to one another.

3.3 Present tense of -er and -ir verbs

ANTE TODO In **Lección 2,** you learned how to form the present tense of regular **-ar** verbs. You also learned about the importance of verb forms, which change to show who is performing the action. The chart below shows the forms from two other important groups, **-er** verbs and **-ir** verbs.

CONSULTA

To review the conjugation of **-ar** verbs, see **Estructura 2.1**, p. 78.

Present tense of -er and -ir verbs

		comer *(to eat)*	**escribir** *(to write)*
SINGULAR FORMS	yo	com**o**	escrib**o**
	tú	com**es**	escrib**es**
	Ud./él/ella	com**e**	escrib**e**
PLURAL FORMS	nosotros/as	com**emos**	escrib**imos**
	vosotros/as	com**éis**	escrib**ís**
	Uds./ellos/ellas	com**en**	escrib**en**

- **-Er** and **-ir** verbs have very similar endings. Study the preceding chart to detect the patterns that make it easier for you to use them to communicate in Spanish.

Juanjo come churros.

Don Paco lee.

AYUDA

Here are some tips on learning Spanish verbs:

1) Learn to identify the verb's stem, to which all endings attach.

2) Memorize the endings that go with each verb and verb tense.

3) As often as possible, practice using different forms of each verb in speech and writing.

4) Devote extra time to learning irregular verbs, such as **ser** and **estar**.

- Like **-ar** verbs, the **yo** forms of **-er** and **-ir** verbs end in **-o.**

Yo com**o**. Yo escrib**o**.

- Except for the **yo** form, all of the verb endings for **-er** verbs begin with **-e.**

-es	**-emos**	**-en**
-e	**-éis**	

- **-Er** and **-ir** verbs have the exact same endings, except in the **nosotros/as** and **vosotros/as** forms.

nosotros: com**emos**, escrib**imos**

vosotros: com**éis**, escrib**ís**

VERIFICA

Common -er and -ir verbs

-er verbs		-ir verbs	
aprender (a + *inf.*)	*to learn*	**abrir**	*to open*
beber	*to drink*	**asistir (a)**	*to attend*
comer	*to eat*	**compartir**	*to share*
comprender	*to understand*	**decidir (+ *inf.*)**	*to decide*
correr	*to run*	**describir**	*to describe*
creer (en)	*to believe (in)*	**escribir**	*to write*
deber (+ *inf.*)	*should; must; ought to*	**recibir**	*to receive*
leer	*to read*	**vivir**	*to live*

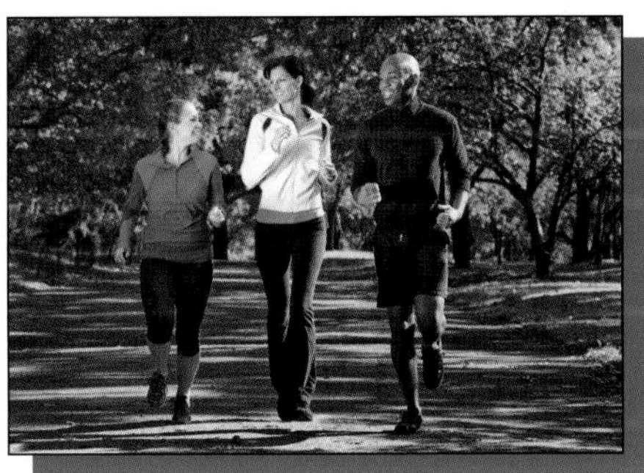

Ellos **corren** en el parque.

Él **escribe** una carta.

¡INTÉNTALO! Provide the appropriate present tense forms of these verbs.

correr

1. Graciela corre.
2. Tú ________.
3. Yo ________.
4. Sara y Ana ________.
5. Usted ________.
6. Ustedes ________.
7. La gente ________.
8. Marcos y yo ________.

abrir

1. Ellos abren la puerta.
2. Carolina ________ la maleta.
3. Yo ________ las ventanas.
4. Nosotras ________ los libros.
5. Usted ________ el cuaderno.
6. Tú ________ la ventana.
7. Ustedes ________ las maletas.
8. Los muchachos ________ sus cuadernos.

aprender

1. Él aprende español.
2. Maribel y yo ________ inglés.
3. Tú ________ japonés.
4. Tú y tu hermanastra ________ francés.
5. Mi hijo ________ chino.
6. Yo ________ alemán.
7. Usted ________ inglés.
8. Nosotros ________ italiano.

Práctica

1 **Completar** Complete Susana's sentences about her family with the correct forms of the verbs in parentheses. One of the verbs will remain in the infinitive.

1. Mi familia y yo __________ (vivir) en Mérida, Yucatán.
2. Tengo muchos libros. Me gusta __________ (leer).
3. Mi hermano Alfredo es muy inteligente. Alfredo __________ (asistir) a clases los lunes, miércoles y viernes.
4. Los martes y jueves Alfredo y yo __________ (correr) en el Parque del Centenario.
5. Mis padres __________ (comer) mucha lasaña los domingos y se quedan dormidos (*they fall asleep*).
6. Yo __________ (creer) que (*that*) mis padres deben comer menos (*less*).

2 **Oraciones** Juan is talking about what he and his friends do after school. Form complete sentences by adding any other necessary elements.

modelo
yo / correr / amigos / lunes y miércoles
Yo corro con mis amigos los lunes y miércoles.

1. Manuela / asistir / clase / yoga
2. Eugenio / abrir / correo electrónico (*e-mail*)
3. Isabel y yo / leer / biblioteca
4. Sofía y Roberto / aprender / hablar / inglés
5. tú / comer / cafetería / escuela
6. mi novia y yo / compartir / libro de historia

3 **Consejos** Mario and his family are spending a year abroad to learn Japanese. In pairs, use the words below to say what he and/or his family members are doing or should do to adjust to life in Japan. Then, create one more sentence using a verb not on the list.

modelo
recibir libros / deber practicar japonés
Estudiante 1: *Mario y su esposa reciben muchos libros en japonés.*
Estudiante 2: *Los hijos deben practicar japonés.*

aprender japonés	decidir explorar el país
asistir a clases	escribir listas de palabras en japonés
beber té (*tea*)	leer novelas japonesas
deber comer cosas nuevas	vivir con una familia japonesa
¿?	¿?

Comunicación

4 **Entrevista** With a classmate, use these questions to interview each other. Be prepared to report the results of your interviews to the class.

1. ¿Dónde comes al mediodía? ¿Comes mucho?
2. ¿Cuándo asistes a tus clases?
3. ¿Cuál es tu clase favorita? ¿Por qué?
4. ¿Dónde vives?
5. ¿Con quién(es) vives?
6. ¿Qué cursos debes tomar el próximo (*next*) semestre?
7. ¿Lees el periódico (*newspaper*)? ¿Qué periódico lees y cuándo?
8. ¿Recibes muchos mensajes de texto (*text messages*)? ¿De quién(es)?
9. ¿Escribes poemas?
10. ¿Crees en fantasmas (*ghosts*)?

5 **Encuesta** Your teacher will give you a worksheet. Walk around the class, ask a different classmate each question and tally the results of your survey. Be prepared to report the results of your survey to the class.

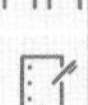

Actividades	Respuestas
1. vivir en una casa	los padres de Alicia
2. beber café	
3. correr todos los días (*every day*)	
4. comer mucho en restaurantes	
5. recibir mucho correo electrónico (*e-mail*)	
6. comprender tres lenguas	
7. deber estudiar más (*more*)	
8. leer muchos libros	

Síntesis

6 **Un día típico** Write a description of a typical day in your life. Include at least six verbs.

modelo

A las nueve de la mañana mis amigas y yo bebemos un café.
Asisto a la clase de yoga a las nueve y media.

I CAN ask and answer simple questions about daily activities.

I CAN describe my activities on a typical day.

3.4 Present tense of tener and venir

ANTE TODO The verbs **tener** (*to have*) and **venir** (*to come*) are among the most frequently used in Spanish. Because most of their forms are irregular, you will have to learn each one individually.

The verbs tener and venir

		tener	**venir**
SINGULAR FORMS	yo	ten**go**	ven**go**
	tú	tien**es**	vien**es**
	Ud./él/ella	tien**e**	vien**e**
PLURAL FORMS	nosotros/as	ten**emos**	ven**imos**
	vosotros/as	ten**éis**	ven**ís**
	Uds./ellos/ellas	tien**en**	vien**en**

- The endings are the same as those of regular **-er** and **-ir** verbs, except for the **yo** forms, which are irregular: **tengo, vengo.**

- In the **tú, Ud.,** and **Uds.** forms, the **e** of the stem changes to **ie,** as shown below.

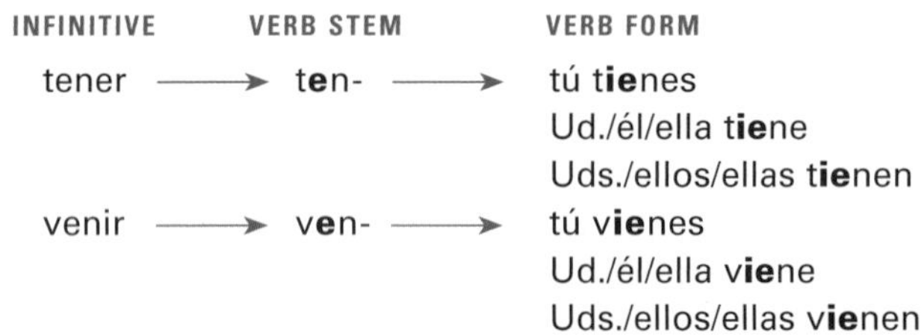

INFINITIVE	VERB STEM	VERB FORM
tener →	ten- →	tú t**ie**nes
		Ud./él/ella t**ie**ne
		Uds./ellos/ellas t**ie**nen
venir →	ven- →	tú v**ie**nes
		Ud./él/ella v**ie**ne
		Uds./ellos/ellas v**ie**nen

Tenemos prisa.
¡Adiós!

Venimos de
Zaragoza.

- Only the **nosotros** and **vosotros** forms are regular. Compare them to the forms of **comer** and **escribir** that you learned on page 126.

	tener	comer	venir	escribir
nosotros/as	ten**emos**	com**emos**	ven**imos**	escrib**imos**
vosotros/as	ten**éis**	com**éis**	ven**ís**	escrib**ís**

AYUDA

Use what you already know about regular **-er** and **-ir** verbs to identify the irregularities in **tener** and **venir**.

1) Which verb forms use a regular stem? Which use an irregular stem?

2) Which verb forms use the regular endings? Which use irregular endings?

VERIFICA

▶ In certain idiomatic or set expressions in Spanish, you use the construction **tener** + [*noun*] to express *to be* + [*adjective*]. This chart contains a list of the most common expressions with **tener**.

Expressions with tener

tener… años	*to be… years old*	**tener (mucha) prisa**	*to be in a (big) hurry*
tener (mucho) calor	*to be (very) hot*	**tener razón**	*to be right*
tener (mucho) cuidado	*to be (very) careful*	**no tener razón**	*to be wrong*
tener (mucho) frío	*to be (very) cold*	**tener (mucha) sed**	*to be (very) thirsty*
tener (mucha) hambre	*to be (very) hungry*	**tener (mucho) sueño**	*to be (very) sleepy*
tener (mucho) miedo (de)	*to be (very) afraid/ scared (of)*	**tener (mucha) suerte**	*to be (very) lucky*

VERIFICA

—¿**Tienen** hambre ustedes?
Are you hungry?

—Sí, y **tenemos** sed también.
Yes, and we're thirsty, too.

▶ To express an obligation, use **tener que** (*to have to*) + [*infinitive*].

—¿Qué **tienes que** estudiar hoy?
What do you have to study today?

—**Tengo que** estudiar biología.
I have to study biology.

▶ To ask people if they feel like doing something, use **tener ganas de** (*to feel like*) + [*infinitive*].

—¿**Tienes ganas de** comer?
Do you feel like eating?

—No, **tengo ganas de** dormir.
No, I feel like sleeping.

MIciudad.COM
Usted tiene que visitarnos.

¡INTÉNTALO! Provide the appropriate forms of **tener** and **venir**.

tener

1. Ellos ___tienen___ dos hermanos.
2. Yo __________ una hermana.
3. El artista __________ tres primos.
4. Nosotros __________ diez tíos.
5. Eva y Diana __________ un sobrino.
6. Usted __________ cinco nietos.
7. Tú __________ dos hermanastras.
8. Ustedes __________ cuatro hijos.
9. Ella __________ una hija.

venir

1. Mis padres ___vienen___ de México.
2. Tú __________ de España.
3. Nosotras __________ de Cuba.
4. Pepe __________ de Italia.
5. Yo __________ de Francia.
6. Ustedes __________ de Canadá.
7. Alfonso y yo__________ de Portugal.
8. Ellos __________ de Alemania.
9. Usted __________ de Venezuela.

Práctica

1 Emparejar Find the expression in column B that best matches an item in column A. Then, come up with a new item that corresponds with the leftover expression in column B.

A	B
1. el Polo Norte	a. tener calor
2. una sauna	b. tener sed
3. la comida salada (*salty food*)	c. tener frío
4. una persona muy inteligente	d. tener razón
5. un abuelo	e. tener ganas de
6. una dieta	f. tener hambre
	g. tener 75 años

2 Completar Complete the sentences with the correct forms of **tener** or **venir**.

1. Hoy nosotros __________ una reunión familiar (*family reunion*).
2. Yo __________ en autobús del aeropuerto (*airport*) de Quito.
3. Todos mis parientes __________, excepto mi tío Manolo y su esposa.
4. Ellos no __________ ganas de venir porque viven en Portoviejo.
5. Mi prima Susana y su novio no __________ hasta las ocho porque ella __________ que trabajar.
6. En las fiestas, mi hermana siempre (*always*) __________ muy tarde (*late*).
7. Nosotros __________ mucha suerte porque las reuniones son divertidas (*fun*).
8. Mi madre cree que mis sobrinos son muy simpáticos. Creo que ella __________ razón.

3 Describir Describe what these people are doing or feeling, using an expression with **tener**.

1. __________________

2. __________________

3. __________________

4. __________________

5. __________________

6. __________________

Comunicación

4 **Mi familia** Listen to Francisco's description of his family. Then indicate whether the following inferences are **lógico** or **ilógico**, based on what you heard.

	Lógico	Ilógico
1. Francisco tiene una familia grande.	❍	❍
2. A Francisco le gustan los números.	❍	❍
3. Francisco vive en la casa de sus padres durante el semestre.	❍	❍
4. Francisco desea ser artista.	❍	❍
5. Carlos y Dolores tienen gemelos.	❍	❍

5 **Preguntas** Answer your partner's questions.

1. ¿Tienes que estudiar hoy?
2. ¿Cuántos años tienes? ¿Y tus hermanos/as?
3. ¿Cuándo vienes a la escuela?
4. ¿Cuándo vienen tus amigos a tu casa o apartamento?
5. ¿De qué tienes miedo? ¿Por qué?
6. ¿Qué tienes ganas de hacer el sábado?

6 **Obligaciones** Talk to a small group about five things that you have to do but cannot do for various reasons, such as fear, lack of motivation, or being in a rush. Use expressions with **tener**.

Tengo que estudiar, pero no tengo ganas.

Síntesis

7 **Minidrama** Role-play this situation with a partner: you are introducing your best friend to your extended family tomorrow. Describe your family members and what they do.

I CAN talk about the things I have to do.

I CAN describe my family members.

Recapitulación

Review the grammar concepts you have learned in this lesson by completing these activities.

1 **Adjetivos** Complete each sentence with the appropriate adjective. Change the form of the adjective as necessary for gender/number agreement. 12 pts.

antipático	interesante	mexicano
difícil	joven	moreno

1. Mi tía es ________. Vive en Guadalajara.
2. Mi primo no es rubio, es ________.
3. Mi amigo cree que la clase no es fácil; es ________.
4. Los libros son ________; me gustan mucho.
5. Mis hermanos son ________; no tienen muchos amigos.
6. Las gemelas tienen nueve años. Son ________.

2 **Completar** For each set of sentences, provide the appropriate form of the verb **tener** and the possessive adjective. Follow the model. 24 pts.

modelo

Él *tiene* un libro. Es *su* libro.

1. Esteban y Julio ________ una tía. Es ________ tía.
2. Yo ________ muchos amigos. Son ________ amigos.
3. Tú ________ tres primas. Son ________ primas.
4. María y tú ________ un hermano. Es ________ hermano.
5. Nosotras ________ unas mochilas. Son ________ mochilas.
6. Usted ________ dos sobrinos. Son ________ sobrinos.

3 **Oraciones** Arrange the words in the correct order to form complete logical sentences. **¡Ojo!** Don't forget to conjugate the verbs. 10 pts.

1. libros / unos / tener / interesantes / tú / muy
____
2. dos / leer / fáciles / compañera / tu / lecciones
____
3. mi / francés / ser / amigo / buen / Hugo
____
4. ser / simpáticas / dos / personas / nosotras
____
5. a / clases / menores / mismas / sus / asisitir / hermanos / las
____

RESUMEN GRAMATICAL

3.1 Descriptive adjectives pp. 118–119

Forms and agreement of adjectives

Masculine		Feminine	
Singular	Plural	Singular	Plural
alto inteligente trabajador	altos inteligentes trabajadores	alta inteligente trabajadora	altas inteligentes trabajadoras

- Descriptive adjectives follow the noun: **el chico rubio**
- Adjectives of color and nationality also follow the noun: **la mujer española, el cuaderno azul**
- Adjectives of quantity precede the noun: **muchos libros, dos turistas**
- When placed before a singular masculine noun, these adjectives are shortened:

  bueno → buen   malo → mal
- When placed before a singular noun, **grande** is shortened to **gran**.

3.2 Possessive adjectives p. 123

Singular		Plural	
mi	nuestro/a	mis	nuestros/as
tu	vuestro/a	tus	vuestros/as
su	su	sus	sus

3.3 Present tense of -er and -ir verbs pp. 126–127

comer		escribir	
como	comemos	escribo	escribimos
comes	coméis	escribes	escribís
come	comen	escribe	escriben

3.4 Present tense of tener and venir pp. 130–131

tener		venir	
tengo	tenemos	vengo	venimos
tienes	tenéis	vienes	venís
tiene	tienen	viene	vienen

4 **Carta** Complete this letter with the appropriate forms of the verbs in the word list. Not all verbs will be used. 20 pts.

abrir	correr	recibir
asistir	creer	tener
compartir	escribir	venir
comprender	leer	vivir

Hola, Ángel:

¿Qué tal? (Yo) (1) _______ esta carta (*this letter*) en la biblioteca. Todos los días (2) _______ aquí y (3) _______ un buen libro. Yo (4) _______ que es importante leer por diversión. Mi amigo José Luis no (5) _______ por qué me gusta leer. Él sólo (6) _______ los libros de texto. Pero nosotros (7) _______ unos intereses. Por ejemplo, los dos somos atléticos; por las mañanas nosotros (8) _______. También nos gustan las ciencias; por las tardes (9) _______ a nuestra clase de biología. Y tú, ¿cómo estás? ¿(Tú) (10) _______ mucho trabajo (*work*)?

5 **Su familia** Write a brief description of a friend's family. Describe the family members using vocabulary and structures from this lesson. Write at least five sentences. 34 pts.

modelo

La familia de mi amiga Gabriela es grande. Ella tiene tres hermanos y una hermana. Su hermana mayor es periodista...

6 **Proverbio** Complete this proverb with the correct forms of the verbs in parentheses. 4 EXTRA points!

"Dos andares° _________ (*tener*) el dinero°, _________ (*venir*) despacio° y se va° ligero°."

andares *speeds* dinero *money* despacio *slowly* se va *it leaves* ligero *quickly*

Communicative Goal: Infer the meaning of new words and phrases in a familiar context

Lectura

Antes de leer

Estrategia

Guessing meaning from context

As you read in Spanish, you'll often come across words you haven't learned. You can guess what they mean by looking at the surrounding words and sentences. Look at the following text and guess what **tía abuela** means, based on the context.

¡Hola, Claudia!
¿Qué hay de nuevo?
¿Sabes qué? Ayer fui a ver a mi tía abuela, la hermana de mi abuela. Tiene 85 años, pero es muy independiente. Vive en un apartamento en Quito con su prima Lorena, quien también tiene 85 años.

If you guessed *great-aunt*, you are correct, and you can conclude from this word and the format clues that this is a letter about someone's visit with his or her great-aunt.

Examinar el texto

Quickly read through the paragraphs and find two or three words you don't know. Using the context as your guide, guess what these words mean. Then glance at the paragraphs where these words appear and try to predict what the paragraphs are about.

Examinar el formato

Look at the format of the reading. What clues do the captions, photos, and layout give you about its content?

Gente . . . Las familias

1. Me llamo Armando y tengo setenta años pero no me considero viejo. Tengo seis nietas y un nieto. Vivo con mi hija y tengo la oportunidad de pasar mucho tiempo con ella y con mi nieto. Por las tardes salgo a pasear° por el parque con él y por la noche le leo cuentos°.

Armando. Tiene seis nietas y un nieto.

2. Mi prima Victoria y yo nos llevamos muy bien. Estudiamos juntas° en la universidad y compartimos un apartamento. Ella es muy inteligente y me ayuda° con los estudios. Además°, es muy simpática y generosa. Si no tengo dinero°, ¡ella me lo presta!

Diana. Vive con su prima.

3. Me llamo Ramona y soy paraguaya, aunque° ahora vivo en los Estados Unidos. Tengo tres hijos, uno de nueve años, uno de doce y el mayor de quince. Es difícil a veces, pero mi esposo y yo tratamos° de ayudarlos y comprenderlos siempre°.

Ramona. Sus hijos son muy importantes para ella.

4. Tengo mucha suerte. Aunque mis padres están divorciados, tengo una familia muy unida. Tengo dos hermanos y dos hermanas. Me gusta hablar y salir a fiestas con ellos. Ahora tengo novio en la universidad y él no conoce a mis hermanos. ¡Espero que se lleven bien!

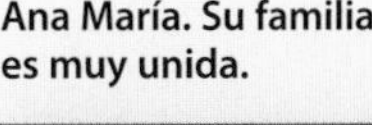

Ana María. Su familia es muy unida.

5. Antes quería° tener hermanos, pero ya no° es tan importante. Ser hijo único tiene muchas ventajas°: no tengo que compartir mis cosas con hermanos, no hay discusiones° y, como soy nieto único también, ¡mis abuelos piensan° que soy perfecto!

Fernando. Es hijo único.

6. No tengo ni esposa ni hijos. Pero tengo un sobrino, el hijo de mi hermano, que es muy especial para mí. Se llama Benjamín y tiene diez años. Es un muchacho muy simpático. Siempre tiene hambre y por lo tanto vamos° frecuentemente a comer hamburguesas. Nos gusta también ir al cine° a ver películas de acción. Hablamos de todo. ¡Creo que ser tío es mejor que ser padre!

Santiago. Cree que ser tío es divertido.

salgo a pasear *I go take a walk* cuentos *stories* juntas *together* me ayuda *she helps me* Además *Besides* dinero *money* aunque *although* tratamos *we try* siempre *always* quería *I wanted* ya no *no longer* ventajas *advantages* discusiones *arguments* piensan *think* vamos *we go* ir al cine *to go to the movies*

Después de leer

Emparejar

Glance at the paragraphs and see how the words and phrases in column A are used in context. Then find their definitions in column B.

A	B
1. me lo presta	a. the oldest
2. nos llevamos bien	b. movies
3. no conoce	c. the youngest
4. películas	d. loans it to me
5. mejor que	e. borrows it from me
6. el mayor	f. we see each other
	g. doesn't know
	h. we get along
	i. portraits
	j. better than

Seleccionar

Choose the sentence that best summarizes each paragraph.

1. Párrafo 1
   a. Me gusta mucho ser abuelo.
   b. No hablo mucho con mi nieto.
   c. No tengo nietos.
2. Párrafo 2
   a. Mi prima es antipática.
   b. Mi prima no es muy trabajadora.
   c. Mi prima y yo somos muy buenas amigas.
3. Párrafo 3
   a. Tener hijos es un gran sacrificio, pero es muy bonito también.
   b. No comprendo a mis hijos.
   c. Mi esposo y yo no tenemos hijos.
4. Párrafo 4
   a. No hablo mucho con mis hermanos.
   b. Comparto mis cosas con mis hermanos.
   c. Mis hermanos y yo somos como (*like*) amigos.
5. Párrafo 5
   a. Me gusta ser hijo único.
   b. Tengo hermanos y hermanas.
   c. Vivo con mis abuelos.
6. Párrafo 6
   a. Mi sobrino tiene diez años.
   b. Me gusta mucho ser tío.
   c. Mi esposa y yo no tenemos hijos.

I CAN infer the meaning of new words and phrases in a familiar context.

Escritura

Estrategia

Using idea maps

How do you organize ideas for a first draft? Often, the organization of ideas represents the most challenging part of the process. Idea maps are useful for organizing pertinent information. Here is an example of an idea map you can use:

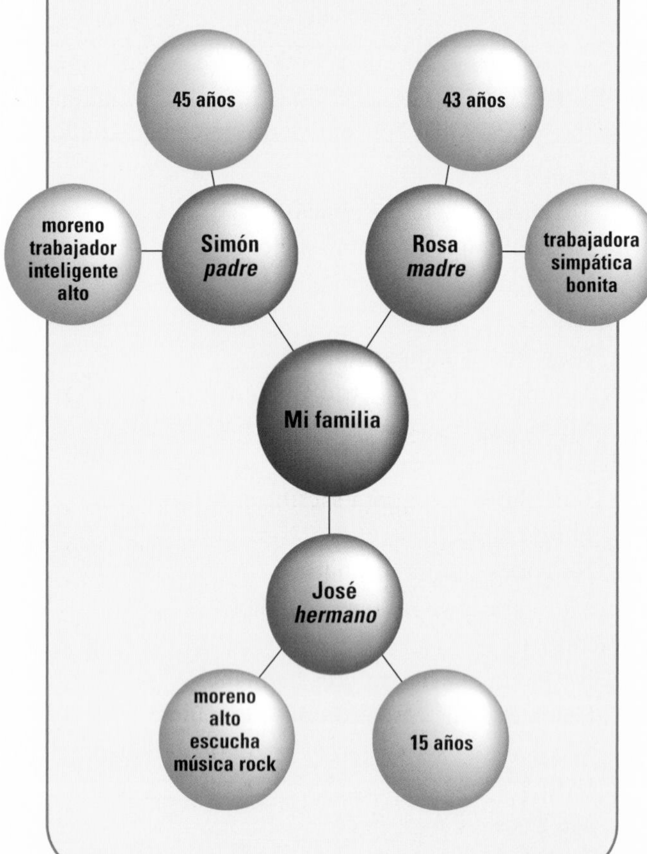

I CAN use idea maps to plan a written communication.

I CAN correspond by email or a letter with a Spanish-speaker using culturally appropriate greetings and closings.

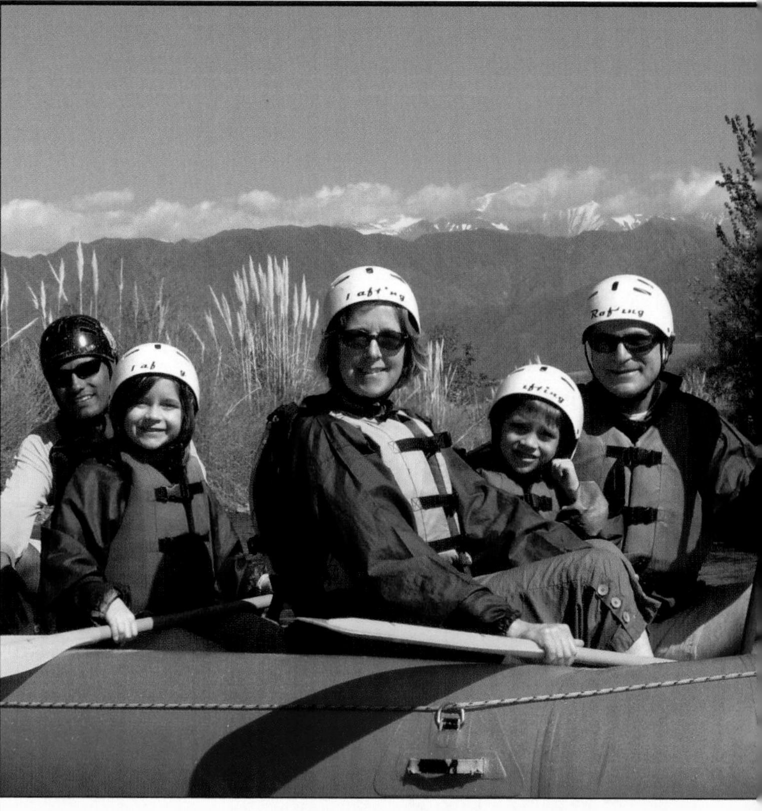

Tema

Escribir un mensaje electrónico

A friend you met in a chat room for Spanish speakers wants to know about your family. Using some of the verbs and adjectives you have learned in this lesson, write a brief e-mail describing your family or an imaginary family, including:

- Names and relationships
- Physical characteristics
- Hobbies and interests

Here are some useful expressions for writing a letter or e-mail in Spanish:

Salutations

Estimado/a Julio/Julia:	*Dear Julio/Julia,*
Querido/a Miguel/Ana María:	*Dear Miguel/Ana María,*

Closings

Un abrazo,	*A hug,*
Abrazos,	*Hugs,*
Cariños,	*Much love,*
¡Hasta pronto!	*See you soon!*
¡Hasta la próxima semana!	*See you next week!*

Escuchar

Estrategia

Asking for repetition/ Replaying the recording

Sometimes it is difficult to understand what people say, especially in a noisy environment. During a conversation, you can ask someone to repeat by saying **¿Cómo?** (*What?*) or **¿Perdón?** (*Pardon me?*). In class, you can ask your teacher to repeat by saying **Repita, por favor** (*Repeat, please*). If you don't understand a recorded activity, you can simply replay it.

To help you practice this strategy, you will listen to a short paragraph. Ask your professor to repeat it or replay the recording, and then summarize what you heard.

Preparación

Based on the photograph, where do you think Cristina and Laura are? What do you think Laura is saying to Cristina?

Ahora escucha

Now you are going to hear Laura and Cristina's conversation. Use **R** to indicate which adjectives describe Cristina's boyfriend, Rafael. Use **E** for adjectives that describe Laura's boyfriend, Esteban. Some adjectives will not be used.

___ **rubio**	___ **interesante**
___ **feo**	___ **antipático**
___ **alto**	___ **inteligente**
___ **trabajador**	___ **moreno**
___ **un poco gordo**	___ **viejo**

I CAN recognize descriptions of a person's physical and personality traits in a short conversation.

Comprensión

Identificar

Which person would make each statement: Cristina or Laura?

	Cristina	Laura
1. Mi novio habla sólo de fútbol y de béisbol.	❍	❍
2. Tengo un novio muy interesante y simpático.	❍	❍
3. Mi novio es alto y moreno.	❍	❍
4. Mi novio trabaja mucho.	❍	❍
5. Mi amiga no tiene buena suerte con los muchachos.	❍	❍
6. El novio de mi amiga es un poco gordo, pero guapo.	❍	❍

¿Cierto o falso?

Indicate whether each sentence is **cierto** or **falso**, then correct the false statements.

	Cierto	Falso
1. Esteban es un chico interesante y simpático.	❍	❍
2. Laura tiene mala suerte con los chicos.	❍	❍
3. Rafael es muy interesante.	❍	❍
4. Laura y su novio hablan de muchas cosas.	❍	❍

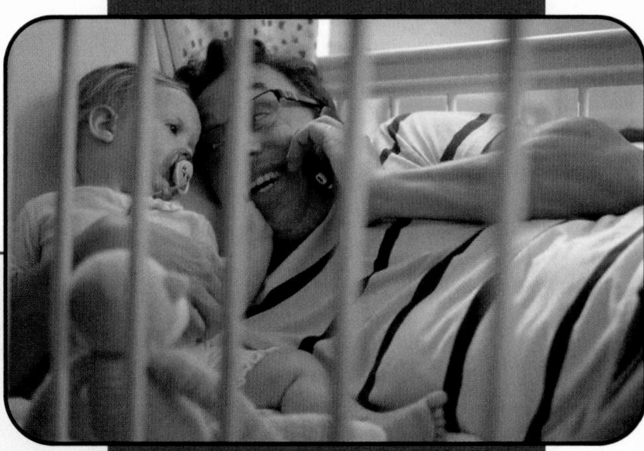

¡Oh! ¡Un saquito te compró mamá!

Preparación

How do you feel about shopping sprees? Do you like spending time in shopping malls? What would you rather do: buy things for yourself or gifts for others?

Diminutivos are suffixes used to indicate a small size, young age, or to express affection. They are also used to talk to babies and toddlers, and to communicate that something is cute. The most commonly used diminutive suffix in Spanish is **–ito/ita**, which can be used with nouns and names (**niñito/a, Miguelito, Susanita**), adjectives (**pequeñito/a**), and adverbs (**lueguito, ahorita**). When words end in consonants like n, r, or z, such as in **lápiz** and **lección**, **-ito/ita** becomes **–cito/cita**; for example: **lapicito** and **leccioncita**. However, there are many exceptions, such as **novio/a**, which diminutive is **noviecito/a**. Diminutives can also be created using the suffix **–illo/illa** (**cuadernillo, problemilla**).

Vocabulario útil

¿Te falta mucho?	*Have you got long to go?*
apurarse	*to hurry*
saquito	*small/cute coat*
par de zapatitos	*pair of small shoes*
conjuntito	*small outfit*
cerrar	*to close*

Comprensión

Fill in the blanks, choosing the correct option from the word bank.

hija	prisa	su	cierra
regresar	esposo	zapatos	

1. Marcos es el ________ de Claudia.
2. Claudia compra ________ y otras cosas para ella en el centro comercial (shopping mall).
3. Marcos y Claudia tienen una ________.
4. El centro comercial ________ en diez minutos.
5. Claudia busca un regalo (gift) para ________ hija.
6. Claudia tiene ________ porque debe ________ pronto a casa.

I CAN create an ad modeled on a Spanish language commercial.

Conversación

Talk with a classmate about these questions:

1. In the video, why did the man think the woman was buying presents for their baby daughter?
2. Why do you think the woman was using diminutives such as **saquito**, **zapatitos**, and **conjuntito**?

Aplicación

Work in small groups to create an ad for **Banco Galicia**, using adjectives from this lesson and applying different diminutives to nouns you include in the ad. Present it to the class, and discuss afterward which ads seem most effective and why.

Flash CULTURA

La familia

—Érica, ¿y cómo se llaman tus padres?
—Mi mamá, Lorena y mi papá, Miguel.

¡Qué familia tan° grande tiene!

Te presento a la familia Bolaños.

Preparación

How would you define a "typical" family? Are the families in your community typical? What other types of families do you know?

In 1993, the UN designated May 15th as Family Day, to raise awareness of the vital role families play in the stable development of their children. The **Día Internacional de la Familia** has been celebrated every year in Ecuador since 1995. The goal is to provide families with opportunities to participate in fun games and activities that strengthen family bonds. Some community and school-sponsored activities include workshops, sporting competitions, and social and cultural events.

Vocabulario útil

familia numerosa	*large family*
juntos	*together*
patio interior	*courtyard*
pelear	*to fight*
¡Qué amable!	*How kind of you!*
¡Qué chévere!	*Cool!*

Comprensión

Which of the following family members does Susana introduce Mónica to in the video?

____ Es mi esposo.	____ Es mi madre.
____ Son mis primos.	____ Es mi hermano.
____ Son mis sobrinos.	____ Es mi nieta.
____ Es mi papá.	____ Es mi sobrino.
____ Son mis hijos.	____ Es mi hija.

Conversación

Discuss the following questions with a partner.

1. On what occasions do you get together with your extended family?
2. Based on the **Flash cultura** video, what differences do you see in family customs in Ecuador and in your community?

Aplicación

Work in small groups to create a bilingual poster promoting **el Día Internacional de la Familia** in your community. Include 2 or 3 reasons why it's important to celebrate Family Day and list 5 activities families can do together that day. Use images to support your ideas.

I CAN discuss ways to celebrate families in my own and other cultures.

Communicative Goal: Identify aspects of the geography and culture of Ecuador

Ecuador

Bandera de Ecuador

El país en cifras

- **Área:** 283.560 km² (109.483 millas²), *incluyendo las islas Galápagos, aproximadamente el área de Colorado*
- **Población:** 16.290.000
- **Capital:** Quito—1.726.000
- **Ciudades° principales:** Guayaquil—2.709.000, Cuenca, Machala, Portoviejo
- **Moneda:** dólar estadounidense
- **Idiomas:** español (oficial), quichua

La lengua oficial de Ecuador es el español, pero también se hablan° otras° lenguas en el país. Aproximadamente unos 4.000.000 de ecuatorianos hablan lenguas indígenas; la mayoría° de ellos habla quichua. El quichua es el dialecto ecuatoriano del quechua, la lengua de los incas.

Ciudades *cities* se hablan *are spoken* otras *other* mayoría *majority*

Muchos indígenas de Ecuador hablan quichua.

Catedral de Guayaquil

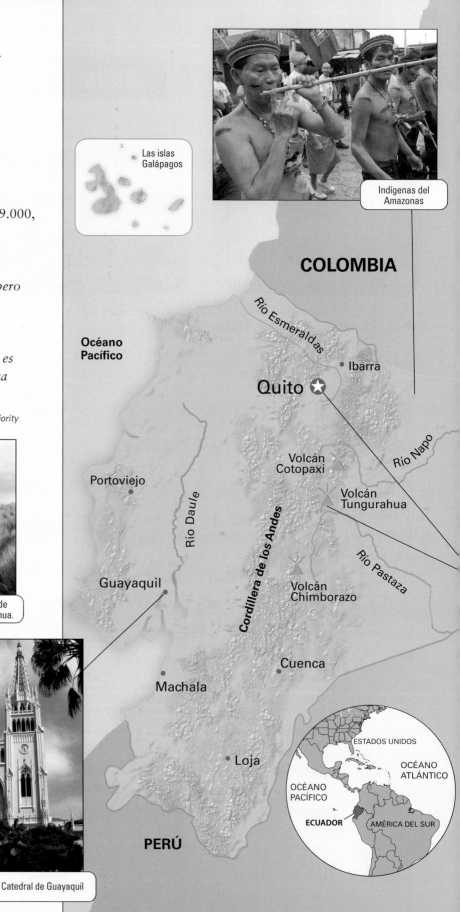

Indígenas del Amazonas

Las islas Galápagos

COLOMBIA

Océano Pacífico

Río Esmeraldas

Ibarra

Quito

Río Napo

Volcán Cotopaxi

Volcán Tungurahua

Portoviejo

Río Daule

Cordillera de los Andes

Río Pastaza

Guayaquil

Volcán Chimborazo

Cuenca

Machala

Loja

PERÚ

ESTADOS UNIDOS

OCÉANO ATLÁNTICO

OCÉANO PACÍFICO

ECUADOR

AMÉRICA DEL SUR

Deportes • El *trekking*

El sistema montañoso de los Andes cruza° y divide Ecuador en varias regiones. La Sierra, que tiene volcanes, grandes valles y una variedad increíble de plantas y animales, es perfecta para el *trekking*. Muchos turistas visitan Ecuador cada° año para hacer° *trekking* y escalar montañas°.

Flora y fauna • Las islas Galápagos

Muchas personas vienen de lejos a visitar las islas Galápagos porque son un verdadero tesoro° ecológico. Aquí Charles Darwin estudió° las especies que inspiraron° sus ideas sobre la evolución. Como las Galápagos están lejos del continente, sus plantas y animales son únicos. Las islas son famosas por sus tortugas° gigantes.

Artes • Oswaldo Guayasamín

Oswaldo Guayasamín fue° uno de los artistas latinoamericanos más famosos del mundo. Fue escultor° y muralista. Su expresivo estilo viene del cubismo y sus temas preferidos son la injusticia y la pobreza° sufridas° por los indígenas de su país.

Explosión del volcán Tungurahua

Lugares • Latitud 0

Hay un monumento en Ecuador, a unos 22 kilómetros (14 millas) de Quito, donde los visitantes están en el hemisferio norte y el hemisferio sur a la vez°. Este monumento se llama la Mitad del Mundo° y es un destino turístico muy popular.

La ciudad de Quito y la Cordillera de los Andes

verdadero tesoro *true treasure* **estudió** *studied* **inspiraron** *inspired* **tortugas** *tortoises* **fue** *was* **escultor** *sculptor* **pobreza** *poverty* **sufridas** *suffered* **cruza** *crosses* **cada** *every* **hacer** *to do* **escalar montañas** *to climb mountains* **a la vez** *at the same time* **Mitad del Mundo** *Equatorial Line Monument (lit. Midpoint of the World)*

CON RITMO HISPANO

Mirella Cesa (1984–)

Lugar de Nacimiento: Guayaquil, Ecuador

Mirella Cessa es conocida como "la madre del Andipop". Su música combina la percusión latina, los instrumentos andinos y el pop.

*Go to **vhlcentral.com** to find out more about **Mirella Cesa** and her music.*

¿Qué aprendiste?

1 **¿Cierto o falso?** Indica si lo que dicen estas oraciones es **cierto** o **falso**.

1. La moneda de Ecuador es el peso ecuatoriano.
2. Las islas Galápagos son famosas por sus tortugas gigantes.
3. En Ecuador se habla español exclusivamente.
4. Oswaldo Guayasamín fue muralista.
5. En Ecuador hay varios volcanes.

2 **Completar** Completa las oraciones con la información correcta.

1. La ciudad más grande (*biggest*) de Ecuador es ________.
2. La capital de Ecuador es ________.
3. Unos 4.000.000 de ecuatorianos hablan ________.
4. Darwin estudió el proceso de la evolución en ________.
5. Dos temas del arte de ________ son la pobreza y la ________.
6. Un monumento muy popular es ________.
7. En ese monumento se puede estar en dos ________ a la vez.
8. La Sierra es un lugar perfecto para el ________.
9. El ________ es un dialecto de los indígenas ecuatorianos.
10. La música de Mirella Cesa combina la percusión latina y los instrumentos ________.

3 **Ensayo** Escribe un ensayo de 7-10 oraciones (*sentences*) para contestar los dos aspectos de esta pregunta:

¿Por qué es Ecuador un país interesante y qué ofrece para los turistas?

En tu ensayo, cita evidencias de la lectura *Panorama*.

Puedes usar estas expresiones para organizar tus oraciones:

Para comenzar... (*To begin...*)
primero (*first*)
segundo (*second*)
tercero (*third*)
también (*also*)
además (*besides*)
Para concluir (*In conclusion*)

Organiza tu ensayo con esta estructura:

- una introducción
- evidencias de *Panorama*
- una conclusión

ENTRE CULTURAS

Investiga sobre estos temas en vhlcentral.com.

1. **Busca información sobre una ciudad de Ecuador y compárala con tu ciudad. ¿Qué ciudad es más grande? ¿Cuál tiene más habitantes? ¿Qué lenguas se hablan en cada una?**
2. **Haz una lista de tres animales o plantas que viven sólo en las islas Galápagos. Después crea otra lista de tres animales y plantas típicos del estado donde tú vives. ¿Qué semejanzas y diferencias observas?**

I CAN identify basic facts about Ecuador's geography and culture by reading short informational texts with visuals.

I CAN write a short essay about Ecuador as an interesting country to visit.

La familia

el/la abuelo/a	*grandfather/ grandmother*
los abuelos	*grandparents*
el apellido	*last name*
el/la bisabuelo/a	*great-grandfather/ great-grandmother*
el/la cuñado/a	*brother-in-law/ sister-in-law*
el/la esposo/a	*husband/wife; spouse*
la familia	*family*
el/la gemelo/a	*twin*
el/la hermanastro/a	*stepbrother/ stepsister*
el/la hermano/a	*brother/sister*
el/la hijastro/a	*stepson/ stepdaughter*
el/la hijo/a	*son/daughter*
los hijos	*children*
la madrastra	*stepmother*
la madre	*mother*
el/la medio/a hermano/a	*half-brother/ half-sister*
el/la nieto/a	*grandson/ granddaughter*
la nuera	*daughter-in-law*
el padrastro	*stepfather*
el padre	*father*
los padres	*parents*
los parientes	*relatives*
el/la primo/a	*cousin*
el/la sobrino/a	*nephew/niece*
el/la suegro/a	*father-in-law/ mother-in-law*
el/la tío/a	*uncle/aunt*
el yerno	*son-in-law*

Otras personas

el/la amigo/a	*friend*
la gente	*people*
el/la muchacho/a	*boy/girl*
el/la niño/a	*child*
el/la novio/a	*boyfriend/girlfriend*
la persona	*person*

Profesiones

el/la artista	*artist*
el/la doctor(a), el/la médico/a	*doctor; physician*
el/la ingeniero/a	*engineer*
el/la periodista	*journalist*
el/la programador(a)	*computer programmer*

Adjetivos

alto/a	*tall*
antipático/a	*unpleasant*
bajo/a	*short (in height)*
bonito/a	*pretty*
buen, bueno/a	*good*
delgado/a	*thin; slender*
difícil	*difficult; hard*
fácil	*easy*
feo/a	*ugly*
gordo/a	*fat*
gran, grande	*big; large*
guapo/a	*good-looking*
importante	*important*
inteligente	*intelligent*
interesante	*interesting*
joven (sing.), jóvenes (pl.)	*young*
mal, malo/a	*bad*
mismo/a	*same*
moreno/a	*brunet(te)*
mucho/a	*much; many; a lot of*
pelirrojo/a	*red-haired*
pequeño/a	*small*
rubio/a	*blond(e)*
simpático/a	*nice; likeable*
tonto/a	*silly; foolish*
trabajador(a)	*hard-working*
viejo/a	*old*

Colores

amarillo/a	*yellow*
azul	*blue*
blanco/a	*white*
negro/a	*black*
rojo/a	*red*
verde	*green*

Nacionalidades

alemán, alemana	*German*
argentino/a	*Argentine*
canadiense	*Canadian*
chino/a	*Chinese*
costarricense	*Costa Rican*
cubano/a	*Cuban*
ecuatoriano/a	*Ecuadorian*
español(a)	*Spanish*
estadounidense	*from the U.S.*
francés, francesa	*French*
inglés, inglesa	*English*
italiano/a	*Italian*
japonés, japonesa	*Japanese*
mexicano/a	*Mexican*
norteamericano/a	*(North) American*
puertorriqueño/a	*Puerto Rican*
ruso/a	*Russian*

Verbos

abrir	*to open*
aprender (a + *inf.*)	*to learn*
asistir (a)	*to attend*
beber	*to drink*
comer	*to eat*
compartir	*to share*
comprender	*to understand*
correr	*to run*
creer (en)	*to believe (in)*
deber (+ *inf.*)	*should; must; ought to*
decidir (+ *inf.*)	*to decide*
describir	*to describe*
escribir	*to write*
leer	*to read*
recibir	*to receive*
tener	*to have*
venir	*to come*
vivir	*to live*

Possessive adjectives	*See page 123.*
Expressions with *tener*	*See page 131.*
Expresiones útiles	*See page 113.*

A primera vista

- ¿Qué hace la chica de la foto?
- ¿En dónde está?
- ¿Cómo se siente? ¿Tiene frío o calor?
- ¿Quiénes son las demás personas de la foto?

Essential Questions

1. What free time and weekend activities are popular with teens in my country and how do these activities compare with those of teens in other Spanish-speaking countries?
2. How does culture affect the way we plan our free time?
3. What sports and sports figures are popular in Spanish-speaking countries?

4 Los pasatiempos

Can Do Goals

By the end of this chapter I will be able to:

- Talk about my favorite pastimes and make plans to do them
- Talk about my vacation plans
- Talk about my favorite TV sports show
- Talk about movies and describe my favorite movie

Also, I will learn about:

Culture
- Sports rivalries in my own and other cultures
- Sports figures Miguel Cabrera and Paola Milagros Espinosa Sánchez
- Mexico's geography and culture

Skills
- Reading: Predicting content from visuals
- Writing: Using a dictionary
- Listening: Listening for the gist

Lesson 4 Integrated Performance Assessment

Context: You and a classmate have been asked to entertain a visiting Spanish teacher for a few hours. You will present your plans for the outing to the principal of your school.

Trofeo de la Copa América 2019

Producto/Práctica: La Copa América es la competencia más importante del fútbol en el continente. Se celebra cada cuatro años. ¿Cuál es la competencia deportiva más importante de tu país? ¿Con qué frecuencia se celebra?

Communicative Goal: Talk about pastimes and recreational activities

Los pasatiempos

Más vocabulario

el baloncesto	*basketball*
el béisbol	*baseball*
el ciclismo	*cycling*
el esquí (acuático)	*(water) skiing*
el fútbol americano	*football*
el golf	*golf*
el hockey	*hockey*
la natación	*swimming*
el tenis	*tennis*
el vóleibol	*volleyball*
el equipo	*team*
el/la jugador(a)	*player*
el parque	*park*
el partido	*game; match*
la piscina	*swimming pool*
la plaza	*city or town square*
andar en patineta	*to skateboard*
bucear	*to scuba dive*
escalar montañas	*to climb mountains*
esquiar	*to ski*
ganar	*to win*
ir de excursión	*to go on a hike*
nadar	*to swim*
patinar	*to skate*
practicar deportes	*to play sports*
visitar monumentos (pl.)	*to visit monuments*
escribir un mensaje de texto/un mensaje electrónico	*to write a text message/an e-mail*
leer correo electrónico	*to read e-mail*
leer el periódico	*to read the newspaper*
deportivo/a	*sports-related*

Variación léxica

piscina ⟷ pileta (*Arg.*); alberca (*Méx.*)

baloncesto ⟷ básquetbol (*Amér. L.*)

béisbol ⟷ pelota (*P. Rico, Rep. Dom.*)

Práctica

1 Escuchar Indicate the letter of the activity in Column B that best corresponds to each statement you hear. Two items in Column B will not be used.

A	B
1. ______	a. leer correo electrónico
2. ______	b. tomar el sol
3. ______	c. pasear en bicicleta
4. ______	d. ir a un partido de fútbol americano
5. ______	e. escribir una carta
6. ______	f. practicar muchos deportes
	g. nadar
	h. ir de excursión

2 Ordenar Order these activities according to what you hear in the narration.

______ a. pasear en bicicleta ______ d. tomar el sol
______ b. nadar ______ e. practicar deportes
______ c. leer una revista ______ f. patinar en línea

3 ¿Cierto o falso? Indicate whether each statement is **cierto** or **falso** based on the illustration.

	Cierto	Falso
1. Un hombre nada en la piscina.	❍	❍
2. Un hombre lee una revista.	❍	❍
3. Una persona pasea en bicicleta.	❍	❍
4. Dos muchachos esquían.	❍	❍
5. Dos niñas juegan al fútbol.	❍	❍
6. Un hombre bucea.	❍	❍
7. Hay un equipo de hockey.	❍	❍
8. Un hombre toma el sol.	❍	❍

4 Clasificar Fill in the chart below with as many terms from **Contextos** as you can.

Actividades	Deportes	Personas
____________	____________	____________
____________	____________	____________
____________	____________	____________
____________	____________	____________
____________	____________	____________
____________	____________	____________

En el centro

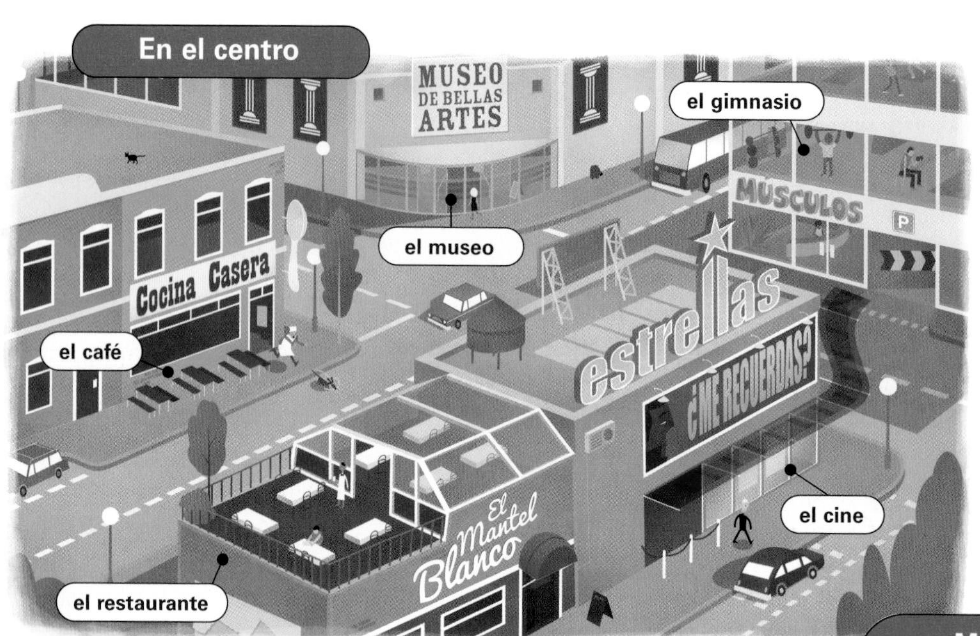

Más vocabulario

la diversión	*fun activity; entertainment; recreation*
el fin de semana	*weekend*
el pasatiempo	*pastime; hobby*
los ratos libres	*spare (free) time*
el videojuego	*video game*
la iglesia	*church*
el lugar	*place*
ver películas/series	*to watch movies/ series*
favorito/a	*favorite*

5 **Identificar** Identify the place where these activities would take place.

modelo

Esquiamos. Es una montaña.

1. Tomamos una limonada.
2. Vemos una película.
3. Nadamos y tomamos el sol.
4. Hay muchos monumentos.
5. Comemos tacos y fajitas.
6. Miramos pinturas (*paintings*) de Diego Rivera y Frida Kahlo.
7. Hay mucho tráfico.
8. Practicamos deportes.

6 **Preguntar** Ask a classmate what he or she does in the places mentioned below. Your classmate will respond using verbs from the word bank.

modelo

una plaza

Estudiante 1: ¿Qué haces (*do you do*) cuando estás en una plaza?

Estudiante 2: Camino por la plaza y miro a las personas.

beber	correr	mirar	practicar
caminar	escalar	nadar	tomar
comer	leer	patinar	visitar

1. una biblioteca
2. un estadio
3. un restaurante
4. una piscina
5. las montañas
6. un parque
7. un café
8. un museo

Comunicación

7

Guadalajara Read this description of Guadalajara. Then indicate whether the following inferences are **lógico** or **ilógico**, based on what you read.

> Guadalajara es una gran ciudad del estado de Jalisco, México. ¿Te gustan los parques? El Parque Mirador Independencia es un buen lugar para pasear en bicicleta, andar en patineta o tomar el sol. ¿Te gusta el cine? Guadalajara es un importante centro cultural, famosa por el Festival de Cine de Guadalajara. ¿Tienes hambre? Hay fabulosos restaurantes por toda la ciudad. ¿Te gustan los deportes? Debes asistir a un partido del Club Deportivo Guadalajara, uno de los equipos de fútbol más populares de México. ¿Te gusta el arte? Guadalajara es también muy famosa por sus museos y sus monumentos.

	Lógico	Ilógico
1. En el Parque Mirador Independencia, hay lugar para la diversión.	❍	❍
2. Asistes al Festival de Cine de Guadalajara para ver películas.	❍	❍
3. En Guadalajara, la gente come bien.	❍	❍
4. No hay estadios de fútbol en Guadalajara.	❍	❍
5. En Guadalajara, los turistas visitan monumentos.	❍	❍

CONSULTA

To review the verb **gustar**, see **Estructura 2.1**, p. 80.

8

Entrevista In pairs, take turns asking and answering these questions.

1. ¿Hay un café cerca de la escuela?
2. ¿Cuál es tu restaurante favorito?
3. ¿Te gusta viajar y visitar monumentos? ¿Por qué?
4. ¿Te gusta ir al cine los fines de semana?
5. ¿Cuáles son tus películas favoritas?
6. ¿Te gusta practicar deportes?
7. ¿Cuáles son tus deportes favoritos? ¿Por qué?
8. ¿Cuáles son tus pasatiempos favoritos?

9

Conversación Using the words and expressions provided, work with a partner to prepare a short conversation about pastimes.

¿a qué hora?	¿con quién(es)?	¿dónde?
¿cómo?	¿cuándo?	¿qué?

modelo

Estudiante 1: ¿Cuándo patinas en línea?
Estudiante 2: Patino en línea los domingos. Y tú, ¿patinas en línea?
Estudiante 1: No, no me gusta patinar en línea. Me gusta practicar el béisbol.

10

Pasatiempos In pairs, tell each other what pastimes three of your friends and family members enjoy. Be prepared to share with the class any pastimes they have in common.

modelo

Estudiante 1: Mi hermana pasea mucho en bicicleta, pero mis padres practican la natación. Mi hermano no nada, pero visita muchos museos.
Estudiante 2: Mi primo lee muchas revistas, pero no practica muchos deportes. Mis tíos esquían y practican el golf...

I CAN talk about pastimes and recreational activities.

Communicative Goal: Talk about pastimes and make plans to do them

¿Dónde están las entradas?

Olga Lucía, Valentina, Sara, Daniel, Juanjo y Manuel van a un partido de fútbol.

ANTES DE VER
Scan the captions for vocabulary related to sports.

OLGA LUCÍA ¿Puedes ver mi celular? Ahora no puedo.

VALENTINA Es un mensaje de los chicos.

OLGA LUCÍA ¡Ja! ¡Piensan que van a ganar!

DON PACO Daniel. ¿Adónde vas?

DANIEL Voy a buscar a Sara para ir al partido de fútbol.

DON PACO ¿Y quién crees que va a ganar?

DANIEL Pues, supongo que el mejor, ¿no? Yo no entiendo mucho de fútbol. Mi deporte favorito es andar en patineta.

DON PACO Yo prefiero el fútbol.

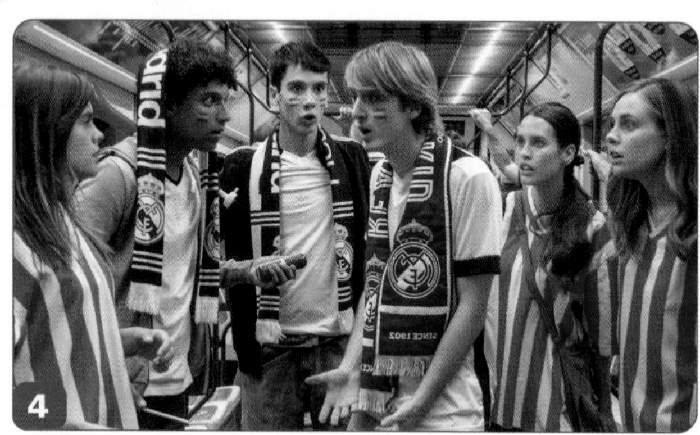

MANUEL ¡Las entradas!

VALENTINA ¿Qué dices?

MANUEL ¡No tengo las entradas! ¡¿Qué hago?!

OLGA LUCÍA ¿Dónde están?

JUANJO ¡¿Cómo pierdes las entradas?!

VALENTINA ¡No puedo creerlo!

DANIEL ¡El partido empieza en diez minutos!

SARA ¿Qué hacemos?

OLGA LUCÍA ¿Vamos a ver el partido en un restaurante?

DANIEL Bueno...

MANUEL Lo siento, pido perdón.

PERSONAJES

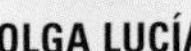
OLGA LUCÍA

VALENTINA

DANIEL

DON PACO

MANUEL

JUANJO

SARA

CHICO

MANUEL ¡Aquí están las entradas!

OLGA LUCÍA Termino el videojuego y salimos.

MANUEL ¡El metro va a estar lleno de gente! No quiero llegar tarde al partido.

VALENTINA ¡Daniel y Sara ya están aquí!

MANUEL ¿Lista?

OLGA LUCÍA Lista.

OLGA LUCÍA ¡Hola!

CHICO DEL OTRO EQUIPO ¡Hala Madrid!

OLGA LUCÍA Qué bien juegan, ¿no?

VALENTINA ¿Qué haces? ¡Es del otro equipo!

OLGA LUCÍA ¿Y?

SARA ¡Ay, no! No. ¡Un contragolpe!

Expresiones útiles

aquí *here*
el celular *cell phone*
el contragolpe *counterattack*
la entrada *ticket (to an event)*
¡hala! *come on! (used to show support in Spain)*
lleno/a *full*
el/la mejor *the best*

---

el/la aficionado/a *fan*
el andén *platform*
la bufanda *scarf*
el güiro *percussion instrument*

El fútbol en Madrid

En Madrid hay mucha pasión por el fútbol. Los días del partido del **Derbi Madrileño**, entre el **Real Madrid** y el **Atlético de Madrid**, los bares y los restaurantes cerca del estadio están llenos de aficionados. Después, los aficionados al **Real** se reúnen (*gather*) en la **fuente** (*fountain*) **de Cibeles** para celebrar su victoria; los aficionados al **Atlético** se reúnen en la **fuente de Neptuno**.

¿Dónde se reúnen los aficionados a los deportes en tu comunidad?

¿Qué pasó?

1 **¿Cierto o falso?** Indicate if each statement is **cierto** or **falso**. Correct the false statements.

1. El equipo favorito de Valentina es el Real Madrid.
2. Olga Lucía recibe un mensaje de Sara.
3. El mensaje es una foto de Manuel y Juanjo.
4. Daniel prefiere andar en patineta.
5. Los chicos desean ver un partido de béisbol.
6. Los chicos ven el partido en el estadio.
7. Olga Lucía flirtea con un chico del equipo contrario.

2 **Ordenar** Put the events in order.

_______ a. Manuel pierde las entradas.
_______ b. Valentina ve el mensaje.
_______ c. Olga Lucía termina el videojuego.
_______ d. Daniel habla con don Paco.
_______ e. Los chicos ven el partido en la televisión.

3 **Identificar** Identify the person who made each statement.

DANIEL

DON PACO

MANUEL

OLGA LUCÍA

VALENTINA

1. ¡Piensan que van a ganar!
2. ¡Aquí están las entradas!
3. ¿Y quién crees que va a ganar?
4. Lo siento, pido perdón.
5. ¡El partido empieza en diez minutos!
6. ¿Qué haces? ¡Es del otro equipo!
7. ¡Y no nos gusta perder!

4 **Conversación** With a partner, talk about pastimes and plan an activity together. Use some of these expressions.

- ¿Eres aficionado/a a...?
- ¿Por qué no...?
- No quiero. (*I don't want to.*)
- ¿Te gusta...?
- ¿Quieres ir conmigo? (*Do you want to go with me?*)
- No puedo. (*I can't.*)

I CAN talk about pastimes and make plans to do them.

Pronunciación

Word stress and accent marks

pe-lí-cu-la **e-di-fi-cio** **ver** **yo**

Every Spanish syllable contains at least one vowel. When two vowels are joined in the same syllable they form a **diphthong***. A **monosyllable** is a word formed by a single syllable, such as **yo**.

---

bi-blio-te-ca **vi-si-tar** **par-que** **fút-bol**

The syllable of a Spanish word that is pronounced most emphatically is the "stressed" syllable.

---

pe-lo-ta **pis-ci-na** **ra-tos** **ha-blan**

Words that end in **n, s,** or a **vowel** are usually stressed on the next-to-last syllable.

---

na-ta-ción **pa-pá** **in-glés** **Jo-sé**

If words that end in **n, s,** or a **vowel** are stressed on the last syllable, they must carry an accent mark on the stressed syllable.

---

bai-lar **es-pa-ñol** **u-ni-ver-si-dad** **tra-ba-ja-dor**

Words that do *not* end in **n, s,** or a **vowel** are usually stressed on the last syllable.

---

béis-bol **lá-piz** **ár-bol** **Gó-mez**

If words that do *not* end in **n, s,** or a **vowel** are stressed on the next-to-last syllable, they must carry an accent mark on the stressed syllable.

The two vowels that form a diphthong are either both weak or one is weak and the other is strong. The weak vowels are **i and **u**.*

En la unión está la fuerza.[2]

Práctica Pronounce each word, stressing the correct syllable. Then give the word stress rule for each word.

1. profesor
2. Puebla
3. ¿Cuántos?
4. Mazatlán
5. examen
6. ¿Cómo?
7. niños
8. Guadalajara
9. programador
10. México
11. están
12. geografía

Oraciones Read the conversation aloud to practice word stress.

MARINA Hola, Carlos. ¿Qué tal?
CARLOS Bien. Oye, ¿a qué hora es el partido de fútbol?
MARINA Creo que es a las siete.
CARLOS ¿Quieres ir?
MARINA Lo siento, pero no puedo. Tengo que estudiar biología.

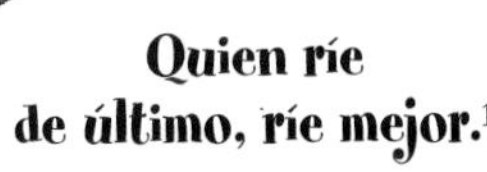
Quien ríe de último, ríe mejor.[1]

Refranes Read these sayings aloud to practice word stress.

1 He who laughs last, laughs the loudest.
2 United we stand.

Communicative Goal: Identify sports rivalries in my own and other cultures

EN DETALLE

La pasión por el fútbol

¡El fútbol en España, América Latina y el Caribe es una gran pasión! En casi° todos los países de la región, el entusiasmo por el fútbol se vive de manera intensa durante casi todo el año y todos los años, pero en especial durante la Copa Mundial, que se celebra cada cuatro años en un país diferente.

La pasión por el fútbol genera muchas competencias° entre los equipos que luchan° por ser los campeones cada año. En general, en cada país predominan dos grandes equipos que

rivalizan y con cada partido se intensifica la fiebre° entre los aficionados° a este deporte. Dos de los rivales más famosos del mundo hispano son el Real Madrid y el Fútbol Club Barcelona (también conocido como° el Barça) en España.

Real Madrid y Barça: rivalidad total

El fútbol en España tiene un poder incuestionable. Los dos equipos que más atraen la atención son el Real Madrid y el Barça. ¡Cuando estos equipos se enfrentan°, las dos ciudades se paralizan!

La rivalidad entre estos dos equipos va más allá° del fútbol. Como son las dos ciudades principales de España, Barcelona y Madrid se comparan constantemente entre sí° y rivalizan en muchos aspectos. Esta rivalidad también tiene un componente político e histórico. Barcelona tiene una lengua y una cultura diferentes (la lengua y cultura catalanas), y por mucho tiempo ha intentado° independizarse del gobierno centralizado de Madrid.

Esta rivalidad política y futbolística se ha extendido por décadas. Por eso, cuando uno de los dos equipos gana, una de esas ciudades se transforma y celebra la mayor fiesta del país.

ASÍ SE DICE

Los deportes

el/la árbitro/a	*referee*
el/la atleta	*athlete*
la bola; el balón	**la pelota**
el campeón/ la campeona	*champion*
la carrera	*race*
competir	*to compete*
empatar	*to draw; to tie*
la medalla	*medal*
el/la mejor	*the best*
mundial	*worldwide*
el torneo	*tournament*

casi *almost* **competencias** *competition* **luchan** *struggle* **aficionados** *fans* **fiebre** *fever* **conocido como** *known as* **un poder incuestionable** *an unbelievable power* **se enfrentan** *face one another* **va más allá** *goes beyond* **entre sí** *with each other* **ha intentado** *has tried*

ACTIVIDADES

1 **Comprensión** Answer the following questions according to the reading.

1. How often is the World Cup played?
2. Where is it held?
3. What is the name of the major sporting event for soccer?
4. What are the two major teams (and cities) that rival in Spain?
5. What other aspects intensify the rivalry between the two cities?
6. What has Barcelona been trying to do politically?
7. What other language is spoken in Spain?
8. What happens in Madrid or Barcelona when their team wins a match?

2 **Opiniones** Discuss the following questions with a partner. Do you share similar opinions?

1. What major sporting event is the most important one for you? When is it played?
2. What do you think about team rivalries in sports? What are some positive and negative outcomes of such rivalries?
3. How does the passion for soccer in Spain compare to the excitement for sports in your community?

3 **Comparación** Think about some of the national, local, or school teams you follow. Do any of them have a similar, long-standing rivalry? Prepare a brief presentation about these two teams and how they compare to Real Madrid and Barça.

ENTRE CULTURAS

¿Qué deportes son populares en los países hispanos? ¿Cuáles son algunas de las rivalidades más famosas del fútbol?

*Go to **vhlcentral.com** to find out more cultural information related to **this Cultura** section.*

I CAN identify sports rivalries in my own and other cultures.

PERFIL

Miguel Cabrera y Paola Espinosa

Miguel Cabrera, considerado uno de los mejores bateadores° de béisbol, juega como primera base en los Tigres de Detroit. Nacido en Venezuela en 1983, hizo° su debut en las Grandes Ligas a la edad de 20 años. Cabrera ha jugado° en equipos All-Star de la Liga Nacional y de la Liga Americana. En 2012, se convirtió° en el primer jugador en ganar la Triple Corona° desde 1967.

La clavadista° mexicana Paola Milagros Espinosa Sánchez, nacida en 1986, ha competido en tres Juegos Olímpicos (2004, 2008 y 2012). Junto con° Tatiana Ortiz, ganaron° una medalla de bronce en 2008. En 2012, ganó una medalla de plata° junto con Alejandra Orozco. Obtuvo° además tres medallas de oro° en los Juegos Panamericanos en 2007 y en 2011.

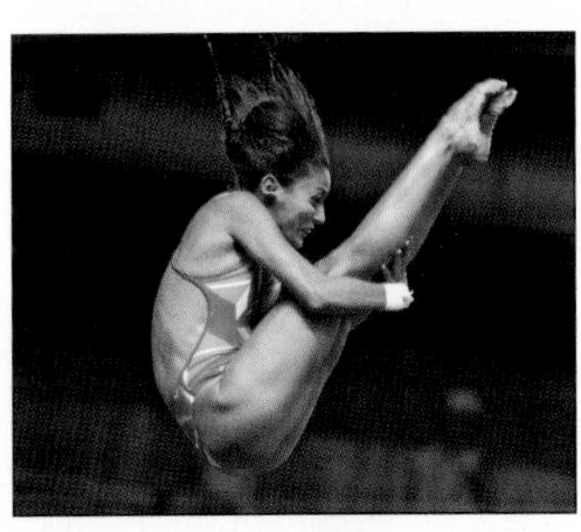

Completar Complete these sentences with the correct information from the reading.

1. Miguel Cabrera is originally from ___________.
2. Miguel Cabrera won the ___________ in 2012.
3. Paola Milagros Espinosa Sánchez is a diver from ___________.
4. Espinosa Sánchez has participated in three ___________.

bateadores *hitters* **hizo** *made* **ha jugado** *has played* **se convirtió** *has become* **Corona** *Crown* **clavadista** *diver* **Junto con** *together with* **ganaron/ganó** *won* **obtuvo** *won* **plata** *silver* **oro** *gold*

4.1 Present tense of ir

ANTE TODO The verb **ir** (*to go*) is irregular in the present tense. Note that, except for the **yo** form (**voy**) and the lack of a written accent on the **vosotros** form (**vais**), the endings are the same as those for regular present-tense **-ar** verbs.

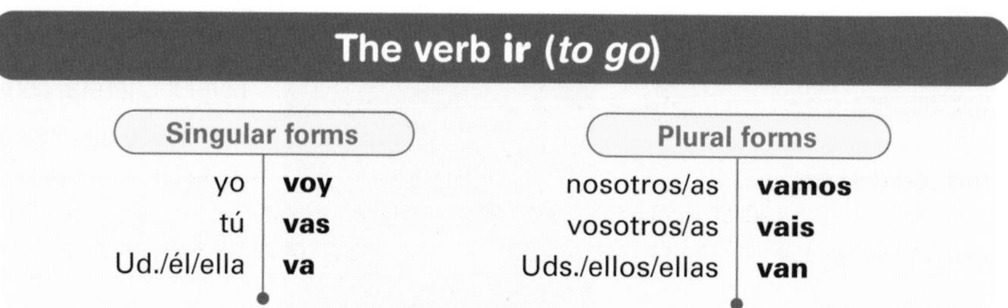

The verb ir (*to go*)

Singular forms		Plural forms	
yo	**voy**	nosotros/as	**vamos**
tú	**vas**	vosotros/as	**vais**
Ud./él/ella	**va**	Uds./ellos/ellas	**van**

- **Ir** is often used with the preposition **a** (*to*). If **a** is followed by the definite article **el**, they combine to form the contraction **al**. If **a** is followed by the other definite articles (**la, las, los**), there is no contraction.

a + el = al

Voy **al** parque con Juan.
I'm going to the park with Juan.

Mis amigos van **a las** montañas.
My friends are going to the mountains.

CONSULTA

To review the contraction **de** + **el**, see **Estructura 1.3**, pp. 46–47.

- The construction **ir a** + [*infinitive*] is used to talk about actions that are going to happen in the future. It is equivalent to the English *to be going* + [*infinitive*].

Va a leer el periódico.
He is going to read the newspaper.

Van a pasear por el pueblo.
They are going to walk around town.

Voy a buscar a Sara para ir al partido de fútbol.

¿Vamos a ver el partido en un restaurante?

AYUDA

When asking a question that contains a form of the verb **ir**, remember to use **adónde**:

¿Adónde vas?
(To) Where are you going?

- **Vamos a** + [*infinitive*] can also express the idea of *let's* (*do something*).

Vamos a pasear.
Let's take a stroll.

¡**Vamos a** comer!
Let's eat!

VERIFICA

¡INTÉNTALO! Provide the present tense forms of **ir**.

1. Ellos ___van___.
2. Yo ________.
3. Tu novio ________.
4. Adela ________.
5. Mi prima y yo ________.
6. Tú ________.
7. Ustedes ________.
8. Nosotros ________.
9. Usted ________.
10. Nosotras ________.
11. Miguel ________.
12. Ellas ________.

Práctica

1 **¿Adónde van?** Everyone in your neighborhood is dashing off to various places. Say where they are going.

1. la señora Castillo / el centro
2. las hermanas Gómez / la piscina
3. tu tío y tu papá / el partido de fútbol
4. yo / el Museo de Arte Moderno
5. nosotros / el restaurante Miramar

2 **¿Qué van a hacer?** These sentences describe what several students in a high school hiking club are doing today. Use **ir a** + [*infinitive*] to say that they are also going to do the same activities tomorrow.

modelo
Martín y Rodolfo nadan en la piscina.
Van a nadar en la piscina mañana también.

1. Sara lee una revista.
2. Yo practico deportes.
3. Ustedes van de excursión.
4. El presidente del club patina.
5. Tú tomas el sol.
6. Paseamos con nuestros amigos.

3 **Preguntas** With a partner, take turns asking and answering questions about where the people are going and what they are going to do there.

modelo
Estudiante 1: *¿Adónde va Estela?*
Estudiante 2: *Va a la librería Sol.*
Estudiante 1: *Va a comprar un libro.*

Estela

1. ustedes

2. mi amigo

3. los estudiantes

4. tú

5. la profesora Torres

6. Álex y Miguel

Comunicación

4 **Esta noche** Listen to the conversation between Enrique and Rosa. Then indicate whether the following inferences are **lógico** or **ilógico**, based on what you heard.

	Lógico	Ilógico
1. Rosa y Mercedes van a ver una película esta noche.	❍	❍
2. A Enrique le gustan los deportes.	❍	❍
3. Enrique va a ir al estadio esta noche.	❍	❍
4. Enrique y Pedro van a cenar mientras (*while*) miran el partido.	❍	❍
5. A Rosa no le gustan los restaurantes japoneses.	❍	❍
6. Rosa y Enrique conversan en el cine.	❍	❍

5 **Situaciones** Work with a partner and say where you and your friends go in these situations.

1. Cuando deseo descansar...
2. Cuando mi mejor amigo/a tiene que estudiar...
3. Cuando mis amigos y yo tenemos hambre...
4. En mis ratos libres...
5. Cuando mis amigos desean esquiar...
6. Si estoy de vacaciones...

6 **Entrevista** With a partner, take turns asking each other where you are going and what you are going to do on your next vacation.

modelo

Estudiante 1: *¿Adónde vas de vacaciones (on vacation)?*
Estudiante 2: *Voy a Guadalajara con mi familia.*
Estudiante 1: *¿Y qué van a hacer (to do) ustedes en Guadalajara?*
Estudiante 2: *Vamos a visitar unos monumentos y museos. ¿Y tú?*

Síntesis

7 **Planes** Make a schedule of your activities for the weekend.

- First, draw a few pictures that represent your activities.
- For each day, list at least three things you have to do.
- For each day, list at least two things you will do for fun.

I CAN ask and answer questions about vacation plans.

I CAN create a schedule of my free time activities for a weekend.

4.2 Stem-changing verbs: e:ie, o:ue

ANTE TODO Stem-changing verbs deviate from the normal pattern of regular verbs. Note the spelling changes to the stem in the conjugations below.

INFINITIVE	VERB STEM	STEM CHANGE	CONJUGATED FORM
empezar	empez-	empiez-	empiezo
volver	volv-	vuelv-	vuelvo

CONSULTA

To review the present tense of regular **-ar** verbs, see **Estructura 2.1**, p. 78.

To review the present tense of regular **-er** and **-ir** verbs, see **Estructura 3.3**, p. 126.

In many verbs, such as **empezar** (*to begin*), the stem vowel changes from **e** to **ie**. Note that the **nosotros/as** and **vosotros/as** forms don't have a stem change.

The verb empezar (e:ie) (*to begin*)

Singular forms		Plural forms	
yo	empiezo	nosotros/as	empezamos
tú	empiezas	vosotros/as	empezáis
Ud./él/ella	empieza	Uds./ellos/ellas	empiezan

¡El partido empieza en diez minutos!

¡¿Cómo pierdes las entradas?!

In many other verbs, such as **volver** (*to return*), the stem vowel changes from **o** to **ue**. The **nosotros/as** and **vosotros/as** forms have no stem change.

The verb volver (o:ue) (*to return*)

Singular forms		Plural forms	
yo	vuelvo	nosotros/as	volvemos
tú	vuelves	vosotros/as	volvéis
Ud./él/ella	vuelve	Uds./ellos/ellas	vuelven

To help you identify stem-changing verbs, they will appear as follows throughout the text:

empezar (e:ie), volver (o:ue)

Common stem-changing verbs

e:ie		o:ue	
cerrar	*to close*	**almorzar**	*to have lunch*
comenzar (a + *inf.*)	*to begin*	**contar**	*to count; to tell*
empezar (a + *inf.*)	*to begin*	**dormir**	*to sleep*
entender	*to understand*	**encontrar**	*to find*
pensar	*to think*	**mostrar**	*to show*
perder	*to lose; to miss*	**poder (+ *inf.*)**	*to be able to; can*
preferir (+ *inf.*)	*to prefer*	**recordar**	*to remember*
querer (+ *inf.*)	*to want; to love*	**volver**	*to return*

¡LENGUA VIVA!

The verb **perder** can mean both *to lose* or *to miss*, in the sense of "to miss a train."

Siempre pierdo mis llaves.
I always lose my keys.

Es importante no perder el autobús.
It's important not to miss the bus.

VERIFICA

▶ **Jugar** (*to play a sport or a game*) is the only Spanish verb that has a **u:ue** stem change. **Jugar** is followed by **a** + [*definite article*] when the name of a sport or game is mentioned.

Qué bien juegan, ¿no?

▶ **Comenzar** and **empezar** require the preposition **a** when they are followed by an infinitive.

Comienzan a jugar a las siete.
They begin playing at seven.

Ana **empieza a** escribir una postal.
Ana is starting to write a postcard.

▶ **Pensar** + [*infinitive*] means *to plan* or *to intend to do something*. **Pensar en** means *to think about someone* or *something*.

¿**Piensan** ir al gimnasio?
Are you planning to go to the gym?

¿**En** qué **piensas**?
What are you thinking about?

¡INTÉNTALO! Provide the present tense forms of these verbs.

cerrar (e:ie)

1. Ustedes cierran.
2. Tú ________.
3. Nosotras ________.
4. Mi hermano ________.
5. Yo ________.
6. Usted ________.
7. Los chicos ________.
8. Ella ________.

dormir (o:ue)

1. Mi abuela no duerme.
2. Yo no ________.
3. Tú no ________.
4. Mis hijos no ________.
5. Usted no ________.
6. Nosotros no ________.
7. Él no ________.
8. Ustedes no ________.

Práctica

1 **Completar** Complete this conversation with the appropriate forms of the verbs. Then act it out with a partner.

PABLO Óscar, voy al centro ahora.
ÓSCAR ¿A qué hora (1)____________ (pensar) volver? El partido de fútbol (2)____________ (empezar) a las dos.
PABLO (3)____________ (Volver) a la una. (4)____________ (Querer) ver el partido.
ÓSCAR (5)¿____________ (Recordar) que (*that*) nuestro equipo es muy bueno? (6)¡____________ (Poder) ganar!
PABLO No, (7)____________ (pensar) que va a (8)____________ (perder). Los jugadores de Guadalajara son salvajes (*wild*) cuando (9)____________ (jugar).

2 **Preferencias** With a partner, take turns asking and answering questions about what these people want to do, using the cues provided.

modelo

Guillermo: estudiar / pasear en bicicleta
Estudiante 1: *¿Quiere estudiar Guillermo?*
Estudiante 2: *No, prefiere pasear en bicicleta.*

1. tú: trabajar / dormir
2. ustedes: mirar la televisión / jugar al dominó
3. tus amigos: ir de excursión / descansar
4. tú: comer en la cafetería / ir a un restaurante
5. Elisa: ver una película / leer una revista
6. María y su hermana: tomar el sol / practicar el esquí acuático

NOTA CULTURAL

Dominó (*Dominoes*) is a popular pastime throughout Colombia, Venezuela, Central America, and the Spanish-speaking countries of the Caribbean. It's played both socially and competitively by people of all ages. What's the most popular game in your community?

3 **Describir** Use a verb from the list to describe what these people are doing.

almorzar cerrar contar dormir encontrar mostrar

1. yo
2. las niñas
3. Pedro
4. tú
5. nosotros
6. Teresa

Comunicación

4 **Frecuencia** In pairs, take turns using stem-changing verbs to tell your partner which activities you do daily (**todos los días**), which you do once a month (**una vez al mes**), and which you do once a year (**una vez al año**). Record your partner's responses in the chart so that you can report back to class.

modelo

E1: *Yo recuerdo a mis abuelos todos los días.*
E2: *Yo pierdo uno de mis libros una vez al año.*

todos los días		una vez al mes		una vez al año

5 **En la televisión** Read the television listings for Saturday. In pairs, write a conversation between two siblings arguing about what to watch. Be creative and be prepared to act out your conversation for the class.

modelo

Hermano: *Podemos ver la Copa Mundial.*
Hermana: *¡No, no quiero ver la Copa Mundial! Prefiero ver...*

13:00 14:00 15:00 16:00 17:00 18:00 19:00 20:00 21:00 22:00 23:00
7
Copa Mundial (World Cup) de fútbol
República Deportiva
Campeonato (Championship) Mundial de Vóleibol: México-Argentina
Torneo de Natación
8
Abierto (Open) Mexicano de Tenis: Santiago González (México) vs. Nicolás Almagro (España). Semifinales
Campeonato de baloncesto: Los Correcaminos de Tampico vs. los Santos de San Luis
Aficionados al buceo
Cozumel: Aventuras
12
Yo soy Betty, la fea
Héroes
Hermanos y hermanas
Película: Sin nombre
Película: El coronel no tiene quien le escriba
13
El padrastro
60 Minutos
El esquí acuático
Patinaje artístico
17
Biografías: La artista Frida Kahlo
Música de la semana
Entrevista del día: Iker Casillas y su pasión por el fútbol
Cine de la noche: Elsa y Fred

NOTA CULTURAL

Iker Casillas Fernández is a famous goalkeeper for **Real Madrid**. A native of Madrid, he is among the best goalkeepers of his generation.

Síntesis

6   **Deportes** Write a paragraph about your favorite sport. Mention why you like it, and whether you play it or watch it on TV. Include some facts you know about the sport. Use at least three stem-changing verbs.

modelo

Mi deporte favorito es el béisbol porque es un deporte interesante. Esta noche pienso ver un partido que empieza a las siete...

I CAN role play a conversation about preferences for watching TV sports shows.

I CAN write a short paragraph about my favorite sport.

4.3 Stem-changing verbs: e:i

ANTE TODO You've already seen that many verbs in Spanish change their stem vowel when conjugated. There is a third kind of stem-vowel change in some verbs, such as **pedir** (*to ask for; to request*). In these verbs, the stressed vowel in the stem changes from **e** to **i**, as shown in the diagram.

- As with other stem-changing verbs you have learned, there is no stem change in the **nosotros/as** or **vosotros/as** forms in the present tense.

The verb pedir (e:i) (*to ask for; to request*)

Singular forms		Plural forms	
yo	pido	nosotros/as	pedimos
tú	pides	vosotros/as	pedís
Ud./él/ella	pide	Uds./ellos/ellas	piden

¡LENGUA VIVA!

As you learned in **Lección 2, preguntar** means *to ask a question.* **Pedir**, however, means *to ask for something*:

Ella me pregunta cuántos años tengo.
She asks me how old I am.

Él me pide ayuda.
He asks me for help.

- To help you identify verbs with the **e:i** stem change, they will appear as follows throughout the text:

pedir (e:i)

- These are the most common **e:i** stem-changing verbs:

conseguir	**decir**	**repetir**	**seguir**
to get; to obtain	*to say; to tell*	*to repeat*	*to follow; to continue; to keep (doing something)*

Pido favores cuando es necesario.
I ask for favors when it's necessary.

Javier **dice** la verdad.
Javier is telling the truth.

Sigue con su tarea.
He continues with his homework.

Consiguen ver buenas películas.
They get to see good movies.

VERIFICA

- **¡Atención!** The verb **decir** is irregular in its **yo** form: **yo digo**.
- The **yo** forms of **seguir** and **conseguir** have a spelling change in addition to the stem change **e:i**.

Sigo su plan.
I'm following their plan.

Consigo novelas en la librería.
I get novels at the bookstore.

¡INTÉNTALO! Provide the correct forms of the verbs.

repetir (e:i)

1. Arturo y Eva repiten.
2. Yo ________.
3. Nosotros ________.
4. Julia ________.
5. Sofía y yo ________.

decir (e:i)

1. Yo digo.
2. Él ________.
3. Tú ________.
4. Usted ________.
5. Ellas ________.

seguir (e:i)

1. Yo sigo.
2. Nosotros ________.
3. Tú ________.
4. Los chicos ________.
5. Usted ________.

Práctica

1 Completar Complete these sentences with the correct form of the verb provided.

1. Cuando mi familia pasea por la ciudad, mi madre siempre (*always*) va a un café y ________ (pedir) una soda.
2. Pero mi padre ________ (decir) que perdemos mucho tiempo. Tiene prisa por llegar al Bosque de Chapultepec.
3. Mi padre tiene suerte, porque él siempre ________ (conseguir) lo que (*that which*) desea.
4. Cuando llegamos al parque, mis hermanos y yo ________ (seguir) conversando (*talking*) con nuestros padres.
5. Mis padres siempre ________ (repetir) la misma cosa: "Nosotros tomamos el sol aquí. Ustedes pueden jugar."
6. Yo siempre ________ (pedir) permiso para volver a casa un poco más tarde porque me gusta mucho el parque.

NOTA CULTURAL

A popular weekend destination for residents and tourists, **el Bosque de Chapultepec** is a beautiful park located in Mexico City. It occupies over 1.5 square miles and includes lakes, wooded areas, several museums, and a botanical garden. ¿What weekend destination would you recommend a tourist in your area?

2 Combinar Combine words from the columns to create sentences about yourself and people you know.

A	B
yo	dormir hasta el mediodía
mi mejor (*best*) amigo/a	nunca (*never*) pedir perdón
mi familia	nunca seguir las instrucciones
mis amigos/as	siempre seguir las instrucciones
mis amigos/as y yo	conseguir libros en Internet
mis padres	repetir el vocabulario
mi hermano/a	poder hablar dos lenguas
mi profesor(a) de español	nunca llegar tarde a clase

3 Opiniones In pairs, take turns guessing how your partner completed the sentences from **Actividad 2**. If you guess incorrectly, your partner must supply the correct answer.

modelo

Estudiante 1: *Creo que tus padres consiguen libros en Internet.*
Estudiante 2: *¡No! Mi hermana consigue libros en Internet.*

CONSULTA

To review possessive adjectives, see **Estructura 3.2**, p. 123.

4 ¿Quién? Your instructor will give you a worksheet. Talk to your classmates until you find one person who does each of the activities. Use **e:ie**, **o:ue**, and **e:i** stem-changing verbs.

modelo

Tú: *¿Pides consejos con frecuencia?*
Maira: *No, no pido consejos con frecuencia.*
Tú: *¿Pides consejos con frecuencia?*
Lucas: *Sí, pido consejos con frecuencia.*

Comunicación

5  **Las películas** Use these questions to interview a classmate.

1. ¿Prefieres las películas románticas, las películas de acción o las películas de terror? ¿Por qué?
2. ¿Dónde consigues información sobre (*about*) cine y televisión?
3. ¿Dónde consigues las entradas para ver una película?
4. Para decidir qué películas vas a ver, ¿sigues las recomendaciones de tus amigos? ¿Qué dicen tus amigos en general?
5. ¿Qué cines en tu comunidad muestran las mejores (*best*) películas?
6. ¿Vas a ver una película esta semana? ¿A qué hora empieza la película?

Síntesis

6  **El cine** In pairs, first scan the ad and jot down all the stem-changing verbs. Then answer the questions. Be prepared to share your answers with the class.

1. ¿Qué palabras indican que *Gravity* es una película dramática?
2. ¿Dónde están los personajes (*characters*) del póster? ¿Qué quieren hacer?
3. ¿Te gustan las películas como ésta (*this one*)? ¿Por qué?
4. Describe tu película favorita con los verbos de la **Lección 4**.

Ganadora de siete premios Óscar

Cuando todo comienza a fallar, ellos no pierden la esperanza.

Del director de Hijos de los hombres y Harry Potter y el prisionero de Azkaban

Un accidente espacial deja a Ryan Stone y Matt Kowalski atrapados en el espacio. Sólo quieren una cosa: seguir vivos.

¿Consiguen sobrevivir? ¿Vuelven finalmente a la Tierra?

I CAN talk about movies and describe my favorite movie.

4.4 Verbs with irregular yo forms

ANTE TODO In Spanish, several verbs have irregular **yo** forms in the present tense. You have already seen three verbs with the **-go** ending in the **yo** form: **decir → digo**, **tener → tengo**, and **venir → vengo**.

▶ Here are some common expressions with **decir**.

decir la verdad
to tell the truth

decir mentiras
to tell lies

decir que
to say that

decir la respuesta
to say the answer

▶ The verb **hacer** is often used to ask questions about what someone does. Note that when answering, **hacer** is frequently replaced with another, more specific action verb.

Verbs with irregular yo forms

	hacer *(to do; to make)*	**poner** *(to put; to place)*	**salir** *(to leave)*	**suponer** *(to suppose)*	**traer** *(to bring)*
SINGULAR FORMS	**hago**	**pongo**	**salgo**	**supongo**	**traigo**
	haces	pones	sales	supones	traes
	hace	pone	sale	supone	trae
PLURAL FORMS	hacemos	ponemos	salimos	suponemos	traemos
	hacéis	ponéis	salís	suponéis	traéis
	hacen	ponen	salen	suponen	traen

Pues, supongo que el mejor, ¿no?

¡¿Qué hago?!

▶ **Poner** can also mean *to turn on* a household appliance.

Carlos **pone** la radio.
Carlos turns on the radio.

María **pone** la televisión.
María turns on the television.

▶ **Salir de** is used to indicate that someone is leaving a particular place.

Hoy **salgo del** hospital.
Today I leave the hospital.

Sale de la clase a las cuatro.
He leaves class at four.

- **Salir para** is used to indicate someone's destination.

  Mañana **salgo para** México.
  Tomorrow I leave for Mexico.

  Hoy **salen para** España.
  Today they leave for Spain.

- **Salir con** means *to leave with someone* or *something*, or *to date someone*.

  Alberto **sale con** su mochila.
  Alberto is leaving with his backpack.

  Margarita **sale con** Guillermo.
  Margarita is going out with Guillermo.

VERIFICA

The verbs ver and oír

- The verb **ver** (*to see*) has an irregular **yo** form. The other forms of **ver** are regular.

The verb ver (*to see*)

Singular forms		Plural forms	
yo	**veo**	nosotros/as	vemos
tú	ves	vosotros/as	veis
Ud./él/ella	ve	Uds./ellos/ellas	ven

- The verb **oír** (*to hear*) has an irregular **yo** form and the spelling change **i:y** in the **tú**, **usted/él/ella**, and **ustedes/ellos/ellas** forms. The **nosotros/as** and **vosotros/as** forms have an accent mark.

The verb oír (*to hear*)

Singular forms		Plural forms	
yo	**oigo**	nosotros/as	oímos
tú	oyes	vosotros/as	oís
Ud./él/ella	oye	Uds./ellos/ellas	oyen

- While most commonly translated as *to hear*, **oír** is also used in contexts where English would use *to listen*.

  Oigo a unas personas en la otra sala.
  I hear some people in the other room.

  ¿**Oyes** la radio por la mañana?
  Do you listen to the radio in the morning?

¡INTÉNTALO! Provide the appropriate forms of these verbs.

1. salir	Isabel sale.	Nosotros ______.	Yo ______.
2. ver	Yo ______.	Uds. ______.	Tú ______.
3. poner	Rita y yo ______.	Yo ______.	Los niños ______.
4. hacer	Yo ______.	Tú ______.	Ud. ______.
5. oír	Él ______.	Nosotros ______.	Yo ______.
6. traer	Ellas ______.	Yo ______.	Tú ______.
7. suponer	Yo ______.	Mi amigo ______.	Nosotras ______.

Práctica

1 **Completar** Complete this conversation with the appropriate forms of the verbs. Then act it out with a partner.

ERNESTO David, ¿qué (1)__________ (hacer) hoy?
DAVID Ahora estudio biología, pero esta noche (2)__________ (salir) con Luisa. Vamos al cine. (3)__________ (Decir) que la nueva (*new*) película de Almodóvar es buena.
ERNESTO ¿Y Diana? ¿Qué (4)__________ (hacer) ella?
DAVID (5)__________ (Salir) a comer con sus padres.
ERNESTO ¿Qué (6)__________ (hacer) Andrés y Javier?
DAVID Tienen que (7)__________ (hacer) las maletas. (8)__________ (Salir) para Monterrey mañana.
ERNESTO Pues, ¿qué (9)__________ (hacer) yo?
DAVID (10)__________ (Suponer) que puedes estudiar o (11)__________ (ver) la televisión.
ERNESTO No quiero estudiar. Mejor (12)__________ (poner) la televisión. Mi programa favorito empieza en unos minutos.

2 **Oraciones** Form sentences using the cues provided and verbs from **Estructura 4.4**.

modelo
tú / ________ / cosas / en / su lugar / antes de (*before*) / salir
Tú pones las cosas en su lugar antes de salir.

1. mis amigos / ________ / conmigo / centro
2. tú / ________ / mentiras (*lies*) / pero / yo / ________ / verdad
3. Alberto / ________ / música del café Pasatiempos
4. yo / no / ________ / muchas películas
5. domingo / nosotros / ________ / mucha / tarea
6. si / yo / ________ / que / yo / querer / ir / cine / mis amigos / ir / también

3 **Describir** Use the verbs from **Estructura 4.4** to describe what these people are doing.

1. Fernán

2. el estudiante

3. los aficionados

4. nosotros

5. la señora Vargas

6. yo

Comunicación

4

El día de Francisco Listen to Francisco's description of his day. Then indicate whether the following inferences are **lógico** or **ilógico**, based on what you heard.

	Lógico	Ilógico
1. Francisco duerme hasta (*until*) el mediodía.	❍	❍
2. A Francisco no le gustan las matemáticas.	❍	❍
3. Francisco almuerza en casa.	❍	❍
4. A Francisco le gustan los deportes.	❍	❍
5. Francisco sale para la casa antes de las cinco.	❍	❍

5

Tu rutina Ask a classmate these questions.

1. ¿Siempre (*Always*) pones tus cosas en su lugar?
2. ¿Qué prefieres hacer, oír la radio o ver la televisión?
3. ¿Oyes música cuando estudias?
4. ¿Ves películas en casa o prefieres ir al cine?
5. ¿Haces mucha tarea los fines de semana?
6. ¿Sales con tus amigos los fines de semana? ¿A qué hora? ¿Qué hacen?

6

Un día típico Write a short paragraph about what you do on a typical day. Use at least six of the verbs you have learned in this lesson.

modelo

Hola, me llamo Julia y vivo en Houston. Por la mañana, yo...

Síntesis

7

Situación Imagine that you are speaking with a member of your family. With a partner, prepare a conversation using these cues.

Estudiante 1	Estudiante 2
Ask your partner what he or she is doing.	→ Tell your partner that you are watching TV.
Say what you suppose he or she is watching.	→ Say that you like the show _______. Ask if he or she wants to watch.
Say no, because you are going out with friends and tell where you are going.	→ Say you think it's a good idea, and ask what your partner and his or her friends are doing there.
Say what you are going to do, and ask your partner whether he or she wants to come along.	→ Say no and tell your partner what you prefer to do.

I CAN understand a description of a person's preferences in a short audio recording.

I CAN talk about my daily activities and free time activity preferences.

Recapitulación

Review the grammar concepts you have learned in this lesson by completing these activities.

1 Completar Complete the chart with the correct verb forms. 30 pts.

Infinitive	yo	nosotros/as	ellos/as
	vuelvo		
comenzar		comenzamos	
		hacemos	hacen
ir			
	juego		
repetir			repiten

2 Un día típico Complete the paragraph with the appropriate forms of the stem-changing verbs in the word list. Not all verbs will be used. Some may be used more than once. 20 pts.

almorzar	ir	salir
cerrar	jugar	seguir
empezar	mostrar	ver
hacer	querer	volver

¡Hola! Me llamo Cecilia y vivo en Puerto Vallarta, México. ¿Cómo es un día típico en mi vida (*life*)? Por la mañana como con mis padres y juntos (*together*) (1)__________ las noticias (*news*) en la televisión. A las siete y media, (yo) (2)__________ de mi casa y tomo el autobús. Me gusta llegar temprano (*early*) a la escuela porque siempre (*always*) (3)__________ a mis amigos en la cafetería. Conversamos y planeamos lo que (4)__________ hacer cada (*each*) día. A las ocho y cuarto, mi amiga Sandra y yo (5)__________ al laboratorio de lenguas. La clase de francés (6)__________ a las ocho y media. ¡Es mi clase favorita! A las doce y media (yo) (7)__________ en la cafetería con mis amigos. Después (*Afterwards*), yo (8)__________ con mis clases. Por las tardes, mis amigos (9)__________ a sus casas, pero yo (10)__________ al vóleibol con mi amigo Tomás.

RESUMEN GRAMATICAL

4.1 Present tense of ir *p. 158*

yo	voy	nosotros	vamos
tú	vas	vosotros	vais
él	va	ellas	van

- ir a + [*infinitive*] = *to be going* + [*infinitive*]
- a + el = al
- vamos a + [*infinitive*] = *let's* (*do something*)

4.2 Stem-changing verbs e:ie, o:ue, u:ue *pp. 161–162*

	empezar	volver	jugar
yo	empiezo	vuelvo	juego
tú	empiezas	vuelves	juegas
él	empieza	vuelve	juega
nos.	empezamos	volvemos	jugamos
vos.	empezáis	volvéis	jugáis
ellas	empiezan	vuelven	juegan

- Other e:ie verbs: **cerrar, comenzar, entender, pensar, perder, preferir, querer**
- Other o:ue verbs: **almorzar, contar, dormir, encontrar, mostrar, poder, recordar**

4.3 Stem-changing verbs e:i *p. 165*

pedir

yo	pido	nos.	pedimos
tú	pides	vos.	pedís
él	pide	ellas	piden

- Other e:i verbs: **conseguir, decir, repetir, seguir**

4.4 Verbs with irregular yo forms *pp. 168–169*

hacer	poner	salir	suponer	traer
hago	pongo	salgo	supongo	traigo

- **ver:** veo, ves, ve, vemos, veis, ven
- **oír:** oigo, oyes, oye, oímos, oís, oyen

3 **Oraciones** Arrange the cues provided in the correct order to form complete sentences. Make all necessary changes. 14 pts.

1. tarea / los / hacer / sábados / nosotros / la

____

2. en / pizza / Andrés / una / restaurante / el / pedir

____

3. a / ? / museo / ir / ¿ / el / (tú)

____

4. de / oír / abuelos / bien / los / no / Elena

____

5. libros / traer / yo / clase / mis / a

____

6. película / ver / en / Jorge y Carlos / pensar / cine / una / el

____

7. unos / escribir / Mariana / electrónicos / querer / mensajes

____

4 **Escribir** Write a short paragraph about what you do on a typical day. Use at least six of the verbs you have learned in this lesson. You can use the paragraph on the opposite page (**Actividad 2**) as a model. 36 pts.

> **Un día típico**
>
> Hola, me llamo Julia y vivo en Vancouver, Canadá. Por la mañana, yo...

5 **Adivinanza** Complete the rhyme with the appropriate forms of the correct verbs from the list. 4 EXTRA points!

contar	poder
oír	suponer

"Si no __________ dormir
y el sueño deseas,
lo vas a conseguir
si __________ ovejas°."

ovejas *sheep*

Lectura

Antes de leer

Estrategia

Predicting content from visuals

When you are reading in Spanish, be sure to look for visual clues that will orient you to the content and purpose of what you are reading. Photos and illustrations, for example, will often give you a good idea of the main points that the reading covers. You may also encounter very helpful visuals that are used to summarize large amounts of data in a way that is easy to comprehend; these include bar graphs, pie charts, flow charts, lists of percentages, and other sorts of diagrams.

Examinar el texto

Take a quick look at the visual elements of the magazine article in order to generate a list of ideas about its content. Then compare your list with a classmate's. Are they the same or are they different? Discuss them and make any changes needed to produce a final list of ideas.

Contestar

Read the list of ideas you wrote in **Examinar el texto**, and look again at the visual elements of the magazine article. Then answer these questions:

1. Who is the woman in the photo, and what is her role?
2. What is the article about?
3. What is the subject of the pie chart?
4. What is the subject of the bar graph?

por María Úrsula Echevarría

El fútbol es el deporte más popular en el mundo° hispano, según° una encuesta° reciente realizada° entre jóvenes universitarios. Mucha gente practica este deporte y tiene un equipo de fútbol favorito. Cada cuatro años se realiza la Copa Mundial°. Argentina y Uruguay han ganado° este campeonato° más de una vez°. Los aficionados siguen los partidos de fútbol en casa por tele y en muchos otros lugares como bares, restaurantes, estadios y clubes deportivos. Los jóvenes juegan al fútbol con sus amigos en parques y gimnasios.

Países hispanos en campeonatos mundiales de fútbol (1930–2014)

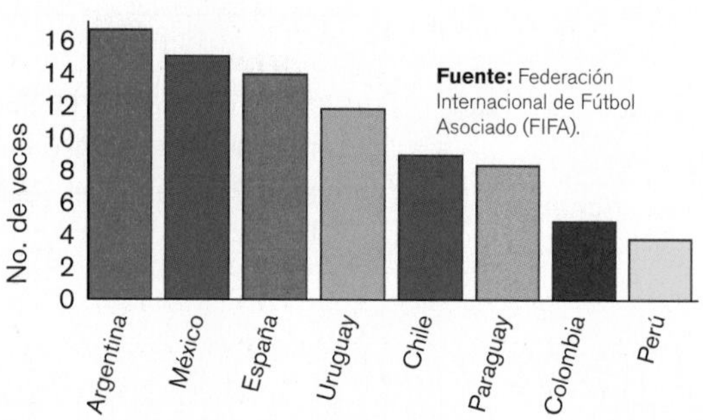

Pero, por supuesto°, en los países de habla hispana también hay otros deportes populares. ¿Qué deporte sigue al fútbol en estos países? Bueno, ¡depende del país y de otros factores!

Después de leer

Evaluación y predicción

Which of the following sporting events would be most popular among the college students surveyed? Rate them from one (most popular) to five (least popular). Which would be the most popular at your school?

_______ 1. la Copa Mundial de Fútbol

_______ 2. los Juegos Olímpicos

_______ 3. el Campeonato de Wimbledon

_______ 4. la Serie Mundial de Béisbol

_______ 5. el Tour de Francia

No sólo el fútbol

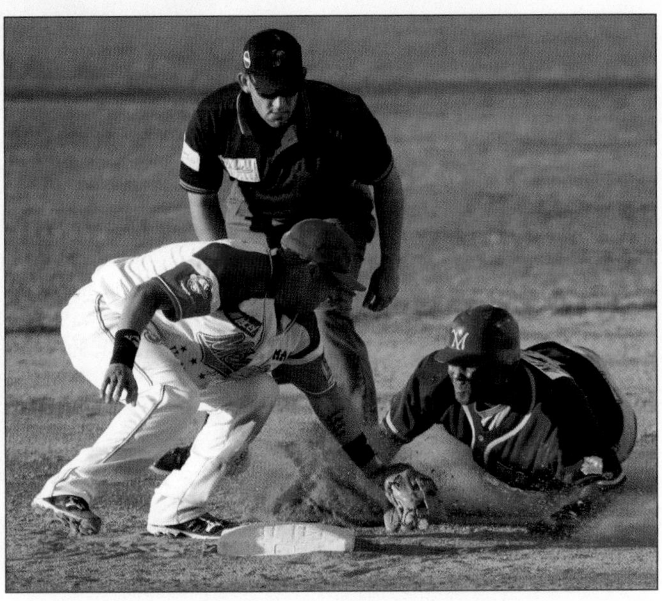

En Colombia, el béisbol también es muy popular después del fútbol, aunque° esto varía según la región del país. En la costa del norte de Colombia, el béisbol es una pasión. Y el ciclismo también es un deporte que los colombianos siguen con mucho interés.

Donde el béisbol es más popular

En los países del Caribe, el béisbol es el deporte predominante. Éste es el caso en Puerto Rico, Cuba y la República Dominicana. Los niños empiezan a jugar cuando son muy pequeños. En Puerto Rico y la República Dominicana, la gente también quiere participar en otros deportes, como el baloncesto, o ver los partidos en la tele. Y para los espectadores aficionados del Caribe, el boxeo es número dos.

Deportes más populares

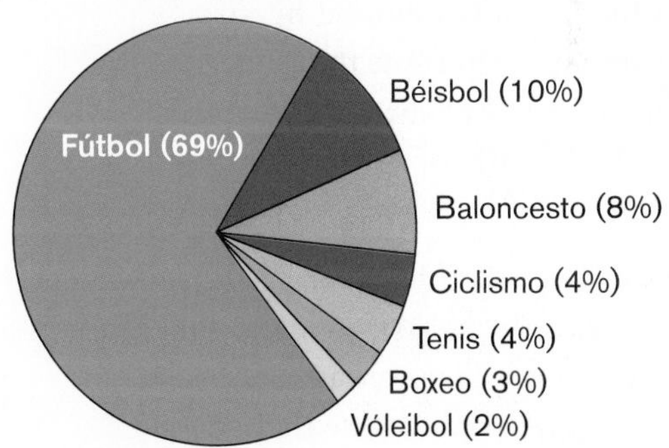

Donde el fútbol es más popular

En México, el béisbol es el segundo° deporte más popular después° del fútbol. Pero en Argentina, después del fútbol, el rugby tiene mucha importancia. En Perú a la gente le gusta mucho ver partidos de vóleibol. ¿Y en España? Muchas personas prefieren el baloncesto, el tenis y el ciclismo.

mundo *world* según *according to* encuesta *survey* realizada *carried out* se realiza la Copa Mundial *the World Cup is held* han ganado *have won* campeonato *championship* más de una vez *more than once* por supuesto *of course* segundo *second* después *after* aunque *although*

¿Cierto o falso?

Indicate whether each sentence is **cierto** or **falso**, then correct the false statements.

	Cierto	Falso
1. El vóleibol es el segundo deporte más popular en México.	❍	❍
2. En España a la gente le gustan varios deportes como el baloncesto y el ciclismo.	❍	❍
3. En la costa del norte de Colombia, el tenis es una pasión.	❍	❍
4. En el Caribe, el deporte más popular es el béisbol.	❍	❍

I CAN predict and understand content in a reading supported by visuals.

Preguntas

Answer these questions in Spanish.

1. ¿Dónde ven el fútbol los aficionados? Y tú, ¿cómo ves tus deportes favoritos?
2. ¿Te gusta el fútbol? ¿Por qué?
3. ¿Miras la Copa Mundial en la televisión?
4. ¿Qué deportes miras en la televisión?
5. En tu opinión, ¿cuáles son los tres deportes más populares en tu escuela? ¿En tu comunidad? ¿En tu país?
6. ¿Practicas deportes en tus ratos libres?

Escritura

Estrategia

Using a dictionary

Most beginning language learners embrace the dictionary as the ultimate resource for reading, writing, and speaking. While it is true that the dictionary is a useful tool that can provide valuable information about vocabulary, using the dictionary correctly requires that you understand the elements of each entry.

If you glance at a Spanish-English dictionary, you will notice that its format is similar to that of an English dictionary. The word is listed first, usually followed by its pronunciation. Then come the definitions, organized by parts of speech. Sometimes the most frequently used definitions are listed first.

To find the best word for your needs, you should refer to the abbreviations and the explanatory notes that appear next to the entries. For example, imagine that you are writing about your pastimes. You want to write, "I want to buy a new racket for my match tomorrow," but you don't know the Spanish word for "racket." In the dictionary, you may find an entry like this:

racket *s* 1. alboroto; 2. raqueta (*dep.*)

The abbreviation key at the front of the dictionary says that *s* corresponds to **sustantivo** (*noun*). Then, the first word you see is **alboroto**. When you look that word up, you find that the definition of **alboroto** is *noise* or *racket*, so **alboroto** is probably not the word you're looking for. The second word is **raqueta**, followed by the abbreviation *dep.*, which stands for **deportes**. This indicates that the word **raqueta** is the best choice for your needs.

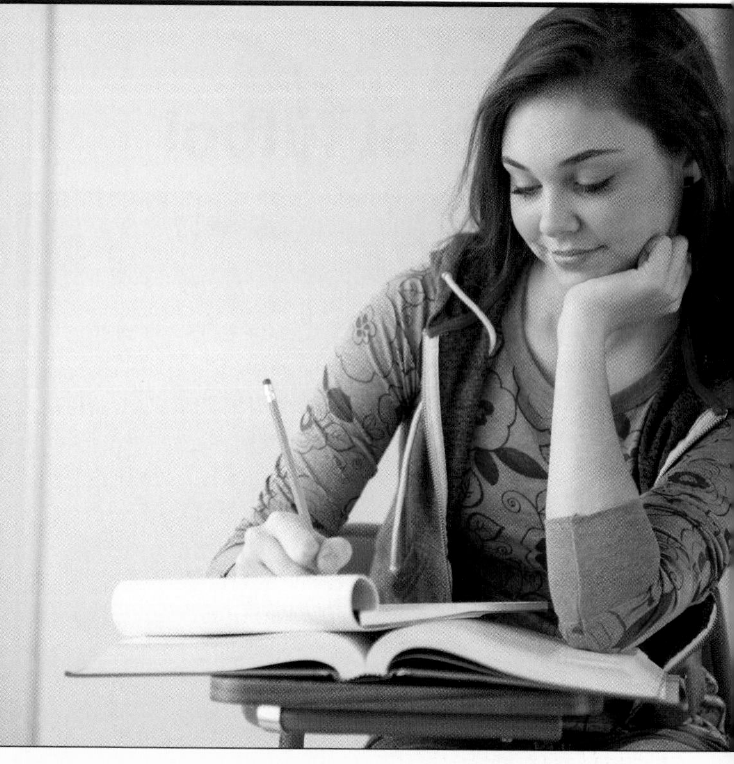

Tema

Escribir un folleto

Choose one topic as a subject for a pamphlet.

1. You are on the Homecoming Committee at your school this year. Create a pamphlet that lists events for Friday night, Saturday, and Sunday. Include a brief description of each event and its time and location. Include activities for different age groups, since some alumni will bring their families.
2. You are on the Freshman Student Orientation Committee and are in charge of creating a pamphlet for new students that describes the sports offered at your school. Write the flyer, including a variety of activities.
3. You volunteer at your community's recreation center. It is your job to market your community to potential residents. Write a brief pamphlet that describes the recreational opportunities your community provides, the areas where the activities take place, and the costs, if any. Be sure to include activities that will appeal to singles as well as couples and families; you should include activities for all age groups and for both men and women.

I CAN create an informative text that lists weekend leisure activities in my school and community.

Escuchar

Estrategia

Listening for the gist

Listening for the general idea, or gist, can help you follow what someone is saying even if you can't hear or understand some of the words. When you listen for the gist, you simply try to capture the essence of what you hear without focusing on individual words.

To help you practice this strategy, you will listen to a paragraph made up of three sentences. Jot down a brief summary of what you hear.

Preparación

Based on the photo, what do you think Anabela is like? Do you and Anabela have similar interests?

Ahora escucha

You will hear José talking first, then Anabela. As you listen, check off each person's favorite activities.

Pasatiempos favoritos de José

1. ________ leer el correo electrónico
2. ________ jugar al béisbol
3. ________ ver películas de acción
4. ________ ir al café
5. ________ ir a partidos de béisbol
6. ________ ver películas románticas
7. ________ dormir la siesta
8. ________ escribir mensajes electrónicos

Pasatiempos favoritos de Anabela

9. ________ esquiar
10. ________ nadar
11. ________ practicar el ciclismo
12. ________ jugar al golf
13. ________ jugar al baloncesto
14. ________ ir a ver partidos de tenis
15. ________ escalar montañas
16. ________ ver televisión

Comprensión

Preguntas

Answer these questions about José's and Anabela's pastimes.

1. ¿Quién practica más deportes?
2. ¿Quién piensa que es importante descansar?
3. ¿A qué deporte es aficionado José?
4. ¿Por qué Anabela no practica el baloncesto?
5. ¿Qué películas le gustan a la novia de José?
6. ¿Cuál es el deporte favorito de Anabela?

Seleccionar

Which person do these statements best describe?

1. Le gusta practicar deportes.
2. Prefiere las películas de acción.
3. Le gustan las computadoras.
4. Le gusta nadar.
5. Siempre (*Always*) duerme una siesta por la tarde.
6. Quiere ir de vacaciones a las montañas.

I CAN identify the favorite activities of two people in a recorded conversation.

Ejes

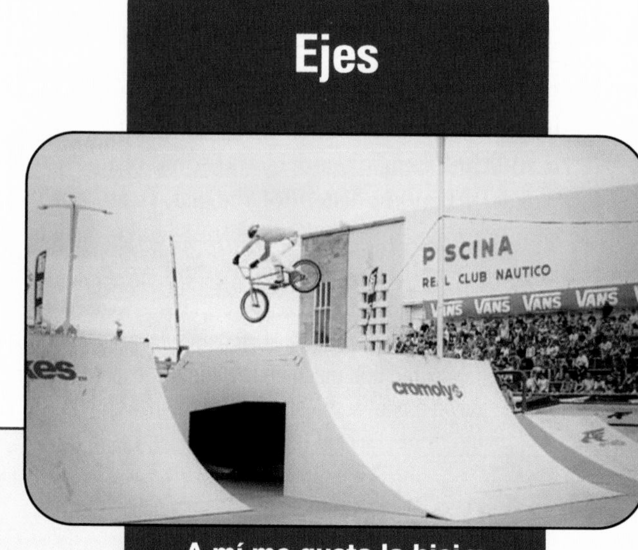

A mí me gusta la bici y me quedo con la bici°.

Preparación

Answer these questions in English.

1. What role do sports play in your life? Which sports do you enjoy? Why?
2. Is there a sport you enjoy with other members of your family? With a group of friends? Is there a special season for that sport?

Más que un deporte

For many, extreme sports aren't just games but an art form and a lifestyle. BMX, skateboarding, surfing, and other sports are passions for many young men and women who, in search of speed and adrenaline, make their bikes and boards the center of their lives. Communities around the world are responding to the demand for extreme sports by constructing bike and skate parks, and Spanish-speaking countries are no exception. The UCI BMX World Championship was held in Medellín (Colombia) in 2016. Colombian Olympic Gold Medalist Mariana Pajón has won gold at the games three times (2011, 2014, 2016). Argentinian professional BMX cyclist Gabriela Díaz won the championship in 2001, 2002, and 2004.

Me quedo con la bici *I stay with the bike*

Vocabulario útil

andar	*to walk; to go*
callejón	*alley*
campeonato	*championship*
conocer	*to be acquainted with*
molar	*be cool*

Comprensión

Indicate whether each statement is **cierto** or **falso.**

	Cierto	Falso
1. A Diego le gusta la bici.	❍	❍
2. Sarini cree que patinar es un arte.	❍	❍
3. Pequesaurio prefiere la patineta.	❍	❍
4. A Pequesaurio le gusta la rampa.	❍	❍

Conversación

With a partner, discuss this question in Spanish.

1. ¿Qué deportes se pueden practicar fácilmente en tu comunidad? ¿Qué deportes son fomentados (*encouraged*) en tu comunidad?

Aplicación

Participation in sports and other physical activities is important for one's well-being. With two classmates, prepare an oral presentation for your community, where you discuss the possibilities available to young people to practice sports and the needs your community has in this sense.

I CAN understand the main idea and some familiar words in an authentic video.

I CAN discuss sports and recreation in my community.

¡Fútbol en España!

1 (Hay mucha afición al fútbol en España.)

2 ¿Y cuál es vuestro jugador favorito?

3 —¿Y quién va a ganar?
—El Real Madrid.

Preparación

What do you expect to see at the stadium on game day between two rival teams?

Home of the FC Barcelona team and host to world championship events, **Camp Nou** stadium is one of the most visited attractions in Barcelona. Located about 5 kilometers from the city center, it was built in 1957 as **Estadi del FC Barcelona** but soon became known as Camp Nou or "New Field". It is the largest stadium in Europe and can seat nearly 100,000 people. The stadium boasts a shop for official team gear, two restaurants, a chapel next to the changing rooms, and a museum, **El Museu del Barça**.

Vocabulario útil	
afición	*passion*
equipo preferido	*favorite team*
¿Estás seguro?	*Are you sure?*
más allá de	*beyond*
nunca	*never*
segurísimo	*very sure*
va a ganar/perder	*going to win/lose*

Comprensión

Indicate whether each statement is **cierto** or **falso**.

1. Soccer is not very important in Spain.
2. **Churros** are a popular snack to have at games and are eaten all over Spain.
3. The fans who attend the Madrid-Barcelona games are mostly local.
4. The rivalry between the two cities goes beyond sports.

Conversación

Discuss the following questions with a partner. Try to answer as much as you can in Spanish.

1. One of the fans on the video said, **"El fútbol es una válvula de escape."** What do you think that means?
2. Where do people in Spain watch the games? What else do they do?

Aplicación

Design your own sports scarf in support of your favorite team. Include the team colors, logo, your city's name, and a team slogan. Compare the scarf you created with the one shown in the video.

I CAN recognize cultural practices in a video about soccer in Spain

I CAN identify practices and perspectives related to popular sports in my own and other cultures.

México 

Bandera de México

El país en cifras

- **Área:** 1.972.550 km² (761.603 millas²), *casi° tres veces°* el área de Texas

La situación geográfica de México, al sur° de los Estados Unidos, ha influido en° la economía y la sociedad de los dos países. Una de las consecuencias es la emigración de la población mexicana al país vecino°. Hoy día, más de 34 millones de personas de ascendencia mexicana viven en los Estados Unidos.

- **Población:** 124.574.000
- **Capital:** Ciudad de México (y su área metropolitana)—20.999.000
- **Ciudades principales:**
  Guadalajara
  Monterrey
  Puebla
  Ciudad Juárez
- **Moneda:** peso mexicano
- **Idiomas:** español (oficial), náhuatl, otras lenguas indígenas

casi *almost* veces *times* sur *south* ha influido en *has influenced* vecino *neighboring*

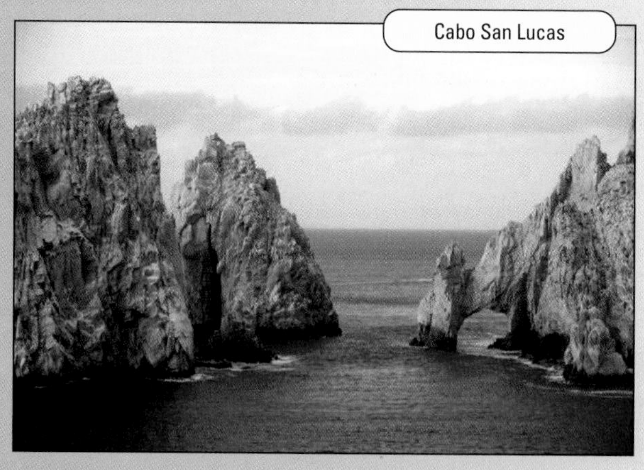

Cabo San Lucas

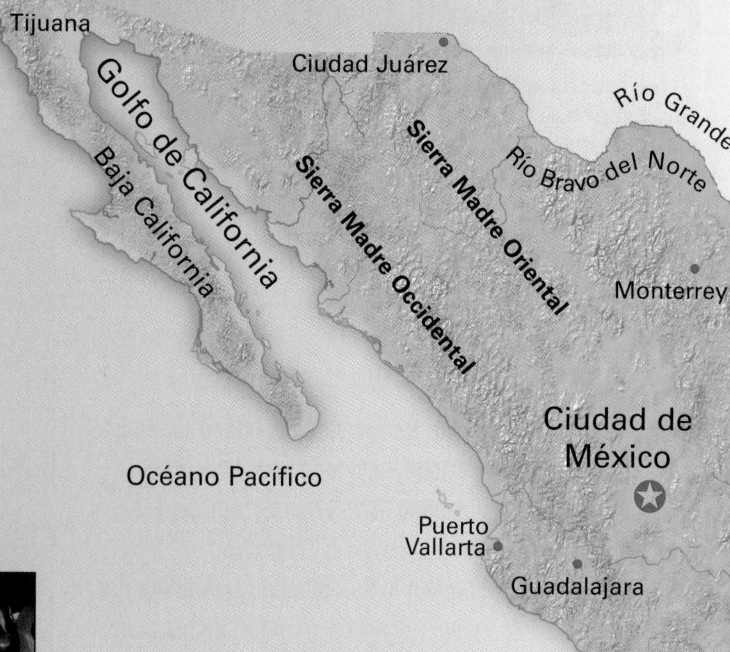

Artesanías en Taxco, Guerrero

Pirámide de Kukulcán en Chichén Itzá

Ciudades • Ciudad de México

La Ciudad de México, fundada° en 1525, también se llama el D.F. o Distrito Federal. Muchos turistas e inmigrantes vienen a la ciudad porque es el centro cultural y económico del país. El crecimiento° de la población es de los más altos° del mundo°. Ciudad de México tiene una población mayor que las de Nueva York, Madrid o París.

Autorretrato con mono (*Self-portrait with monkey*), 1938, Frida Kahlo

Artes • Diego Rivera y Frida Kahlo

Frida Kahlo y Diego Rivera eran° artistas mexicanos muy famosos. Se casaron° en 1929. Se interesaron° en las condiciones sociales de la gente indígena de su país. Puedes ver algunas° de sus obras° en el Museo de Arte Moderno de la Ciudad de México.

Historia • Los aztecas

Los aztecas dominaron° en México del siglo° XIV al siglo XVI. Sus canales, puentes° y pirámides con templos religiosos eran muy importantes. El fin del imperio azteca comenzó° con la llegada° de los españoles en 1519, pero la presencia azteca sigue hoy. La Ciudad de México está situada en la capital azteca de Tenochtitlán, y muchos turistas van a visitar sus ruinas.

Economía • La plata

México es el mayor productor de plata° del mundo. Estados como Zacatecas y Durango tienen ciudades fundadas cerca de los más grandes yacimientos° de plata del país. Estas ciudades fueron° en la época colonial unas de las más ricas e importantes. Hoy en día, aún° conservan mucho de su encanto° y esplendor.

CON RITMO HISPANO

Maná (1987–)

Lugar de origen:
Guadalajara, México

Maná ha vendido (*has sold*) más de 40 millones de copias de sus 21 álbumes en todo el mundo. Esto la hace una de las bandas de rock con más influencia en toda Latinoamérica

*Go to **vhlcentral.com** to find out more about **Maná**.*

fundada *founded* crecimiento *growth* más altos *highest* mundo *world* eran *were* Se casaron *They got married* Se interesaron *They were interested* algunas *some* obras *works* dominaron *dominated* siglo *century* puentes *bridges* comenzó *started* llegada *arrival* plata *silver* yacimientos *deposits* fueron *were* aún *still* encanto *charm*

¿Qué aprendiste?

1 Indica si lo que dicen estas oraciones es **cierto** o **falso**.

1. En Taxco se producen artesanías.
2. Muchos inmigrantes y turistas van a la Ciudad de México.
3. Uno puede ver obras de Frida Kahlo en el Museo de Arte Moderno de la Ciudad de México.
4. Tenochtitlán, la capital azteca, se llama Monterrey hoy día.
5. Zacatecas es una ciudad principal de México.

2 **Responder** Responde a cada pregunta con una oración completa.

1. ¿Qué lenguas hablan los mexicanos?
2. ¿Cuál es la moneda de México?
3. ¿En qué se interesaron Frida Kahlo y Diego Rivera?
4. Nombra algunas de las estructuras de la arquitectura azteca.
5. ¿Dónde está situada la capital de México?
6. Nombra el título de una de las pinturas (*paintings*) de la artista Frida Kahlo
7. ¿Qué estados de México tienen los mayores yacimientos de plata?
8. ¿Cuántos álbumes tiene el grupo musical Maná?

3 **Ensayo** Escribe un ensayo de por lo menos cinco oraciones para contestar esta pregunta:
¿Qué información sobre México consideras muy interesante y por qué?
En tu ensayo, utiliza evidencia de la sección *Panorama*.
Puedes usar estas expresiones para organizar tus oraciones:

Para comenzar… (*To begin…*)
primero (*first*)
segundo (*second*)
tercero (*third*)
también (*also*)
además (*besides*)
Para concluir (*In conclusion*)

Y organiza tu ensayo con esta estructura:

- una introducción
- evidencias de *Panorama*
- una conclusión

ENTRE CULTURAS

Investiga sobre estos temas en la web.

1. **Busca información sobre dos lugares de México. ¿Te gustaría (*Would you like*) vivir allí? ¿Por qué? ¿Qué diferencias hay entre esos lugares y el lugar donde tú vives?**
2. **Busca información sobre dos artistas mexicanos. ¿Cómo se llaman sus obras más famosas?**

I CAN identify basic facts about Mexico's geography and culture by reading short informational texts with visuals.

I CAN write a short essay about Mexico as an interesting country culturally.

Pasatiempos

andar en patineta	*to skateboard*
bucear	*to scuba dive*
escalar montañas	*to climb mountains*
escribir un mensaje electrónico	*to write an e-mail*
esquiar	*to ski*
ganar	*to win*
ir de excursión	*to go on a hike*
leer correo electrónico	*to read e-mail*
leer un periódico	*to read a newspaper*
leer una revista	*to read a magazine*
nadar	*to swim*
pasear	*to take a walk; to stroll*
pasear en bicicleta	*to ride a bicycle*
patinar (en línea)	*to (inline) skate*
practicar deportes	*to play sports*
tomar el sol	*to sunbathe*
ver películas	*to watch movies*
visitar monumentos	*to visit monuments*
la diversión	*fun activity; entertainment; recreation*
el fin de semana	*weekend*
el pasatiempo	*pastime; hobby*
los ratos libres	*spare (free) time*
el videojuego	*video game*

Deportes

el baloncesto	*basketball*
el béisbol	*baseball*
el ciclismo	*cycling*
el equipo	*team*
el esquí (acuático)	*(water) skiing*
el fútbol	*soccer*
el fútbol americano	*football*
el golf	*golf*
el hockey	*hockey*
el/la jugador(a)	*player*
la natación	*swimming*
el partido	*game; match*
la pelota	*ball*
el tenis	*tennis*
el vóleibol	*volleyball*

Adjetivos

deportivo/a	*sports-related*
favorito/a	*favorite*

Lugares

el café	*café*
el centro	*downtown*
el cine	*movie theater*
el gimnasio	*gymnasium*
la iglesia	*church*
el lugar	*place*
el museo	*museum*
el parque	*park*
la piscina	*swimming pool*
la plaza	*city or town square*
el restaurante	*restaurant*

Verbos

almorzar (o:ue)	*to have lunch*
cerrar (e:ie)	*to close*
comenzar (e:ie)	*to begin*
conseguir (e:i)	*to get; to obtain*
contar (o:ue)	*to count; to tell*
decir (e:i)	*to say; to tell*
dormir (o:ue)	*to sleep*
empezar (e:ie)	*to begin*
encontrar (o:ue)	*to find*
entender (e:ie)	*to understand*
hacer	*to do; to make*
ir	*to go*
jugar (u:ue)	*to play (a sport or a game)*
mostrar (o:ue)	*to show*
oír	*to hear*
pedir (e:i)	*to ask for; to request*
pensar (e:ie)	*to think*
pensar (+ *inf.*)	*to intend*
pensar en	*to think about*
perder (e:ie)	*to lose; to miss*
poder (o:ue)	*to be able to; can*
poner	*to put; to place*
preferir (e:ie)	*to prefer*
querer (e:ie)	*to want; to love*
recordar (o:ue)	*to remember*
repetir (e:i)	*to repeat*
salir	*to leave*
seguir (e:i)	*to follow; to continue*
suponer	*to suppose*
traer	*to bring*
ver	*to see*
volver (o:ue)	*to return*

***Decir* expressions**	*See page 168.*
Expresiones útiles	*See page 153.*

A primera vista

- ¿Dónde están las personas: en la playa o en una ciudad?
- ¿Son viejos o jóvenes?
- ¿Duermen o trabajan?
- ¿Qué crees que van a hacer ahora?

Essential Questions

1. How do weather, climate, and geography affect the activities we do?
2. What are popular vacation destinations in Spanish-speaking countries and how do they compare with popular vacation spots in my country?
3. Do cultural differences affect our expectations of the ideal vacation experience?

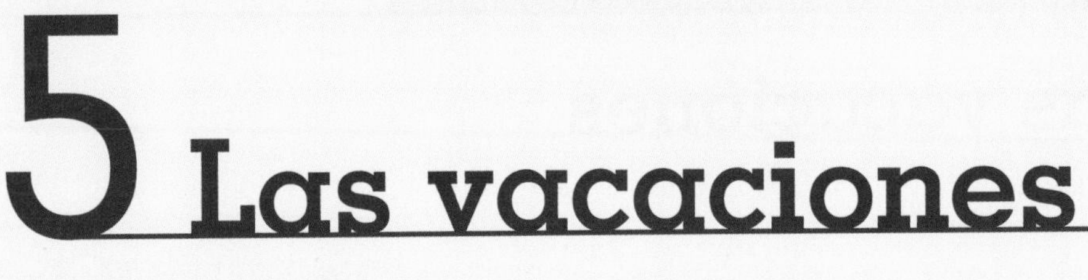

5 Las vacaciones

Can Do Goals

By the end of this lesson I will be able to:

- Participate in a conversation about planning a trip
- Participate in a conversation about checking in to a hotel
- Describe how people feel
- Say what people are doing at specific times
- Describe people and places

I will also learn about:

Culture

- Popular tourist destinations in Spanish-speaking countries
- Machu Picchu as a tourist destination
- Puerto Rico's geography and culture

Skills

- Reading: Scanning
- Writing: Making an outline
- Listening: Listening for key words

Lesson 5 Integrated Performance Assessment
Context: A new online publication in Spanish is giving away a trip to a luxury hotel. You and a classmate work together to submit a contest entry.

Mototaxi en La Habana, Cuba

Producto: Los mototaxis son un medio de transporte popular de los turistas en Cuba.
¿Cómo se transportan los turistas en tu ciudad?

Las vacaciones

Más vocabulario

el botones	*bellhop*
la cama	*bed*
la habitación individual, doble	*single, double room*
la llave	*key*
el piso	*floor (of a building)*
la planta baja	*ground floor*
el campo	*countryside*
el paisaje	*landscape*
la estación de autobuses, del metro, de tren	*bus, subway, train station*
la agencia de viajes	*travel agency*
el/la agente de viajes	*travel agent*
el/la inspector de aduanas	*customs inspector*
la llegada	*arrival*
el pasaje (de ida y vuelta)	*(round-trip) ticket*
el pasaporte	*passport*
la salida	*departure; exit*
el/la viajero/a	*traveler*
acampar	*to camp*
confirmar una reservación	*to confirm a reservation*
estar de vacaciones	*to be on vacation*
hacer las maletas	*to pack (one's suitcases)*
hacer un viaje	*to take a trip*
ir de compras	*to go shopping*
ir de vacaciones	*to go on vacation*
ir en autobús (m.), auto(móvil) (m.), motocicleta (f.), taxi (m.)	*to go by bus, car, motorcycle, taxi*
jugar a las cartas	*to play cards*

Variación léxica

automóvil ⟷ coche (*Esp.*), carro (*Amér. L.*)
autobús ⟷ camión (*Méx.*), guagua (*Caribe*)
motocicleta ⟷ moto (*coloquial*)

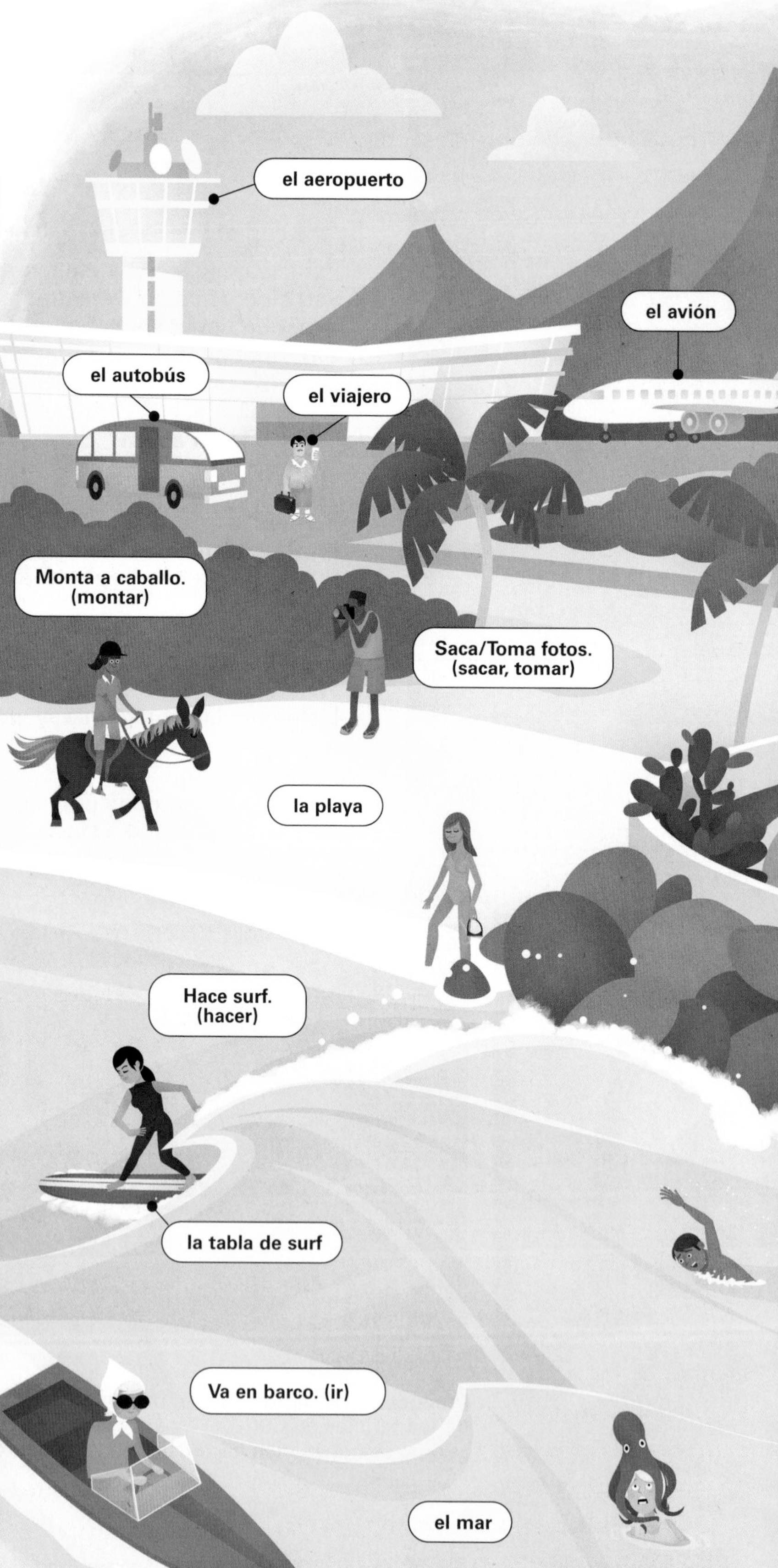

Práctica

1 **Escuchar** Indicate who would probably make each statement you hear. Each answer is used twice.

a. el agente de viajes
b. el inspector de aduanas
c. un empleado del hotel

1. ______
2. ______
3. ______
4. ______
5. ______
6. ______

2 **¿Cierto o falso?** Mario and his wife, Natalia, are planning their next vacation with a travel agent. Indicate whether each statement is **cierto** or **falso** according to what you hear in the conversation.

	Cierto	Falso
1. Mario y Natalia están en Puerto Rico.	❍	❍
2. Ellos quieren hacer un viaje a Puerto Rico.	❍	❍
3. Natalia prefiere ir a una montaña.	❍	❍
4. Mario quiere pescar en Puerto Rico.	❍	❍
5. La agente de viajes va a confirmar la reservación.	❍	❍

3 **Escoger** Choose the best answer for each sentence.

1. Un huésped es una persona que _____.
   a. toma fotos b. está en un hotel c. pesca en el mar
2. Abrimos la puerta con _____.
   a. una llave b. un caballo c. una llegada
3. Enrique tiene _____ porque va a viajar a otro (*another*) país.
   a. un pasaporte b. una foto c. una llegada
4. Antes de (*Before*) ir de vacaciones, hay que _____.
   a. pescar b. ir en tren c. hacer las maletas
5. Nosotros vamos en _____ al aeropuerto.
   a. autobús b. pasaje c. viajero
6. Me gusta mucho ir al campo. El _____ es increíble.
   a. paisaje b. pasaje c. equipaje

4 **Analogías** Complete the analogies using the words below. Two words will not be used.

auto	huésped	mar	sacar
botones	llegada	pasaporte	tren

1. acampar ⟶ campo ● pescar ⟶
2. agencia de viajes ⟶ agente ● hotel ⟶
3. llave ⟶ habitación ● pasaje ⟶
4. estudiante ⟶ libro ● turista ⟶
5. aeropuerto ⟶ viajero ● hotel ⟶
6. maleta ⟶ hacer ● foto ⟶

Las estaciones y los meses del año

el invierno: **diciembre, enero, febrero**

la primavera: **marzo, abril, mayo**

el verano: **junio, julio, agosto**

el otoño: **septiembre, octubre, noviembre**

—¿Cuál es la fecha de hoy?	*What is today's date?*
—Es el primero de octubre.	*It's the first of October.*
—Es el dos de marzo.	*It's March* 2nd.
—Es el diez de noviembre.	*It's November* 10th.

El tiempo

—¿Qué tiempo hace?	*How's the weather?*
—Hace buen/mal tiempo.	*The weather is good/bad.*

Hace (mucho) calor.
It's (very) hot.

Hace (mucho) frío.
It's (very) cold.

Llueve. (llover o:ue)
It's raining.

Está lloviendo.
It's raining.

Nieva. (nevar e:ie)
It's snowing.

Está nevando.
It's snowing.

Más vocabulario

Está (muy) nublado.	*It's (very) cloudy.*
Hace fresco.	*It's cool.*
Hace (mucho) sol.	*It's (very) sunny.*
Hace (mucho) viento.	*It's (very) windy.*

5 El Hotel Regis

Label the floors of the hotel.

Los números ordinales

primer *(before a masculine singular noun)*, **primero/a**	*first*
segundo/a	*second*
tercer *(before a masculine singular noun)*, **tercero/a**	*third*
cuarto/a	*fourth*
quinto/a	*fifth*
sexto/a	*sixth*
séptimo/a	*seventh*
octavo/a	*eighth*
noveno/a	*ninth*
décimo/a	*tenth*

a. ________ piso
b. ________ piso
c. ________ piso
d. ________ piso
e. ________ piso
f. ________ piso
g. ________ piso
h. ________ baja

6 Contestar

Look at the illustrations of the months and seasons on the previous page. In pairs, take turns asking each other these questions.

modelo

Estudiante 1: *¿Cuál es el primer mes de la primavera?*
Estudiante 2: *marzo*

1. ¿Cuál es el primer mes del invierno?
2. ¿Cuál es el segundo mes de la primavera?
3. ¿Cuál es el tercer mes del otoño?
4. ¿Cuál es el primer mes del año?
5. ¿Cuál es el quinto mes del año?
6. ¿Cuál es el octavo mes del año?
7. ¿Cuál es el décimo mes del año?
8. ¿Cuál es el segundo mes del verano?
9. ¿Cuál es el tercer mes del invierno?
10. ¿Cuál es el sexto mes del año?

7 Las estaciones

Name the season that applies to the description.

1. Las clases terminan.
2. Vamos a la playa.
3. Acampamos.
4. Nieva mucho.
5. Las clases empiezan.
6. Hace mucho calor.
7. Llueve mucho.
8. Esquiamos.
9. el entrenamiento (*training*) de béisbol
10. el Día de Acción de Gracias (*Thanksgiving*)

8 ¿Cuál es la fecha?

Give the dates for these holidays.

modelo

el día de San Valentín *14 de febrero*

1. el día de San Patricio
2. el día de Halloween
3. el primer día de verano
4. el Año Nuevo
5. mi cumpleaños (*birthday*)
6. mi día de fiesta favorito

9 **Seleccionar** Paco is talking about his family and friends. Choose the word or phrase that best completes each sentence.

1. A mis padres les gusta ir a Yucatán porque (hace sol, nieva).
2. Mi primo de Kansas dice que durante (*during*) un tornado, hace mucho (sol, viento).
3. Mis amigos van a esquiar si (nieva, está nublado).
4. Tomo el sol cuando (hace calor, llueve).
5. Nosotros vamos a ver una película si hace (buen, mal) tiempo.
6. Mi hermana prefiere correr cuando (hace mucho calor, hace fresco).
7. Mis tíos van de excursión si hace (buen, mal) tiempo.
8. Mi padre no quiere jugar al golf si (hace fresco, llueve).
9. Cuando hace mucho (sol, frío) no salgo de casa y tomo chocolate caliente (*hot*).
10. Hoy mi sobrino va al parque porque (está lloviendo, hace buen tiempo).

10 **El clima** With a partner, take turns asking and answering questions about the weather and temperatures in these cities. Use the model as a guide.

modelo

Estudiante 1: ¿Qué tiempo hace hoy en Nueva York?
Estudiante 2: Hace frío y hace viento.
Estudiante 1: ¿Cuál es la temperatura máxima?
Estudiante 2: Treinta y un grados (*degrees*).
Estudiante 1: ¿Y la temperatura mínima?
Estudiante 2: Diez grados.

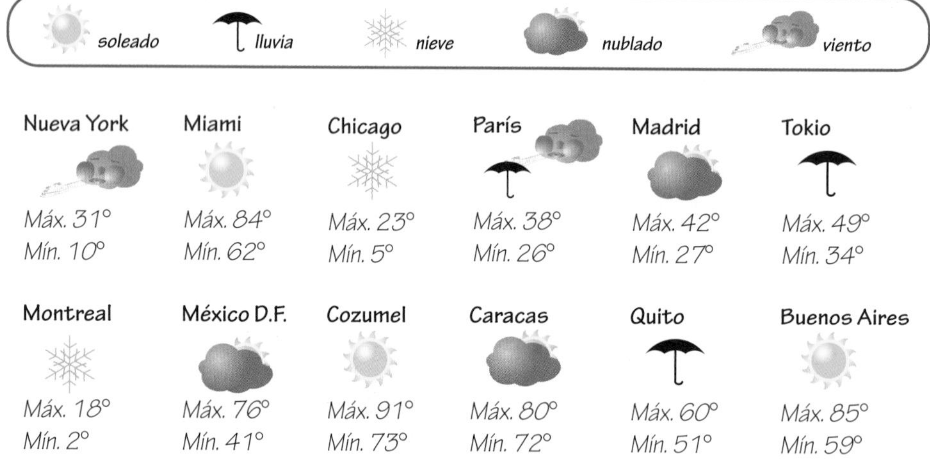

NOTA CULTURAL

In most Spanish-speaking countries, temperatures are given in degrees Celsius. Use these formulas to convert between **grados centígrados** and **grados Fahrenheit**.

degrees C. × 9 ÷ 5 + 32 = degrees F.

degrees F. - 32 × 5 ÷ 9 = degrees C.

11 **Completar** Complete these sentences with your own ideas.

1. Cuando hace sol, yo...
2. Cuando llueve, mis amigos y yo...
3. Cuando hace calor, mi familia...
4. Cuando hace viento, la gente...
5. Cuando hace frío, yo...
6. Cuando hace mal tiempo, mis amigos...
7. Cuando nieva, muchas personas...
8. Cuando está nublado, mis amigos y yo...
9. Cuando hace fresco, mis padres...
10. Cuando hace buen tiempo, mis amigos...

CONSULTA

Calor and **frío** can apply to both weather and people. Use **hacer** to describe weather conditions or climate.

(**Hace frío en Santiago.** *It's cold in Santiago.*)

Use **tener** to refer to people.

(**El viajero tiene frío.** *The traveler is cold.*)

See **Estructura 3.4,** p. 131.

Comunicación

12 **En la agencia de viajes** Listen to the conversation between Mr. Vega and a travel agent. Then classify the following inferences as **lógico** or **ilógico**, based on what you heard.

	Lógico	Ilógico
1. El señor Vega quiere visitar la Antártida.	❍	❍
2. Hace calor en Puerto Rico.	❍	❍
3. El señor Vega va a ver el mar en Puerto Rico.	❍	❍
4. El señor Vega va a comprar un pasaje de ida y vuelta.	❍	❍
5. El señor Vega viaja con su familia.	❍	❍

13 **Preguntas personales** Answer your partner's questions.

1. ¿Cuál es la fecha de hoy? ¿Qué estación es?
2. ¿Te gusta esta estación? ¿Por qué?
3. ¿Qué estación prefieres? ¿Por qué?
4. ¿Prefieres el mar o las montañas? ¿La playa o el campo? ¿Por qué?
5. Cuando haces un viaje, ¿qué te gusta hacer y ver?
6. ¿Piensas ir de vacaciones este verano? ¿Adónde quieres ir? ¿Por qué?
7. ¿Qué deseas ver y qué lugares quieres visitar?
8. ¿Cómo te gusta viajar? ¿En avión? ¿En motocicleta...?

14 **Itinerario** Create a trip itinerary for a friend, a relative, or someone famous. First, choose a destination. Include information about transportation and accommodations, as well as a section for each day with activities.

- fechas
- lugar
- transporte
- hotel
- actividades
- clima

Síntesis

15 **Un viaje** With a partner, role-play a conversation between a travel agent and a client planning a trip. Discuss destinations, dates, transportation, hotel accommodations, and activities for the trip.

I CAN participate in a conversation to plan a trip.

Communicative Goal: Ask and respond questions for checking in to a hotel

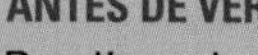

De viaje en Toledo

Manuel, Juanjo, Valentina, Olga Lucía y Sara pasan el fin de semana en Toledo.

ANTES DE VER
Predict what you will see and hear in an episode in which the characters take a trip.

1

SARA ¡Un fin de semana en Toledo!

JUANJO Pues yo prefiero la playa.

OLGA LUCÍA ¿Vas a seguir hablando de la playa todo el viaje?

VALENTINA ¡La playa está muy lejos de aquí!

MANUEL Podemos ir a la playa las próximas vacaciones.

JUANJO ¡¿Las próximas vacaciones?!

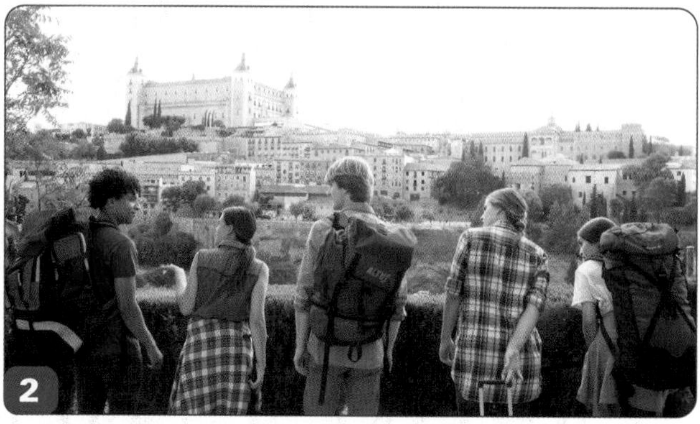

2

OLGA LUCÍA Toledo es muy bonito.

VALENTINA Mira. Ése es el Alcázar.

MANUEL ¡Y ése, el puente de Alcántara!

SARA ¡La vista es espectacular!

JUANJO Pero no es la playa.

4

EMPLEADA Aquí está. Habitación con tres camas en el primer piso. Ahora los chicos.

MANUEL Manuel Vázquez Quevedo.

EMPLEADA Manuel Vázquez, habitación doble en el segundo piso.

SARA ¡Llevamos las mochilas a la habitación y salimos!

JUANJO Yo los espero aquí.

MANUEL Está bien. La llevo yo.

5

VALENTINA Estoy leyendo que en el Alcázar está el Museo del Ejército.

MANUEL ¡Este lugar es extraordinario!

JUANJO Sí, pero igual estoy aburrido.

OLGA LUCÍA ¡Juanjo! ¡Estamos de vacaciones! ¿Y tú estás de mal humor?

JUANJO ¡Soy caribeño! Quiero estar de vacaciones en el mar.

SARA Pues nosotros estamos bien aquí.

PERSONAJES

SARA

JUANJO

OLGA LUCÍA

VALENTINA

MANUEL

EMPLEADA

OLGA LUCÍA Buenos días. Tenemos una reservación.

EMPLEADA ¿A nombre de quién?

VALENTINA Valentina Herrera Torres.

EMPLEADA ¡Venís en buen tiempo! Todavía no está haciendo mucho calor.

JUANJO ¡Está perfecto para ir a la playa!

VALENTINA ¡Está sonando La Gorda!

LOS DEMÁS ¡¿La qué?!

VALENTINA ¡La campana! La llaman La Gorda porque es la más grande de España.

SARA ¡Chicos! ¡Allí está Juanjo! ¿Ya estás de buen humor?

JUANJO Sí, ya. Disculpa, es que extraño el mar.

OLGA LUCÍA Bueno, tengo que tomar una foto de Juanjo feliz en Toledo.

Expresiones útiles

la campana *bell*
caribeño/a *from the Caribbean*
el desayuno *breakfast*
Disculpa *Forgive me*
dulce *sweet*
extrañar *to miss*
el hostal *guesthouse*
igual *just the same*
judío/a *Jewish*
musulmán, musulmana *Islamic*
próximo/a *next*
el puente *bridge*
sonar *to ring*

Toledo

Toledo es conocida como la ciudad de las tres culturas porque los cristianos, los musulmanes y los judíos vivían juntos (*lived together*) allí. Hay iglesias, mezquitas (*mosques*) y sinagogas. La ciudad es considerada Patrimonio de la Humanidad por la UNESCO.

¿Conoces (*Do you know*) una ciudad con tantas influencias como Toledo?

¿Qué pasó?

1 **¿Cierto o falso?** Indicate if each statement is **cierto** or **falso**. Correct the false statements.

1. Juanjo prefiere el campo.
2. Los chicos van a pasar un fin de semana en Toledo.
3. Los chicos llegan al aeropuerto de Toledo.
4. Juanjo tiene una habitación individual.
5. Toledo es la ciudad de las tres culturas: la cristiana, la musulmana y la judía.

2 **Identificar** Identify the person who made each statement.

JUANJO

MANUEL

OLGA LUCÍA

SARA

1. ¡Toledo es muy bonito!
2. Yo los espero aquí.
3. Está bien. La llevo yo.
4. ¡Pues nosotros estamos bien aquí!
5. ¿Y tú estás de mal humor?
6. ¡Ya no tienes que ir a la playa!

3 **Escoger** Choose the word or phrase that best completes each sentence.

1. Los chicos van en ______________ a Toledo.
   a. avión b. barco c. tren
2. Manuel tiene una reservación para una habitación ______________.
   a. individual b. doble c. de tres camas
3. En Toledo ______________.
   a. hace buen tiempo b. llueve c. hace mucho calor
4. Juanjo no quiere llevar la mochila ______________.
   a. al aeropuerto b. a la habitación c. al hostal
5. La habitación de las chicas está en el ______________ piso.
   a. primer b. segundo c. tercer

4 **En un hotel de Toledo** Role-play a conversation between a hotel employee and a guest checking in.

Huésped		Empleado/a
1. Greet the employee and ask for your reservation.	→	1. Welcome the guest and ask him/her under whose name the reservation was made.
2. Tell the employee that the reservation is in your name.	→	2. Tell him/her that the reservation is for a double room and the room is on the third floor.
3. Ask questions about the hotel and/or about Toledo.	→	3. Answer the guest's questions about the hotel and/or about Toledo.

I CAN ask and respond to questions for checking in to a hotel.

Pronunciación

Spanish b and v

bueno **vóleibol** **biblioteca** **vivir**

There is no difference in pronunciation between the Spanish letters **b** and **v**. However, each letter can be pronounced two different ways, depending on which letters appear next to them.

bonito **viajar** **también** **investigar**

B and **v** are pronounced like the English hard *b* when they appear either as the first letter of a word, at the beginning of a phrase, or after **m** or **n**.

deber **novio** **abril** **cerveza**

In all other positions, **b** and **v** have a softer pronunciation, which has no equivalent in English. Unlike the hard **b**, which is produced by tightly closing the lips and stopping the flow of air, the soft **b** is produced by keeping the lips slightly open.

bola **vela** **Caribe** **declive**

In both pronunciations, there is no difference in sound between **b** and **v**. The English *v* sound, produced by friction between the upper teeth and lower lip, does not exist in Spanish. Instead, the soft **b** comes from friction between the two lips.

Verónica y su esposo cantan boleros.

When **b** or **v** begins a word, its pronunciation depends on the previous word. At the beginning of a phrase or after a word that ends in **m** or **n**, it is pronounced as a hard **b**.

Benito **es de Boquerón** **pero vive** **en Victoria.**

Words that begin with **b** or **v** are pronounced with a soft **b** if they appear immediately after a word that ends in a vowel or any consonant other than **m** or **n**.

Práctica Read these words aloud to practice the **b** and the **v**.

1. hablamos	4. van	7. doble	10. nublado
2. trabajar	5. contabilidad	8. novia	11. llave
3. botones	6. bien	9. béisbol	12. invierno

Oraciones Read these sentences aloud to practice the **b** and the **v**.

1. Vamos a Guaynabo en autobús.
2. Voy de vacaciones a la Isla Culebra.
3. Tengo una habitación individual en el octavo piso.
4. Víctor y Eva van por avión al Caribe.
5. La planta baja es bonita también.
6. ¿Qué vamos a ver en Bayamón?
7. Beatriz, la novia de Víctor, es de Arecibo, Puerto Rico.

Refranes Read these sayings aloud to practice the **b** and the **v**.

No hay mal que por bien no venga.[1]

Hombre prevenido vale por dos.[2]

1 Every cloud has a silver lining.
2 An ounce of prevention equals a pound of cure.

EN DETALLE

Destinos turísticos latinoamericanos

¿Adónde quieres ir en tus próximas vacaciones? ¿A la playa… o más bien al campo? ¿O quizá quieres conocer una gran ciudad con muchas actividades para hacer? ¿Y qué piensas de un fin de semana en el desierto? América Latina es una región geográfica tan extensa que ofrece miles de opciones para explorar en vacaciones.

Si te gusta el campo, por ejemplo, un destino turístico popular en Guatemala es el lago° Atitlán, una gran masa de agua rodeada° por tres volcanes con paisajes espectaculares, donde puedes elegir entre ir a caminar o simplemente relajarte al lado del lago y contemplar el paisaje. Cada año, miles de estudiantes guatemaltecos deciden pasar las vacaciones con sus familias a orillas° del lago Atitlán.

Si te gustan las grandes ciudades, una buena opción es Buenos Aires, la capital de Argentina, donde puedes ir en tus vacaciones para explorar su arquitectura, museos, vida cultural, o simplemente caminar por sus calles y barrios pintorescos°, como la Boca o San Telmo.

Pero si eres de un espíritu más aventurero, puedes considerar pasar una noche en el oasis de Huacachina, en el desierto de Ica, en Perú. En este oasis hay algunos hoteles donde puedes pasar la noche en medio del desierto, nadar en sus aguas

(que según la tradición tienen beneficios curativos) y admirar la exuberante vegetación. A este oasis van muchas familias peruanas en la temporada de vacaciones, pero también van muchos turistas de otros países.

Entonces… ¿Cuál de todas estas opciones prefieres para tus próximas vacaciones?

lago *lake* **rodeada** *surrounded* **orillas** *shores* **barrios pintorescos** *picturesque quarters*

ASÍ SE DICE

Viajes y turismo

el asiento del medio, del pasillo, de la ventanilla	*center, aisle, window seat*
el itinerario	*itinerary*
media pensión	*breakfast and one meal included*
el ómnibus (Perú)	**el autobús**
pensión completa	*all meals included*
el puente	*long weekend (lit., bridge)*

ACTIVIDADES

1 **¿Cierto o falso?** Indicate whether the following statements are **cierto** or **falso**. Correct the false statements.

1. People who like to relax and enjoy nature visit Lake Atitlán.
2. If you are more adventurous, Buenos Aires is the place for you.
3. In Huacachina you can swim even though it is in the middle of a desert.
4. Only Peruvians vacation in Huacachina.
5. The Ica desert is said to have healing benefits.
6. Buenos Aires is surrounded by three volcanoes.
7. San Telmo is one of Buenos Aires' famous neighborhoods, popular among tourists.
8. Besides swimming, Lake Atitlán offers spectacular views of the natural landscape.

2 **Entrevista** Use the following questions to interview a partner about what kind vacation he or she prefers.

1. ¿Te gustan las montañas o las playas?
2. ¿Te gustan las vacaciones tranquilas o prefieres explorar lugares nuevos?
3. ¿Te gusta más caminar por el campo o por las calles?
4. ¿Te sientes más cómodo/a en un hotel o en una casa?
5. ¿Te gustan las aventuras o prefieres ir de compras?
6. ¿Qué actividades te gusta hacer cuando vas de vacaciones?

3 **Recomendación** Based on what you learned about your partner, make a recommendation for a place in your state or community he or she should visit. Include the name of the place, where it's located, what it offers and what you can do there. Then, exchange papers. Did your partner get it right?

ENTRE CULTURAS

¿Cuáles son los sitios más populares para el turismo en Puerto Rico?

*Go to **vhlcentral.com** to find out more cultural information related to this **Cultura** section.*

I CAN identify and discuss popular travel destinations in my own and other cultures.

PERFIL

Punta del Este

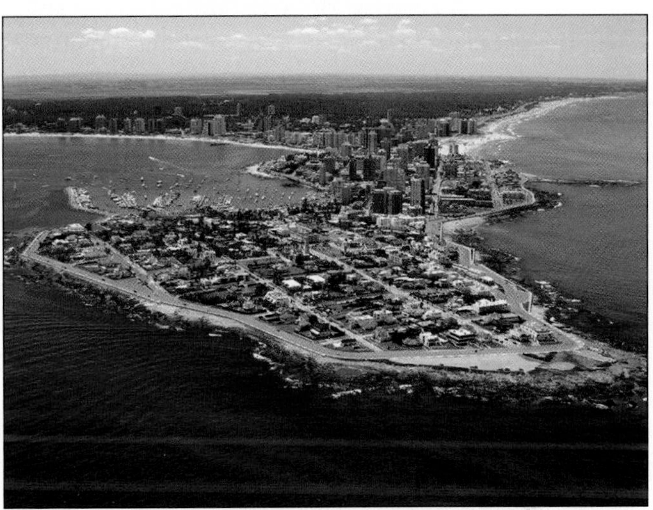

Una de las ciudades costeras más grandes y famosas de Suramérica es Punta del Este, Uruguay, una delgada franja de tierra° con más de 30 kilómetros de playas blancas. Su forma peninsular le permite tener dos paisajes marinos muy diferentes. La Playa Mansa°, frente a la bahía, es el lado más protegido y tiene aguas tranquilas, donde la gente puede practicar deportes acuáticos como natación, esquí acuático, *windsurf* y buceo. La Playa Brava, hacia el este, recibe los fuertes vientos del Océano Atlántico que producen grandes olas°; por eso allí los turistas practican deportes como el *surf*, el *body boarding* y el tablacometa (*kitesurfing*). Además de las playas, en la ciudad se puede ir de compras y disfrutar la vida nocturna. Punta del Este también ofrece a sus 600.000 visitantes anuales diversos clubes de pesca y navegación, así como campos° de golf y excursiones para observar leones marinos° en la reserva natural de la Isla de Lobos.

franja de tierra *stip of land* Mansa *Calm* olas *waves* campos *courses* leones marinos *sea lions*

Comprensión Answer the questions based on the reading.

1. In which country is located Punta del Este?
2. What sports can be practiced in Punta del Este?
3. Name two other activities tourists can do in Punta del Este.

5.1 Estar with conditions and emotions

ANTE TODO As you have already learned, the verb **estar** is used to talk about how you feel and to say where people, places, and things are located. **Estar** is also used with adjectives to talk about certain emotional and physical conditions.

CONSULTA

To review the present tense of **estar**, see **Estructura 2.3**, p. 87.

•••

To review the present tense of **ser**, see **Estructura 1.3**, p. 46.

- Use **estar** with adjectives to describe the physical condition of places and things.

La habitación **está** sucia.
The room is dirty.

La puerta **está** cerrada.
The door is closed.

- Use **estar** with adjectives to describe how people feel, both mentally and physically.

Yo estoy aburrido.

¿Estás feliz?

- **¡Atención!** Two important expressions with **estar** that you can use to talk about conditions and emotions are **estar de buen humor** (*to be in a good mood*) and **estar de mal humor** (*to be in a bad mood*).

Adjectives that describe emotions and conditions

abierto/a	*open*	**contento/a**	*happy; content*	**listo/a**	*ready*
aburrido/a	*bored*	**desordenado/a**	*disorderly*	**nervioso/a**	*nervous*
alegre	*happy; joyful*	**enamorado/a (de)**	*in love (with)*	**ocupado/a**	*busy*
avergonzado/a	*embarrassed*	**enojado/a**	*mad; angry*	**ordenado/a**	*orderly*
cansado/a	*tired*	**equivocado/a**	*wrong*	**preocupado/a (por)**	*worried (about)*
cerrado/a	*closed*	**feliz**	*happy*	**seguro/a**	*sure*
cómodo/a	*comfortable*	**limpio/a**	*clean*	**sucio/a**	*dirty*
confundido/a	*confused*			**triste**	*sad*

¡INTÉNTALO! Provide the present tense forms of **estar**, and choose which adjective best completes the sentence.

1. La biblioteca ___está___ (cerrada / nerviosa) los domingos por la noche. *cerrada*
2. Nosotros __________ muy (ocupados / equivocados) todos los lunes.
3. Ellas __________ (alegres / confundidas) porque tienen vacaciones.
4. Javier __________ (enamorado / ordenado) de Maribel.
5. Diana __________ (enojada / limpia) con su hermano.
6. Yo __________ (nerviosa / abierta) por el viaje.
7. La habitación siempre __________ (ordenada / segura) cuando vuelven sus padres.
8. Ustedes no comprenden; __________ (equivocados / tristes).

Práctica y Comunicación

1 **¿Cómo están?** Complete Martín's statements about how he and other people are feeling. In the first blank, fill in the correct form of **estar**. In the second blank, fill in the adjective that best fits the context.

AYUDA

Make sure that you have agreement between:

- Subjects and verbs in person and number
- Nouns and adjectives in gender and number

Ell**os** no est**án** enferm**os**.
They are not sick.

1. Yo _________ un poco _________ porque tengo un examen mañana.
2. Mi hermana Patricia _________ muy _________ porque mañana va a hacer una excursión al campo.
3. Mis hermanos Juan y José salen de la casa a las cinco de la mañana. Por la noche, siempre _________ muy _________.
4. Mi amigo Ramiro _________ _________; su novia se llama Adela.
5. Mi papá y sus colegas _________ muy _________ hoy. ¡Hay mucho trabajo!
6. Patricia y yo _________ un poco _________ por ellos porque trabajan mucho.
7. Mi amiga Mónica _________ un poco _________ porque sus amigos no pueden salir esta noche.
8. Esta clase no es muy interesante. ¿Tú _______ _________ también?

2 **Describir** Describe these people and places.

1. Anabela

2. Juan y Luisa

3. la habitación de Teresa

4. César

3 **Situaciones** With a partner, use **estar** to talk about how you feel in these situations.

1. Cuando hace sol...
2. Cuando tomas un examen...
3. Cuando viajas en avión...
4. Cuando estás en la clase de español...
5. Cuando ves una película con tu actor/actriz favorito/a...

4 **Emociones** Write an e-mail to a friend explaining what you do when you feel certain way. Use five adjectives of emotion.

modelo

Cuando estoy preocupado, hablo por teléfono con mi madre.
Cuando estoy aburrido, miro la televisión.

I CAN write an e-mail to a friend explaining what I do when I feel certain way.

5.2 The present progressive

ANTE TODO Both Spanish and English use the present progressive, which consists of the present tense of the verb *to be* and the present participle of another verb (the *-ing* form in English).

Estoy viendo el mapa.

Está sonando La Gorda.

- Form the present progressive with the present tense of **estar** and a present participle.

FORM OF ESTAR	+ PRESENT PARTICIPLE
Estoy	**pescando.**
I am	*fishing.*

FORM OF ESTAR	+ PRESENT PARTICIPLE
Estamos	**comiendo.**
We are	*eating.*

- The present participle of regular **-ar**, **-er**, and **-ir** verbs is formed as follows:

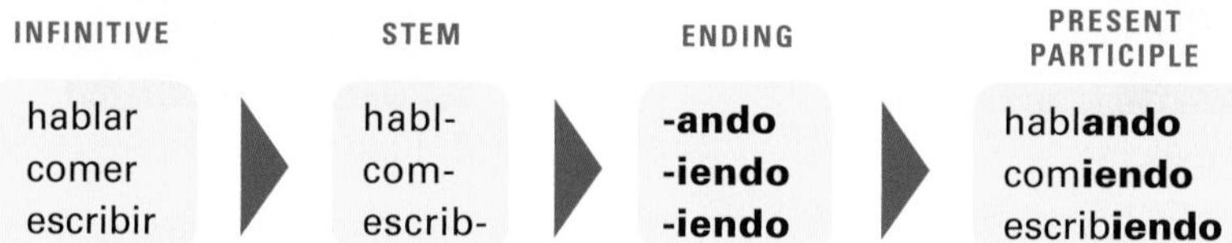

INFINITIVE	STEM	ENDING	PRESENT PARTICIPLE
hablar	habl-	**-ando**	habl**ando**
comer	com-	**-iendo**	com**iendo**
escribir	escrib-	**-iendo**	escrib**iendo**

- **¡Atención!** When the stem of an **-er** or **-ir** verb ends in a vowel, the present participle ends in **-yendo**.

INFINITIVE	STEM	ENDING	PRESENT PARTICIPLE
leer	le-	**-yendo**	le**yendo**
oír	o-	**-yendo**	o**yendo**
traer	tra-	**-yendo**	tra**yendo**

- **Ir**, **poder**, and **venir** have irregular present participles (**yendo**, **pudiendo**, **viniendo**). Several other verbs have irregular present participles that you will learn later.
- **-Ir** stem-changing verbs have a stem change in the present participle.

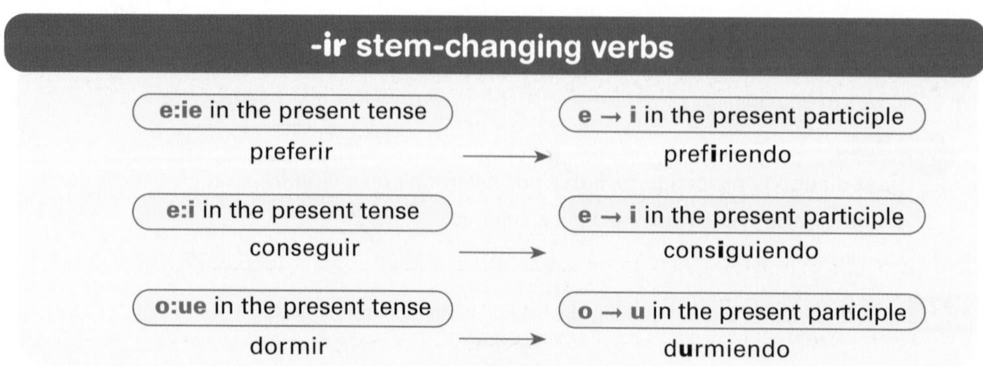

-ir stem-changing verbs

e:ie in the present tense		**e → i** in the present participle
preferir	→	pref**i**riendo
e:i in the present tense		**e → i** in the present participle
conseguir	→	cons**i**guiendo
o:ue in the present tense		**o → u** in the present participle
dormir	→	d**u**rmiendo

VERIFICA

COMPARE & CONTRAST

The use of the present progressive is much more restricted in Spanish than in English. In Spanish, the present progressive is mainly used to emphasize that an action is in progress at the time of speaking.

Maru **está escuchando** música latina **ahora mismo**.
Maru is listening to Latin music right now.

Felipe y su amigo **todavía están jugando** al fútbol.
Felipe and his friend are still playing soccer.

In English, the present progressive is often used to talk about situations and actions that occur over an extended period of time or in the future. In Spanish, the simple present tense is often used instead.

Xavier **estudia** computación este semestre.
Xavier is studying computer science this semester.

Marissa **sale** mañana para los Estados Unidos.
Marissa is leaving tomorrow for the United States.

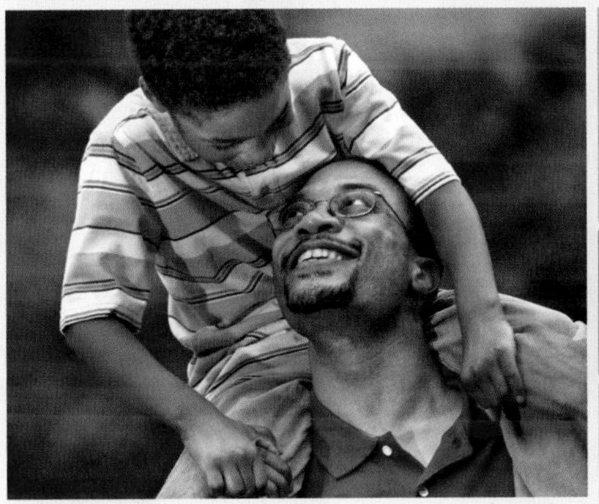

¿Está pensando en su futuro?
Nosotros, sí.

BANCO
CONGRESO
Preparándolo para el mañana

¡INTÉNTALO! Create complete sentences by putting the verbs in the present progressive.

1. mis amigos / descansar en la playa *Mis amigos están descansando en la playa.*
2. nosotros / practicar deportes ______
3. Carmen / comer en casa ______
4. nuestro equipo / ganar el partido ______
5. yo / leer el periódico ______
6. él / pensar comprar una bicicleta roja ______
7. ustedes / jugar a las cartas ______
8. José y Francisco / dormir ______
9. Marisa / leer correo electrónico ______
10. yo / preparar sándwiches ______
11. Carlos / tomar fotos ______
12. ¿dormir / tú? ______

Práctica

1 **Completar** Alfredo's Spanish class is preparing to travel to Puerto Rico. Use the present progressive of the verb in parentheses to complete Alfredo's description of what everyone is doing.

1. Yo ____________ (investigar) la situación política de la isla (*island*).
2. La esposa del profesor ____________ (hacer) las maletas.
3. Marta y José Luis ____________ (buscar) información sobre San Juan en Internet.
4. Enrique y yo ____________ (leer) un mensaje de texto de nuestro amigo puertorriqueño.
5. Javier ____________ (aprender) mucho sobre la cultura puertorriqueña.
6. Y tú ____________ (practicar) el español, ¿verdad?

2 **¿Qué están haciendo?** María and her friends are vacationing at a resort in San Juan, Puerto Rico. Complete her description of what everyone is doing right now.

CONSULTA

For more information about Puerto Rico, see **Panorama**, pp. 220–221.

1. Alejandro y Rebeca

2. Javier

3. Yo

4. Celia y yo

5. Samuel

6. Lorenzo

3 **Personajes famosos** Say what these celebrities are doing right now, using the cues provided.

modelo

Shakira

Shakira está cantando una canción ahora mismo.

A

Isabel Allende
Rachel Ray
James Cameron
Venus y Serena Williams
Joey Votto
Nelly Furtado
Dwight Howard
Las Rockettes de Nueva York
¿?
¿?

B

bailar
cantar
correr
escribir
hablar
hacer
jugar
preparar
¿?
¿?

AYUDA

Isabel Allende: **novelas**
Rachel Ray: **televisión, negocios** (*business*)
James Cameron: **cine**
Venus y Serena Williams: **tenis**
Joey Votto: **béisbol**
Nelly Furtado: **canciones**
Dwight Howard: **baloncesto**
Las Rockettes de Nueva York: **baile**

Comunicación

4 **Preguntar** With a partner, take turns asking each other what you are doing at these times.

modelo
Estudiante 1: ¡Hola, Andrés! Son las ocho de la mañana. ¿Qué estás haciendo?
Estudiante 2: Estoy desayunando.

1. 5:00 a.m.
2. 9:30 a.m.
3. 11:00 a.m.
4. 12:00 p.m.
5. 2:00 p.m.
6. 5:00 p.m.
7. 9:00 p.m.
8. 11:30 p.m.

5 **Describir** Work with a partner and use the present progressive to describe what is going on in this Spanish beach scene.

NOTA CULTURAL

Nearly 60 million tourists travel to Spain every year, many of them drawn by the warm climate and beautiful coasts. Tourists wanting a beach vacation go mostly to the **Costa del Sol** or the Balearic Islands, in the Mediterranean. Which are the most popular beaches in your country?

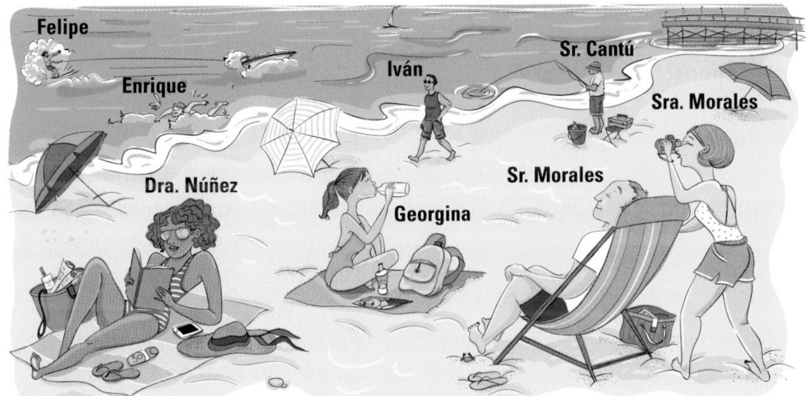

6 **Conversar** Imagine that you and a classmate are each babysitting a group of children. With a partner, prepare a telephone conversation using these cues. Be creative and add further comments.

Estudiante 1	Estudiante 2
Say hello and ask what the kids are doing.	→ Say hello and tell your partner that two of the kids are doing their homework. Then ask what the kids at his/her house are doing.
Tell your partner that two of the kids are running and dancing in the house.	→ Tell your partner that one of the kids is reading.
Tell your partner that you are tired and that two of the kids are watching TV and eating pizza.	→ Tell your partner that one of the kids is sleeping.
Tell your partner you have to go; the kids are playing soccer in the house.	→ Say goodbye and good luck (**¡Buena suerte!**).

Síntesis

7  **¿Qué están haciendo?** A group of classmates is traveling to San Juan, Puerto Rico for a week-long Spanish immersion program. In order for the participants to be on time for their flight, you and your partner must locate them. Your teacher will give you each a handout to help you complete this task.

I CAN ask and answer questions about what people are doing at specific times of the day.

5.3 Ser and estar

ANTE TODO You have already learned that **ser** and **estar** both mean *to be* but are used for different purposes. These charts summarize the key differences in usage between **ser** and **estar**.

¡ATENCIÓN!

Ser de expresses not only origin (**Es de Buenos Aires.**) and possession (**Es la pluma de Jimena.**), but also what material something is made of (**La bicicleta es de metal.**).

Uses of ser

1. Nationality and place of origin	Juan Carlos **es** argentino. **Es** de Buenos Aires.
2. Profession or occupation	Adela **es** agente de viajes. Francisco **es** médico.
3. Characteristics of people and things	José y Clara **son** simpáticos. El clima de Puerto Rico **es** agradable.
4. Generalizations	¡**Es** fabuloso viajar! **Es** difícil estudiar a la una de la mañana.
5. Possession	**Es** la pluma de Jimena. **Son** las llaves del señor Díaz.
6. What something is made of	La bicicleta **es** de metal. Los pasajes **son** de papel.
7. Time and date	Hoy **es** martes. **Son** las dos. Hoy **es** el primero de julio.
8. Where or when an event takes place	El partido **es** en el estadio Santa Fe. La conferencia **es** a las siete.

La playa está muy lejos de aquí.

¡Toledo es muy bonito!

Uses of estar

1. Location or spatial relationships	El aeropuerto **está** lejos de la ciudad. Tu habitación **está** en el tercer piso.
2. Health	¿Cómo **estás**? **Estoy** bien, gracias.
3. Physical states and conditions	El profesor **está** ocupado. Las ventanas **están** abiertas.
4. Emotional states	Marissa **está** feliz hoy. **Estoy** muy enojado con Maru.
5. Certain weather expressions	**Está** lloviendo. **Está** nublado.
6. Ongoing actions (progressive tenses)	**Estamos** estudiando para un examen. Ana **está** leyendo una novela.

VERIFICA

Ser and estar with adjectives

- With many descriptive adjectives, **ser** and **estar** can both be used, but the meaning will change.

Juan **es** delgado. *Juan is thin.*	Ana **es** nerviosa. *Ana is a nervous person.*
Juan **está** más delgado hoy. *Juan looks thinner today.*	Ana **está** nerviosa por el examen. *Ana is nervous because of the exam.*

- In the examples above, the statements with **ser** are general observations about the inherent qualities of Juan and Ana. The statements with **estar** describe conditions that are variable.

- Here are some adjectives that change in meaning when used with **ser** and **estar**.

With ser	With estar
El chico **es listo**. *The boy is* ***smart.***	El chico **está listo**. *The boy is* ***ready.***
La profesora **es mala**. *The professor is* ***bad.***	La profesora **está mala**. *The professor is* ***sick.***
Jaime **es aburrido**. *Jaime is* ***boring.***	Jaime **está aburrido**. *Jaime is* ***bored.***
Las peras **son verdes**. *Pears are* ***green.***	Las peras **están verdes**. *The pears are* ***not ripe.***
El gato **es muy vivo**. *The cat is very* ***clever.***	El gato **está vivo**. *The cat is* ***alive.***
Iván **es un hombre seguro**. *Iván is a* ***confident*** *man.*	Iván no **está seguro**. *Iván is not* ***sure.***

¡ATENCIÓN!

When referring to objects, **ser seguro/a** means *to be safe.*
El puente es seguro.
The bridge is safe.

¡INTÉNTALO! Form complete sentences by using the correct form of **ser** or **estar** and making any other necessary changes.

1. Alejandra / cansado
   Alejandra está cansada.
2. ellos / pelirrojo
   ____
3. Carmen / alto
   ____
4. yo / la clase de español
   ____
5. película / a las once
   ____
6. hoy / viernes
   ____
7. nosotras / enojado
   ____
8. Antonio / médico
   ____
9. Romeo y Julieta / enamorado
   ____
10. libros / de Ana
    ____
11. Marisa y Juan / estudiando
    ____
12. partido de baloncesto / gimnasio
    ____

Práctica

1 **¿Ser o estar?** Indicate whether each adjective takes **ser** or **estar**. **¡Ojo!** Three of them can take both verbs.

	ser	estar
1. delgada	❍	❍
2. canadiense	❍	❍
3. enamorado	❍	❍
4. lista	❍	❍
5. seguro	❍	❍
6. enojada	❍	❍
7. importante	❍	❍
8. avergonzada	❍	❍

2 **Completar** Complete this conversation with the appropriate forms of **ser** and **estar**.

EDUARDO ¡Hola, Ceci! ¿Cómo (1)__________?
CECILIA Hola, Eduardo. Bien, gracias. ¡Qué guapo (2)__________ hoy!
EDUARDO Gracias. (3)__________ muy amable. Oye, ¿qué (4)__________ haciendo? (5)¿__________ ocupada?
CECILIA No, sólo le (6)__________ escribiendo una carta a mi prima Pilar.
EDUARDO ¿De dónde (7)__________ ella?
CECILIA Pilar (8)__________ de Ecuador. Su papá (9)__________ médico en Quito. Pero ahora Pilar y su familia (10)__________ de vacaciones en Ponce, Puerto Rico.
EDUARDO Y… ¿cómo (11)__________ Pilar?
CECILIA (12)__________ muy lista. Y también (13)__________ alta, rubia y muy bonita.

3 **En el parque** With a partner, take turns describing the people in the drawing. Your descriptions should answer the questions provided.

1. ¿Quiénes son?
2. ¿Dónde están?
3. ¿Cómo son?
4. ¿Cómo están?
5. ¿Qué están haciendo?
6. ¿Qué estación es?
7. ¿Qué tiempo hace?
8. ¿Quién no está de vacaciones?

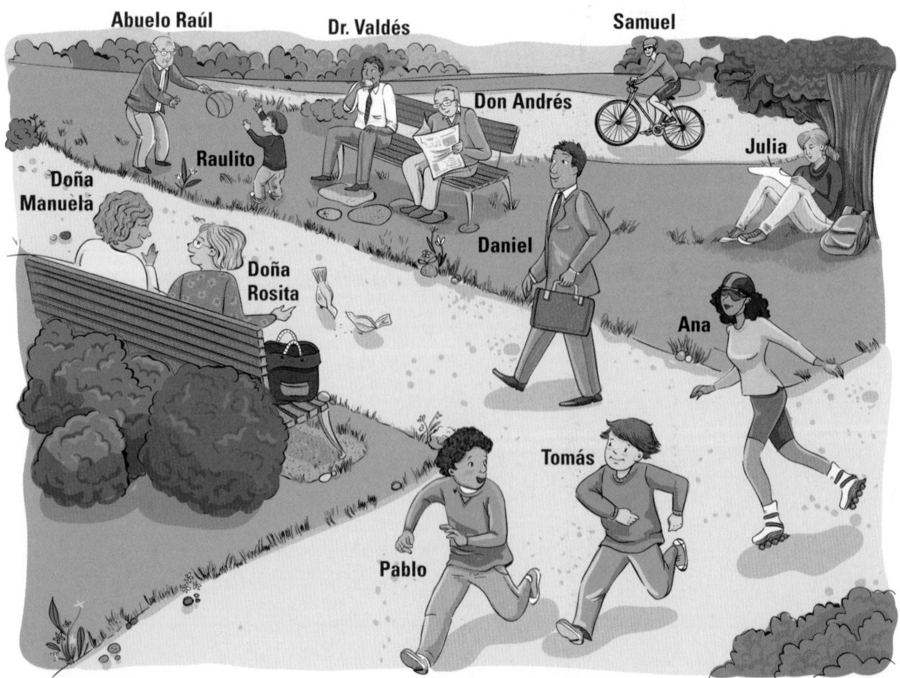

Comunicación

4

Ponce Listen to Carolina's description of her vacation. Then classify the following inferences as **lógico** or **ilógico,** based on what you heard.

	Lógico	Ilógico
1. Carolina es una turista.	❍	❍
2. Carolina prefiere acampar.	❍	❍
3. A Carolina no le gusta ir a la playa.	❍	❍
4. Carolina vive en Ponce.	❍	❍
5. Ponce es una playa de Puerto Rico.	❍	❍
6. A Carolina le gustan los museos.	❍	❍
7. Carolina visita un museo el fin de semana.	❍	❍

5

En el aeropuerto With a partner, take turns assuming the identity of a character from this drawing. Your partner will ask you questions using **ser** and **estar** to figure out who you are.

modelo

Estudiante 2: *¿Dónde estás?*
Estudiante 1: *Estoy cerca de la puerta.*
Estudiante 2: *¿Qué estás haciendo?*
Estudiante 1: *Estoy escuchando a otra persona.*
Estudiante 2: *¿Eres uno de los pasajeros?*
Estudiante 1: *No, soy empleado del aeropuerto.*
Estudiante 2: *¿Eres Camilo?*

Síntesis

6

Un hotel magnífico Write a radio ad for a vacation resort somewhere in the Spanish-speaking world. Use ser and estar in as many different ways as you can.

I CAN write a radio ad describing a vacation resort.

5.4 Direct object nouns and pronouns

SUBJECT	VERB	DIRECT OBJECT NOUN
Olga Lucía y Valentina	están tomando	fotos.
Olga Lucía and Valentina	*are taking*	*photos.*

- A direct object noun receives the action of the verb directly and generally follows the verb. In the example above, the direct object noun answers the question *What are Olga Lucía and Valentina taking?*

- When a direct object noun in Spanish is a person or a pet, it is preceded by the word **a**. This is called the personal **a**; there is no English equivalent for this construction.

Mariela mira **a** Carlos.	Mariela mira televisión.
Mariela is watching Carlos.	*Mariela is watching TV.*

- In the first sentence above, the personal **a** is required because the direct object is a person. In the second sentence, the personal **a** is not required because the direct object is a thing, not a person.

Yo los espero aquí.

¡Está bien!
La llevo yo.

- Direct object pronouns are words that replace direct object nouns. Like English, Spanish uses a direct object pronoun to avoid repeating a noun already mentioned.

	DIRECT OBJECT		DIRECT OBJECT PRONOUN	
Maribel hace	las maletas.	Maribel	las	hace.
Felipe compra	el sombrero.	Felipe	lo	compra.
Vicky tiene	la llave.	Vicky	la	tiene.

Direct object pronouns

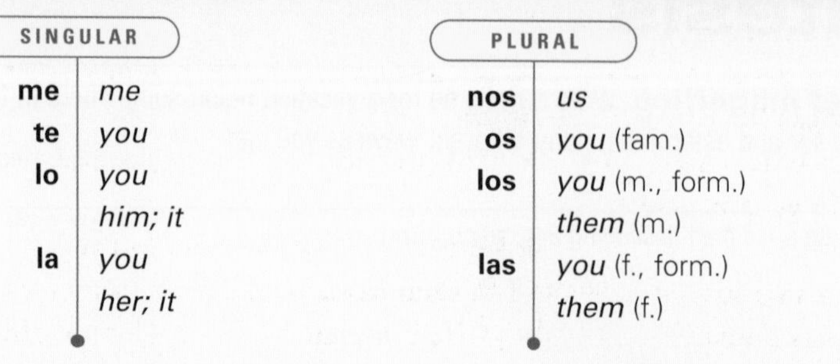

SINGULAR		PLURAL	
me	*me*	**nos**	*us*
te	*you*	**os**	*you* (fam.)
lo	*you*	**los**	*you* (m., form.)
	him; it		*them* (m.)
la	*you*	**las**	*you* (f., form.)
	her; it		*them* (f.)

VERIFICA

- In affirmative sentences, direct object pronouns generally appear before the conjugated verb. In negative sentences, the pronoun is placed between the word **no** and the verb.

Adela practica **el tenis**.
Adela **lo** practica.

Carmen compra **los pasajes**.
Carmen **los** compra.

Gabriela no tiene **las llaves**.
Gabriela **no las** tiene.

Diego no hace **las maletas**.
Diego **no las** hace.

- When the verb is an infinitive construction, such as **ir a** + [*infinitive*], the direct object pronoun can be placed before the conjugated form or attached to the infinitive.

Ellos van a escribir **unas postales**. → Ellos **las** van a escribir. / Ellos van a escribir**las**.

Lidia quiere ver **una película**. → Lidia **la** quiere ver. / Lidia quiere ver**la**.

- When the verb is in the present progressive, the direct object pronoun can be placed before the conjugated form or attached to the present participle. **¡Atención!** When a direct object pronoun is attached to the present participle, an accent mark is added to maintain the proper stress.

Gerardo está leyendo **la lección**. → Gerardo **la** está leyendo. / Gerardo está leyéndo**la**.

Toni está mirando **el partido**. → Toni **lo** está mirando. / Toni está mirándo**lo**.

¡INTÉNTALO! Choose the correct direct object pronoun for each sentence.

1. Tienes el libro de español.
   a. La tienes. b. Los tienes. c. Lo tienes.
2. Voy a ver el partido de baloncesto.
   a. Voy a verlo. b. Voy a verte. c. Voy a vernos.
3. El artista quiere dibujar a Luisa con su mamá.
   a. Quiere dibujarme. b. Quiere dibujarla. c. Quiere dibujarlas.
4. Marcos busca la llave.
   a. Me busca. b. La busca. c. Las busca.
5. Rita me lleva al aeropuerto y también lleva a Tomás.
   a. Nos lleva. b. Las lleva. c. Te lleva.
6. Puedo oír a Gerardo y a Miguel.
   a. Puedo oírte. b. Puedo oírlos. c. Puedo oírlo.
7. Quieren estudiar la gramática.
   a. Quieren estudiarnos. b. Quieren estudiarlo. c. Quieren estudiarla.
8. ¿Practicas los verbos irregulares?
   a. ¿Los practicas? b. ¿Las practicas? c. ¿Lo practicas?
9. Ignacio ve la película.
   a. La ve. b. Lo ve. c. Las ve.
10. Sandra va a invitar a Mario a la excursión. También me va a invitar a mí.
   a. Los va a invitar. b. Lo va a invitar. c. Nos va a invitar.

Práctica

1 **Simplificar** Señora Vega's class is planning a trip to Costa Rica. Describe their preparations by changing the direct object nouns into direct object pronouns.

modelo

La profesora Vega tiene su pasaporte.
La profesora Vega lo tiene.

1. Gustavo y Héctor confirman las reservaciones.
2. Nosotros leemos los folletos (*brochures*).
3. Ana María estudia el mapa.
4. Yo aprendo los nombres de los monumentos de San José.
5. Alicia escucha a la profesora.
6. Miguel escribe las instrucciones para ir al hotel.
7. Esteban busca el pasaje.
8. Nosotros planeamos una excursión.

¡LENGUA VIVA!

There are many Spanish words that correspond to *ticket*. **Billete** and **pasaje** usually refer to a ticket for travel, such as an airplane ticket. **Entrada** refers to a ticket to an event, such as a concert or a movie. **Boleto** can be used in either case.

2 **Vacaciones** Ramón is going to San Juan, Puerto Rico with his friends, Javier and Marcos. Express his thoughts more succinctly using direct object pronouns.

modelo

Quiero hacer una excursión.
Quiero hacerla./La quiero hacer.

1. Voy a hacer mi maleta.
2. Necesitamos llevar los pasaportes.
3. Marcos está pidiendo el folleto turístico.
4. Javier debe llamar a sus padres.
5. Ellos esperan visitar el Viejo San Juan.
6. Puedo llamar a Javier por la mañana.
7. Prefiero llevar mi cámara.
8. No queremos perder nuestras reservaciones de hotel.

NOTA CULTURAL

Since Puerto Rico is a U.S. territory, passengers traveling there from the U.S. mainland do not need passports or visas. Passengers traveling to Puerto Rico from a foreign country, however, must meet travel requirements identical to those required for travel to the U.S. mainland. Puerto Ricans are U.S. citizens and can therefore travel to the U.S. mainland without any travel documents.

3 **¿Quién?** The Garza family is preparing to go on a vacation to Puerto Rico. Based on the clues, answer the questions. Use direct object pronouns in your answers.

modelo

¿Quién hace las reservaciones para el hotel? (el Sr. Garza)
El Sr. Garza las hace.

1. ¿Quién compra los pasajes de avión? (la Sra. Garza)
2. ¿Quién tiene que hacer las maletas de los niños? (María)
3. ¿Quiénes buscan los pasaportes? (Antonio y María)
4. ¿Quién va a confirmar las reservaciones de hotel? (la Sra. Garza)
5. ¿Quién busca la cámara? (María)
6. ¿Quién compra un mapa de Puerto Rico? (Antonio)

Comunicación

4 **El viaje de Gabriel** Listen to the dialogue and then confirm whether the inferences are **lógico** or **ilógico**.

	Lógico	Ilógico
1. Gabriel va a la playa.	❍	❍
2. Gabriel está listo para salir.	❍	❍
3. Va a hacer frío en Chicago.	❍	❍
4. Gabriel viaja a una ciudad.	❍	❍
5. Mercedes va a viajar también.	❍	❍

5 **Entrevista** Answer your partner's questions. Use direct object pronouns.

1. ¿Ves mucho la televisión?
2. ¿Cuándo vas a ver tu programa favorito?
3. ¿Quién prepara la comida (*food*) en tu casa?
4. ¿Te visita mucho tu familia?
5. ¿Visitas mucho a tus abuelos?
6. ¿Nos entienden nuestros padres a nosotros?
7. ¿Cuándo ves a tus amigos/as?
8. ¿Cuándo te llaman tus amigos/as?

6 **De mal humor** The weather has ruined your plans to go to the beach. Using words from the list, your partner offers some suggestions to cheer you up. Use direct object pronouns in your responses.

modelo

Estudiante 1: *¿Quieres ver la película de Ryan Gosling?*
Estudiante 2: *No, no la quiero ver.*

computadora	fotos	libro
película	revista	videojuegos

Síntesis

7 **Adivinanzas** Write five riddles with descriptions of people, places, or things. Follow the model. Then see whether your teacher can solve your riddles.

modelo

Lo uso para (I use it to) escribir en mi cuaderno. No es muy grande y tiene borrador. ¿Qué es?

I CAN make plans with a classmate by asking and answering simple questions about activity preferences.

I CAN describe a person, place, or everyday object in order for someone to identify it.

SUBJECT Javier CONJUGATED FORM empiezo Main clause Dudan

Recapitulación

Review the grammar concepts you have learned in this lesson by completing these activities.

1 **Completar** Complete the chart with the correct present participle of these verbs. 16 pts.

Infinitive	Present participle	Infinitive	Present participle
hacer		estar	
acampar		ser	
tener		vivir	
venir		estudiar	

2 **Vacaciones en París** Complete this paragraph about Julia's trip to Paris with the correct form of **ser** or **estar**. 24 pts.

Hoy (1) _____ (es/está) el 3 de julio y voy a París por tres semanas. (Yo) (2) _____ (Soy/Estoy) muy feliz porque voy a ver a mi mejor amiga. Ella (3) _____ (es/está) de Puerto Rico, pero ahora (4) _____ (es/está) viviendo en París. También (yo) (5) _____ (soy/estoy) un poco nerviosa porque (6) _____ (es/está) mi primer viaje a Francia. El vuelo (*flight*) (7) _____ (es/está) hoy por la tarde, pero ahora (8) _____ (es/está) lloviendo. Por eso (9) _____ (somos/estamos) preocupadas, porque probablemente el avión va a salir tarde. Mi equipaje ya (10) _____ (es/está) listo. (11) _____ (Es/Está) tarde y me tengo que ir. ¡Va a (12) _____ (ser/estar) un viaje fenomenal!

3 **¿Qué hacen?** Respond to these questions by indicating what people do with the items mentioned. Use direct object pronouns. 10 pts.

modelo

¿Qué hacen ellos con la película?
La ven.

1. ¿Qué haces tú con el libro de viajes? (leer) __________
2. ¿Qué hacen los turistas en la ciudad? (explorar) __________
3. ¿Qué hace el botones con el equipaje? (llevar) __________
4. ¿Qué hace la agente con las reservaciones? (confirmar) __________
5. ¿Qué hacen ustedes con los pasaportes? (mostrar) __________

RESUMEN GRAMATICAL

5.1 Estar with conditions and emotions *p. 198*

- Yo **estoy** aburrido/a, feliz, nervioso/a.
- El cuarto **está** desordenado, limpio, ordenado.
- Estos libros **están** abiertos, cerrados, sucios.

5.2 The present progressive *pp. 200–201*

- The present progressive is formed with the present tense of **estar** plus the present participle.

Forming the present participle

infinitive	stem	ending	present participle
hablar	habl-	**-ando**	hablando
comer	com-	**-iendo**	comiendo
escribir	escrib-	**-iendo**	escribiendo

-ir stem-changing verbs

	infinitive	present participle
e:ie	preferir	**prefiriendo**
e:i	conseguir	**consiguiendo**
o:ue	dormir	**durmiendo**

- Irregular present participles: **yendo (ir)**, **pudiendo (poder)**, **viniendo (venir)**

5.3 Ser and estar *pp. 204–205*

- Uses of **ser**: nationality, origin, profession or occupation, characteristics, generalizations, possession, what something is made of, time and date, time and place of events
- Uses of **estar**: location, health, physical states and conditions, emotional states, weather expressions, ongoing actions
- **Ser** and **estar** can both be used with many adjectives, but the meaning will change.

Juan **es** delgado. *Juan is thin.*

Juan **está** más delgado hoy. *Juan looks thinner today.*

5.4 Direct object nouns and pronouns *pp. 208–209*

Direct object pronouns

Singular		Plural	
me	lo	nos	los
te	la	os	las

In affirmative sentences:
Adela practica el tenis. → Adela lo practica.

In negative sentences: Adela **no** lo practica.

With an infinitive:
Adela lo va a practicar./Adela va a practicarlo.

With the present progressive:
Adela lo está practicando./Adela está practicándolo.

4 **Opuestos** Complete these sentences with the appropriate form of the verb **estar** and an antonym for the underlined adjective. 10 pts.

modelo

Yo estoy interesado, pero Susana *está aburrida.*

1. Las tiendas están abiertas, pero la agencia de viajes ______ ______.
2. No me gustan las habitaciones desordenadas. Incluso (*Even*) mi habitación de hotel ______ ______.
3. Nosotras estamos tristes cuando trabajamos. Hoy comienzan las vacaciones y ______ ______.
4. En esta ciudad los autobuses están sucios, pero los taxis ______ ______.
5. —El avión sale a las 5:30, ¿verdad? —No, estás confundida. Yo ______ ______ de que el avión sale a las 5:00.

5 **En la playa** Describe what these people are doing. Complete the sentences using the present progressive tense. 8 pts.

1. El señor Camacho ______________________.
2. Felicia ______________________.
3. Ana ______________________.
4. Nosotros ______________________.

Sr. Camacho
Ana
Felicia
nosotros

6 **Antes del viaje** Write a paragraph of at least six sentences describing the time right before you go on a trip. Say how you feel and what you are doing. You can use **Actividad 2** as a model. 32 pts.

modelo

Hoy es viernes, 27 de octubre. Estoy en mi habitación...

7 **Refrán** Complete this Spanish saying by filling in the missing present participles. Refer to the translation and the drawing. 4 EXTRA points!

¡LA CIUDAD ESTÁ MUY SUCIA!

“Se consigue más ______ que ______.”

(You can accomplish more by doing than by saying.)

Communicative Goal: Scan, read, and understand key details in a hotel brochure

Lectura

Antes de leer

Estrategia

Scanning

Scanning involves glancing over a document in search of specific information. For example, you can scan a document to identify its format, to find cognates, to locate visual clues about the document's content, or to find specific facts. Scanning allows you to learn a great deal about a text without having to read it word for word.

Examinar el texto

Scan the reading selection for cognates and write down a few of them.

1. ______________ 4. ______________
2. ______________ 5. ______________
3. ______________ 6. ______________

Based on the cognates you found, what do you think this document is about?

____

Preguntas

Read these questions. Then scan the document again to look for answers.

1. What is the format of the reading selection?
____
2. Which place is the document about?
____
3. What are some of the visual cues this document provides? What do they tell you about the content of the document?
____
4. Who produced the document, and what do you think it is for?
____

Turismo ecológico en Puerto Rico

Hotel Vistahermosa ~ Lajas, Puerto Rico

- 40 habitaciones individuales
- 15 habitaciones dobles
- Teléfono/TV por cable/Internet
- Aire acondicionado
- Restaurante (Bar)
- Piscina
- Área de juegos
- Cajero automático°

El hotel está situado en Playa Grande, un pequeño pueblo de pescadores del mar Caribe. Es el lugar perfecto para el viajero que viene de vacaciones. Las playas son seguras y limpias, ideales para tomar el sol, descansar, tomar fotografías y nadar. Está abierto los 365 días del año. Hay una rebaja° especial para estudiantes universitarios.

DIRECCIÓN: Playa Grande 406, Lajas, PR 00667, cerca del Parque Nacional Foresta.

cajero automático *ATM* **rebaja** *discount*

Atracciones cercanas

Playa Grande ¿Busca la playa perfecta? Playa Grande es el lugar que está buscando. Usted puede pescar, sacar fotos, nadar y pasear en bicicleta. Playa Grande es un paraíso para el turista que quiere practicar deportes acuáticos. El lugar es bonito e interesante y usted va a tener muchas oportunidades para descansar y disfrutar en familia.

Valle Niebla Ir de excursión, tomar café, montar a caballo, caminar, hacer picnics. Más de cien lugares para acampar.

Bahía Fosforescente Sacar fotos, salidas de noche, excursión en barco. Una maravillosa experiencia llena de luz°.

Arrecifes° de Coral Sacar fotos, bucear, explorar. Es un lugar único en el Caribe.

Playa Vieja Tomar el sol, pasear en bicicleta, jugar a las cartas, escuchar música. Ideal para la familia.

Parque Nacional Forestal Sacar fotos, visitar el Museo de Arte Nativo. Reserva Mundial de la Biosfera.

Santuario de las Aves Sacar fotos, observar aves°, seguir rutas de excursión.

llena de luz *full of light* arrecife *reef* aves *birds*

Después de leer

Listas

Which amenities of Hotel Vistahermosa would most interest these potential guests? Explain your choices.

1. dos padres con un hijo de seis años y una hija de ocho años

   ____

2. un hombre y una mujer en su luna de miel (*honeymoon*)

   ____

3. una persona en un viaje de negocios (*business trip*)

   ____

Conversaciones

With a partner, take turns asking each other these questions.

1. ¿Quieres visitar el Hotel Vistahermosa? ¿Por qué?
2. Tienes tiempo de visitar sólo tres de las atracciones turísticas que están cerca del hotel. ¿Cuáles vas a visitar? ¿Por qué?
3. ¿Qué prefieres hacer en Valle Niebla? ¿En Playa Vieja? ¿En el Parque Nacional Forestal?

Situaciones

You are a tourist who has just arrived at Hotel Vistahermosa. Your classmate is the concierge. Use the phrases below to express your interests and ask for suggestions about where to go.

1. montar a caballo
2. bucear
3. pasear en bicicleta
4. pescar
5. observar aves

Contestar

Answer these questions.

1. ¿Quieres visitar Puerto Rico? Explica tu respuesta.

   ____

2. ¿Adónde quieres ir de vacaciones el verano que viene? Explica tu respuesta.

   ____

I CAN scan, then read and understand key details in a hotel brochure.

I CAN ask for information or make recommendations about activities to do in a resort.

Communicative Goal: Use an idea map to create a brochure with specific details about a hotel

Escritura

Estrategia

Making an outline

When we write to share information, an outline can serve to separate topics and subtopics, providing a framework for the presentation of data. Consider the following excerpt from an outline of the tourist brochure on pages 214–215.

IV. Descripción del sitio (con foto)
  A. Playa Grande
    1. Playas seguras y limpias
    2. Ideal para tomar el sol, descansar, tomar fotografías, nadar
  B. El hotel
    1. Abierto los 365 días del año
    2. Rebaja para estudiantes

Mapa de ideas

Idea maps can be used to create outlines. The major sections of an idea map correspond to the Roman numerals in an outline. The minor idea map sections correspond to the outline's capital letters, and so on. Examine the idea map that led to the outline above.

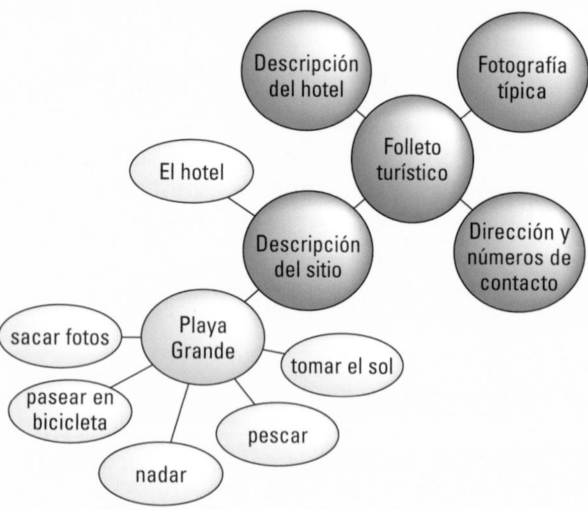

Tema

Escribir un folleto

Write a tourist brochure for a hotel or resort you have visited. If you wish, you may write about an imaginary location. You may want to include some of this information in your brochure:

- the name of the hotel or resort
- phone and fax numbers that tourists can use to make contact
- the hotel website that tourists can consult
- an e-mail address that tourists can use to request information
- a description of the exterior of the hotel or resort
- a description of the interior of the hotel or resort, including facilities and amenities
- a description of the surrounding area, including its climate
- a listing of nearby scenic natural attractions
- a listing of nearby cultural attractions
- a listing of recreational activities that tourists can pursue in the vicinity of the hotel or resort

I CAN use an idea map to create a brochure with information about a hotel.

Escuchar

Estrategia

Listening for key words

By listening for key words or phrases, you can identify the subject and main ideas of what you hear, as well as some of the details.

To practice this strategy, you will now listen to a short paragraph. As you listen, jot down the key words that help you identify the subject of the paragraph and its main ideas.

Preparación

Based on the illustration, who do you think Hernán Jiménez is, and what is he doing? What key words might you listen for to help you understand what he is saying?

Ahora escucha

Now you are going to listen to a weather report by Hernán Jiménez. Note which phrases are correct according to the key words and phrases you hear.

Santo Domingo

1. hace sol
2. va a hacer frío
3. una mañana de mal tiempo
4. va a estar nublado
5. buena tarde para tomar el sol
6. buena mañana para la playa

San Francisco de Macorís

1. hace frío
2. hace sol
3. va a nevar
4. va a llover
5. hace calor
6. mal día para excursiones

Comprensión

¿Cierto o falso?

Indicate whether each statement is **cierto** or **falso**, based on the weather report. Correct the false statements.

1. Según el meteorólogo, la temperatura en Santo Domingo es de 26 grados.
   ______
2. La temperatura máxima en Santo Domingo hoy va a ser de 30 grados.
   ______
3. Está lloviendo ahora en Santo Domingo.
   ______
4. En San Francisco de Macorís la temperatura mínima de hoy va a ser de 20 grados.
   ______
5. Va a llover mucho hoy en San Francisco de Macorís.
   ______

Preguntas

Answer these questions about the weather report.

1. ¿Hace viento en Santo Domingo ahora?
2. ¿Está nublado en Santo Domingo ahora?
3. ¿Está nevando ahora en San Francisco de Macorís?
4. ¿Qué tiempo hace en San Francisco de Macorís?

I CAN identify the main idea and key details of a weather report, in a short audio recording.

en pantalla

Anuncio de Santander LANPASS

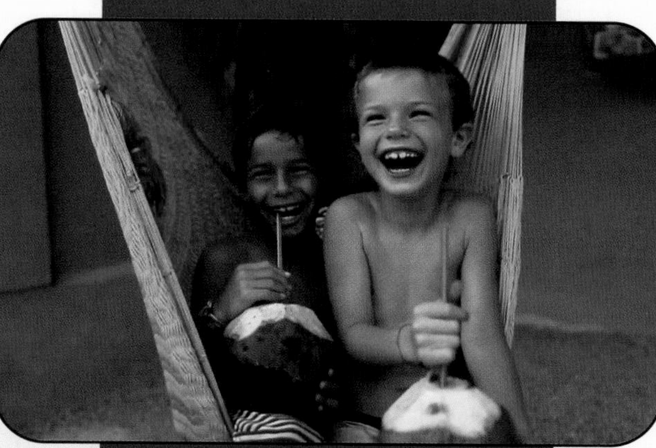

Con lo que realmente nos importa°.

Preparación

Answer these questions in Spanish.

1. ¿Te gusta viajar? ¿Por qué? ¿A dónde te gusta viajar?
2. ¿Qué te gusta hacer cuando estás de vacaciones?
3. ¿Qué modo de transporte prefieres usar? ¿Por qué?

El arte de viajar

Millions of people travel on airlines every year for business and pleasure. The number of airline passengers is expected to double between 2014 and 2034 worldwide. This is true for Latin America, too, as airlines are looking at how to attract all those customers to their planes. The airline of Chile, LAN, has partnered with the international bank Santander to create the loyalty program LANPASS to encourage frequent travel on LAN. What does an airline say to travelers that captures their attention and makes their business seem like your pleasure?

importa *matters*

Vocabulario útil

arena	*sand*
cambiar	*to change*
destino	*destination*
medir	*to measure*
mismo/a	*itself*
piel	*skin*
puestas de sol	*sunsets*
recuerdos	*memories*
sentirse	*to feel*

Comprensión

Mark an X next to the phrases you hear in the ad. Irse es volver a....

_ cambiar de piel
_ conectarnos
_ estudiar mucho
_ un mundo sin Internet
_ trabajar
_ castillos de arena
_ destinos exóticos
_ la esencia de todo
_ sacar fotos
_ sentirse vivo
_ las siestas
_ tiempo en familia

Conversación

Answer these questions with a classmate.

1. Según el anuncio, ¿cuáles son algunas cosas positivas de viajar?
2. ¿Cuáles de estas cosas positivas son importantes para ti? ¿Por qué?
3. Para tener experiencias positivas, ¿a dónde viajas tú? ¿A dónde viaja tu familia? ¿Y tus amigos?

Aplicación

With a classmate, prepare an ad inviting other people to travel to a special place. Explain why it is a perfect or ideal place. What evocative words and images will you use? Present your ad to the class.

I CAN ask and answer questions about the importance of traveling.

I CAN create a simple ad using an authentic resource as a model.

¡Vacaciones en Perú!

1 **Machu Picchu [...] se encuentra aislada sobre° esta montaña...**

2 **... siempre he querido° venir [...] Me encantan° las civilizaciones antiguas°.**

3 **Somos una familia francesa [...] Perú es un país muy, muy bonito de verdad.**

Preparación

Have you ever visited an archeological or historic site? Where? What did you learn about it?

Machu Picchu

Built by the Incas between 1438 and 1533, Machu Picchu has become the symbol of Incan civilization. Travel websites consistently list it among the top ten landmarks in the world. As a result, tourism to this popular attraction has exploded since the 1990's. It is estimated that more than 5,000 people walk its paths on a typical day during the summer months. New restrictions limit the number of visitors to 2,500 a day to protect the site and avoid congestion.

Vocabulario útil

aislada	*isolated*
caminando	*walking*
la ciudadela	*citadel, fortress*
disfrutar	*to enjoy*
misterioso	*mysterious*
el sector	*sector, area*
subir	*to climb, go up*
único	*unique*

se encuentra aislada sobre *it is isolated on* siempre he querido *I have always wanted* Me encantan *I love* antiguas *ancient*

Conversación

Watch the video and answer the questions individually. Then with a partner, discuss your answers. Do you share many of the same responses?

1. ¿En qué lengua es la expresión Machu Picchu? ¿Qué significa?
2. ¿En cuántos sectores dice Noemí que está dividida la ciudadela? ¿Puedes nombrar uno de los sectores?
3. ¿Cómo describen los turistas a Machu Picchu? ¿Cuáles son algunas palabras que usan?
4. ¿Cómo crees que suben la mayoría de los turistas a Machu Picchu? ¿Cómo te gustaría subir tú a Machu Picchu?

Aplicación

Write a paragraph about Machu Picchu in Spanish. Use the vocabulary and information you gathered from the video and the conversation with your partner. Search online for an image to go with your text.

I CAN write a paragraph about Machu Picchu.

Communicative Goal: Identify aspects of the geography and culture of Puerto Rico

Puerto Rico

Bandera de Puerto Rico

El país en cifras

- **Área:** 8.959 km^2 (3.459 millas^2), menor° que el área de Connecticut
- **Población:** 3.667.084

Puerto Rico es una de las islas más densamente pobladas° del mundo. Más de la mitad de la población vive en San Juan, la capital.

- **Capital:** San Juan—2.730.000
- **Ciudades principales:** Arecibo, Bayamón, Fajardo, Mayagüez, Ponce
- **Moneda:** dólar estadounidense
- **Idiomas:** español (oficial); inglés (oficial)

Aproximadamente la cuarta parte de la población puertorriqueña habla inglés, pero en las zonas turísticas este porcentaje es mucho más alto. El uso del inglés es obligatorio para documentos federales.

menor *smaller* **pobladas** *populated*

Playa en San Juan

Faro en Arecibo

Clausura de los Juegos Centroamericanos y del Caribe en Mayagüez

Iglesia en Ponce

Océano Atlántico

Arecibo

Río Grande de Añasco

Mayagüez

Sierra de Cayey

Cordillera Central

Ponce

Mar Caribe

Lugares • El Morro

El Morro es una fortaleza que se construyó para proteger° la bahía° de San Juan desde principios del siglo° XVI hasta principios del siglo XX. Hoy día muchos turistas visitan este lugar, convertido en un museo. Es el sitio más fotografiado de Puerto Rico. La arquitectura de la fortaleza es impresionante. Tiene misteriosos túneles, oscuras mazmorras° y vistas fabulosas de la bahía.

Artes • Salsa

La salsa, un estilo musical de origen puertorriqueño y cubano, nació° en el barrio latino de la ciudad de Nueva York. Dos de los músicos de salsa más famosos son Tito Puente y Willie Colón, los dos de Nueva York. Las estrellas° de la salsa en Puerto Rico son Felipe Rodríguez y Héctor Lavoe. Hoy en día, Puerto Rico es el centro internacional de este estilo musical. El Gran Combo de Puerto Rico es una de las orquestas de salsa más famosas del mundo°.

Ciencias • El Observatorio de Arecibo

El Observatorio de Arecibo tiene uno de los radiotelescopios más grandes del mundo. Gracias a este telescopio, los científicos° pueden estudiar las propiedades de la Tierra°, la Luna° y otros cuerpos celestes. También pueden analizar fenómenos celestiales como los quasares y pulsares, y detectar emisiones de radio de otras galaxias, en busca de inteligencia extraterrestre.

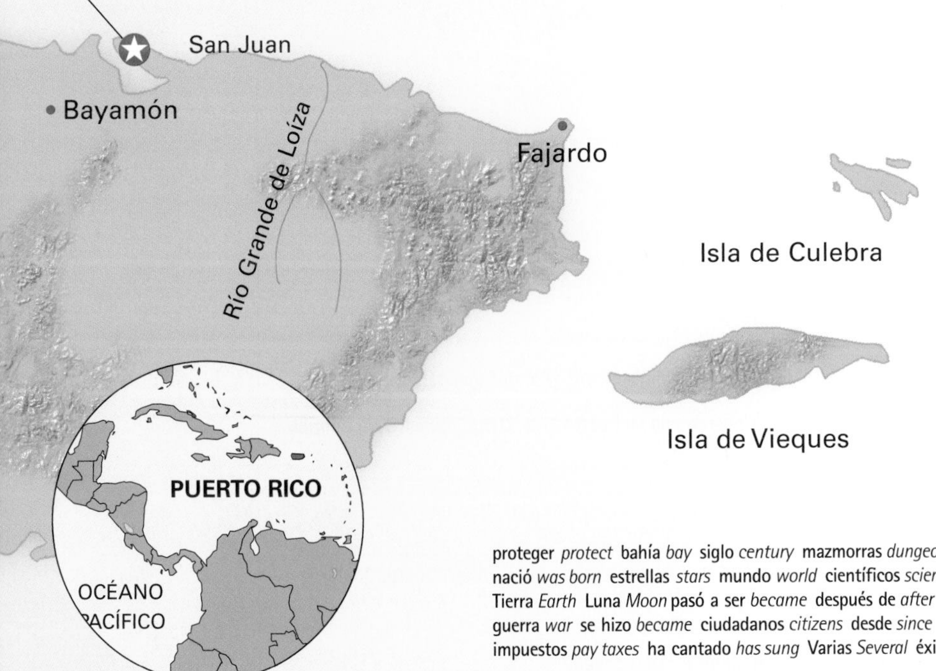

Historia • Relación con los Estados Unidos

Puerto Rico pasó a ser° parte de los Estados Unidos después de° la guerra° de 1898 y se hizo° un estado libre asociado en 1952. Los puertorriqueños, ciudadanos° estadounidenses desde° 1917, tienen representación política en el Congreso, pero no votan en las elecciones presidenciales y no pagan impuestos° federales.

CON RITMO HISPANO

Luis Fonsi (1978–)

Lugar de nacimiento:
San Juan, Puerto Rico

El cantante Luis Fonsi tiene 10 álbumes y ha cantado° con artistas como Christina Aguilera, David Bisbal, Laura Pauisni y Juan Luis Guerra. Varias° de sus canciones son éxitos° internacionales.

Go to ***vhlcentral.com*** *to find out more about* ***Luis Fonsi.***

proteger *protect* bahía *bay* siglo *century* mazmorras *dungeons* nació *was born* estrellas *stars* mundo *world* científicos *scientists* Tierra *Earth* Luna *Moon* pasó a ser *became* después de *after* guerra *war* se hizo *became* ciudadanos *citizens* desde *since* pagan impuestos *pay taxes* ha cantado *has sung* Varias *Several* éxitos *hits*

¿Qué aprendiste?

1 **¿Cierto o falso?** Indica si lo que dicen estas oraciones es **cierto** o **falso**.

1. Mayagüez es un famoso río de Puerto Rico.
2. La salsa es una comida puertorriqueña
3. En el Observatorio de Arecibo es posible estudiar el arte y la arquitectura de Puerto Rico.
4. El Morro es hoy en día un museo que recibe muchos turistas.
5. Los puertorriqueños son ciudadanos estadounidenses desde 1898.
6. Más de la mitad (*half*) de la población de Puerto Rico vive en la capital.

2 **Preguntas** Responde a cada pregunta con una oración completa.

1. ¿Cuál es la moneda de Puerto Rico?
2. ¿Qué idiomas se hablan (*are spoken*) en Puerto Rico?
3. ¿Cuál es el sitio más fotografiado de Puerto Rico?
4. ¿Cuál es la nacionalidad de los habitantes de Puerto Rico?
5. ¿Dónde nació la música salsa?
6. ¿Qué es el Gran Combo?
7. ¿Qué hacen los científicos en el Observatorio de Arecibo?
8. ¿Cuál es la profesión de Luis Fonsi?

3 **Ensayo** Escribe un ensayo de 7 a 10 oraciones para contestar esta pregunta:

Si vas de vacaciones a Puerto Rico, ¿qué vas a hacer y por qué?

En tu ensayo, utiliza datos de la sección *Panorama*.

Usa expresiones para organizar tus oraciones:

primero (*first*)
segundo (*second*)
también (*also*)
además (*besides*)
en mi opinión (*in my opinion*)
para concluir (*in conclusion*)

Organiza tu ensayo así:

- una introducción
- evidencias de *Panorama*
- una conclusión

ENTRE CULTURAS

Investiga sobre estos temas en vhlcentral.com.

1. **Describe a dos puertorriqueños famosos. ¿Cómo son? ¿Qué hacen? ¿Dónde viven? ¿Por qué son célebres?**
2. **Busca información sobre lugares en los que se puede hacer ecoturismo en Puerto Rico. Luego presenta un informe a la clase.**

I CAN identify basic facts about Puerto Rico's geography and culture by reading short informational texts with visuals.

I CAN write a short essay about what I would do on a vacation in Puerto Rico.

Los viajes y las vacaciones

acampar	*to camp*
confirmar una reservación	*to confirm a reservation*
estar de vacaciones (*f. pl.*)	*to be on vacation*
hacer las maletas	*to pack (one's suitcases)*
hacer un viaje	*to take a trip*
hacer (wind)surf	*to (wind)surf*
ir de compras (*f. pl.*)	*to go shopping*
ir de vacaciones	*to go on vacation*
ir en autobús (*m.*), auto(móvil) (*m.*), avión (*m.*), barco (*m.*), moto(cicleta) (*f.*), taxi (*m.*)	*to go by bus, car, plane, boat, motorcycle, taxi*
jugar a las cartas	*to play cards*
montar a caballo (*m.*)	*to ride a horse*
pescar	*to fish*
sacar/tomar fotos (*f. pl.*)	*to take photos*
el/la agente de viajes	*travel agent*
el/la inspector(a) de aduanas	*customs inspector*
el/la viajero/a	*traveler*
el aeropuerto	*airport*
la agencia de viajes	*travel agency*
el campo	*countryside*
el equipaje	*luggage*
la estación de autobuses, del metro, de tren	*bus, subway, train station*
la llegada	*arrival*
el mar	*sea*
el paisaje	*landscape*
el pasaje (de ida y vuelta)	*(round-trip) ticket*
el pasaporte	*passport*
la playa	*beach*
la salida	*departure; exit*
la tabla de (wind)surf	*surfboard/sailboard*

El hotel

el ascensor	*elevator*
el/la botones	*bellhop*
la cama	*bed*
el/la empleado/a	*employee*
la habitación individual, doble	*single, double room*
el hotel	*hotel*
el/la huésped	*guest*
la llave	*key*
el piso	*floor (of a building)*
la planta baja	*ground floor*

Adjetivos

abierto/a	*open*
aburrido/a	*bored; boring*
alegre	*happy; joyful*
amable	*nice; friendly*
avergonzado/a	*embarrassed*
cansado/a	*tired*
cerrado/a	*closed*
cómodo/a	*comfortable*
confundido/a	*confused*
contento/a	*happy; content*
desordenado/a	*disorderly*
enamorado/a (de)	*in love (with)*
enojado/a	*mad; angry*
equivocado/a	*wrong*
feliz	*happy*
limpio/a	*clean*
listo/a	*ready; smart*
nervioso/a	*nervous*
ocupado/a	*busy*
ordenado/a	*orderly*
preocupado/a (por)	*worried (about)*
seguro/a	*sure; safe*
sucio/a	*dirty*
triste	*sad*

Los números ordinales

primer, primero/a	*first*
segundo/a	*second*
tercer, tercero/a	*third*
cuarto/a	*fourth*
quinto/a	*fifth*
sexto/a	*sixth*
séptimo/a	*seventh*
octavo/a	*eighth*
noveno/a	*ninth*
décimo/a	*tenth*

Palabras adicionales

ahora mismo	*right now*
el año	*year*
¿Cuál es la fecha (de hoy)?	*What is the date (today)?*
de buen/mal humor	*in a good/bad mood*
la estación	*season*
el mes	*month*
todavía	*yet; still*

Seasons, months, and dates	*See page 188.*
Weather expressions	*See page 188.*
Direct object pronouns	*See page 208.*
Expresiones útiles	*See page 193.*

A primera vista

- ¿Qué está haciendo la chica?
- ¿Crees que busca algo en especial?
- ¿Está contenta o aburrida?
- ¿Cómo es ella?

Essential Questions

1. What affects our choices in clothing?
2. How does shopping for food and clothing in the United States compare to shopping in Spanish-speaking countries?
3. How does culture affect the way we interact with vendors when we make a purchase?

6 ¡De compras!

Can Do Goals

By the end of this lesson I will be able to:

- Talk about shopping and clothing preferences
- Participate in a conversation at an open-air market and negotiate a price
- Talk about people, things, and places I know
- Discuss clothing, fit and price, in order to make a purchase
- Exchange information about activities that took place in the past
- Exchange opinions about specific clothing items and describe their location

Also, I will learn about:

Culture

- Open-air markets in Spanish-speaking countries
- Mexican designer Francisco Cancino
- Cuba's geography and culture

Skills

- Reading: Reading a short story
- Writing: How to report an interview
- Listening: Listening for linguistic cues

Lesson 6 Integrated Performance Assessment

Context: On your way to your vacation in Colombia, the airline lost your and your partner's suitcases. You both should decide what you will each need to buy and how many pesos you will spend.

Ventas informales en Mendoza, Argentina

Práctica: Las ventas callejeras son populares en Latinoamérica. ¿En dónde puedes hacer compras en tu comunidad?

¡De compras!

Más vocabulario

el abrigo	*coat*
los calcetines (el calcetín)	*sock(s)*
el cinturón	*belt*
las gafas (de sol)	*(sun)glasses*
los guantes	*gloves*
el impermeable	*raincoat*
las medias	*pantyhose; stockings*
la ropa	*clothing; clothes*
la ropa interior	*underwear*
el traje	*suit*
los zapatos de tenis	*sneakers*
el regalo	*gift*
el almacén	*department store*
el centro comercial	*shopping mall*
el mercado (al aire libre)	*(open-air) market*
el precio (fijo)	*(fixed; set) price*
la rebaja	*sale*
la tarjeta de débito	*debit card*
la tienda	*shop; store*
comprar en línea	*to buy online*
costar (o:ue)	*to cost*
gastar	*to spend (money)*
pagar	*to pay*
regatear	*to bargain*
vender	*to sell*
hacer juego (con)	*to match (with)*
llevar	*to wear; to take*
usar	*to wear; to use*

Variación léxica

calcetines ⟷ medias (*Amér. L.*)
cinturón ⟷ correa (*Col., Venez.*)
gafas/lentes ⟷ espejuelos (*Cuba, P.R.*), anteojos (*Arg., Chile*)
zapatos de tenis ⟷ zapatillas de deporte (*Esp.*), zapatillas (*Arg., Perú*)

Práctica

1 Escuchar Listen to Juanita and Vicente talk about what they're packing for their vacations. Indicate who is packing each item. If both are packing an item, write both names. If neither is packing an item, write an **X**.

1. abrigo ________
2. zapatos de tenis ________
3. impermeable ________
4. chaqueta ________
5. sandalias ________
6. bluejeans ________
7. gafas de sol ________
8. camisetas ________
9. traje de baño ________
10. botas ________
11. pantalones cortos ________
12. suéter ________

2 ¿Lógico o ilógico? Listen to Guillermo and Ana talk about vacation destinations. Indicate whether each statement is **lógico** or **ilógico**.

1. ________
2. ________
3. ________
4. ________

3 Completar Anita is talking about going shopping. Complete each sentence with the correct word(s), adding definite or indefinite articles when necessary.

caja	medias	tarjeta de crédito
centro comercial	par	traje de baño
dependientas	ropa	vendedores

1. Hoy voy a ir de compras al ____________.
2. Voy a ir a la tienda de ropa para mujeres. Siempre hay muchas rebajas y las ____________ son muy simpáticas.
3. Necesito comprar ____________ de zapatos.
4. Y tengo que comprar ____________ porque el sábado voy a la playa con mis amigos.
5. También voy a comprar unas ____________ para mi mamá.
6. Voy a pagar todo (*everything*) en ____________.
7. Pero hoy no tengo dinero. Voy a tener que usar mi ____________.
8. Mañana voy al mercado al aire libre. Me gusta regatear con los ____________.

4 Escoger Choose the item in each group that does not belong.

1. almacén • centro comercial • mercado • sombrero
2. camisa • camiseta • blusa • botas
3. jeans • bolsa • falda • pantalones
4. abrigo • suéter • corbata • chaqueta
5. mercado • tienda • almacén • cartera
6. pagar • llevar • hacer juego (con) • usar
7. botas • sandalias • zapatos • traje
8. vender • regatear • ropa interior • gastar

Los colores

¡LENGUA VIVA!

The names of colors vary throughout the Spanish-speaking world. For example, in some countries, **anaranjado/a** may be referred to as **naranja**, **morado/a** as **púrpura**, and **rojo/a** as **colorado/a**.

Other terms that will prove helpful include **claro** (*light*) and **oscuro** (*dark*): **café claro**, **café oscuro.**

Adjetivos

barato/a	*cheap*
bueno/a	*good*
cada	*each*
caro/a	*expensive*
corto/a	*short (in length)*
elegante	*elegant*
hermoso/a	*beautiful*
largo/a	*long*
loco/a	*crazy*
nuevo/a	*new*
otro/a	*other; another*
pobre	*poor*
rico/a	*rich*

5 **Contrastes** Complete each phrase with the opposite of the underlined word.

1. una corbata barata • unas camisas...
2. unas vendedoras malas • unos dependientes...
3. un vestido corto • una falda...
4. un hombre muy pobre • una mujer muy...
5. una cartera nueva • un cinturón...
6. unos trajes hermosos • unos jeans...
7. un impermeable caro • unos suéteres...
8. unos calcetines blancos • unas medias...

CONSULTA

Like other adjectives you have seen, colors must agree in gender and number with the nouns they modify. Ex: **las camisas grises, el vestido anaranjado.** For a review of basic colors and descriptive adjectives, see **Estructura 3.1,** pp. 118–119.

6 **Preguntas** Answer these questions with a classmate.

1. ¿De qué color es la rosa de Texas?
2. ¿De qué color es la bandera (*flag*) de Canadá?
3. ¿De qué color es la casa donde vive el presidente de los EE.UU.?
4. ¿De qué color es el océano Atlántico?
5. ¿De qué color es la nieve?
6. ¿De qué color es el café?
7. ¿De qué color es el dólar de los EE.UU.?
8. ¿De qué color son los elefantes (*elephants*)?
9. ¿De qué color son las cebras?
10. ¿De qué color son las bananas maduras (*ripe*)?

Comunicación

7 

Las maletas With a classmate, answer these questions about the drawings.

1. ¿Qué hay al lado de la maleta de Carmela?
2. ¿Qué hay en la maleta?
3. ¿De qué color son las sandalias? ¿Y la camiseta?
4. ¿Adónde va Carmela?
5. ¿Qué tiempo va a hacer?

6. ¿Qué hay al lado de la maleta de Pepe?
7. ¿Qué hay en la maleta?
8. ¿De qué color es el suéter? ¿Y los pantalones?
9. ¿Qué va a hacer Pepe en Bariloche?
10. ¿Qué tiempo va a hacer?

CONSULTA

To review weather, see **Lección 5, Contextos,** p. 188.

NOTA CULTURAL

Bariloche is a popular resort for skiing in South America. Located in Argentina's Patagonia region, the town is also known for its chocolate factories and its beautiful lakes, mountains, and forests. What are the most popular resorts for skiing in your country? What else can you do there?

8

El viaje Get together with two classmates and imagine that the three of you are going on vacation. Pick a destination and then draw three suitcases. Write what clothing each of you is taking. Present your lists to the class, answering these questions.

- ¿Adónde van?
- ¿Qué tiempo va a hacer allí?
- ¿Qué van a hacer allí?
- ¿Qué hay en sus maletas?
- ¿De qué color es la ropa que llevan?

9    

Preferencias Take turns asking and answering these questions with a classmate.

1. ¿Adónde vas a comprar ropa? ¿Por qué?
2. ¿Qué tipo de ropa prefieres? ¿Por qué?
3. ¿Cuáles son tus colores favoritos?
4. En tu opinión, ¿es importante comprar ropa nueva frecuentemente? ¿Por qué?
5. Y tu familia, ¿gasta mucho dinero en ropa cada mes? ¿Buscan rebajas tus padres?
6. ¿Regatea tu familia cuando compra ropa? ¿Usan tus padres tarjetas de crédito?
7. ¿Te gusta comprar ropa en línea o prefieres ir a las tiendas?

I CAN talk about shopping and clothing preferences.

¡Eso sí es una ganga!

Sara busca un vestido en una tienda y Juanjo busca gafas de sol en el mercado.

ANTES DE VER
Scan the captions for vocabulary related to shopping.

1

DEPENDIENTA Buenas tardes. ¿Cómo os puedo ayudar?

VALENTINA Buscamos un vestido.

DEPENDIENTA Tenemos vestidos largos y cortos. Tenemos ésos en rebaja, y también os podemos hacer un vestido a la medida.

SARA ¿Qué colores tiene?

DEPENDIENTA En su talla tenemos... rojo, verde, azul, blanco, amarillo y negro.

2

JUANJO ¡Ya pasamos por aquí dos veces y no está el puesto de las gafas! ¡Si no lo encontramos en cinco minutos, vamos al centro comercial!

MANUEL ¡Estamos en el mercado porque es más barato, Juanjo! Mira, esa camisa tiene muy buen precio. Y hace juego con estos pantalones.

JUANJO ¡Manuel, no busco una camisa, busco unas gafas de sol!

4

JUANJO ¿Qué precio tienen estas gafas?

VENDEDOR Treinta euros. ¿No leíste?

JUANJO ¿Me puede hacer un descuento?

MANUEL Le damos quince euros.

VENDEDOR Te vendo las gafas en veinticinco.

MANUEL ¡Veinte!

VENDEDOR ¡Vale! Veinte.

5

SARA ¡Mi papá me va a matar! ¡Gasté trescientos ochenta euros!

VALENTINA El vestido que compraste es hermoso, y los zapatos son muy elegantes.

SARA Ese vestido es muy bonito, ¿no? ¡Y los zapatos!

VALENTINA ¿Vas a cambiar el vestido y los zapatos que acabas de comprar?

SARA ¡No!

PERSONAJES

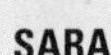

SARA

VALENTINA

DEPENDIENTA

JUANJO

MANUEL

VENDEDOR

DANIEL

3

SARA ¡Ya decidí! ¡El rojo!

VALENTINA ¡Por fin!

SARA ¡Ahora, un par de zapatos y listo!

6

JUANJO ¡Tú sí sabes regatear, Manuel!

MANUEL ¿Aquel chico no es Daniel? ¡Daniel!

DANIEL Hola, ¿qué tal?

JUANJO ¿Dónde conseguiste esas gafas?

DANIEL Pues, las compré aquí la semana pasada.

MANUEL ¡Seguro pagaste treinta euros!

Expresiones útiles

a la medida *custom-made*
ayudar *to help*
cambiar *to exchange*
el descuento *discount*
la estrella *star*
la ganga *bargain*
hace años *years ago*
parecer *to look like*
por fin *finally*
el puesto *stall*
la talla *size (in clothes)*
vale *OK (in Spain)*

---

de lunares/rayas *polka-dotted/striped*
el probador *dressing room*

El Rastro

El mercado al aire libre más popular de Madrid es **El Rastro**. Es uno de los íconos de la capital. Puedes ir de compras en El Rastro los domingos y los días de fiesta entre las nueve de la mañana y las tres de la tarde. Allí venden de todo: ropa, libros, música, arte, maletas.

¿Dónde puede regatear la gente en tu comunidad?

¿Qué pasó?

1 **¿Cierto o falso?** Indicate if each statement is **cierto** or **falso**. Correct the false statements.

	Cierto	Falso
1. Manuel quiere ir de compras al centro comercial.	❍	❍
2. Juanjo busca gafas de sol.	❍	❍
3. Sara compra el vestido amarillo.	❍	❍
4. Sara gasta mucho dinero en la tienda.	❍	❍
5. Manuel y Juanjo encuentran a Daniel en el almacén.	❍	❍

2 **Ordenar** Put the events in order.

__ a. Juanjo y Daniel llevan las mismas (*the same*) gafas de sol.
__ b. Sara compra un vestido.
__ c. Manuel regatea.
__ d. Sara y Valentina llegan a la tienda.
__ e. Juanjo y Manuel no encuentran el puesto de gafas.

3 **Identificar** Identify the person who made each statement.

DANIEL JUANJO MANUEL SARA

1. ¿Cuánto cuestan estas gafas?
2. Esa camisa no es cara.
3. ¿Dónde compraste esas gafas?
4. Ese vestido es muy hermoso, ¿verdad?
5. ¡Las compré regateando!

AYUDA

When discussing prices, it's important to keep in mind singular and plural forms of verbs.

La **camisa cuesta** diez dólares.

Las **gafas cuestan** sesenta dólares.

El **precio** de las gafas **es** sesenta dólares.

Los **precios** de la ropa **son** altos.

4 **¡A regatear!** With a partner, role-play a conversation between a customer and a salesperson in an open-air market. Use these expressions and others used in the **Fotonovela** episode.

¿Qué desea?	Estoy buscando...	Prefiero el/la rojo/a.
What would you like?	*I'm looking for...*	*I prefer the red one.*

Cliente/a	Vendedor(a)
Say good afternoon.	→ Greet the customer and ask what he/she would like.
Explain that you are looking for a particular item of clothing.	→ Show him/her some items and ask what he/she prefers.
Discuss colors and sizes.	→ Discuss colors and sizes.
Ask for the price and begin bargaining.	→ Tell him/her a price. Negotiate a price.
Settle on a price and purchase the item.	→ Accept a price and say thank you.

I CAN participate in a conversation at an open-air market and negotiate a price.

Pronunciación

The consonants d and t

¿Dónde? **vender** **nadar** **verdad**

Like **b** and **v**, the Spanish **d** can also have a hard sound or a soft sound, depending on which letters appear next to it.

Don **dinero** **tienda** **falda**

At the beginning of a phrase and after **n** or **l**, the letter **d** is pronounced with a hard sound. This sound is similar to the English *d* in *dog*, but a little softer and duller. The tongue should touch the back of the upper teeth, not the roof of the mouth.

medias **verde** **vestido** **huésped**

In all other positions, **d** has a soft sound. It is similar to the English *th* in *there*, but a little softer.

Don Diego no tiene el diccionario.

When **d** begins a word, its pronunciation depends on the previous word. At the beginning of a phrase or after a word that ends in **n** or **l**, it is pronounced as a hard **d**.

Doña Dolores es de la capital.

Words that begin with **d** are pronounced with a soft **d** if they appear immediately after a word that ends in a vowel or any consonant other than **n** or **l**.

traje **pantalones** **tarjeta** **tienda**

When pronouncing the Spanish **t**, the tongue should touch the back of the upper teeth, not the roof of the mouth. Unlike the English *t*, no air is expelled from the mouth.

Práctica Read these phrases aloud to practice the **d** and the **t**.

1. Hasta pronto.
2. De nada.
3. Mucho gusto.
4. Lo siento.
5. No hay de qué.
6. ¿De dónde es usted?
7. ¡Todos a bordo!
8. No puedo.
9. Es estupendo.
10. No tengo computadora.
11. ¿Cuándo vienen?
12. Son las tres y media.

Oraciones Read these sentences aloud to practice the **d** and the **t**.

1. Don Teodoro tiene una tienda en un almacén en La Habana.
2. Don Teodoro vende muchos trajes, vestidos y zapatos todos los días.
3. Un día un turista, Federico Machado, entra en la tienda para comprar un par de botas.
4. Federico regatea con don Teodoro y compra las botas y también un par de sandalias.

Refranes Read these sayings aloud to practice the **d** and the **t**.

En la variedad está el gusto.[1]

Aunque la mona se vista de seda, mona se queda.[2]

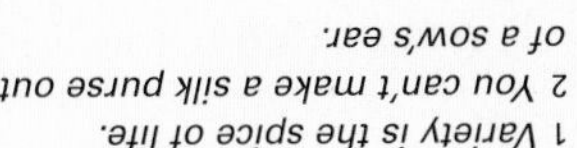
1 Variety is the spice of life.
2 You can't make a silk purse out of a sow's ear.

Communicative Goal: Identify some features of open-air markets and fashion designers in Spanish-speaking countries

EN DETALLE

Los mercados al aire libre

Los mercados al aire libre son una parte esencial del comercio y la cultura de los países de habla hispana. Estos mercados se pueden realizar todos los días o una vez° a la semana y son importantes para la interacción de comerciantes, habitantes locales y turistas. La gente va a los mercados a hacer sus compras, socializar, probar° comidas típicas y ver el trabajo de artistas callejeros°. En los diferentes puestos°, uno puede encontrar productos como frutas y verduras° frescas, ropa, accesorios, artículos para el hogar° y artesanías°. Algunos mercados ofrecen diversos productos, mientras que otros se especializan en uno solo, como comida, ropa o productos usados, como antigüedades° y libros.

Mercado de Otavalo

Cuando un cliente está interesado en un artículo, puede negociar el precio con el vendedor. Esta negociación (que se conoce como *regatear*) es frecuente y gracias a ella se pueden obtener precios significativamente bajos. Con frecuencia, los vendedores le dan al cliente un poco más de lo que compran (por ejemplo, una fruta más); esta adición se conoce como *ñapa*.

Muchos mercados al aire libre se han convertido° en atracciones turísticas. El mercado de Otavalo, Ecuador, es famoso en el mundo y

se ha llevado a cabo° todos los sábados desde la época preincaica. En este mercado abundan los coloridos° textiles hechos por indígenas de la región. Otro mercado popular es El Rastro, que se lleva a cabo todos los domingos en Madrid, España. Allí, los vendedores ponen puestos en las calles para exhibir sus productos, que van desde obras° de arte y antigüedades hasta° ropa barata y artículos electrónicos.

una vez *once* **probar** *to taste* **callejeros** *street* **puestos** *stands* **verduras** *vegetables* **hogar** *home* **artesanías** *crafts* **antigüedades** *antiques* **se han convertido** *have become* **se ha llevado a cabo** *has taken place* **coloridos** *colorful* **obras** *works* **desde… hasta** *from… to*

ASÍ SE DICE

La ropa

la chamarra (Méx.)	la chaqueta
de manga corta/larga	*short/long-sleeved*
los mahones (P. Rico); el pantalón de mezclilla (Méx.); los tejanos (Esp.); los vaqueros (Arg., Cuba, Esp., Uru.)	los bluejeans
la marca	*brand*
la playera (Méx.); la remera (Arg.)	la camiseta

ACTIVIDADES

1 **¿Cierto o falso?** Indicate whether the following statements are **cierto** or **falso.** Correct the false statements.

1. Generally, open-air markets specialize in one type of goods.
2. Bargaining is commonplace at outdoor markets.
3. You cannot eat in open-air markets.
4. A Spaniard in search of antiques could search at **El Rastro**.
5. Open-air markets operate only on weekends.
6. A **ñapa** is a tax on open-air market goods.
7. The **otavaleños** weave colorful textiles to sell on Saturdays.
8. You can buy works of art in **El Rastro**.

2 **Conversación** Use the following questions to talk to a partner about open-air markets.

1. ¿Te parecen interesantes los mercados al aire libre? ¿Por qué?
2. Si vas al mercado El Rastro en Madrid, ¿qué quieres comprar?
3. ¿Hay mercados al aire libre en tu comunidad? ¿Cómo son? ¿Qué puedes comprar allí? ¿Qué días operan?
4. ¿En los mercados de tu comunidad se puede regatear? ¿Los vendedores allí dan algo parecido a una ñapa?

3 **Una familia nueva** En tu barrio (*neighborhood*) hay una nueva familia inmigrante de un país hispanohablante. Ellos quieren saber dónde pueden hacer las compras en tu comunidad. En grupos pequeños, preparen una presentación en la que le expliquen a la familia (sus compañeros) sobre los lugares (*places*) donde pueden hacer las compras y las diferencias que pueden encontrar con sus países de origen.

I CAN identify and discuss markets in my own and other cultures.

ENTRE CULTURAS

¿Cuáles son los principales mercados del mundo hispano?

*Go to **vhlcentral.com** to find out more cultural information related to this **Cultura** section.*

PERFIL

Francisco Cancino

Los diseños de Francisco Cancino combinan el estilo tradicional mexicano con las tendencias internacionales de la moda. Gracias a esta fusión, este diseñador es ahora un importante exponente de la moda mexicana.

Cancino dice que tuvo° la fortuna de vivir en su infancia en un lugar (Tuxla, México) donde la cultura en torno a° la ropa es muy importante y que ese factor determinó desde muy joven el camino que lo condujo° al mundo de la moda. Dice que gracias a las tradiciones de su región logró encontrar un estilo propio°. Sus diseños se basan en los textiles indígenas de su país, que le sirven de inspiración para su creación.

Cancino es fundador de la marca Yakampot, ubicada en Chiapas, México. Siguiendo el estilo de Cancino, esta empresa busca mezclar° los motivos° mexicanos con las tendencias globales para satisfacer las necesidades de un mercado que quiere mantener su identidad en el mundo de la moda internacional. En palabras del diseñador: "Yakampot retoma° elementos de la cultura tradicional textil de este país. Intenta° descubrir también la silueta contemporánea de la moda mexicana".

tuvo *had* en torno a *around* lo condujo *led him* propio *of his own* mezclar *mix* motivos *motifs* retoma *reconfigures* intenta *tries*

Comprensión

Complete these sentences with the correct information from the reading.

1. Francisco Cancino vivió su infancia en ______________.
2. Cancino usa las ______________ de su región para crear su estilo.
3. Él incorpora los ______________ indígenas en sus diseños.
4. El objetivo de su marca Yakampot es combinar estilos mexicanos con las tendencias ______________.

Communicative Goal: Talk about things and people that I and other people know well

6.1 Saber and conocer

ANTE TODO Spanish has two verbs that mean *to know*: **saber** and **conocer**. They cannot be used interchangeably. Note the irregular **yo** forms.

The verbs saber and conocer

		saber (*to know*)	conocer (*to know*)
SINGULAR FORMS	yo	**sé**	**conozco**
	tú	**sabes**	**conoces**
	Ud./él/ella	**sabe**	**conoce**
PLURAL FORMS	nosotros/as	**sabemos**	**conocemos**
	vosotros/as	**sabéis**	**conocéis**
	Uds./ellos/ellas	**saben**	**conocen**

- **Saber** means *to know a fact or piece(s) of information* or *to know how to do something.*

  No **sé** tu número de teléfono.
  I don't know your telephone number.

  Mi hermana **sabe** hablar francés.
  My sister knows how to speak French.

- **Conocer** means *to know* or *be familiar/acquainted* with a person, place, or thing.

  ¿**Conoces** la ciudad de Nueva York?
  Do you know New York City?

  No **conozco** a tu amigo Esteban.
  I don't know your friend Esteban.

- When the direct object of **conocer** is a person or pet, the personal **a** is used.

  ¿Conoces La Habana? *but* ¿Conoces **a** Celia Cruz?
  Do you know Havana? *Do you know Celia Cruz?*

- **¡Atención! Parecer** (*to seem*) and **ofrecer** (*to offer*) are conjugated like **conocer**.

- **¡Atención! Conducir** (*to drive*) and **traducir** (*to translate*) also have a similar **yo** form, but since they are **-ir** verbs, they are conjugated differently from **conocer**.

conducir ▶ **conduzco, conduces, conduce, conducimos, conducís, conducen**
traducir ▶ **traduzco, traduces, traduce, traducimos, traducís, traducen**

NOTA CULTURAL

Cuban singer **Celia Cruz** (1925–2003), known as the "Queen of Salsa," recorded many albums over her long career. Adored by her fans, she was famous for her colorful and lively on-stage performances. Do you know other artists with Cuban backgrounds that are famous in your country?

¡INTÉNTALO! Provide the appropriate forms of these verbs.

saber

1. José no *sabe* la hora.
2. Sara y yo ________ jugar al tenis.
3. ¿Por qué no ________ tú estos verbos?
4. Mis padres ________ hablar japonés.
5. Yo ________ a qué hora es la clase.
6. Usted no ________ dónde vivo.
7. Mi hermano no ________ nadar.
8. Nosotros ________ muchas cosas.

conocer

1. Usted y yo *conocemos* bien Miami.
2. ¿Tú ________ a mi amigo Manuel?
3. Sergio y Taydé ________ mi pueblo.
4. Emiliano ________ a mis padres.
5. Yo ________ muy bien el centro.
6. ¿Ustedes ________ la tienda Gigante?
7. Nosotras ________ una playa hermosa.
8. ¿Usted ________ a mi profesora?

Práctica y Comunicación

1 **Completar** Indicate the correct verb for each sentence.

1. Mis hermanos (conocen/saben) conducir, pero yo no (sé/conozco).
2. —¿(Conocen/Saben) ustedes dónde está el estadio? —No, no (conocemos/sabemos).
3. —¿(Conoces/Sabes) a Lady Gaga? —Bueno, (sé/conozco) quién es, pero no la (conozco/sé).
4. Mi profesora (sabe/conoce) Cuba y también (conoce/sabe) bailar salsa.

2 **Combinar** Combine elements from each column to create sentences.

A	B	C
Shakira	(no) conocer	Jimmy Fallon
los Yankees	(no) saber	cantar y bailar
el primer ministro de Canadá		La Habana Vieja
mis amigos y yo		muchas personas importantes
tú		hablar dos lenguas extranjeras
		jugar al béisbol

3 **Preguntas** In pairs, ask each other these questions. Answer with complete sentences.

1. ¿Conoces a un(a) cantante famoso/a? ¿Te gusta cómo canta?
2. En tu familia, ¿quién sabe cantar bien? ¿Tu opinión es objetiva?
3. Tus padres, ¿conducen bien o mal? ¿Y tus hermanos mayores?
4. Si una persona no conduce muy bien, ¿le ofreces crítica constructiva?
5. ¿Cómo parece estar el/la profesor(a) hoy? ¿Y tus compañeros de clase?

4 **Entrevista** Jot down three things you know how to do, three people you know, and three places you are familiar with. Then, in a small group, find out what you have in common.

modelo

Estudiante 1: *¿Conocen ustedes a David Lomas?*
Estudiante 2: *Sí, conozco a David. Vivimos en el mismo barrio (neighborhood).*
Estudiante 3: *No, no lo conozco. ¿Cómo es?*

5 **Anuncio** In groups, read the ad and answer these questions.

1. Busquen ejemplos de **saber** y **conocer**.
2. ¿Qué saben del Centro Comercial Málaga?
3. ¿Qué pueden hacer allí?
4. ¿Conocen otros centros comerciales similares? ¿Cómo se llaman? ¿Dónde están?
5. ¿Conocen un centro comercial en otro país? ¿Cómo es?

Él sabe dónde comer lo que más le gusta.
Él sabe cómo jugar cuatro horas seguidas.
Él sabe dónde está su regalo de cumpleaños.
Él sabe dónde divertirse...
... y usted sabe dónde puede encontrar un poco de todo.
¿Conoce algún otro lugar como éste?
CENTRO COMERCIAL MÁLAGA
SABE LO QUE TE GUSTA.

I CAN ask and answer questions about people and things I know.

6.2 Indirect object pronouns

ANTE TODO In **Lección 5**, you learned that a direct object receives the action of the verb directly. In contrast, an indirect object receives the action of the verb indirectly.

SUBJECT	I.O. PRONOUN	VERB	DIRECT OBJECT	INDIRECT OBJECT
Roberto	**le**	presta	cien pesos	**a Luisa**.
Roberto		*lends*	*100 pesos*	*to Luisa.*

An indirect object is a noun or pronoun that answers the question *to whom* or *for whom* an action is done. In the preceding example, the indirect object answers this question: **¿A quién le presta Roberto cien pesos?** *To whom does Roberto lend 100 pesos?*

Indirect object pronouns

Singular forms		Plural forms	
me	(to, for) *me*	**nos**	(to, for) *us*
te	(to, for) *you* (fam.)	**os**	(to, for) *you* (fam.)
le	(to, for) *you* (form.) (to, for) *him; her*	**les**	(to, for) *you* (form.) (to, for) *them*

- **¡Atención!** The forms of indirect object pronouns for the first and second persons (**me**, **te**, **nos**, **os**) are the same as the direct object pronouns. Indirect object pronouns agree in number with the corresponding nouns.

Le damos quince euros.

Te vendo las gafas en veinticinco.

Using indirect object pronouns

- Spanish speakers commonly use both an indirect object pronoun and the noun to which it refers in the same sentence. This is done to emphasize and clarify to whom the pronoun refers.

I.O. PRONOUN … INDIRECT OBJECT	I.O. PRONOUN … INDIRECT OBJECT
Ella **le** vende la ropa **a Elena**.	**Les** prestamos el dinero **a Inés y a Álex**.

- Indirect object pronouns are also used without the indirect object noun when the person for whom the action is being done is known.

Ana **le** presta la falda **a Elena**.
Ana lends her skirt to Elena.

También **le** presta unos jeans.
She also lends her a pair of jeans.

VERIFICA

- Indirect object pronouns are usually placed before the conjugated form of the verb. In negative sentences the pronoun is placed between **no** and the conjugated verb.

  Martín **me** compra un regalo.
  Martín is buying me a gift.

  Eva **no me** escribe cartas.
  Eva doesn't write me letters.

For more information on accents, see **Lección 4, Pronunciación**, p. 155.

- When a conjugated verb is followed by an infinitive or the present progressive, the indirect object pronoun may be placed before the conjugated verb or attached to the infinitive or present participle. **¡Atención!** When an indirect object pronoun is attached to a present participle, an accent mark is added to maintain the proper stress.

  Él no quiere **pagarte**./
  Él no **te** quiere pagar.
  He does not want to pay you.

  Él está **escribiéndole** una postal a ella./
  Él **le** está escribiendo una postal a ella.
  He is writing a postcard to her.

- Because the indirect object pronouns **le** and **les** have multiple meanings, Spanish speakers often clarify to whom the pronouns refer with the preposition **a** + [*pronoun*] or **a** + [*noun*].

UNCLARIFIED STATEMENTS	CLARIFIED STATEMENTS
Yo **le** compro un abrigo.	Yo **le** compro un abrigo **a usted/él/ella**.
Ella **le** describe un libro.	Ella **le** describe un libro **a Juan**.

UNCLARIFIED STATEMENTS	CLARIFIED STATEMENTS
Él **les** vende unos sombreros.	Él **les** vende unos sombreros **a ustedes/ellos/ellas**.
Ellos **les** hablan muy claro.	Ellos **les** hablan muy claro **a los clientes**.

- The irregular verbs **dar** (*to give*) and **decir** (*to say; to tell*) are often used with indirect object pronouns.

The verbs dar and decir

Singular forms	dar	decir	Plural forms	dar	decir
yo	**doy**	**digo**	nosotros/as	**damos**	**decimos**
tú	**das**	**dices**	vosotros/as	**dais**	**decís**
Ud./él/ella	**da**	**dice**	Uds./ellos/ellas	**dan**	**dicen**

Me dan una fiesta cada año.
They give (throw) me a party every year.

Voy a **darle** consejos.
I'm going to give her advice.

Te digo la verdad.
I'm telling you the truth.

No **les digo** mentiras a mis padres.
I don't tell lies to my parents.

¡INTÉNTALO! Use the cues in parentheses to provide the correct indirect object pronoun for each sentence.

1. Juan ___le___ quiere dar un regalo. (*to Elena*)
2. María __________ prepara un café. (*for us*)
3. Beatriz y Felipe __________ escriben desde (*from*) Cuba. (*to me*)
4. Marta y yo __________ compramos unos guantes. (*for them*)
5. Los vendedores __________ venden ropa. (*to you, fam. sing.*)
6. La dependienta __________ muestra los guantes. (*to us*)

Práctica

1 Completar Fill in the blanks with the correct pronouns to complete Mónica's description of her family's gift giving.

1. Juan y yo __________ damos una blusa a nuestra hermana Gisela.
2. Mi tía __________ da a nosotros una mesa para la casa.
3. Gisela __________ da dos corbatas a su novio.
4. A mi mamá yo __________ doy un par de guantes negros.
5. A mi profesora __________ doy dos libros de José Martí.
6. Juan __________ da un regalo a mis padres.
7. Mis padres __________ dan un traje nuevo a mí.
8. Y a ti, yo __________ doy un regalo también. ¿Quieres verlo?

NOTA CULTURAL

Cuban writer and patriot **José Martí** (1853–1895) was born in **La Habana Vieja**, the old colonial center of Havana. What other Cuban writers are you familiar with?

2 En La Habana Describe what happens on Pascual's trip to Cuba based on the cues provided.

1. ellos / cantar / canción / (mí)

2. él / comprar / libros / (sus hijos) / Plaza de Armas

3. yo / preparar el almuerzo (*lunch*) / (ti)

4. él / explicar cómo llegar / (conductor)

5. mi novia / sacar / foto / (nosotros)

6. el guía (*guide*) / mostrar / catedral de San Cristóbal / (ustedes)

3 Combinar Use an item from each column and an indirect object pronoun to create logical sentences.

modelo

Mis padres les dan regalos a mis primos.

A	B	C	D
yo	comprar	mensajes electrónicos	mí
el dependiente	dar	corbata	ustedes
el profesor Arce	decir	dinero en efectivo	clienta
la vendedora	escribir	tarea	novia
mis padres	explicar	problemas	primos
tú	pagar	regalos	ti
nosotros/as	prestar	ropa	nosotros
¿?	vender	¿?	¿?

Comunicación

4 **¿A quién?** In pairs, take turns asking and answering for whom you do these activities. Use the model as a guide.

cantar	escribir mensajes electrónicos
comprar ropa	mostrar fotos de un viaje
dar una fiesta	pedir dinero
decir mentiras	preparar comida (*food*) mexicana

modelo

escribir mensajes electrónicos
Estudiante 1: *¿A quién le escribes mensajes electrónicos?*
Estudiante 2: *Le escribo mensajes electrónicos a mi hermano.*

5 **¡Somos ricos!** You and your classmates just received a large sum of money. Now you want to spend money on your loved ones. In groups of three, discuss what each person is buying for family and friends.

modelo

Estudiante 1: *Quiero comprarle un vestido de Carolina Herrera a mi madre.*
Estudiante 2: *Y yo voy a darles un automóvil nuevo a mis padres.*
Estudiante 3: *Voy a comprarles una casa a mis padres, pero a mis amigos no les voy a dar nada.*

6  **Entrevista** Use these questions to interview a classmate.

1. ¿Qué tiendas, almacenes o centros comerciales prefieres?
2. ¿A quién le compras regalos cuando hay rebajas?
3. ¿A quién le prestas dinero cuando lo necesita?
4. Quiero ir de compras. ¿Cuánto dinero me puedes prestar?
5. ¿Te dan tus padres su tarjeta de crédito cuando vas de compras?

Síntesis

7  **Minidrama** In groups of three, take turns playing the roles of two shoppers and a clerk in a clothing store. The shoppers should talk about the articles of clothing they want and for whom they are buying them. The clerk should recommend several items based on the shoppers' descriptions. Use the expressions in the box.

Me queda grande/pequeño. *It's big/small on me.*	**¿Está en rebaja?** *Is it on sale?*
¿Tiene otro color? *Do you have another color?*	**También estoy buscando...** *I'm also looking for...*

I CAN interact with a sales clerk in a Spanish-speaking country and discuss clothing, fit, and price, in order to make a purchase.

6.3 Preterite tense of regular verbs

ANTE TODO In order to talk about events in the past, Spanish uses two simple tenses: the preterite and the imperfect. In this lesson, you will learn how to form the preterite tense, which is used to express actions or states completed in the past.

Preterite of regular -ar, -er, and -ir verbs

		-ar verbs **comprar**	-er verbs **vender**	-ir verbs **escribir**
SINGULAR FORMS	yo	compr**é** *I bought*	vend**í** *I sold*	escrib**í** *I wrote*
	tú	compr**aste**	vend**iste**	escrib**iste**
	Ud./él/ella	compr**ó**	vend**ió**	escrib**ió**
PLURAL FORMS	nosotros/as	compr**amos**	vend**imos**	escrib**imos**
	vosotros/as	compr**asteis**	vend**isteis**	escrib**isteis**
	Uds./ellos/ellas	compr**aron**	vend**ieron**	escrib**ieron**

- **¡Atención!** The **yo** and **Ud./él/ella** forms of all three conjugations have written accents on the last syllable to show that it is stressed.
- As the chart shows, the endings for regular **-er** and **-ir** verbs are identical in the preterite.

¡Ya decidí! ¡El rojo!

Las compré aquí la semana pasada.

- Note that the **nosotros/as** forms of regular **-ar** and **-ir** verbs in the preterite are identical to the present tense forms. Context will help you determine which tense is being used.

En invierno **compramos** ropa.
In the winter, we buy clothing.

Anoche **compramos** unos zapatos.
Last night we bought some shoes.

- The **-ar** and **-er** verbs that have a stem change in the present tense are regular in the preterite. They do *not* have a stem change.

	PRESENT	PRETERITE
cerrar (e:ie)	La tienda **cierra** a las seis.	La tienda **cerró** a las seis.
volver (o:ue)	Carlitos **vuelve** tarde.	Carlitos **volvió** tarde.
jugar (u:ue)	Él **juega** al fútbol.	Él **jugó** al fútbol.

- **¡Atención!** The **-ir** verbs that have an **e:i** stem change in the present tense also have a stem change in the preterite. For example, pedir (e:i): **Ella pide un café.** *She orders a coffe.* **Ella pidió un café.** *She ordered a coffee.*

CONSULTA

There are a few high-frequency irregular verbs in the preterite. You will learn more about them in **Estructura 9.1**, p. 352.

CONSULTA

You will learn about the preterite of **-ir** stem-changing verbs in **Estructura 8.1**, p. 314.

VERIFICA

- Verbs that end in **-car**, **-gar**, and **-zar** have a spelling change in the first person singular (**yo** form) in the preterite.

buscar → busc- → qu- → yo busqué
llegar → lleg- → gu- → yo llegué
empezar → empez- → c- → yo empecé

- Except for the **yo** form, all other forms of **-car**, **-gar**, and **-zar** verbs are regular in the preterite.
- Three other verbs—**creer**, **leer**, and **oír**—have spelling changes in the preterite. The **i** of the verb endings of **creer**, **leer**, and **oír** carries an accent in the **yo**, **tú**, **nosotros/as**, and **vosotros/as** forms, and changes to **y** in the **Ud./él/ella** and **Uds./ellos/ellas** forms.

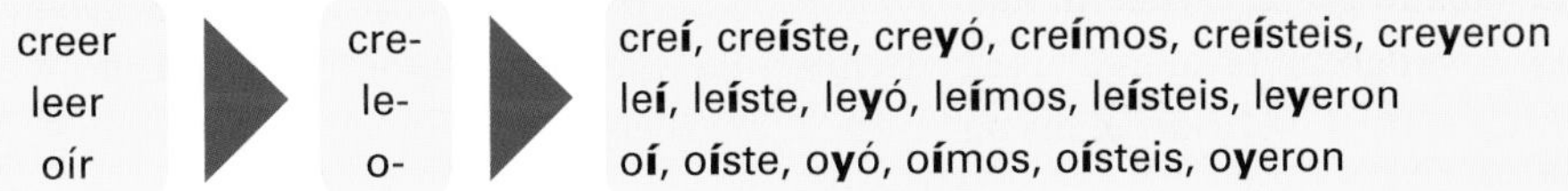
creer → cre- → creí, creíste, creyó, creímos, creísteis, creyeron
leer → le- → leí, leíste, leyó, leímos, leísteis, leyeron
oír → o- → oí, oíste, oyó, oímos, oísteis, oyeron

- **Ver** is regular in the preterite, but none of its forms has an accent.

ver → vi, viste, vio, vimos, visteis, vieron

Expressions commonly used with the preterite

anoche	*last night*	**pasado/a (*adj.*)**	*last; past*
anteayer	*the day before yesterday*	**el año pasado**	*last year*
ayer	*yesterday*	**la semana pasada**	*last week*
de repente	*suddenly*	**una vez**	*once; one time*
desde... hasta...	*from... until...*	**dos veces**	*twice; two times*
		ya	*already*

Ayer llegué a Santiago de Cuba.
Yesterday I arrived in Santiago de Cuba.

Anoche oí un ruido extraño.
Last night I heard a strange noise.

- **Acabar de** + [*infinitive*] is used to say that something has just occurred. Note that **acabar** is in the present tense in this construction.

Acabo de comprar una falda.
I just bought a skirt.

Acabas de ir de compras.
You just went shopping.

¡INTÉNTALO! Provide the appropriate preterite forms of the verbs.

	comer	salir	comenzar	leer
1. ellas	*comieron*	*salieron*	*comenzaron*	*leyeron*
2. tú	________	________	________	________
3. usted	________	________	________	________
4. nosotros	________	________	________	________
5. yo	________	________	________	________

Práctica

1 **Completar** Andrea is talking about what happened last weekend. Complete each sentence by choosing the correct verb and putting it in the preterite.

1. El viernes a las cuatro de la tarde, la profesora Mora __________ (asistir, costar, usar) a una reunión (*meeting*) de profesores.
2. El sábado por la mañana, yo __________ (llegar, bucear, llevar) a la tienda con mis amigos.
3. Mis amigos y yo __________ (comprar, regatear, gastar) dos o tres cosas.
4. Yo __________ (costar, comprar, escribir) unos pantalones negros y mi amigo Mateo __________ (gastar, pasear, comprar) una camisa azul.
5. Después, nosotros __________ (llevar, vivir, comer) cerca de un mercado.
6. A las tres, Pepe __________ (hablar, pasear, nadar) con su novia por teléfono.
7. El sábado por la tarde, mi mamá __________ (escribir, beber, vivir) una carta.
8. El domingo mi tía __________ (decidir, salir, escribir) comprarme un traje.
9. A las cuatro de la tarde, mi tía __________ (beber, salir, encontrar) el traje y después nosotras __________ (acabar, ver, salir) una película.

2 **Preguntas** Imagine that you have a pesky friend who keeps asking you questions. Respond that you already did and in fact have just done what he/she asks. Make sure you and your partner take turns playing the role of the pesky friend and responding to his/her questions.

modelo

leer la lección
Estudiante 1: *¿Leíste la lección?*
Estudiante 2: *Sí, ya la leí./Sí, acabo de leerla.*

1. escribir el mensaje electrónico
2. lavar (*to wash*) la ropa
3. oír las noticias (*news*)
4. comprar pantalones cortos
5. practicar los verbos
6. leer el artículo
7. empezar la composición
8. ver la nueva película de Almodóvar

3 **¿Cuándo?** Use the time expressions from the word bank to talk about when you and others did the activities listed.

anoche	anteayer	el mes pasado	una vez
ayer	la semana pasada	el año pasado	dos veces

1. mi mejor amigo/a: llegar tarde a clase
2. mi hermano/a mayor: salir con un(a) chico/a guapo/a
3. mis padres: ver una película
4. yo: llevar un traje/vestido
5. el presidente/primer ministro de mi país: no escuchar a la gente
6. mis amigos y yo: comer en un restaurante
7. ¿?: comprar algo (*something*) bueno, bonito y barato

Comunicación

4 **Ayer** Jot down at what time you did these activities yesterday. Then get together with a classmate and find out at what time he or she did these activities. Be prepared to share your findings with the class.

1. desayunar
2. empezar la primera clase
3. almorzar
4. ver a un(a) amigo/a
5. salir de clase
6. volver a casa

5 **Las vacaciones** Imagine that you took these photos on a vacation. Get together with a partner and use the pictures to tell him or her about your trip.

6 **El fin de semana** Your teacher will give you and your partner different incomplete charts about what four employees at **Almacén Gigante** did last weekend. After you fill out the chart based on each other's information, you will fill out the final column about your partner.

Síntesis

7 **Conversación** With a partner, have a conversation about what you did last week, using verbs from the word bank. Don't forget to include school activities, shopping, and pastimes.

acampar	comprar	hablar	tomar
asistir	correr	jugar	trabajar
bailar	escribir	leer	vender
buscar	estudiar	oír	ver
comer	gastar	pagar	viajar

I CAN exchange information about activities I and other people did in the past.

6.4 Demonstrative adjectives and pronouns

Demonstrative adjectives

ANTE TODO In Spanish, as in English, demonstrative adjectives are words that "demonstrate" or "point out" nouns. Demonstrative adjectives precede the nouns they modify and, like other Spanish adjectives you have studied, agree with them in gender and number. Observe these examples and then study the chart below.

esta camisa	**ese** vendedor	**aquellos** zapatos
this shirt	*that salesman*	*those shoes (over there)*

Demonstrative adjectives

Singular		Plural		
MASCULINE	FEMININE	MASCULINE	FEMININE	
este	**esta**	**estos**	**estas**	*this; these*
ese	**esa**	**esos**	**esas**	*that; those*
aquel	**aquella**	**aquellos**	**aquellas**	*that; those (over there)*

- There are three sets of demonstrative adjectives. To determine which one to use, you must establish the relationship between the speaker and the thing(s) being pointed out.
- The demonstrative adjectives **este**, **esta**, **estos**, and **estas** are used to point out things that are close to the speaker and the listener.

Me gustan estos zapatos.

- The demonstrative adjectives **ese**, **esa**, **esos**, and **esas** are used to point out things that are not close in space and time to the speaker. They may, however, be close to the listener.

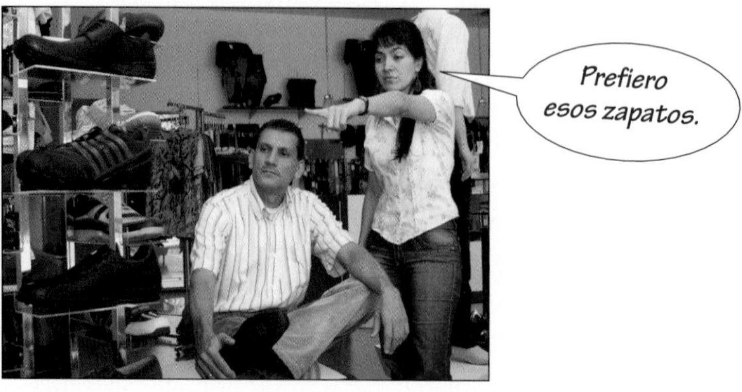
Prefiero esos zapatos.

- The demonstrative adjectives **aquel**, **aquella**, **aquellos**, and **aquellas** are used to point out things that are far away from the speaker and the listener.

Aquel auto es
de mi hermana.

Demonstrative pronouns

- Demonstrative pronouns are identical to their corresponding demonstrative adjectives, with the exception that they carry an accent mark on the stressed vowel. The **Real Academia** no longer requires this accent, but it is still used.

Demonstrative pronouns			
Singular		Plural	
MASCULINE	FEMININE	MASCULINE	FEMININE
éste	**ésta**	**éstos**	**éstas**
ése	**ésa**	**ésos**	**ésas**
aquél	**aquélla**	**aquéllos**	**aquéllas**

—¿Quieres comprar **este suéter**?
Do you want to buy this sweater?

—No, no quiero **éste**. Quiero **ése**.
No, I don't want this one. I want that one.

—¿Vas a leer **estas revistas**?
Are you going to read these magazines?

—Sí, voy a leer **éstas**. También voy a leer **aquéllas**.
Yes, I'm going to read these. I'll also read those (over there).

VERIFICA

- **¡Atención!** Like demonstrative adjectives, demonstrative pronouns agree in gender and number with the corresponding noun.

Este libro es de Pablito. **Éstos** son de Juana.

- There are three neuter demonstrative pronouns: **esto**, **eso**, and **aquello**. These forms refer to unidentified or unspecified things, situations, ideas, and concepts. They do not change in gender or number and never carry an accent mark.

—¿Qué es **esto**?
What's this?

—**Eso** es interesante.
That's interesting.

—**Aquello** es bonito.
That's pretty.

¡INTÉNTALO! Provide the correct form of the demonstrative adjective for these nouns.

1. la falda / este esta falda
2. los estudiantes / este ______
3. los países / aquel ______
4. la ventana / ese ______
5. los periodistas / ese ______
6. el chico / aquel ______
7. las sandalias / este ______
8. las chicas / aquel ______

Práctica

1 **Cambiar** Make the singular sentences plural and the plural sentences singular.

modelo

Estas camisas son blancas.
Esta camisa es blanca.

1. Aquellos sombreros son muy elegantes.
2. Ese abrigo es muy caro.
3. Estos cinturones son hermosos.
4. Esos precios son muy buenos.
5. Estas faldas son muy cortas.
6. ¿Quieres ir a aquel almacén?
7. Esas blusas son baratas.
8. Esta corbata hace juego con mi traje.

2 **Completar** Here are some things people might say while shopping. Complete the sentences with the correct demonstrative pronouns.

1. No me gustan esos zapatos. Voy a comprar ________. (*these*)
2. ¿Vas a comprar ese traje o ________? (*this one*)
3. Esta guayabera es bonita, pero prefiero ________. (*that one*)
4. Estas corbatas rojas son muy bonitas, pero ________ son fabulosas. (*those*)
5. Estos cinturones cuestan demasiado. Prefiero ________. (*those over there*)
6. ¿Te gustan esas botas o ________? (*these*)
7. Esa bolsa roja es bonita, pero prefiero ________. (*that one over there*)
8. No voy a comprar estas botas; voy a comprar ________. (*those over there*)
9. ¿Prefieres estos pantalones o ________? (*those*)
10. Me gusta este vestido, pero voy a comprar ________. (*that one*)
11. Me gusta ese almacén, pero ________ es mejor (*better*). (*that one over there*)
12. Esa blusa es bonita, pero cuesta demasiado. Voy a comprar ________. (*this one*)

NOTA CULTURAL

The **guayabera** is a men's shirt typically worn in some parts of the Caribbean. Never tucked in, it is casual wear, but variations exist for more formal occasions, such as weddings, parties, or the office.
Do men in your country wear guayaberas? In which areas of the country?

3 **Describir** With your partner, look for two items in the classroom that are one of these colors: **amarillo, azul, blanco, marrón, negro, verde, rojo.** Take turns pointing them out to each other, first using demonstrative adjectives, and then demonstrative pronouns.

modelo

azul
Estudiante 1: Esta silla es azul. Aquella mochila es azul.
Estudiante 2: Ésta es azul. Aquélla es azul.

Now use demonstrative adjectives and pronouns to discuss the colors of your classmates' clothing. One of you can ask a question about an article of clothing, using the wrong color. Your partner will correct you and point out that color somewhere else in the room.

modelo

Estudiante 1: ¿Esa camisa es negra?
Estudiante 2: No, ésa es azul. Aquélla es negra.

Comunicación

4 **Conversación** With a classmate, use demonstrative adjectives and pronouns to ask each other questions about the people around you. Use expressions from the word bank and/or your own ideas.

¿A qué hora...?	¿Cuántos años tiene(n)...?
¿Cómo es/son...?	¿De dónde es/son...?
¿Cómo se llama...?	¿De quién es/son...?

modelo

Estudiante 1: *¿Cómo se llama esa chica?*
Estudiante 2: *Se llama Rebeca.*
Estudiante 1: *¿A qué hora llegó aquel chico a la clase?*

5 **En una tienda** Imagine that you and a classmate are in Madrid shopping at Zara. Study the floor plan, then have a conversation about your surroundings. Use demonstrative adjectives and pronouns.

NOTA CULTURAL

Zara is an international clothing company based in Spain. Its innovative processes take a product from the design room to the store shelves in less than one month. This means that the merchandise is constantly changing to keep up with the latest trends.

modelo

Estudiante 1: *Me gusta este suéter azul.*
Estudiante 2: *Yo prefiero aquella chaqueta.*

Síntesis

6 **Diferencias** Your teacher will give you and a partner each a drawing of a store. They are almost identical, but not quite. Use demonstrative adjectives and pronouns to find seven differences.

modelo

Estudiante 1: *Aquellas gafas de sol son feas, ¿verdad?*
Estudiante 2: *No. Aquellas gafas de sol son hermosas.*

I CAN exchange opinions about specific clothing items and describe their location.

Recapitulación

RESUMEN GRAMATICAL

Review the grammar concepts you have learned in this lesson by completing these activities.

1 **Completar** Complete the chart with the correct preterite or infinitive form of the verbs. 30 pts.

Infinitive	yo	ella	ellos
			tomaron
		abrió	
comprender			
	leí		
pagar			

2 **En la tienda** Look at the drawing and complete the conversation with demonstrative adjectives and pronouns. 14 pts.

CLIENTE Buenos días, señorita. Deseo comprar (1) __________ corbata.

VENDEDORA Muy bien, señor. ¿No le interesa mirar (2) __________ trajes que están allá? Hay unos que hacen juego con la corbata.

CLIENTE (3) __________ de allá son de lana (*wool*), ¿no? Prefiero ver (4) __________ traje marrón que está detrás de usted.

VENDEDORA Estupendo. Como puede ver, es de seda (*silk*). Cuesta ciento ochenta dólares.

CLIENTE Ah… eh… no, creo que sólo voy a comprar la corbata, gracias.

VENDEDORA Bueno… si busca algo más económico, hay rebaja en (5) __________ sombreros. Cuestan sólo treinta dólares.

CLIENTE ¡Magnífico! Me gusta (6) ________, el blanco que está hasta arriba (*at the top*). Y quiero pagar todo con (7) __________ tarjeta.

VENDEDORA Sí, señor. Ahora mismo le traigo el sombrero.

6.1 Saber and conocer *p. 236*

saber	conocer
sé	conozco
sabes	conoces
sabe	conoce
sabemos	conocemos
sabéis	conocéis
saben	conocen

- **saber** = to know facts/how to do something
- **conocer** = to know a person, place, or thing

6.2 Indirect object pronouns *pp. 238–239*

Indirect object pronouns

Singular	Plural
me	nos
te	os
le	les

- **dar** = doy, das, da, damos, dais, dan
- **decir (e:i)** = digo, dices, dice, decimos, decís, dicen

6.3 Preterite tense of regular verbs *pp. 242–243*

comprar	vender	escribir
compré	vendí	escribí
compraste	vendiste	escribiste
compró	vendió	escribió
compramos	vendimos	escribimos
comprasteis	vendisteis	escribisteis
compraron	vendieron	escribieron

Verbs with spelling changes in the preterite

- **-car:** buscar → yo busqué
- **-gar:** llegar → yo llegué
- **-zar:** empezar → yo empecé
- **creer:** creí, creíste, creyó, creímos, creísteis, creyeron
- **leer:** leí, leíste, leyó, leímos, leísteis, leyeron
- **oír:** oí, oíste, oyó, oímos, oísteis, oyeron
- **ver:** vi, viste, vio, vimos, visteis, vieron

6.4 Demonstrative adjectives and pronouns *pp. 246–247*

Demonstrative adjectives

Singular		Plural	
Masc.	**Fem.**	**Masc.**	**Fem.**
este	esta	estos	estas
ese	esa	esos	esas
aquel	aquella	aquellos	aquellas

Demonstrative pronouns

Singular		Plural	
Masc.	**Fem.**	**Masc.**	**Fem.**
éste	ésta	éstos	éstas
ése	ésa	ésos	ésas
aquél	aquélla	aquéllos	aquéllas

3 **¿Saber o conocer?** Complete each dialogue with the correct form of **saber** or **conocer**. 20 pts.

1. —¿Qué ________ hacer tú?
   —(Yo) ________ jugar al fútbol.
2. —¿________ tú esta tienda de ropa?
   —No, (yo) no la ________. ¿Es buena?
3. —¿Tus padres no ________ a tu profesor?
   —No, ¡ellos no ________ quién es!
4. —Mi hermanastro todavía no me ________ bien.
   —Y tú, ¿lo quieres ________ a él?
5. —¿________ ustedes dónde está el mercado?
   —No, nosotros no ________ bien esta ciudad.

4 **Oraciones** Form complete sentences using the information provided. Use indirect object pronouns and the present tense of the verbs. 10 pts.

1. Javier / prestar / el abrigo / a Maripili
   ____
2. nosotros / vender / ropa / a los clientes
   ____
3. el vendedor / traer / las camisetas / a mis amigos y a mí
   ____
4. yo / querer dar / consejos (*advice*) / a ti
   ____
5. ¿tú / ir a comprar / un regalo / a mí?
   ____

5 **Mi última compra** Write a short paragraph describing the last time you went shopping. Use at least four verbs in the preterite tense. 26 pts.

modelo
El viernes pasado, busqué unos zapatos en el centro comercial...

6 **Refranes** Write the missing words to complete the proverbs. 4 EXTRA points!

"A la cama no te irás° sin ______ (conocer/saber) una cosa más."
(*You learn something new every day.*)

"A todos ______ (les/te) llega su momento de gloria°."
(*Every dog has its day.*)

no te irás *you will not go* gloria *glory*

Communicative Goal: Read a short story, identifying its elements

Lectura

Antes de leer

Estrategia

Identifying the elements of a story

Narrative texts have three common components:

- Setting—the time and place in which the events of the story occur (when and where).
- Characters—the people or sometimes the animals in the story (who).
- Plot—the sequence of events (what).

Buscar cognados

Scan the reading selection to locate at least five cognates.

1. ____________
2. ____________
3. ____________
4. ____________
5. ____________

Buscar verbos en el pretérito

Scan the reading selection to locate at least six verbs in the preterite (see pages 242–243). Based on the cognates and the verbs you found, what do you think the short story is about?

1. ____________
2. ____________
3. ____________
4. ____________
5. ____________
6. ____________

The short story is about ____________.

Impresiones generales

Now skim the reading selection to understand its general meaning. Jot down your impressions. The story mentions a few places in the world. Can you locate them in a globe? Based on all the information you now have, answer these questions in Spanish.

1. Who are the characters in the story?
2. Where does it take place?

La vuelta al mundo de Cinthia Scoch

Cinthia Scoch es una chica muy obediente. Un día, su madre la mandó a comprar un kilo de azúcar°.

–Anda al almacén de la derecha –le indicó la señora Scoch.

Cinthia pensó: «En realidad, el almacén está a la izquierda», pero, para no contradecir a su madre, caminó hacia la derecha.

Oliendo° el lindo aroma de los tilos° de su barrio°, caminó una, dos, tres cuadras°, pero no encontró el almacén.

A las tres horas llegó al puerto de Buenos Aires. Allí tomó un barco con ruta de navegación hacia la derecha.

El barco navegó días y días y al fin llegó a un puerto de Australia. Cinthia Scoch bajó a tierra. Continuó hacia° la derecha. Cruzó toda Australia. En la ciudad de Sidney no encontró ningún° almacén, así que tomó otro barco, también hacia la derecha.

Llegó al puerto de Valparaíso, en Chile. Continuó hacia la derecha. Cruzó los Andes. Llegó a Mendoza y cruzó las provincias de San Luis y Santa Fe.

Llegó a Buenos Aires, y siempre caminando hacia la derecha, finalmente se encontró en su barrio. Así completó la vuelta al mundo y de nuevo olió el lindo aroma de los tilos de su barrio. Una cuadra antes de su casa, encontró el almacén. Es decir, a la izquierda de su casa. «Mamá está equivocada°», pensó.

Compró un kilo de azúcar.

Entró en casa y le entregó° el paquete a la señora Scoch.

La madre de Cinthia guardó el azúcar en un tarro°.

–Hija –le dijo a Cinthia–, ¡cuánto tardaste°!

RICARDO MARIÑO, BOTELLA AL MAR (texto adaptado)

azúcar *sugar* Oliendo *smelling* tilos *lime trees* barrio *neighborhood* cuadras *blocks* hacia *towards* ningún *not a single* equivocada *mistaken* entregó *gave* tarro *jar* tardaste *it took you so long!*

Después de leer

Los elementos de la historia

Complete the story map with the different elements of Cinthia's adventure. Fill in as many details as you can.

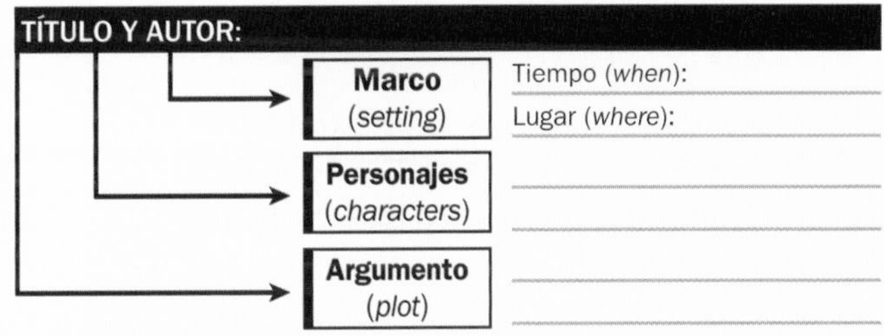

¿Cierto o falso?

Indicate whether each statement is **cierto** or **falso**. Correct the false statements.

1. El almacén está a la derecha de la casa de Cinthia.
2. Cinthia y su madre viven en Argentina.
3. Cinthia caminó tres horas para llegar al puerto de Buenos Aires.
4. Cinthia hizo su viaje en avión.

¿Qué pasó?

Complete these sentences in your own words to tell what happened in the story.

1. Cinthia salió a la calle para...
2. Cinthia caminó hacia la derecha para...
3. Cinthia caminó por su barrio, pero...
4. En el puerto de Buenos Aires...
5. Cinthia cruzó...
6. Cinthia encontró el almacén...
7. En el almacén...
8. En su casa...

Un resumen

Write a summary (*un resumen*) of the story. You can illustrate your summary. If there are Spanish-speakers in your community (relatives, neighbors, friends, or members of your school), try to tell them the story orally.

I CAN read a short story and identify its main parts.

Escritura

Estrategia

How to report an interview

There are several ways to prepare a written report about an interview. For example, you can transcribe the interview verbatim, you can simply summarize it, or you can summarize it but quote the speakers occasionally. In any event, the report should begin with an interesting title and a brief introduction, which may include the five Ws (*what, where, when, who, why*) and the H (*how*) of the interview. The report should end with an interesting conclusion. Note that when you transcribe dialogue in Spanish, you should pay careful attention to format and punctuation.

Writing dialogue in Spanish

- If you need to transcribe an interview verbatim, you can use speakers' names to indicate a change of speaker.

CARMELA ¿Qué compraste? ¿Encontraste muchas gangas?

ROBERTO Sí, muchas. Compré un suéter, una camisa y dos corbatas. Y tú, ¿qué compraste?

CARMELA Una blusa y una falda muy bonitas. ¿Cuánto costó tu camisa?

ROBERTO Sólo diez dólares. ¿Cuánto costó tu blusa?

CARMELA Veinte dólares.

- You can also use a dash (*raya*) to mark the beginning of each speaker's words.

—¿Qué compraste?
—Un suéter y una camisa muy bonitos. Y tú, ¿encontraste muchas gangas?
—Sí... compré dos blusas, tres camisetas y un par de zapatos.

Tema

Escribe un informe

Write a report for the school newspaper about an interview you conducted with a student about his or her shopping habits and clothing preferences. First, brainstorm a list of interview questions. Then conduct the interview using the questions below as a guide, but feel free to ask other questions as they occur to you.

Examples of questions:

- ¿Cuándo vas de compras?
- ¿Adónde vas de compras?
- ¿Con quién vas de compras?
- ¿Qué tiendas, almacenes o centros comerciales prefieres?
- ¿Compras ropa de catálogos o por Internet?
- ¿Prefieres comprar ropa cara o barata? ¿Por qué? ¿Te gusta buscar gangas?
- ¿Qué ropa llevas cuando vas a clase?
- ¿Qué ropa llevas cuando sales con tus amigos/as?
- ¿Qué ropa llevas cuando practicas un deporte?
- ¿Cuáles son tus colores favoritos? ¿Compras mucha ropa de esos colores?
- ¿Les das ropa a tu familia o a tus amigos/as?

I CAN write a report based on an interview.

Escuchar

Estrategia

Listening for linguistic cues

You can enhance your listening comprehension by listening for specific linguistic cues. For example, if you listen for the endings of conjugated verbs, or for familiar constructions, such as **acabar de** + [*infinitive*] or **ir a** + [*infinitive*], you can find out whether an event already took place, is taking place now, or will take place in the future. Verb endings also give clues about who is participating in the action.

To practice listening for linguistic cues, you will now listen to four sentences. As you listen, note whether each sentence refers to a past, present, or future action. Also jot down the subject of each sentence.

Preparación

Based on the photograph, what do you think Marisol has recently done? What do you think Marisol and Alicia are talking about? What else can you guess about their conversation from the visual clues in the photograph?

Ahora escucha

Now you are going to hear Marisol and Alicia's conversation. Make a list of the clothing items that each person mentions. Then put a check mark after the item if the person actually purchased it.

Marisol	Alicia
1. ______	1. ______
2. ______	2. ______
3. ______	3. ______
4. ______	4. ______

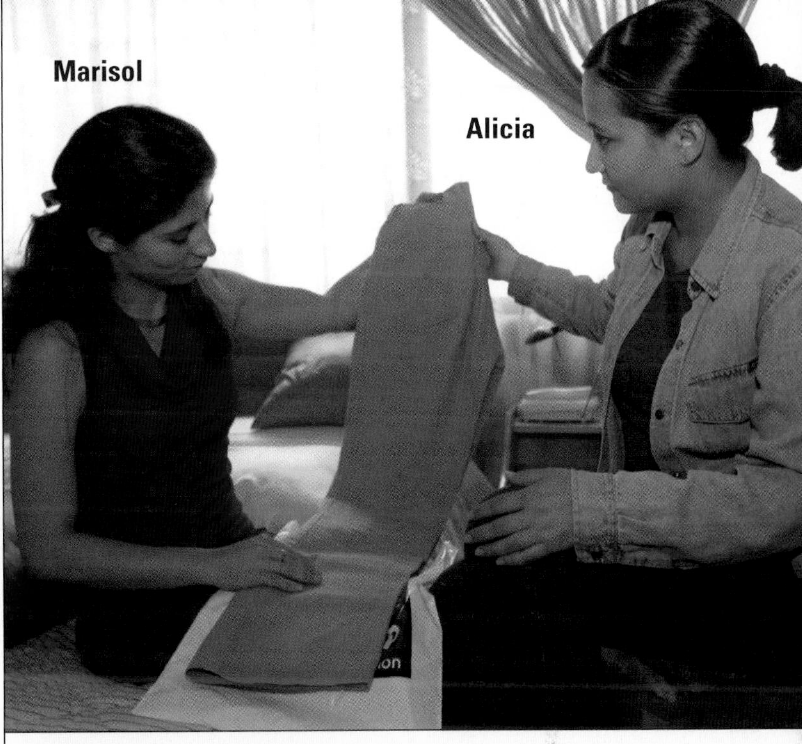

Comprensión

¿Cierto o falso?

Indicate whether each statement is **cierto** or **falso**. Then correct the false statements.

1. Marisol y Alicia acaban de ir de compras juntas (*together*).
2. Marisol va a comprar unos pantalones y una blusa mañana.
3. Marisol compró una blusa de cuadros.
4. Alicia compró unos zapatos nuevos hoy.
5. Alicia y Marisol van a ir al café.
6. Marisol gastó todo el dinero de la semana en ropa nueva.

Preguntas

Discuss the following questions with a classmate. Be sure to explain your answers.

1. ¿Crees que Alicia y Marisol son buenas amigas? ¿Por qué?
2. ¿Cuál de las dos estudiantes es más ahorradora (*frugal*)? ¿Por qué?
3. ¿Crees que a Alicia le gusta la ropa que Marisol compró?
4. ¿Crees que la moda es importante para Alicia? ¿Para Marisol? ¿Por qué?
5. ¿Es importante para ti estar a la moda? ¿Por qué?

I CAN identify the main idea and key details in a recorded conversation, focusing on linguistic cues.

Anuncio de juguetería Juguettos

Me lo pido.

Preparación

Answer these questions in Spanish.

1. ¿Cómo eres? Escribe tres adjetivos que te describan.
2. ¿Qué actividades ilustran (*illustrate*) tu personalidad?

El País de Siempre Jugar

Juguettos, first established in Villena (Comunidad de Valencia), Spain, in the 1980s, now has chain stores all over the country. Juguettos offers both brand-name toys you would recognize (and maybe own) and those that specifically cater to a child's life and cultural experiences in Spain. When children dreaming of the perfect toy look in a Juguettos catalog, they may be looking for Legos® but also for Nenittos® or Hazlo tú®. But children's toys, like their imaginations, are very similar throughout the world. Indeed, the company declares it has founded its own "country," el País de Siempre Jugar.

Vocabulario útil

copionas	*copycats*
despistado/a	*distracted*
sean	*they may be*
pidan	*they may ask for*

Comprensión

Match the personality trait with its visual representation in the ad.

_____ 1. valiente
_____ 2. galáctico/a
_____ 3. artista
_____ 4. generoso/a
_____ 5. intrépido/a

a. Tienen una batalla (*battle*) imaginaria.
b. Le compra juguetes a su mascota (*pet*).
c. Está en un cartón con forma de nave espacial (*spaceship*).
d. Hacen música con parte de una basurera (*trashcan*).
e. Imagina que puede volar (*fly*).

Conversación

Answer these questions with a classmate.

1. ¿Qué quieres hacer nuevo o diferente en tu vida? ¿Por qué?
2. ¿Por qué es importante la imaginación en la vida de los niños? ¿Y en la vida de los adultos?

Aplicación

The Spanish poet Gustavo Adolfo Bécquer wrote, "**El que tiene imaginación, con qué facilidad saca de la nada un mundo**." Discuss this quote with a partner. Then, share your ideas with a small group of classmates.

I CAN discuss the importance of imagination in people's lives.

Comprar en los mercados

1 Trescientos colones.

2 ... pero me hace un buen descuento.

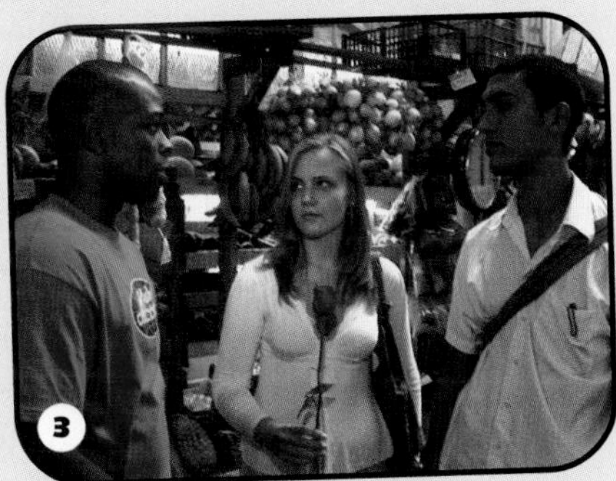

3 ¿Qué compran en el Mercado Central?

Preparación

Do you like to shop around for prices, or do you have a favorite store you prefer to shop at? Do you ever try to get a lower price when you shop? How?

Los mercados

While modern shopping centers or **centros comerciales** are growing quickly in Spanish-speaking countries, traditional, open-air markets are still very popular, and people visit them on a regular basis for all kinds of products whose price can be bargained.

Vocabulario útil	
el colón	*currency in Costa Rica*
¿Cuánto vale?	*How much is it?*
el descuento	*discount*
disculpe	*excuse me*
helado/heladería	*ice cream / ice cream shop*
el regateo	*bargaining*
¿Sabe dónde queda...?	*Do you know where... is located?*
Vale.	*Okay.*

Comprensión

Check all the items Randy and the people in the video say they bought.

1. artesanías	4. frutas	7. papayas
2. carteras	5. helado	8. sombreros
3. flores	6. medias	9. zapatos

Conversación

Answer the questions with a classmate.

1. Which of the food items in the video have you tasted before? Which would you like to try? Why?
2. Is **el regateo** practiced in the U.S.? List the types of purchases where this practice is accepted and even expected.

Aplicación

Your class is setting up an international booth for the school fair with items and food from around the world. With a partner, you decide to create a stand with products from Spanish-speaking countries. Decide on a name for your stand and what products you are going to sell. Create a poster with images and labels. Then, present your poster to the class using as much Spanish as possible. Explain what the items are and where they come from.

I CAN Describe the items in an open-air market.

Communicative Goal: Identify aspects of the geography and culture of Cuba

Cuba

Bandera de Cuba

El país en cifras

- **Área:** 110.860 km² (42.803 millas²), *aproximadamente el área de Pensilvania*
- **Población:** 11.147.400
- **Capital:** La Habana—2.137.000

La Habana Vieja fue declarada° Patrimonio° Cultural de la Humanidad por la UNESCO en 1982. Este distrito es uno de los lugares más fascinantes de Cuba. En La Plaza de Armas, se puede visitar el majestuoso Palacio de Capitanes Generales, que ahora es un museo. En la calle° Obispo, frecuentada por el autor Ernest Hemingway, hay hermosos cafés, clubes nocturnos y tiendas elegantes.

- **Ciudades principales:** Santiago de Cuba, Camagüey, Holguín, Guantánamo
- **Moneda:** peso cubano
- **Idiomas:** español (oficial)

fue declarada *was declared* Patrimonio *Heritage* calle *street*

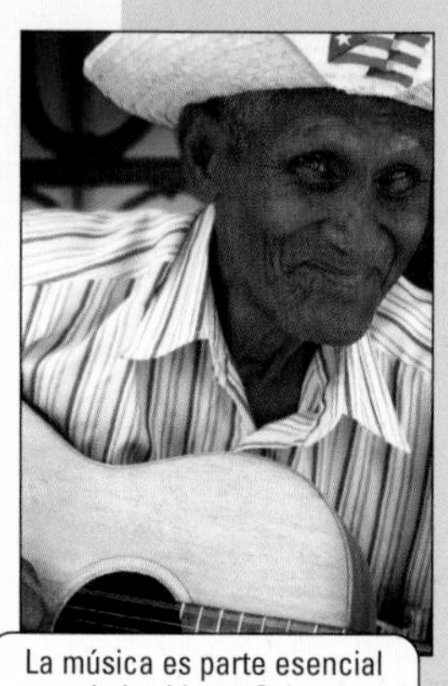

La música es parte esencial de la vida en Cuba.

Gran Teatro de La Habana

Océano Atlántico

La Habana

Cordillera de Guaniguanico

Isla de la Juventud

Mar Caribe

Plaza del Capitolio

Baile • Ballet Nacional de Cuba

La bailarina Alicia Alonso (1920–2019) fundó el Ballet Nacional de Cuba en 1948, después de° convertirse en una estrella° internacional en el Ballet de Nueva York y en Broadway.
El Ballet Nacional de Cuba es famoso en todo el mundo por su creatividad y perfección técnica.

Economía • La caña de azúcar y el tabaco

La caña de azúcar° es el producto agrícola° que más se cultiva en la isla y su exportación es muy importante para la economía del país. El tabaco, que se usa para fabricar los famosos puros° cubanos, es otro cultivo° de mucha importancia.

Gente • Población

La población cubana tiene raíces° muy heterogéneas. La inmigración a la isla fue fundamental desde la colonia hasta mediados° del siglo° xx. Los cubanos de hoy son descendientes de africanos, europeos, chinos y antillanos, entre otros.

Los coco taxis son un medio de transporte cubano muy popular.

Música • Buena Vista Social Club

En 1997 nace° el fenómeno musical conocido como *Buena Vista Social Club*. Este proyecto reúne° a un grupo de importantes músicos de Cuba, la mayoría ya mayores, con una larga trayectoria interpretando canciones clásicas del son° cubano. Ese mismo año ganaron un *Grammy*. Hoy en día estos músicos son conocidos en todo el mundo, y personas de todas las edades bailan al ritmo° de su música.

después de *after* estrella *star* caña de azúcar *sugar cane* agrícola *farming* puros *cigars* cultivo *crop* raíces *roots* mediados *halfway through* siglo *century* nace *is born* reúne *brings together* son *Cuban musical genre* ritmo *rhythm*

CON RITMO HISPANO

Gente de Zona (2000–)

Place of origin:
La Habana, Cuba

Este dúo, compuesto por Alexander Delgado y Randy Malcolm Martínez, es conocido mundialmente por su canción "Bailando", en colaboración con Enrique Iglesias.

Go to ***vhlcentral.com*** *to find out more about* ***Gente de Zona.***

¿Qué aprendiste?

1 **¿Cierto o falso?** Indica si lo que dicen estas oraciones es **cierto** o **falso**.

1. Alicia Alonso fue (*was*) una artista reconocida sólo al interior de Cuba.
2. La caña de azúcar es uno de los productos de exportación de Cuba.
3. La población cubana está conformada exclusivamente por descendientes africanos.
4. La inmigración en Cuba fue muy importante hasta la mitad del siglo XX.
5. Los integrantes de Buena Vista Social Club son muy jóvenes.
6. Gente de Zona tiene una canción con el cantante español Enrique Iglesias.

2 **Responder** Responde a cada pregunta con una oración completa.

1. ¿Qué autor estadounidense está asociado con La Habana Vieja?
2. ¿Por qué es famoso el Ballet Nacional de Cuba?
3. ¿Cuáles son los dos cultivos más importantes para la economía cubana?
4. ¿Qué fabrican los cubanos con la planta del tabaco?
5. ¿En qué año ganó un Grammy el disco Buena Vista Social Club?
6. ¿Cuáles son los dos ritmos que combina la agrupación Gente de Zona?

3 **Ensayo** Escribe un ensayo de entre 7 y 10 oraciones para contestar esta pregunta:

¿Qué aspectos de la cultura y las tradiciones de Cuba le dan su identidad y por qué son importantes?

En tu ensayo, utiliza datos de la sección *Panorama*, pero escribe con tus propias palabras en vez de (*instead of*) copiar directamente del texto.

Organiza tu ensayo así:

- una introducción con tu tesis
- la evidencia de *Panorama*
- una conclusión

ENTRE CULTURAS

Investiga sobre estos temas en vhlcentral.com:

1. **Busca información sobre una persona cubanoamericana célebre que viva en tu país. ¿Por qué es célebre? ¿Qué hace? ¿Cuándo emigró o cuándo emigraron sus padres de Cuba?**
2. **Busca información sobre un lugar de tu país en el que se pueda apreciar la cultura cubana (como un museo, un restaurante, una tienda, etc.). Elabora algunos dibujos sobre el lugar elegido. Después, escribe una breve descripción del lugar.**

I CAN identify basic facts about Cuba's geography and culture by reading short informational texts with visuals.

I CAN write a short essay about Cuba and some aspects of its identity.

La ropa

el abrigo	*coat*
los (blue)jeans	*jeans*
la blusa	*blouse*
la bolsa	*purse; bag*
la bota	*boot*
los calcetines (el calcetín)	*sock(s)*
la camisa	*shirt*
la camiseta	*t-shirt*
la cartera	*wallet*
la chaqueta	*jacket*
el cinturón	*belt*
la corbata	*tie*
la falda	*skirt*
las gafas (de sol)	*(sun)glasses*
los guantes	*gloves*
el impermeable	*raincoat*
las medias	*pantyhose; stockings*
los pantalones	*pants*
los pantalones cortos	*shorts*
la ropa	*clothing; clothes*
la ropa interior	*underwear*
las sandalias	*sandals*
el sombrero	*hat*
el suéter	*sweater*
el traje	*suit*
el traje de baño	*bathing suit*
el vestido	*dress*
los zapatos de tenis	*sneakers*

Verbos

acabar de (+ *inf.*)	*to have just done something*
conducir	*to drive*
conocer	*to know; to be acquainted with*
dar	*to give*
ofrecer	*to offer*
parecer	*to seem*
saber	*to know; to know how*
traducir	*to translate*

Ir de compras

el almacén	*department store*
la caja	*cash register*
el centro comercial	*shopping mall*
el/la cliente/a	*customer*
el/la dependiente/a	*clerk*
el dinero	*money*
(en) efectivo	*cash*
el mercado (al aire libre)	*(open-air) market*
un par (de zapatos)	*a pair (of shoes)*
el precio (fijo)	*(fixed; set) price*
la rebaja	*sale*
el regalo	*gift*
la tarjeta de crédito	*credit card*
la tienda	*shop; store*
el/la vendedor(a)	*salesperson*
costar (o:ue)	*to cost*
gastar	*to spend (money)*
hacer juego (con)	*to match (with)*
llevar	*to wear; to take*
pagar	*to pay*
regatear	*to bargain*
usar	*to wear; to use*
vender	*to sell*

Adjetivos

barato/a	*cheap*
bueno/a	*good*
cada	*each*
caro/a	*expensive*
corto/a	*short (in length)*
elegante	*elegant*
hermoso/a	*beautiful*
largo/a	*long*
loco/a	*crazy*
nuevo/a	*new*
otro/a	*other; another*
pobre	*poor*
rico/a	*rich*

Los colores

el color	*color*
anaranjado/a	*orange*
gris	*gray*
marrón, café	*brown*
morado/a	*purple*
rosado/a	*pink*

Palabras que indican el pretérito

acabar de (+ *inf.*)	*to have just done something*
anoche	*last night*
anteayer	*the day before yesterday*
ayer	*yesterday*
de repente	*suddenly*
desde	*from*
dos veces	*twice; two times*
hasta	*until*
pasado/a (*adj.*)	*last; past*
el año pasado	*last year*
la semana pasada	*last week*
prestar	*to lend; to loan*
una vez	*once; one time*
ya	*already*

Indirect object pronouns	*See page 238*
Demonstrative adjectives and pronouns	*See page 246*
Expresiones útiles	*See page 231*

A primera vista

- ¿Dónde están las chicas y qué hacen?
- ¿Están contentas o preocupadas?
- ¿Cómo son ellas?
- ¿Qué colores hay en la foto?

Essential Questions

1. How do our daily activities and routines compare to those of people in Spanish-speaking countries?
2. How does our culture influence how we choose to spend our time each day?
3. What traditional customs influence the daily routines within a culture?

7 La rutina diaria

Can Do Goals

By the end of this lesson I will be able to:

- Talk about daily routines and personal hygiene products
- Participate in a conversation between two roommates
- Describe my daily routine
- Write an ad for a product or store
- Describe a personal experience, including the places where I went
- Discuss preferences in a store

Also, I will learn about:

Culture
- Some daily customs in Spanish-speaking countries, including **la siesta**, **el mate** and **las tapas**
- Peru's geography and culture

Skills
- Reading: Predicting content from the title
- Writing: Sequencing events
- Listening: Using background information

Lesson 7 Integrated Performance Assessment
Context: You write a short blog post for students in Latin America about your typical daily routine, showing how your life is probably very similar to theirs.

Barras de Jabón de Castilla

Producto: El Jabón de Castilla es muy popular en España y otros países.
¿Cuáles son los productos de limpieza (*cleaning*) más populares en tu estado?

Objetivo comunicativo: Hablar de la rutina diaria y describir productos de higiene personal

La rutina diaria

Más vocabulario

el baño, el cuarto de baño	*bathroom*
el inodoro	*toilet*
el jabón	*soap*
el despertador	*alarm clock*
el maquillaje	*makeup*
la rutina diaria	*daily routine*
bañarse	*to bathe; to take a bath*
cepillarse el pelo	*to brush one's hair*
dormirse (o:ue)	*to go to sleep; to fall asleep*
lavarse la cara	*to wash one's face*
levantarse	*to get up*
maquillarse	*to put on makeup*
antes (de)	*before*
después	*afterwards; then*
después (de)	*after*
durante	*during*
entonces	*then*
luego	*then*
más tarde	*later on*
por la mañana	*in the morning*
por la noche	*at night*
por la tarde	*in the afternoon; in the evening*
por último	*finally*

Variación léxica

afeitarse ⟷ rasurarse *(Méx., Amér. C.)*
ducha ⟷ regadera *(Col., Méx., Venez.)*
ducharse ⟷ bañarse *(Amér. L.)*
pantuflas ⟷ chancletas *(Méx., Col.)*; zapatillas *(Esp.)*

En la habitación por la mañana

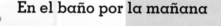

En el baño por la mañana

Práctica

1 **Escuchar** Indica si, en general, las personas hacen las acciones que vas a escuchar por la mañana o por la noche.

	Por la mañana	Por la noche
1.	❍	❍
2.	❍	❍
3.	❍	❍
4.	❍	❍
5.	❍	❍
6.	❍	❍
7.	❍	❍
8.	❍	❍

2 **Ordenar** Escucha la rutina diaria de Marta. Después ordena los verbos según lo que escuchaste.

____ a. almorzar
____ b. ducharse
____ c. peinarse
____ d. ver la televisión
____ e. desayunar
____ f. dormirse
____ g. despertarse
____ h. estudiar en la biblioteca

3 **Seleccionar** Selecciona la palabra que no está relacionada con cada grupo.

1. lavabo • toalla • despertador • jabón ____________
2. manos • antes de • después de • por último ____________
3. acostarse • jabón • despertarse • dormirse ____________
4. espejo • lavabo • despertador • entonces ____________
5. dormirse • toalla • vestirse • levantarse ____________
6. pelo • cara • manos • inodoro ____________
7. espejo • champú • jabón • pasta de dientes ____________
8. maquillarse • vestirse • peinarse • dientes ____________

4 **Identificar** Con un(a) compañero/a, identifica las cosas que cada persona necesita. Sigue el modelo.

modelo

Jorge / lavarse la cara
Estudiante 1: ¿Qué necesita Jorge para lavarse la cara?
Estudiante 2: Necesita jabón y una toalla.

1. Mariana / maquillarse
2. Gerardo / despertarse
3. Celia / bañarse
4. Gabriel / ducharse
5. Roberto / afeitarse
6. Sonia / lavarse el pelo
7. Vanesa / lavarse las manos
8. Manuel / vestirse

5 **La rutina de Andrés** Ordena esta rutina de una manera lógica.

a. Se afeita después de cepillarse los dientes. ______
b. Se acuesta a las once y media de la noche. ______
c. Por último, se duerme. ______
d. Después de afeitarse, sale para las clases. ______
e. Asiste a todas sus clases y vuelve a su casa. ______
f. Andrés se despierta a las seis y media de la mañana. ______
g. Después de volver a casa, come un poco. Luego estudia en su habitación. ______
h. Se viste y entonces se cepilla los dientes. ______
i. Se cepilla los dientes antes de acostarse. ______
j. Se ducha antes de vestirse. ______

6 **La rutina diaria** Identifica las actividades de las personas.

modelo

dormirse

1. 

2. 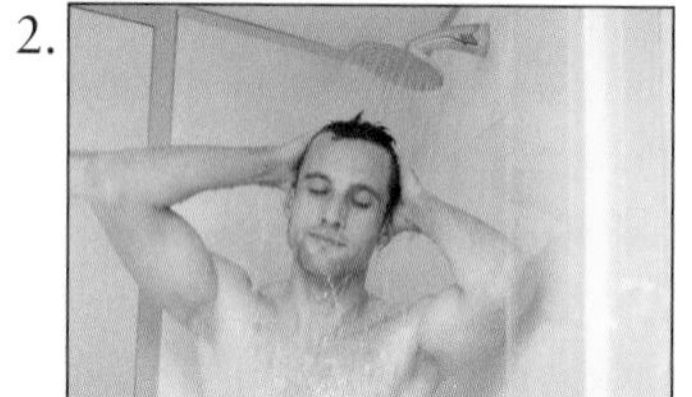

3. 

4. 

5. 

6. 

7. 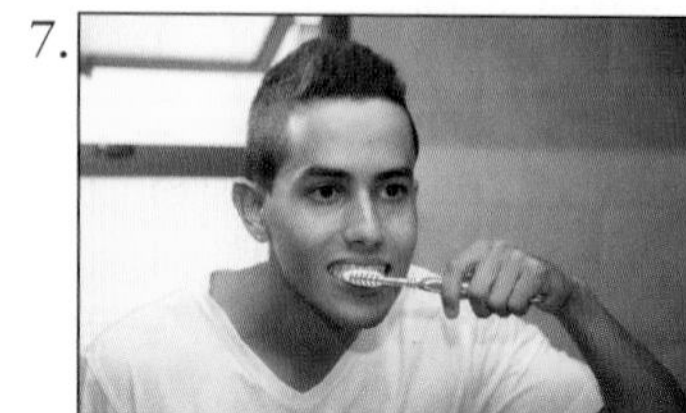

Comunicación

7 **La farmacia** Lee el anuncio y responde a las preguntas con un(a) compañero/a.

LA FARMACIA NUEVO SOL tiene todo lo que necesitas para la vida diaria.

Esta semana tenemos grandes rebajas. Con poco dinero puedes comprar lo que necesitas para el cuarto de baño ideal.

Para los hombres ofrecemos...
Excelentes cremas de afeitar de Guapo y Máximo

Para las mujeres ofrecemos...
Nuevo maquillaje de Marisol y jabones de baño Ilusiones y Belleza

Y para todos tenemos los mejores jabones, pastas de dientes y cepillos de dientes.

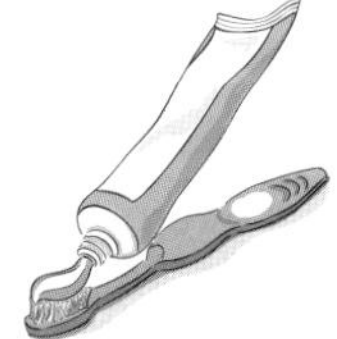

¡Visita **LA FARMACIA NUEVO SOL!**

Tenemos los mejores precios. Visita nuestra tienda muy cerca de tu casa.

1. ¿Qué tipo de tienda es?
2. ¿Qué productos ofrecen para las mujeres?
3. ¿Qué productos ofrecen para los hombres?
4. Haz (*Make*) una lista de los verbos que asocias con los productos del anuncio.
5. ¿Dónde compras tus productos de higiene?
6. ¿Tienes una tienda favorita? ¿Cuál es?

8 **Rutinas diarias** Trabajen en parejas para describir la rutina diaria de dos o tres de estas personas. Pueden usar palabras de la lista.

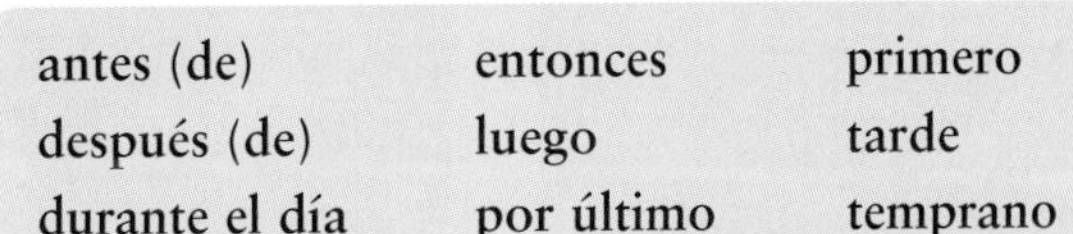

antes (de)	entonces	primero
después (de)	luego	tarde
durante el día	por último	temprano

- un (a) maestro/a
- un(a) turista
- un hombre o una mujer de negocios (*businessman/woman*)
- un vigilante nocturno (*night watchman*)
- un(a) jubilado/a (*retired person*)
- el presidente/primer ministro de tu país
- un niño de cuatro años

PUEDO hablar sobre la rutina diaria y los productos de higiene personal.

Objetivo comunicativo: Participar en una conversación entre dos compañeros de cuarto

¡Tengo que arreglarme!

Hay conflictos entre los compañeros de cuarto.

ANTES DE VER
Mira las imágenes y haz predicciones sobre los conflictos entre los compañeros de cuarto.

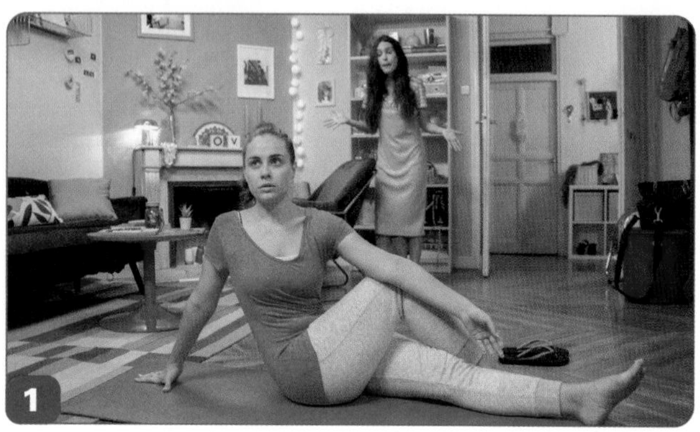

OLGA LUCÍA ¿Dónde está mi cepillo?

VALENTINA ¡Buenos días!

OLGA LUCÍA ¡Mi cepillo rojo! ¿Lo tienes tú?

VALENTINA ¿No está en el baño?

OLGA LUCÍA ¡No! ¡No está en el baño, ni en el cuarto, ni en ninguna parte!

MANUEL ¡Juanjo!

JUANJO ¿Qué quieres?

MANUEL ¡Alguien te está llamando!

JUANJO ¡Manuel!

MANUEL Está ocupado.

JUANJO ¡Tengo que cepillarme los dientes!... ¡Ése es tu cepillo!

MANUEL ¿En serio? ¿Mi cepillo no es el rojo?

JUANJO ¡No!

MANUEL ¡Yo siempre uso éste!

VALENTINA ¿Encontraste el cepillo?

OLGA LUCÍA ¡Todavía no! ¡¿Estás usando mis calcetines?! ¿Por qué siempre te pones mis cosas?

VALENTINA ¿Son tus calcetines?

OLGA LUCÍA ¡Claro! ¡Los tienes desde hace dos meses, cuando fuimos a Toledo! ¡Por eso nunca encuentro mis cosas!

VALENTINA ¡No es por eso! ¡Pierdes todo en ese desorden!

PERSONAJES

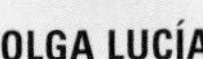

OLGA LUCÍA VALENTINA MANUEL JUANJO

JUANJO ¡Manuel! ¡Fuiste tú! ¡Muy gracioso!... ¡Tengo clase a las nueve en punto!

JUANJO ¡No puedes lavarte el pelo con mi champú! ¡Me molesta! ¡Y no puedes afeitarte con mi crema de afeitar! ¡Y no puedes secarte con mi toalla! ¡Jamás! ¡Gracias!

MANUEL ¿Y tus pantuflas?

JUANJO ¡Tampoco!

MANUEL ¡Me encantan sus pantuflas!

Expresiones útiles

la araña *spider*
la ayuda *help*
el cepillo *brush*
cuando *when*
desde hace *for (a period of time)*
el desorden *mess*
¿En serio? *Really?*
gracioso/a *funny*
llamar *to call*
las pantuflas *slippers*
por eso *that's why*
secarse *to dry (oneself)*

---

la alarma *alarm*
gritar *to scream*

Horarios en Madrid

Los habitantes de Madrid en general desayunan entre las siete y las nueve de la mañana, almuerzan entre las dos y las cuatro de la tarde y cenan entre las nueve y las doce de la noche. Una teoría dice que a los madrileños se les llama gatos (*cats*) porque les gusta salir por la noche.

¿A qué hora te gusta tomar tus comidas?

¿Qué pasó?

1 **¿Cierto o falso?** Indica si lo que dicen estas oraciones es **cierto** o **falso**. Corrige las oraciones falsas.

	Cierto	Falso
1. Olga Lucía no encuentra su cepillo azul.	❍	❍
2. Juanjo tiene que cepillarse los dientes.	❍	❍
3. Manuel usa el cepillo de dientes de Juanjo.	❍	❍
4. Valentina tiene en su bolsa el maquillaje de Olga Lucía.	❍	❍
5. Manuel lleva las pantuflas de Juanjo.	❍	❍
6. A Juanjo le molesta que Manuel use su crema de afeitar y su toalla.	❍	❍

2 **Identificar** Identifica quién dice estas oraciones.

1. ¡Ahora sí me desperté! ________________
2. ¿Mi cepillo no es el rojo? ________________
3. ¡No puedes lavarte el pelo con mi champú! ________________
4. ¿Encontraste el cepillo? ________________
5. ¡Me encantan sus pantuflas! ________________
6. ¡No está en el baño, ni en el cuarto, ni en ninguna parte! ________________

JUANJO

MANUEL

OLGA LUCÍA

VALENTINA

3 **Preguntas** Contesta estas preguntas con oraciones completas.

1. ¿A qué hora se levanta Olga Lucía?
2. ¿Quién hace yoga?
3. ¿De qué color es el cepillo de dientes de Juanjo?
4. ¿Quién tiene clase a las nueve en punto?
5. ¿Por qué tiene miedo Olga Lucía?
6. ¿Desde cuándo tiene Valentina los calcetines de Olga Lucía?
7. ¿Dónde encuentra Valentina el cepillo de Olga Lucía?

4  **Compañeros de cuarto** En parejas, representen una de estas situaciones entre dos compañeros/as de cuarto.

- Los dos compañeros/as de cuarto quieren usar el baño al mismo tiempo.
- Un(a) compañero/a usa las cosas del otro/de la otra.
- Un(a) compañero/a no quiere prestar una cosa al otro/a la otra
- Un(a) compañero/a no encuentra el champú/cepillo.

PUEDO participar en una conversación entre dos compañeros de cuarto

Pronunciación

The consonant r

ropa **r**utina **r**ico **R**amón

In Spanish, **r** has a strong trilled sound at the beginning of a word. No English words have a trill, but English speakers often produce a trill when they imitate the sound of a motor.

gusta**r** du**r**ante p**r**ime**r**o c**r**ema

In any other position, **r** has a weak sound similar to the English *tt* in *better* or the English *dd* in *ladder*. In contrast to English, the tongue touches the roof of the mouth behind the teeth.

piza**rr**a co**rr**o ma**rr**ón abu**rr**ido

The letter combination **rr**, which only appears between vowels, always has a strong trilled sound.

ca**r**o ca**rr**o pe**r**o pe**rr**o

Between vowels, the difference between the strong trilled **rr** and the weak **r** is very important, as a mispronunciation could lead to confusion between two different words.

Práctica Lee las palabras en voz alta, prestando (*paying*) atención a la pronunciación de la **r** y la **rr**.

1. Perú
2. Rosa
3. borrador
4. madre
5. comprar
6. favor
7. rubio
8. reloj
9. Arequipa
10. tarde
11. cerrar
12. despertador

Oraciones Lee las oraciones en voz alta, prestando atención a la pronunciación de la **r** y la **rr**.

1. Ramón Robles Ruiz es programador. Su esposa Rosaura es artista.
2. A Rosaura Robles le encanta regatear en el mercado.
3. Ramón nunca regatea... le aburre regatear.
4. Rosaura siempre compra cosas baratas.
5. Ramón no es rico, pero prefiere comprar cosas muy caras.
6. ¡El martes Ramón compró un carro nuevo!

Refranes Lee en voz alta los refranes, prestando atención a la **r** y a la **rr**.

Perro que ladra no muerde.[1]

No se ganó Zamora en una hora.[2]

1 A dog's bark is worse than its bite.
2 Rome wasn't built in a day.

EN DETALLE

La siesta

¿Sientes cansancio° después de comer? ¿Te cuesta° volver al trabajo° o a clase después del almuerzo? Estas sensaciones son normales. A muchas personas les gusta relajarse° después de almorzar. Este momento de descanso es **la siesta.** La siesta es popular en los países hispanos y viene de una antigua costumbre° del área del Mediterráneo. La palabra *siesta* viene del latín, es una forma corta de decir "sexta hora". La sexta hora del día es después del mediodía, el momento de más calor. Debido al° calor y al cansancio, los habitantes de España, Italia, Grecia y Portugal tienen la costumbre de dormir la siesta desde hace° más de° dos mil años. Los españoles y los portugueses llevaron la costumbre a los países americanos.

Aunque° hoy día esta costumbre está desapareciendo° en las grandes ciudades, la siesta todavía es importante en la cultura hispana. En pueblos pequeños, por ejemplo, muchas oficinas° y tiendas tienen la costumbre de cerrar por dos o tres horas después del mediodía. Los empleados van a su casa, almuerzan con sus familias, duermen la siesta o hacen actividades, como ir al gimnasio, y luego regresan al trabajo entre las 2:30 y las 4:30 de la tarde.

Los estudios científicos explican que una siesta corta después de almorzar ayuda° a trabajar más y mejor° durante la tarde. Pero ¡cuidado! Esta siesta debe durar° sólo entre veinte y cuarenta minutos. Si dormimos más, entramos en la fase de sueño profundo y es difícil despertarse.

Hoy, algunas empresas° de los EE.UU., Canadá, Japón, Inglaterra y Alemania tienen salas° especiales donde los empleados pueden dormir la siesta.

¿Dónde duermen la siesta?

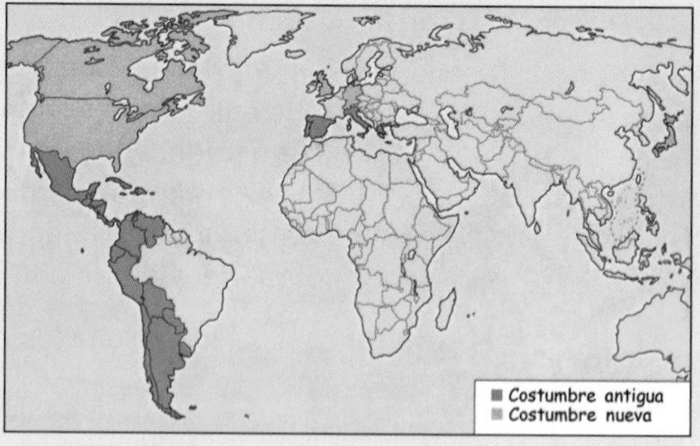

En los lugares donde la siesta es una costumbre antigua, las personas la duermen en su casa. En los países donde la siesta es una costumbre nueva, la gente duerme en sus lugares de trabajo o en centros de siesta.

ASÍ SE DICE

El cuidado personal

el aseo; el excusado; el servicio; el váter (Esp.)	**el baño**
el cortaúñas	*nail clippers*
el desodorante	*deodorant*
el enjuague bucal	*mouthwash*
el hilo dental/ la seda dental	*dental floss*
la máquina de afeitar/ de rasurar (Méx.)	*electric razor*

Sientes cansancio *Do you feel tired* **Te cuesta** *Is it hard for you* **trabajo** *work* **relajarse** *to relax* **antigua costumbre** *old custom* **Debido al** *Because (of)* **desde hace** *for* **más de** *more than* **Aunque** *Although* **está desapareciendo** *is disappearing* **oficinas** *offices* **ayuda** *helps* **mejor** *better* **durar** *last* **algunas empresas** *some businesses* **salas** *rooms*

ACTIVIDADES

1 **¿Cierto o falso?** Indica si lo que dicen las oraciones es **cierto** o **falso.** Corrige la información falsa.

1. La costumbre de la siesta empezó en Asia.
2. La palabra siesta está relacionada con la sexta hora del día.
3. Los españoles y los portugueses llevaron la costumbre de la siesta a Latinoamérica.
4. La siesta ayuda a trabajar más y mejor durante la tarde.
5. Los horarios de trabajo de las grandes ciudades hispanas son los mismos que los pueblos pequeños.
6. Una siesta larga siempre es mejor que una siesta corta.
7. En los Estados Unidos, los empleados de algunas empresas pueden dormir la siesta en el trabajo.
8. Es fácil despertar de un sueño profundo.

2 Completa cada oración según la lectura.

1. La siesta es un momento de descanso después del ________.
2. La palabra siesta viene del ________.
3. En ciertos países, la hora de la siesta coincide con la de más ________.
4. En algunos ________ pequeños, a la hora de la siesta muchas oficinas y ________ cierran.
5. En España, ir al servicio es lo mismo que utilizar el ________.
6. Para limpiarte (*clean*) los dientes puedes usar hilo o ________ dental.

3 **¿Qué costumbres tienes?** Escribe cuatro oraciones sobre una costumbre que compartes con tus amigos o con tu familia (por ejemplo: ir al cine, ir a eventos deportivos, leer, comer juntos, etc.). Explica qué haces, cuándo lo haces y con quién. Luego hablen sobre sus costumbres en un grupo de tres compañeros/as.

ENTRE CULTURAS

¿Qué costumbres son populares en los países hispanos?

Go to ***vhlcentral.com*** *to find out more cultural information related to this* ***Cultura*** *section.*

PUEDO entender y comparar prácticas y costumbres en mi cultura y en otras.

PERFIL

El mate

El mate es una parte muy importante de la rutina diaria en muchos países. Es una bebida° muy similar al té que se consume en Argentina, Uruguay y Paraguay. Tradicionalmente se bebe caliente° con una *bombilla*° y en un recipiente° que también se llama *mate*. Por ser amarga°, algunos le agregan° azúcar para suavizar su sabor°. El mate se puede tomar a cualquier° hora y en cualquier lugar, aunque en Argentina las personas prefieren sentarse en círculo e ir pasando el mate de mano en mano mientras° conversan. Los uruguayos, por otra parte, acostumbran llevar el agua° caliente para el mate en un termo° bajo el brazo° y lo beben mientras caminan. Si ves a una persona con un termo bajo el brazo y un mate en la mano, ¡es casi seguro que es de Uruguay!

bebida *drink* **caliente** *hot* **bombilla** *straw (in Argentina)* **recipiente** *container* **amarga** *bitter* **agregan** *add* **suavizar su sabor** *soften its flavor* **cualquier** *any* **mientras** *while* **agua** *water* **termo** *thermos* **bajo el brazo** *under their arm*

Comprensión Completa cada oración según la lectura.

1. El ________ es una bebida similar al té.
2. El mate se consume en Argentina, Uruguay y ________.
3. Algunas personas le adicionan ________ al mate.
4. Los uruguayos beben mate mientras ________.

Objetivo comunicativo: Hablar sobre las actividades de higiene personal diarias

7.1 Reflexive verbs

ANTE TODO A reflexive verb is used to indicate that the subject does something to or for himself or herself. In other words, it "reflects" the action of the verb back to the subject. Reflexive verbs always use reflexive pronouns.

SUBJECT	REFLEXIVE VERB
Joaquín	**se ducha** por la mañana.

The verb lavarse (*to wash oneself*)

SINGULAR FORMS	yo	**me lavo**	*I wash (myself)*
	tú	**te lavas**	*you wash (yourself)*
	Ud.	**se lava**	*you wash (yourself)*
	él/ella	**se lava**	*he/she washes (himself/herself)*
PLURAL FORMS	nosotros/as	**nos lavamos**	*we wash (ourselves)*
	vosotros/as	**os laváis**	*you wash (yourselves)*
	Uds.	**se lavan**	*you wash (yourselves)*
	ellos/ellas	**se lavan**	*they wash (themselves)*

AYUDA

Except for **se**, reflexive pronouns have the same forms as direct and indirect object pronouns.

•••

Se is used for both singular and plural subjects—there is no individual plural form:

Pablo **se** lava.
Ellos **se** lavan.

- The pronoun **se** attached to an infinitive identifies the verb as reflexive: **lavarse.**
- When a reflexive verb is conjugated, the reflexive pronoun agrees with the subject.

Me afeito. **Te despiertas** a las siete.

¿Por qué siempre te pones mis cosas?

¡No puedes lavarte el pelo con mi champú!

- Like object pronouns, reflexive pronouns generally appear before a conjugated verb. With infinitives and present participles, they may be placed before the conjugated verb or attached to the infinitive or present participle.

Ellos **se** van a vestir.
Ellos van a vestir**se**.
They are going to get dressed.

Nos estamos lavando las manos.
Estamos lavándo**nos** las manos.
We are washing our hands.

- **¡Atención!** When a reflexive pronoun is attached to a present participle, an accent mark is added to maintain the original stress.

bañando ⟶ bañ**á**ndo**se** durmiendo ⟶ durmi**é**ndo**se**

AYUDA

You have already learned several adjectives that can be used with **ponerse** when it means *to become*: **alegre, cómodo/a, contento/a, elegante, guapo/a, nervioso/a, rojo/a,** and **triste**.

Common reflexive verbs

acordarse (de) (o:ue)	*to remember*	**llamarse**	*to be called; to be named*
acostarse (o:ue)	*to go to bed*	**maquillarse**	*to put on makeup*
afeitarse	*to shave*	**peinarse**	*to comb one's hair*
bañarse	*to bathe; to take a bath*	**ponerse**	*to put on*
cepillarse	*to brush*	**ponerse (+ *adj.*)**	*to become (+ adj.)*
despertarse (e:ie)	*to wake up*	**preocuparse (por)**	*to worry (about)*
dormirse (o:ue)	*to go to sleep; to fall asleep*	**probarse** (o:ue)	*to try on*
ducharse	*to shower; to take a shower*	**quedarse**	*to stay; to remain*
		quitarse	*to take off*
enojarse (con)	*to get angry (with)*	**secarse**	*to dry (oneself)*
irse	*to go away; to leave*	**sentarse** (e:ie)	*to sit down*
lavarse	*to wash (oneself)*	**sentirse** (e:ie)	*to feel*
levantarse	*to get up*	**vestirse** (e:i)	*to get dressed*

VERIFICA

COMPARE & CONTRAST

Unlike English, a number of verbs in Spanish can be reflexive or non-reflexive. If the verb acts upon the subject, the reflexive form is used. If the verb acts upon something other than the subject, the non-reflexive form is used. Compare these sentences.

Lola **lava** los platos.

Patricia **se lava** la cara.

As the preceding sentences show, reflexive verbs sometimes have different meanings than their non-reflexive counterparts. For example, **lavar** means *to wash,* while **lavarse** means *to wash oneself, to get washed, to wash up.*

¡Atención! Unlike in English, in Spanish parts of the body or clothing are referred to with articles, not possessives.

La niña se quitó **un** zapato.
The little girl took off one of her shoes.

Necesito cepillarme **los** dientes.
I need to brush my teeth.

¡INTÉNTALO! Indica el presente de estos verbos reflexivos.

despertarse

1. Mis hermanos _se despiertan_ tarde.
2. Tú ________ tarde.
3. Nosotros ________ tarde.
4. Benito ________ tarde.
5. Yo ________ tarde.

ponerse

1. Él _se pone_ una chaqueta.
2. Yo ________ una chaqueta.
3. Usted ________ una chaqueta.
4. Nosotras ________ una chaqueta.
5. Las niñas ________ una chaqueta.

Práctica

1 **Nuestra rutina** La familia de Blanca sigue la misma rutina todos los días. Según Blanca, ¿qué hacen ellos?

modelo

mamá / despertarse a las 5:00
Mamá se despierta a las cinco.

1. Roberto y yo / levantarse a las 7:00
2. papá / ducharse primero y / luego afeitarse
3. yo / lavarse la cara y / vestirse antes de tomar café
4. mamá / peinarse y / luego maquillarse
5. todos (nosotros) / sentarse a la mesa para comer
6. Roberto / cepillarse los dientes después de comer
7. yo / ponerse el abrigo antes de salir
8. nosotros / irse

NOTA CULTURAL

Como en los EE.UU., **tomar café** en el desayuno es muy común en los países hispanos.

En muchas familias, incluso los niños toman café con leche (*milk*) en el desayuno antes de ir a la escuela.

El café en los países hispanos generalmente es más fuerte que en los EE.UU., y el descafeinado no es muy popular.

2 **La fiesta elegante** Selecciona el verbo apropiado y completa las oraciones con la forma correcta.

1. Tú ________ (lavar / lavarse) el auto antes de ir a la fiesta.
2. Nosotros ________ (bañar / bañarse) antes de ir a la fiesta.
3. Para llegar a tiempo, Raúl y Marta ________ (acostar / acostarse) a los niños antes de salir.
4. Cecilia ________ (maquillar / maquillarse) antes de salir.
5. Mis amigos siempre ________ (vestir / vestirse) con ropa muy elegante.
6. Julia y Ana ________ (poner / ponerse) los vestidos nuevos.
7. Usted ________ (ir / irse) a llegar antes que (*before*) los demás invitados, ¿no?
8. En general, ________ (afeitar / afeitarse) yo mismo, pero hoy es un día especial y el barbero (*barber*) me ________ (afeitar / afeitarse). ¡Será una fiesta inolvidable!

¡LENGUA VIVA!

In Spain, a car is called **un coche**, while in many parts of Latin America it is known as **un carro**. Although you will be understood using either of these terms, using **auto (automóvil)** will always avoid any confusion.

3 **Describir** Describe lo que estas personas hacen.

modelo

Mi papá se enoja con el perro.

1. el joven

2. Carmen

3. Juan

4. los pasajeros

5. Estrella

Comunicación

4 **¡Esto fue el colmo!** Escucha lo que ocurrió ayer en el apartamento de Julia. Luego, indica si las siguientes afirmaciones son **lógicas** o **ilógicas**, según lo que escuchaste.

	Lógico	Ilógico
1. En el apartamento de Julia cada habitación tiene un cuarto de baño.	❍	❍
2. La familia tiene un horario para usar el cuarto de baño.	❍	❍
3. Normalmente, Julia no se queda mucho tiempo en el cuarto de baño.	❍	❍
4. A Julia no le gusta esperar para usar el baño.	❍	❍
5. Mañana, la hermana de Julia probablemente va a quedarse en el cuarto de baño por menos tiempo.	❍	❍

5 **Preguntas personales** Contesta las preguntas de tu compañero/a.

1. ¿A qué hora te levantas durante la semana?
2. ¿A qué hora te levantas los fines de semana?
3. ¿Usas un despertador para levantarte?
4. ¿Te enojas frecuentemente con tus amigos?
5. ¿Te preocupas fácilmente? ¿Qué te preocupa?
6. ¿Qué haces cuando te sientes triste?
7. ¿Y cuando te sientes alegre?

6 **Debate** ¿Quiénes necesitan más tiempo para arreglarse antes de salir: los hombres o las mujeres? En parejas, discutan este tema y defiendan sus ideas con ejemplos. Luego debatan el tema con la clase.

Síntesis

7 **Mi rutina diaria** Quieres contarle a un(a) amigo/a lo que haces durante la semana. Primero, haz un esquema o una secuencia de tus actividades diarias. Luego, escríbele a tu amigo/a un mensaje electrónico en el que describas tu rutina diaria. Incluye las horas.

PUEDO describir mi rutina diaria oralmente o por escrito.

7.2 Indefinite and negative words

ANTE TODO Indefinite words refer to people and things that are not specific, for example, *someone* or *something*. In Spanish, indefinite words have corresponding negative words, which are opposite in meaning.

Indefinite and negative words

Indefinite words		Negative words	
algo	*something; anything*	**nada**	*nothing; not anything*
alguien	*someone; somebody; anyone*	**nadie**	*no one; nobody; not anyone*
alguno/a(s), algún	*some; any*	**ninguno/a, ningún**	*no; none; not any*
o... o	*either... or*	**ni... ni**	*neither... nor*
siempre	*always*	**nunca, jamás**	*never, not ever*
también	*also; too*	**tampoco**	*neither; not either*

- There are two ways to form negative sentences in Spanish. You can place the negative word before the verb, or you can place **no** before the verb and the negative word after.

Nadie se levanta temprano.
No one gets up early.

Ellos **nunca gritan**.
They never shout.

No se levanta nadie temprano.
No one gets up early.

Ellos **no gritan nunca**.
They never shout.

¡Alguien te está llamando!

¡No está en el baño, ni en mi cuarto, ni en ninguna parte!

- Because they refer to people, **alguien** and **nadie** are often used with the personal **a**. The personal **a** is also used before **alguno/a**, **algunos/as**, and **ninguno/a** when these words refer to people and they are the direct object of the verb.

—Perdón, señor, ¿busca usted **a alguien**?
—No, gracias, señorita, no busco **a nadie**.

—Tomás, ¿buscas **a alguno** de tus hermanos?
—No, mamá, no busco **a ninguno**.

- **¡Atención!** Before a masculine singular noun, **alguno** and **ninguno** are shortened to **algún** and **ningún**.

—¿Tienen ustedes **algún** amigo peruano?

—No, no tenemos **ningún** amigo peruano.

AYUDA

Alguno/a, algunos/as are not always used in the same way English uses *some* or *any*. Often, **algún** is used where *a* would be used in English.

¿Tienes algún libro que hable de los incas?
*Do you have **a** book that talks about the Incas?*

Note that **ninguno/a** is rarely used in the plural.

—¿Visitaste algunos museos?
—No, no visité ninguno.

VERIFICA

COMPARE & CONTRAST

In English, it is incorrect to use more than one negative word in a sentence. In Spanish, however, sentences frequently contain two or more negative words. Compare these Spanish and English sentences.

Nunca le escribo a **nadie**.
I never write to anyone.

No me preocupo **nunca** por **nada**.
I never worry about anything.

As the preceding sentences show, once an English sentence contains one negative word (for example, *not* or *never*), no other negative word may be used. Instead, indefinite (or affirmative) words are used. In Spanish, however, once a sentence is negative, no other affirmative (that is, indefinite) word may be used. Instead, all indefinite ideas must be expressed in the negative.

▶ **Pero** is used to mean *but*. The meaning of **sino** is *but rather* or *on the contrary*. It is used when the first part of the sentence is negative and the second part contradicts it.

Los estudiantes no se acuestan temprano **sino** tarde.
The students don't go to bed early, but rather late.

María no habla francés **sino** español.
María doesn't speak French, but rather Spanish.

Esas gafas son caras, **pero** bonitas.
Those glasses are expensive, but pretty.

José es inteligente, **pero** no saca buenas notas.
José is intelligent but doesn't get good grades.

¡INTÉNTALO! Cambia las oraciones para que sean negativas.

1. Siempre se viste bien.
   Nunca se viste bien.
   No se viste bien nunca.
2. Alguien se ducha.
   ________ se ducha.
   ________ se ducha ________.
3. Ellas van también.
   Ellas ________ van.
   Ellas ________ van ________.
4. Alguien se pone nervioso.
   ________ se pone nervioso.
   ________ se pone nervioso ________.
5. Tú siempre te lavas las manos.
   Tú ________ te lavas las manos.
   Tú ____ te lavas las manos ________.
6. Voy a traer algo.
   ________ voy a traer ________.
7. Juan se afeita también.
   Juan ________ se afeita.
   Juan ________ se afeita ________.
8. Mis amigos viven en una residencia o en casa.
   Mis amigos ______ viven ______ en una residencia ______ en casa.
9. La profesora hace algo en su escritorio.
   La profesora ______ hace ______ en su escritorio.
10. Tú y yo vamos al mercado.
    ______ tú ______ yo vamos al mercado.
11. Tienen algún espejo en la tienda.
    ______ tienen ________ espejo en la tienda.
12. Algunos niños se ponen los abrigos.
    ________ niño se pone el abrigo.

Práctica

1 **¿Pero o sino?** Forma oraciones sobre estas personas usando **pero** o **sino**.

modelo

muchos estudiantes comen en la cafetería / algunos de ellos quieren salir a comer a un restaurante local.

Muchos estudiantes comen en la cafetería, pero algunos de ellos quieren salir a comer a un restaurante local.

1. Marcos nunca se despierta temprano / siempre llega puntual a clase
2. Lisa y Katarina no se acuestan temprano / muy tarde
3. Alfonso es inteligente / algunas veces es antipático
4. los directores de la escuela no son ecuatorianos / peruanos
5. no nos acordamos de comprar champú / compramos jabón
6. Emilia no es estudiante / profesora
7. no quiero levantarme / tengo que ir a clase
8. Miguel no se afeita por la mañana / por la noche

2  **Completar** Completa esta conversación entre dos hermanos. Usa expresiones negativas en tus respuestas. Luego, dramatiza la conversación con un(a) compañero/a.

AURELIO Ana María, ¿encontraste algún regalo para Eliana?
ANA MARÍA (1)____________________
AURELIO ¿Viste a alguna amiga en el centro comercial?
ANA MARÍA (2)____________________
AURELIO ¿Me llamó alguien?
ANA MARÍA (3)____________________
AURELIO ¿Quieres ir al teatro o al cine esta noche?
ANA MARÍA (4)____________________
AURELIO ¿No quieres salir a comer?
ANA MARÍA (5)____________________
AURELIO ¿Hay algo interesante en la televisión esta noche?
ANA MARÍA (6)____________________
AURELIO ¿Tienes algún problema?
ANA MARÍA (7)____________________

Comunicación

3 **Entre amigos** Escucha la conversación entre Felipe y Mercedes. Luego, indica si las inferencias son **lógicas** o **ilógicas**, según lo que escuchaste.

	Lógico	Ilógico
1. El novelista peruano Mario Vargas Llosa está en la Feria del Libro.	❍	❍
2. Mercedes ni conoce Perú ni sabe quién es la novelista.	❍	❍
3. El amigo peruano de Mercedes vive en Cuzco.	❍	❍
4. Felipe viajó a Macchu Picchu.	❍	❍
5. Mercedes quiere ir a la Feria del Libro.	❍	❍

4 **Entrevista** Contesta las preguntas de tu compañero/a. Usa oraciones completas y las expresiones **siempre, algunas veces y nunca**.

1. ¿Te levantas antes de la siete de la mañana?
2. ¿Te duchas por la mañana?
3. ¿Te secas el pelo después de ducharte?
4. ¿Ves la televisión antes de acostarte?
5. ¿Te cepillas los dientes después de comer?
6. ¿Te bañas por la noche?

5 **¿Qué hay?** En parejas, háganse preguntas sobre qué hay en su ciudad o pueblo: tiendas interesantes, almacenes, cines, librerías baratas, una biblioteca, una plaza central, una playa, cafés, museos, una estación de tren. Sigan el modelo.

modelo

Estudiante 1: ¿Hay algunas tiendas interesantes?
Estudiante 2: Sí, hay una/algunas. Está(n) detrás del estadio.
Estudiante 1: ¿Hay algún museo?
Estudiante 2: No, no hay ninguno.

Síntesis

6 **Anuncio** Escribe un anuncio para un producto o una tienda. Usa expresiones indefinidas y negativas.

¿Buscas algún producto especial?
¡Siempre hay algo para todos en las tiendas García!

PUEDO hablar sobre algunos lugares de mi ciudad.

PUEDO escribir un anuncio para un producto o una tienda.

7.3 Preterite of ser and ir

ANTE TODO In **Lección 6**, you learned how to form the preterite tense of regular **-ar**, **-er**, and **-ir** verbs. The following chart contains the preterite forms of **ser** (*to be*) and **ir** (*to go*). Since these forms are irregular, you will need to memorize them.

Preterite of ser and ir

		ser (*to be*)	**ir** (*to go*)
SINGULAR FORMS	yo	**fui**	**fui**
	tú	**fuiste**	**fuiste**
	Ud./él/ella	**fue**	**fue**
PLURAL FORMS	nosotros/as	**fuimos**	**fuimos**
	vosotros/as	**fuisteis**	**fuisteis**
	Uds./ellos/ellas	**fueron**	**fueron**

AYUDA

Note that, whereas regular **-er** and **-ir** verbs have accent marks in the **yo** and **Ud./él/ella** forms of the preterite, **ser** and **ir** do not.

▶ Since the preterite forms of **ser** and **ir** are identical, context clarifies which of the two verbs is being used.

Él **fue** a comprar champú y jabón.
He went to buy shampoo and soap.

¿Cómo **fue** la película anoche?
How was the movie last night?

¡Manuel! ¡Fuiste tú!

¡Los tienes desde hace dos meses, cuando fuimos a Toledo!

¡INTÉNTALO! Completa las oraciones usando el pretérito de **ser** e **ir**.

ir

1. Los viajeros fueron a Perú.
2. Patricia ________ a Cuzco.
3. Tú ________ a Iquitos.
4. Gregorio y yo ________ a Lima.
5. Yo ________ a Trujillo.
6. Ustedes ________ a Arequipa.
7. Mi padre ________ a Lima.
8. Nosotras ________ a Cuzco.
9. Él ________ a Machu Picchu.
10. Usted ________ a Nazca.

ser

1. Usted fue muy amable.
2. Yo ________ muy cordial.
3. Ellos ________ simpáticos.
4. Nosotros ________ muy tontos.
5. Ella ________ antipática.
6. Tú ________ muy generoso.
7. Ustedes ________ cordiales.
8. La gente ________ amable.
9. Tomás y yo ________ muy felices.
10. Los profesores ________ buenos.

Práctica y Comunicación

NOTA CULTURAL

La ciudad peruana de **El Callao**, fundada en 1537, fue por muchos años el puerto (*port*) más activo de la costa del Pacífico en Suramérica. En el siglo XVIII, una fortaleza fue construida (*built*) allí para proteger (*protect*) la ciudad de los ataques de piratas y bucaneros. ¿Cuáles son las principales ciudades puerto de tu país?

1 **Completar** Completa estas conversaciones con la forma correcta del pretérito de **ser** o **ir**. Indica el infinitivo de cada forma verbal.

Conversación 1

		ser	ir
RAÚL	¿Adónde (1)__________ ustedes de vacaciones?	❍	❍
PILAR	(2)__________ a Perú.	❍	❍
RAÚL	¿Cómo (3)__________ el viaje?	❍	❍
▶ **PILAR**	¡(4)__________ estupendo! Machu Picchu y El Callao son increíbles.	❍	❍
RAÚL	¿(5)__________ caro el viaje?	❍	❍
PILAR	No, el precio (6)__________ muy bajo. Sólo costó tres mil dólares.	❍	❍

Conversación 2

		ser	ir
ISABEL	Tina y Vicente (7)__________ novios, ¿no?	❍	❍
LUCÍA	Sí, pero ahora no. Anoche Tina (8)__________ a comer con Gregorio	❍	❍
	y la semana pasada ellos (9)__________ al partido de fútbol.	❍	❍
ISABEL	¿Ah sí? Javier y yo (10)__________ al partido y no los vimos.	❍	❍

2 **Descripciones** Forma oraciones con estos elementos. Usa el pretérito.

A	B	C	D
yo	(no) ir	a un restaurante	ayer
tú	(no) ser	en autobús	anoche
mi compañero/a		estudiante	anteayer
nosotros		muy simpático/a	la semana pasada
mis amigos		a la playa	el año pasado
ustedes		dependiente/a en una tienda	

3  **Preguntas** En parejas, túrnense para hacerse estas preguntas.

1. ¿Cuándo fuiste al cine por última vez? ¿Con quién fuiste?
2. ¿Fuiste en auto, en autobús o en metro? ¿Cómo fue el viaje?
3. ¿Cómo fue la película?
4. ¿Fue una película de terror, de acción o un drama?
5. ¿Fue una de las mejores películas que viste? ¿Por qué?
6. ¿Fueron buenos los actores o no? ¿Cuál fue el mejor?
7. ¿Adónde fuiste/fueron después?
8. ¿Fue una buena idea ir al cine?
9. ¿Fuiste feliz ese día?

4  **El viaje** En parejas, escriban un diálogo de un(a) viajero/a hablando con el/la agente de viajes sobre un viaje que hizo recientemente. Usen el pretérito de **ser** e **ir**.

modelo

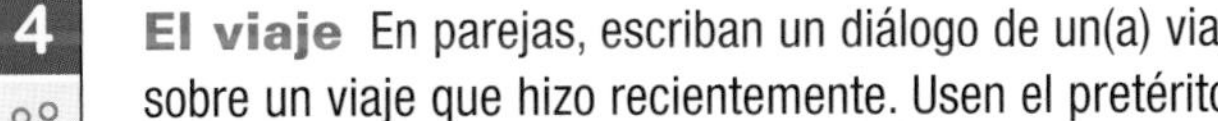

Agente: *¿Cómo fue el viaje?*
Viajero: *El viaje fue maravilloso/horrible...*

PUEDO describir una experiencia oralmente o por escrito, incluyendo los lugares a donde fui.

7.4 Verbs like gustar

ANTE TODO In **Lección 2**, you learned how to express preferences with **gustar**. You will now learn more about the verb **gustar** and other similar verbs. Observe these examples.

Me gusta ese champú.

ENGLISH EQUIVALENT
I like that shampoo.
LITERAL MEANING
That shampoo is pleasing to me.

¿**Te gustaron** las clases?

ENGLISH EQUIVALENT
Did you like the classes?
LITERAL MEANING
Were the classes pleasing to you?

- As the examples show, constructions with **gustar** do not have a direct equivalent in English. The literal meaning of this construction is *to be pleasing to (someone)*, and it requires the use of an indirect object pronoun.

INDIRECT OBJECT PRONOUN	VERB	SUBJECT	SUBJECT	VERB	DIRECT OBJECT
Me	**gusta**	ese champú.	*I*	*like*	*that shampoo.*

- In the diagram above, observe how in the Spanish sentence the object being liked (**ese champú**) is really the subject of the sentence. The person who likes the object, in turn, is an indirect object because it answers the question: *To whom is the shampoo pleasing?*

¡Me molesta!

¡Me encantan sus pantuflas!

- Other verbs in Spanish are used in the same way as **gustar**. Here is a list of the most common ones.

Verbs like gustar

aburrir	*to bore*	**importar**	*to be important to; to matter*
encantar	*to like very much; to love* (inanimate objects)	**interesar**	*to be interesting to; to interest*
faltar	*to lack; to need*	**molestar**	*to bother; to annoy*
fascinar	*to fascinate; to like very much*	**quedar**	*to be left over; to fit* (clothing)

¡ATENCIÓN!

Faltar expresses what is lacking or missing.
Me falta una página. *I'm missing one page.*

Quedar expresses how much of something is left.
Nos quedan tres pesos. *We have three pesos left.*

• • •

Quedar also means *to fit*. It can be used to tell how something looks (on someone).
Estos zapatos me quedan bien. *These shoes fit me well.*
Esa camisa te queda muy bien. *That shirt looks good on you.*

VERIFICA

▶ The most commonly used forms of **gustar** and similar verbs are the third person (singular and plural). When the object or person being liked is singular, the singular form (**gusta**) is used. When two or more objects or persons are being liked, the plural form (**gustan**) is used. Observe the following diagram:

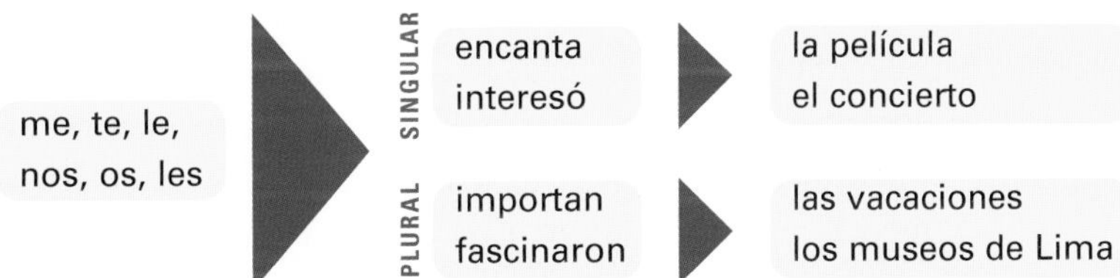

▶ To express what someone likes or does not like to do, use an appropriate verb followed by an infinitive. The singular form is used even if there is more than one infinitive.

Nos molesta comer a las nueve.
It bothers us to eat at nine o'clock.

Les encanta bailar y **cantar** en las fiestas.
They love to dance and sing at parties.

▶ As you learned in **Lección 2**, the construction **a** + [*pronoun*] (**a mí, a ti, a usted, a él,** etc.) is used to clarify or to emphasize who is pleased, bored, etc. The construction **a** + [*noun*] can also be used before the indirect object pronoun to clarify or to emphasize who is pleased.

A los turistas les gustó mucho Machu Picchu.
The tourists liked Machu Picchu a lot.

A ti te gusta cenar en casa, pero **a mí** me aburre.
You like eating dinner at home, but I get bored.

AYUDA

Note that the **a** must be repeated if there is more than one person.
A Armando y **a Carmen** les molesta levantarse temprano.

▶ **¡Atención! Mí** (*me*) has an accent mark to distinguish it from the possessive adjective **mi** (*my*).

¡INTÉNTALO! Indica el pronombre de objeto indirecto y la forma del tiempo presente adecuados en cada oración.

fascinar

1. A él le fascina viajar.
2. A mí __________ bailar.
3. A nosotras __________ cantar.
4. A ustedes __________ leer.
5. A ti __________ correr y patinar.
6. A ellos __________ los aviones.
7. A mis padres __________ caminar.
8. A usted __________ jugar al tenis.
9. A mi esposo y a mí __________ dormir.
10. A Alberto __________ dibujar y pintar.
11. A todos __________ opinar.
12. A Pili __________ los sombreros.

aburrir

1. A ellos les aburren los deportes.
2. A ti __________ las películas.
3. A usted __________ los viajes.
4. A mí __________ las revistas.
5. A Jorge y a Luis __________ los perros.
6. A nosotros __________ las vacaciones.
7. A ustedes __________ el béisbol.
8. A Marcela __________ los libros.
9. A mis amigos __________ los museos.
10. A ella __________ el ciclismo.
11. A Omar __________ ir de compras.
12. A ti y a mí __________ el baile.

Práctica

1 **Completar** Completa las oraciones con todos los elementos necesarios.

1. _____ Adela _____ (encantar) la música de Tito "El Bambino".
2. A _____ me _____ (interesar) la música de otros países.
3. A mis amigos _____ (encantar) las canciones (*songs*) de Calle 13.
4. A Juan y _____ Rafael no les _____ (molestar) la música alta (*loud*).
5. _____ nosotros _____ (fascinar) los grupos de pop latino.
6. _____ señor Ruiz _____ (interesar) más la música clásica.
7. A _____ me _____ (aburrir) la música clásica.
8. ¿A _____ te _____ (faltar) dinero para el concierto de Carlos Santana?
9. No. Ya compré el boleto y _____ (quedar) cinco dólares.
10. ¿Cuánto dinero te _____ (quedar) a _____?

NOTA CULTURAL

Hoy día, la música latina es popular en los EE.UU. gracias a artistas como **Shakira**, de nacionalidad colombiana, y **Tito "El Bambino"**, puertorriqueño. Otros artistas, como **Carlos Santana** y **Gloria Estefan**, difundieron (*spread*) la música latina en los años 60, 70, 80 y 90.

2 **Describir** Usa los verbos para describir lo que está pasando.

aburrir	faltar	molestar
encantar	interesar	quedar

1. a Ramón

2. a nosotros

3. a Sara

4. a ti

3 **Gustos** Forma oraciones con los elementos de las columnas.

A ti te interesan las ruinas de Machu Picchu.

A	B	C
yo	aburrir	despertarse temprano
tú	encantar	mirarse en el espejo
mi mejor amigo/a	faltar	la música rock
mis amigos y yo	fascinar	las pantuflas rosadas
Bart y Homero Simpson	interesar	la pasta de dientes con menta (*mint*)
Shakira	molestar	las ruinas de Machu Picchu
Antonio Banderas		los zapatos caros

Comunicación

4 **Preferencias** Escucha la conversación entre Beatriz, Eduardo y Anabel. Luego, indica si las inferencias son **lógicas** o **ilógicas**, según lo que escuchaste.

	Lógico	Ilógico
1. En sus ratos libres, Eduardo toma el sol.	❍	❍
2. A Eduardo le encanta ir de excursión.	❍	❍
3. A una de las chicas le gusta ir de compras.	❍	❍
4. A Eduardo le gustan las películas.	❍	❍
5. A Beatriz, a Eduardo y a Anabel les interesan las mismas cosas.	❍	❍
6. Beatriz, Eduardo y Anabel van a ir al cine hoy.	❍	❍

5 **Preguntas** Contesta las preguntas de tu compañero/a.

1. ¿Te gusta levantarte temprano o tarde? ¿Por qué?
2. ¿Te gusta acostarte temprano o tarde? ¿Por qué?
3. ¿Te gusta dormir la siesta?
4. ¿Te encanta acampar o prefieres quedarte en un hotel cuando estás de vacaciones?
5. ¿Qué te gusta hacer en el verano?
6. ¿Qué te fascina de tu escuela? ¿Qué te molesta?
7. ¿Te interesan más las ciencias o las humanidades? ¿Por qué?
8. ¿Qué cosas te aburren?

6 **Tu generación** Escribe una composición de 2-3 párrafos para describir las cosas que les gustan o no les gustan a las personas de tu generación: ¿qué les interesa?, ¿qué les molesta?, ¿qué les aburre?, ¿qué les fascina?, ¿qué les falta?

Síntesis

7 **Situación** Trabajen en parejas para representar a un(a) cliente/a y un(a) dependiente/a en una tienda de ropa. Usen las instrucciones como guía.

Dependiente/a	Cliente/a
Saluda al/a la cliente/a y pregúntale en qué le puedes servir.	→ Saluda al/a la dependiente/a y dile (*tell him/her*) qué quieres comprar y qué colores prefieres.
Pregúntale si le interesan los estilos modernos y empieza a mostrarle la ropa.	→ Explícale que los estilos modernos te interesan. Escoge las cosas que te interesan.
Habla de los gustos del/de la cliente/a.	→ Habla de la ropa (me queda(n) bien/mal, me encanta(n)...).
Da opiniones favorables al/a la cliente/a (las botas le quedan fantásticas...).	→ Decide cuáles son las cosas que te gustan y qué vas a comprar.

PUEDO describir los gustos y preferencias míos y de otras personas.

PUEDO hablar sobre gustos y preferencias en una tienda de ropa.

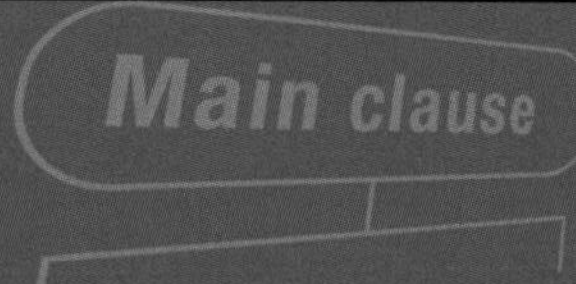

Recapitulación

Completa estas actividades para repasar los conceptos de gramática que aprendiste en esta lección.

1 Completar Completa la tabla con la forma correcta de los verbos. 24 pts.

yo	tú	nosotros	ellas
me levanto			
	te afeitas		
		nos vestimos	
			se secan

2 Hoy y ayer Cambia los verbos del presente al pretérito. 10 pts.

1. Vamos de compras hoy. ________ de compras hoy.
2. Por último, voy al supermercado. Por último, ________ al supermercado.
3. Lalo es el primero en levantarse. Lalo ________ el primero en levantarse.
4. ¿Vas a tu habitación? ¿________ a tu habitación?
5. Ustedes son profesores. Ustedes ________ profesores.

3 Reflexivos Completa cada conversación con la forma correcta del presente del verbo reflexivo. 22 pts.

TOMÁS Yo siempre (1) ________ (bañarse) antes de (2) ________ (acostarse). Esto me relaja porque no (3) ________ (dormirse) fácilmente. Y así puedo (4) ________ (levantarse) más tarde. Y tú, ¿cuándo (5) ________ (ducharse)?

LETI Pues por la mañana, para poder (6) ________ (despertarse).

DAVID ¿Cómo (7) ________ (sentirse) Pepa hoy?

MARÍA Todavía está enojada.

DAVID ¿De verdad? Ella nunca (8) ________ (enojarse) con nadie.

BETO ¿(Nosotros) (9) ________ (Irse) de esta tienda? Estoy cansado.

SARA Pero antes vamos a (10) ________ (probarse) estos sombreros. Si quieres, después (nosotros) (11) ________ (sentarse) un rato.

RESUMEN GRAMATICAL

7.1 Reflexive verbs *pp. 274–275*

lavarse	
me lavo	nos lavamos
te lavas	os laváis
se lava	se lavan

7.2 Indefinite and negative words *pp. 279–280*

Indefinite words	Negative words
algo	nada
alguien	nadie
alguno/a(s), algún	ninguno/a, ningún
o... o	ni... ni
siempre	nunca, jamás
también	tampoco

7.3 Preterite of ser and ir *p. 282*

- The preterite of **ser** and **ir** are identical. Context will determine the meaning.

ser and ir	
fui	fuimos
fuiste	fuisteis
fue	fueron

7.4 Verbs like gustar *pp. 284–285*

aburrir	importar
encantar	interesar
faltar	molestar
fascinar	quedar

me, te, le, nos, os, les

SINGULAR: encanta / interesó — la película / el concierto

PLURAL: importan / fascinaron — las vacaciones / los museos

- Use the construction a + [*noun/pronoun*] to clarify the person in question.

A mí me encanta ver películas, ¿y a ti?

4 **Conversaciones** Completa cada conversación de manera lógica con palabras de la lista. No tienes que usar todas las palabras. 18 pts.

algo	nada	ningún	siempre
alguien	nadie	nunca	también
algún	ni... ni	o... o	tampoco

1. —¿Tienes ____________ plan para esta noche?

   —No, prefiero quedarme en casa. Hoy no quiero ver a ____________.

   —Yo ____________ me quedo. Estoy muy cansado.

2. —¿Puedo entrar? ¿Hay ____________ en el cuarto de baño?

   —Sí. ¡Un momento! Ahora mismo salgo.

3. —¿Puedes prestarme ____________ para peinarme? No encuentro ____________ mi cepillo ____________ mi peine (*comb*).

   —Lo siento, yo ____________ encuentro los míos (*mine*).

4. —¿Me prestas tu maquillaje?

   —Lo siento, no tengo. ____________ me maquillo.

5 **Oraciones** Forma oraciones completas con los elementos dados (*given*). Usa el presente de los verbos. 8 pts.

1. David y Juan / molestar / levantarse temprano
2. Lucía / encantar / las películas de terror
3. todos (nosotros) / importar / la educación
4. tú / aburrir / ver / la televisión

6 **Rutinas** Escribe seis oraciones que describan las rutinas de dos personas que conoces. 18 pts.

Mi tía se despierta temprano, pero mi primo...

7 **Adivinanza** Completa la adivinanza con las palabras que faltan y adivina la respuesta. ¡4 puntos EXTRA!

"Cuanto más° ________ (*it dries you*), más se moja°".

¿Qué es? ________

Cuanto más *The more* se moja *it gets wet*

Objetivo comunicativo: Predecir el contenido de un texto con base en su título y algunos cognados

Lectura

Antes de leer

Estrategia

Predicting content from the title

Prediction is an invaluable strategy in reading for comprehension. For example, we can usually predict the content of a newspaper article from its headline, much as we predict the content of an e-mail from the subject line. We often decide whether to read the article based on its headline. Predicting content from the title will help you increase your reading comprehension in Spanish.

Examinar el texto

Lee el título de la lectura y haz tres predicciones sobre el contenido. Escribe tus predicciones en una hoja de papel.

Compartir

Comparte tus ideas con un(a) compañero/a de clase.

Cognados

Haz una lista de seis cognados que encuentres en la lectura.

1. ______________________
2. ______________________
3. ______________________
4. ______________________
5. ______________________
6. ______________________

¿Qué te dicen los cognados sobre el tema de la lectura?

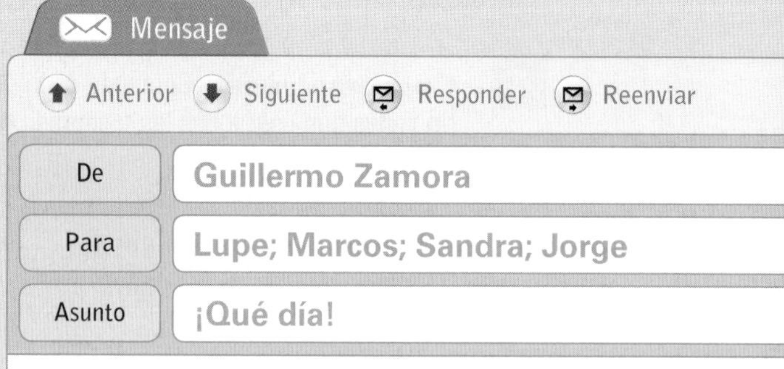

Hola, chicos:

La semana pasada me di cuenta° de que necesito organizar mejor° mi rutina... pero especialmente debo prepararme mejor para los exámenes. Me falta disciplina, me molesta no tener control de mi tiempo y nunca deseo repetir los eventos de la semana pasada.

El miércoles pasé todo el día y toda la noche estudiando para el examen de biología del jueves por la mañana. Me aburre la biología y no empecé a estudiar hasta el día antes del examen. El jueves a las 8, después de no dormir en toda la noche, fui exhausto al examen. Fue difícil, pero afortunadamente° me acordé de todo el material. Esa noche me acosté temprano y dormí mucho.

Me desperté a las 7, y fue extraño° ver a mi compañero de cuarto, Andrés, preparándose para ir a dormir. Como° siempre se enferma°, tiene problemas para dormir y no hablamos mucho, no le comenté nada. Fui al baño a cepillarme los dientes para ir a clase. ¿Y Andrés? Él se acostó. "Debe estar enfermo°, ¡otra vez!", pensé.

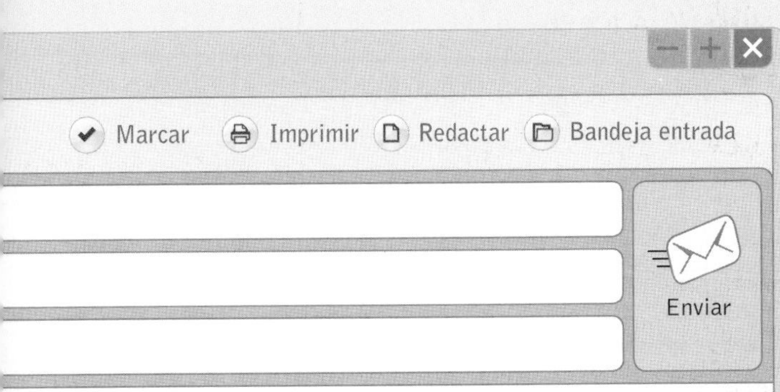

Mi clase es a las 8, y fue necesario hacer las cosas rápido. Todo empezó a ir mal... eso pasa siempre cuando uno tiene prisa. Cuando busqué mis cosas para el baño, no las encontré. Entonces me duché sin jabón, me cepillé los dientes sin cepillo de dientes y me peiné con las manos. Tampoco encontré ropa limpia y usé la sucia. Rápido, tomé mis libros. ¿Y Andrés? Roncando°... ¡a las 7:50!

Cuando salí corriendo para la clase, la prisa no me permitió ver el campus desierto. Cuando llegué a la clase, no vi a nadie. No vi al profesor ni a los estudiantes. Por último miré mi reloj, y vi la hora. Las 8 en punto... ¡de la noche!

¡Dormí 24 horas!

Guillermo

me di cuenta *I realized* mejor *better* afortunadamente *fortunately* extraño *strange* Como *Since* se enferma *he gets sick* enfermo *sick* Roncando *Snoring*

Después de leer

Seleccionar

Selecciona la respuesta correcta.

1. ¿Quién es el/la narrador(a)?
   a. Andrés
   b. una profesora
   c. Guillermo
2. ¿Qué le molesta al narrador?
   a. Le molestan los exámenes de biología.
   b. Le molesta no tener control de su tiempo.
   c. Le molesta mucho organizar su rutina.
3. ¿Por qué está exhausto?
   a. Porque fue a una fiesta la noche anterior.
   b. Porque no le gusta la biología.
   c. Porque pasó la noche anterior estudiando.
4. ¿Por qué no hay nadie en clase?
   a. Porque es de noche.
   b. Porque todos están de vacaciones.
   c. Porque el profesor canceló la clase.
5. ¿Cómo es la relación de Guillermo y Andrés?
   a. Son buenos amigos.
   b. No hablan mucho.
   c. Tienen una buena relación.

Ordenar

Ordena los sucesos de la narración. Utiliza los números del 1 al 9.

a. Toma el examen de biología. ____
b. No encuentra sus cosas para el baño. ____
c. Andrés se duerme. ____
d. Pasa todo el día y toda la noche estudiando para un examen. ____
e. Se ducha sin jabón. ____
f. Se acuesta temprano. ____
g. Vuelve a su cuarto después de las 8 de la noche. ____
h. Se despierta a las 7 y su compañero de cuarto se prepara para dormir. ____
i. Va a clase y no hay nadie. ____

Contestar

Contesta estas preguntas.

1. ¿Cómo es tu rutina diaria? ¿Muy organizada?
2. ¿Estudias mucho? ¿Cuándo empiezas a estudiar para los exámenes?
3. Para comunicarte con tus amigos/as, ¿prefieres el teléfono o el correo electrónico? ¿Por qué?

PUEDO usar el título y los cognados en una lectura para predecir su contenido.

Escritura

Estrategia

Sequencing events

Paying strict attention to sequencing in a narrative will ensure that your writing flows logically from one part to the next.

Every composition should have three parts: an introduction, a body, and a conclusion. The introduction presents the subject, the setting, the situation, and the people involved. The main part, or the body, describes the events and people's reactions to these events. The conclusion brings the narrative to a close.

Adverbs and adverbial phrases are sometimes used as transitions between the introduction, the body, and the conclusion. Here is a list of commonly used adverbs in Spanish:

Adverbios	
además; también	*in addition; also*
al principio; en un principio	*at first*
antes (de)	*before*
después	*then*
después (de)	*after*
entonces; luego	*then*
más tarde	*later on*
primero	*first*
pronto	*soon*
por fin; finalmente	*finally*
al final	*finally*

PUEDO escribir una descripción detallada de la rutina diaria en un lugar exótico.

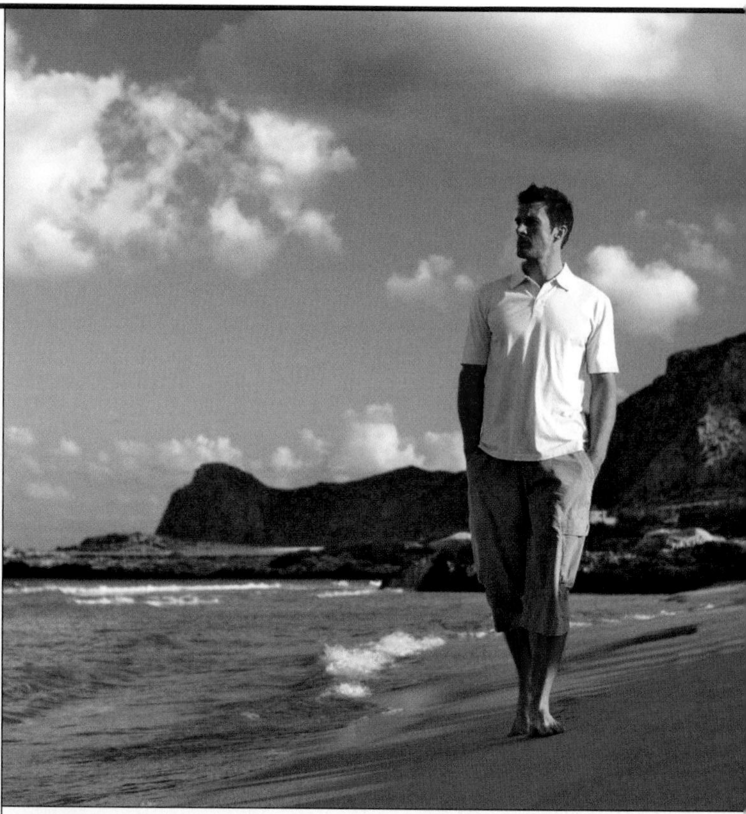

Tema

Escribe tu rutina

Imagina tu rutina diaria en uno de estos lugares:

- una isla desierta
- el Polo Norte
- un crucero° transatlántico
- un desierto

Escribe una composición en la que describes tu rutina diaria en uno de estos lugares o en algún otro lugar interesante que imagines°. Mientras planeas tu composición, considera cómo cambian algunos de los elementos más básicos de tu rutina diaria en el lugar que escogiste°. Por ejemplo, ¿dónde te acuestas en el Polo Norte? ¿Cómo te duchas en el desierto?

Usa el presente de los verbos reflexivos que conoces e incluye algunos de los adverbios de esta página para organizar la secuencia de tus actividades. Piensa también en la información que debes incluir en cada sección de la narración. Por ejemplo, en la introducción puedes hacer una descripción del lugar y de las personas que están allí, y en la conclusión puedes dar tus opiniones acerca del° lugar y de tu vida diaria allí.

crucero *cruise ship* **que imagines** *that you dream up* **escogiste** *you chose* **acerca del** *about the*

Escuchar

Estrategia

Using background information

Once you discern the topic of a conversation, take a minute to think about what you already know about the subject. Using this background information will help you guess the meaning of unknown words or linguistic structures.

To help you practice this strategy, you will now listen to a short paragraph. Jot down the subject of the paragraph, and then use your knowledge of the subject to listen for and write down the paragraph's main points.

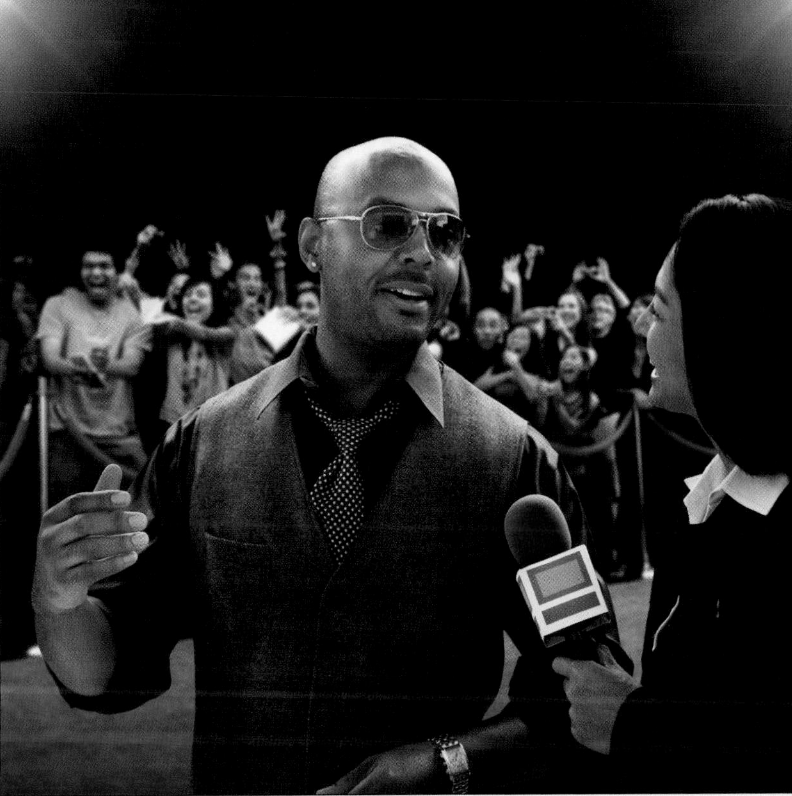

Preparación

Según la foto, ¿dónde están Carolina y Julián? Piensa en lo que sabes de este tipo de situación. ¿De qué van a hablar?

Ahora escucha

Ahora escucha la entrevista entre Carolina y Julián, teniendo en cuenta (*taking into account*) lo que sabes sobre este tipo de situación. Elige la información que completa correctamente cada oración.

1. Julián es ______.
   a. político
   b. deportista profesional
   c. artista de cine
2. El público de Julián quiere saber de ______.
   a. sus películas
   b. su vida
   c. su novia
3. Julián habla de ______.
   a. sus viajes y sus rutinas
   b. sus parientes y amigos
   c. sus comidas favoritas
4. Julián ______.
   a. se levanta y se acuesta a diferentes horas todos los días
   b. tiene una rutina diaria
   c. no quiere hablar de su vida

Comprensión

¿Cierto o falso?

Indica si las oraciones son **ciertas** o **falsas** según la información que Julián da en la entrevista.

1. Es difícil despertarme; generalmente duermo hasta las diez.
2. Pienso que mi vida no es más interesante que las vidas de ustedes.
3. Me gusta tener tiempo para pensar y meditar.
4. Nunca hago mucho ejercicio; no soy una persona activa.
5. Me fascinan las actividades tranquilas, como escribir y escuchar música clásica.
6. Los viajes me parecen aburridos.

Preguntas

1. ¿Qué tiene Julián en común con otras personas de su misma profesión?
2. ¿Te parece que Julián siempre fue rico? ¿Por qué?
3. ¿Qué piensas de Julián como persona?

PUEDO entender el contenido de una entrevista utilizando información del contexto.

Anuncio de Asepxia

Me levanté con una invasión de granos.

Preparación

Contesta las preguntas en español.

¿Qué ocasiones especiales celebran los adolescentes en tu país? ¿Cómo se preparan para esas fiestas? ¿A quiénes invitan? ¿Qué ropa llevan?

La fiesta de quince años

La fiesta de quince años se celebra en algunos países de Latinoamérica cuando las chicas cumplen° quince años. Los quince años representan la transición de niña a mujer. Los orígenes de esta ceremonia son mayas y aztecas, pero también tiene influencias del catolicismo. La celebración varía según el país, pero es común en todas la importancia del vestido de la quinceañera°, la elaboración de las invitaciones, el baile de la quinceañera con su padre y con otros familiares° y, por último, el banquete para los invitados°.

cumplen *turn* **quinceañera** *young woman celebrating her fifteenth birthday* **familiares** *family members* **invitados** *guests*

Vocabulario útil

cubren	*cover*
granos	*zits, pimples*
hice	*I did*
peor	*worse*
tapar	*to cover*
tenía	*I had*

Comprensión

Escoge la opción correcta para completar cada oración.

1. La chica se levantó ___ el día de las fotos.
   a. con granos b. muy tarde
2. Después de levantarse, la chica ___.
   a. se bañó b. se maquilló
3. Para las fotos, la chica tapó los granos con ___.
   a. la flora y la fauna b. maquillaje Asepxia
4. Ahora la chica ___.
   a. tiene muchos granos b. usa maquillaje Asepxia

Conversación

Contesta estas preguntas con un(a) compañero/a.

¿Cuál fue la última fiesta a la que fuiste? ¿Qué fue lo que más te gustó? ¿Te aburrió algo? ¿Cómo te preparaste para la fiesta? ¿Cuánto tiempo necesitaste para prepararte?

Aplicación

Con un grupo de compañeros/as, creen un anuncio para vender un producto de uso diario, como el champú o la pasta de dientes. En su anuncio, muestren cómo el producto les puede ayudar a las personas a solucionar algún problema de su rutina diaria. Presenten el anuncio a la clase.

PUEDO presentar un anuncio sobre un producto de higiene personal de manera creativa.

Tapas para todos los días

Estamos en la Plaza Cataluña, el puro centro de Barcelona.

—¿Cuándo sueles° venir a tomar tapas?
—Generalmente después del trabajo.

Éstos son los montaditos, o también llamados pinchos. ¿Te gustan?

Preparación

Normalmente, ¿tienes hambre después de la escuela? ¿Qué haces? ¿Sales con tus amigos a comer algo? ¿Vas a casa? ¿Qué te gusta comer?

Las tapas

Los españoles tienden a socializar fuera de la casa debido° en parte a que las ciudades españolas son transitables, lo que hace fácil reunirse espontáneamente con amigos. Esta tendencia va unida a° la costumbre° de ir de tapas, popular en todo el país, que consiste en ir a un bar y compartir platos pequeños con gente de manera informal. Las tapas no son sólo un tipo de comida sino también un estilo de comer y de compartir° experiencias entre amigos.

debido *owing to* va unida a *goes hand in hand with* costumbre *custom* compartir *share*

Vocabulario útil

los palillos	*toothpicks*
la propina	*tip*
los montaditos	*bread slices with assorted toppings*
tapar el hambre	*to take the edge off hunger*

Comprensión

Escoge la opción correcta para completar cada oración.

1. La Plaza Cataluña es un *centro económico* / *bar de tapas* en Barcelona.
2. Los españoles salen a comer tapas *antes* / *después* del trabajo.
3. Los montaditos también se llaman *pinchos* / *tortillas*.

Conversación

Contesta estas preguntas con un compañero/a.

1. Busca en Internet las tapas que mencionaron en el video, como *tortilla de patatas, patatas bravas, esclavizada, ensaladilla rusa* y *caracoles*. ¿Cuál te gustaría probar? ¿Por qué? ¿Y a tu compañero/a?
2. ¿Cómo puedes describir o explicar la tradición de las tapas a una persona que no la conoce?
3. ¿Qué piensas de esta tradición? ¿Es divertida?

Aplicación

En grupos pequeños, preparen una presentación para comparar la tradición de las tapas con una tradición similar en su país. ¿Qué semejanzas y diferencias encuentran entre esa tradición y la que se describe en este episodio de *Flash cultura*?

7 panorama

Objetivo comunicativo: Identificar aspectos de la geografía y la cultura de Perú

Perú

Bandera de Perú

El país en cifras

- **Área:** 1.285.220 km² (496.224 millas²), *un poco menos que el área de Alaska*
- **Población:** 31.036.000
- **Capital:** Lima—9.897.000
- **Ciudades principales:** Arequipa, Trujillo, Chiclayo, Callao, Iquitos

Iquitos es un puerto muy importante en el río Amazonas. Desde Iquitos se envían° muchos productos a otros lugares, incluyendo goma°, nueces°, madera°, arroz°, café y tabaco. Iquitos es también un destino popular para los ecoturistas que visitan la selva°.

- **Moneda:** nuevo sol
- **Idiomas:** español (oficial); quechua, aimara y otras lenguas indígenas (oficiales en los territorios donde se usan)

se envían *are shipped* goma *rubber* nueces *nuts* madera *timber* arroz *rice* selva *jungle*

Pasaje Santa Rosa de Lima

Mercado indígena en Cuzco

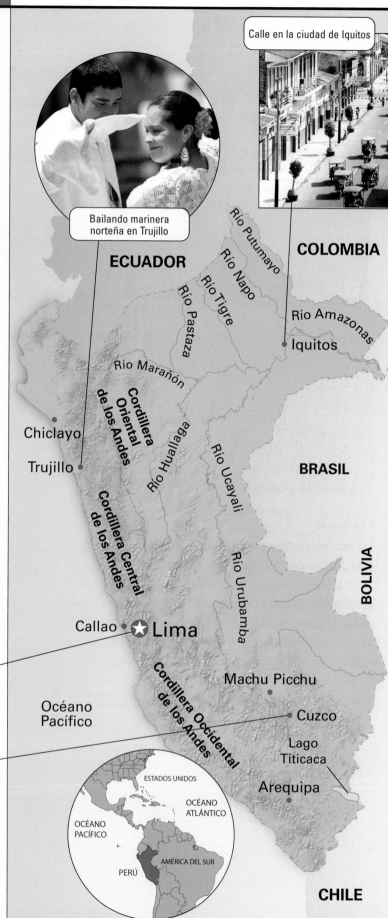

Calle en la ciudad de Iquitos

Bailando marinera norteña en Trujillo

ECUADOR
COLOMBIA
BRASIL
BOLIVIA
CHILE
Río Putumayo
Río Napo
Río Tigre
Río Pastaza
Río Amazonas
Iquitos
Río Marañón
Cordillera Oriental de los Andes
Chiclayo
Trujillo
Río Huallaga
Río Ucayali
Cordillera Central de los Andes
Río Urubamba
Callao
Lima
Machu Picchu
Cordillera Occidental de los Andes
Cuzco
Océano Pacífico
Lago Titicaca
Arequipa
ESTADOS UNIDOS
OCÉANO ATLÁNTICO
OCÉANO PACÍFICO
AMÉRICA DEL SUR
PERÚ

Lugares • Lima

Lima es una ciudad moderna y antigua° a la vez°. La Iglesia de San Francisco es notable por su arquitectura barroca colonial. También son fascinantes las exhibiciones sobre los incas en el Museo Oro del Perú y en el Museo Nacional de Antropología y Arqueología. Barranco, el barrio° bohemio de la ciudad, es famoso por su ambiente cultural y sus bares y restaurantes.

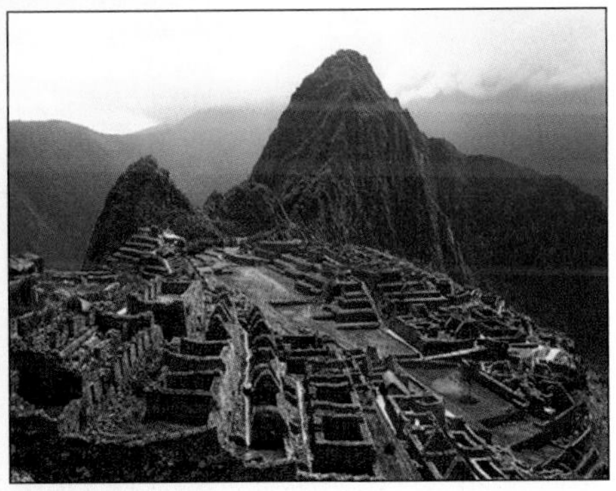

Historia • Machu Picchu

A 80 kilómetros al noroeste de Cuzco está Machu Picchu, una ciudad antigua del Imperio inca. Está a una altitud de 2.350 metros (7.710 pies), entre dos cimas° de los Andes. Cuando los españoles llegaron a Perú y recorrieron la región, nunca encontraron Machu Picchu. En 1911, el arqueólogo estadounidense Hiram Bingham la redescubrió. Todavía no se sabe ni cómo se construyó° una ciudad a esa altura, ni por qué los incas la abandonaron. Sin embargo°, esta ciudad situada en desniveles° naturales es el ejemplo más conocido de la arquitectura inca.

Artes • La música andina

Machu Picchu aún no existía° cuando se originó la música cautivadora° de las culturas indígenas de los Andes. Los ritmos actuales° de la música andina tienen influencias españolas y africanas. Varios tipos de flauta°, entre ellos la quena y la zampoña, caracterizan esta música. En las décadas de los 60 y los 70 se popularizó un movimiento para preservar la música andina, y hasta° Simon y Garfunkel incorporaron a su repertorio la canción *El cóndor pasa*.

Economía • Llamas y alpacas

Perú se conoce por sus llamas, alpacas, guanacos y vicuñas, todos ellos animales mamíferos° parientes del camello. Estos animales todavía tienen una enorme importancia en la economía del país. Dan lana para exportar a otros países y para hacer ropa, mantas°, bolsas y otros artículos artesanales. La llama se usa también para la carga y el transporte.

CON RITMO HISPANO

Susana Baca (1944–)

Ciudad de nacimiento:
Lima, Perú

Susana Baca es representante destacada de la música afroperuana. Fue ministra de Cultura de Perú y presidenta de la Comisión Interamericana de Cultura.

*Go to **vhlcentral.com** to find out more about **Susana Baca**.*

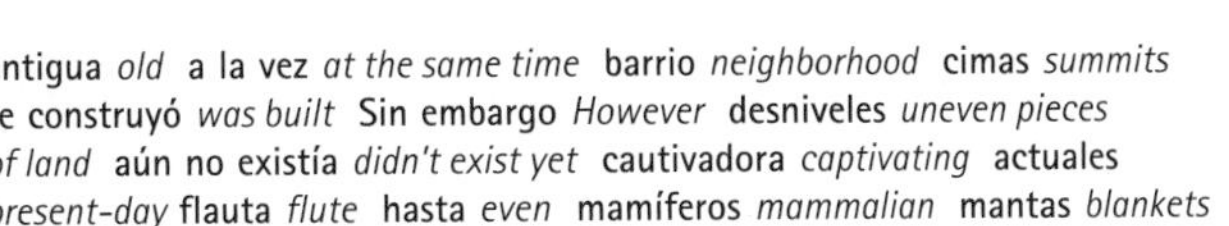

antigua *old* a la vez *at the same time* barrio *neighborhood* cimas *summits* se construyó *was built* Sin embargo *However* desniveles *uneven pieces of land* aún no existía *didn't exist yet* cautivadora *captivating* actuales *present-day* flauta *flute* hasta *even* mamíferos *mammalian* mantas *blankets*

¿Qué aprendiste?

1 **¿Cierto o falso?** Indica si lo que dice cada oración es **cierto** o **falso**. Corrige las oraciones falsas.

1. Arequipa y Callao son pueblos pequeños de Perú.
2. El nuevo sol es la moneda de Perú.
3. Hay algunas lenguas indígenas en Perú.
4. Hiram Bingham descubrió las Líneas de Nazca en 1911.
5. En el Museo Oro del Perú y en el Museo Nacional de Antropología y Arqueología podemos ver exhibiciones sobre los aztecas.
6. Los españoles nunca encontraron Machu Picchu durante la Conquista.
7. La música andina tiene influencias francesas e italianas.
8. Los peruanos usan las llamas para la carga y el transporte.

2 **Escoger** Responde a cada pregunta con una oración completa.

1. ¿Qué productos envía Iquitos a otros lugares?
2. ¿Cuáles son las lenguas oficiales de Perú?
3. ¿Por qué es notable la Iglesia de San Francisco en Lima?
4. ¿Qué información sobre Machu Picchu no se sabe todavía?
5. ¿Qué son la quena y la zampoña?
6. ¿Qué hacen los peruanos con la lana de sus llamas y alpacas?
7. ¿Qué tipo de música representa Susana Baca?

3 **Ensayo** Escribe un ensayo de 10 oraciones para contestar esta pregunta:

¿Qué información de Perú te fascina o te interesa y por qué?

En tu ensayo, utiliza datos de la sección *Panorama*, pero escribe con tus propias palabras en vez de (*instead of*) copiar directamente del texto.

Organiza tu ensayo así:

- una introducción
- tu opinión con detalles y evidencia de *Panorama*
- una conclusión

ENTRE CULTURAS

1. **Investiga la cultura incaica. ¿Cuáles son algunos de los aspectos interesantes de esa cultura?**
2. **Busca información sobre dos artistas, escritores o músicos peruanos y presenta un breve informe a tu clase.**

*Go to **vhlcentral.com** to find out more cultural information related to this **Panorama** section.*

PUEDO leer textos informativos para conocer datos sobre la cultura y geografía de Perú.

PUEDO escribir un ensayo corto sobre los aspectos de la cultura peruana que más me interesan.

Los verbos reflexivos

acordarse (de) (o:ue)	*to remember*
acostarse (o:ue)	*to go to bed*
afeitarse	*to shave*
bañarse	*to bathe; to take a bath*
cepillarse el pelo	*to brush one's hair*
cepillarse los dientes	*to brush one's teeth*
despertarse (e:ie)	*to wake up*
dormirse (o:ue)	*to go to sleep; to fall asleep*
ducharse	*to shower; to take a shower*
enojarse (con)	*to get angry (with)*
irse	*to go away; to leave*
lavarse la cara	*to wash one's face*
lavarse las manos	*to wash one's hands*
levantarse	*to get up*
llamarse	*to be called; to be named*
maquillarse	*to put on makeup*
peinarse	*to comb one's hair*
ponerse	*to put on*
ponerse (+ *adj.*)	*to become (+ adj.)*
preocuparse (por)	*to worry (about)*
probarse (o:ue)	*to try on*
quedarse	*to stay; to remain*
quitarse	*to take off*
secarse	*to dry oneself*
sentarse (e:ie)	*to sit down*
sentirse (e:ie)	*to feel*
vestirse (e:i)	*to get dressed*

Palabras de secuencia

antes (de)	*before*
después	*afterwards; then*
después (de)	*after*
durante	*during*
entonces	*then*
luego	*then*
más tarde	*later on*
por último	*finally*

Palabras indefinidas y negativas

algo	*something; anything*
alguien	*someone; somebody; anyone*
alguno/a(s), algún	*some; any*
jamás	*never; not ever*
nada	*nothing; not anything*
nadie	*no one; nobody; not anyone*
ni… ni	*neither… nor*
ninguno/a, ningún	*no; none; not any*
nunca	*never; not ever*
o… o	*either… or*
siempre	*always*
también	*also; too*
tampoco	*neither; not either*

En el baño

el baño, el cuarto de baño	*bathroom*
el champú	*shampoo*
la crema de afeitar	*shaving cream*
la ducha	*shower*
el espejo	*mirror*
el inodoro	*toilet*
el jabón	*soap*
el lavabo	*sink*
el maquillaje	*makeup*
la pasta de dientes	*toothpaste*
la toalla	*towel*

Verbos similares a gustar

aburrir	*to bore*
encantar	*to like very much; to love (inanimate objects)*
faltar	*to lack; to need*
fascinar	*to fascinate; to like very much*
importar	*to be important to; to matter*
interesar	*to be interesting to; to interest*
molestar	*to bother; to annoy*
quedar	*to be left over; to fit (clothing)*

Palabras adicionales

el despertador	*alarm clock*
las pantuflas	*slippers*
la rutina diaria	*daily routine*
por la mañana	*in the morning*
por la noche	*at night*
por la tarde	*in the afternoon; in the evening*

Expresiones útiles	*See page 269.*

A primera vista

- ¿Qué cosas puedes ver en la foto?
- ¿Quién es esta persona?
- ¿Qué está haciendo? ¿Es parte de su rutina diaria?
- ¿Qué colores hay en la foto?

Essential Questions

1. How do local products influence the traditional foods within a culture?
2. What foods do we consider traditional in our community and how do they compare with traditional foods in other parts of the country and in Spanish-speaking cultures?
3. What practices are related to foods and meals and how do they provide insights into a culture?

8 La comida

Can Do Goals

By the end of this lesson I will be able to:

- Name a few common foods and their nutritional value
- Talk about nutrition and eating habits
- Order food at a popular market
- Describe how a date between two people went
- Describe who does something and when
- Compare the members of a family
- Compare two restaurants

Also, I will learn about:

Culture

- Popular breakfasts in my own and other cultures
- Spanish chef Ferran Adrià
- Some aspects of Latin food
- Guatemala's geography and culture

Skills

- Reading: Reading for the main idea
- Writing: Expressing and supporting opinions
- Listening: Jotting down notes while listening

Lesson 8 Integrated Performance Assessment

Context: You and a friend are on a tour in Guatemala with a group of students and chaperones. Tonight it's your turn to pick a restaurant for dinner.

Una arepa venezolana

Producto: La arepa es una comida muy popular en países como Venezuela y Colombia.
¿Cuál es la comida más popular de tu estado?

La comida

Más vocabulario

el/la camarero/a	*waiter/waitress*
la comida	*food; meal*
el/la dueño/a	*owner; landlord*
los entremeses	*hors d'oeuvres; appetizers*
el menú	*menu*
el plato (principal)	*(main) dish*
el agua (mineral)	*(mineral) water*
la bebida	*drink*
el helado	*ice cream*
la leche	*milk*
el postre	*dessert*
el refresco	*soft drink; soda*
el ajo	*garlic*
las arvejas	*peas*
los cereales	*cereal; grains*
los frijoles	*beans*
el melocotón	*peach*
el pollo (asado)	*(roast) chicken*
el queso	*cheese*
el sándwich	*sandwich*
el yogur	*yogurt*
el aceite	*oil*
la margarina	*margarine*
la mayonesa	*mayonnaise*
el vinagre	*vinegar*
delicioso/a	*delicious*
sabroso/a	*tasty; delicious*
saber (a)	*to taste (like)*

Variación léxica

camarones ⟷ gambas (*Esp.*)
camarero ⟷ mesero (*Amér. L.*), mesonero (*Ven.*), mozo (*Arg., Chile, Urug., Perú*)
refresco ⟷ gaseosa (*Amér. C., Amér. S.*)

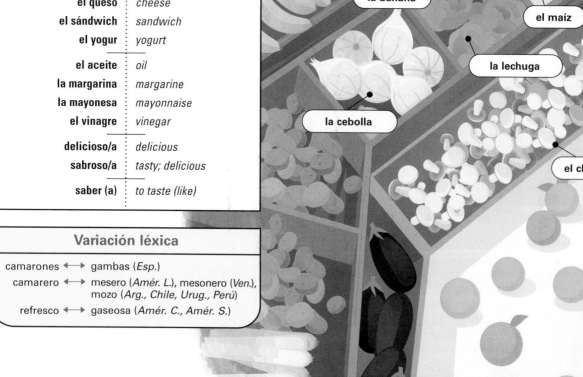

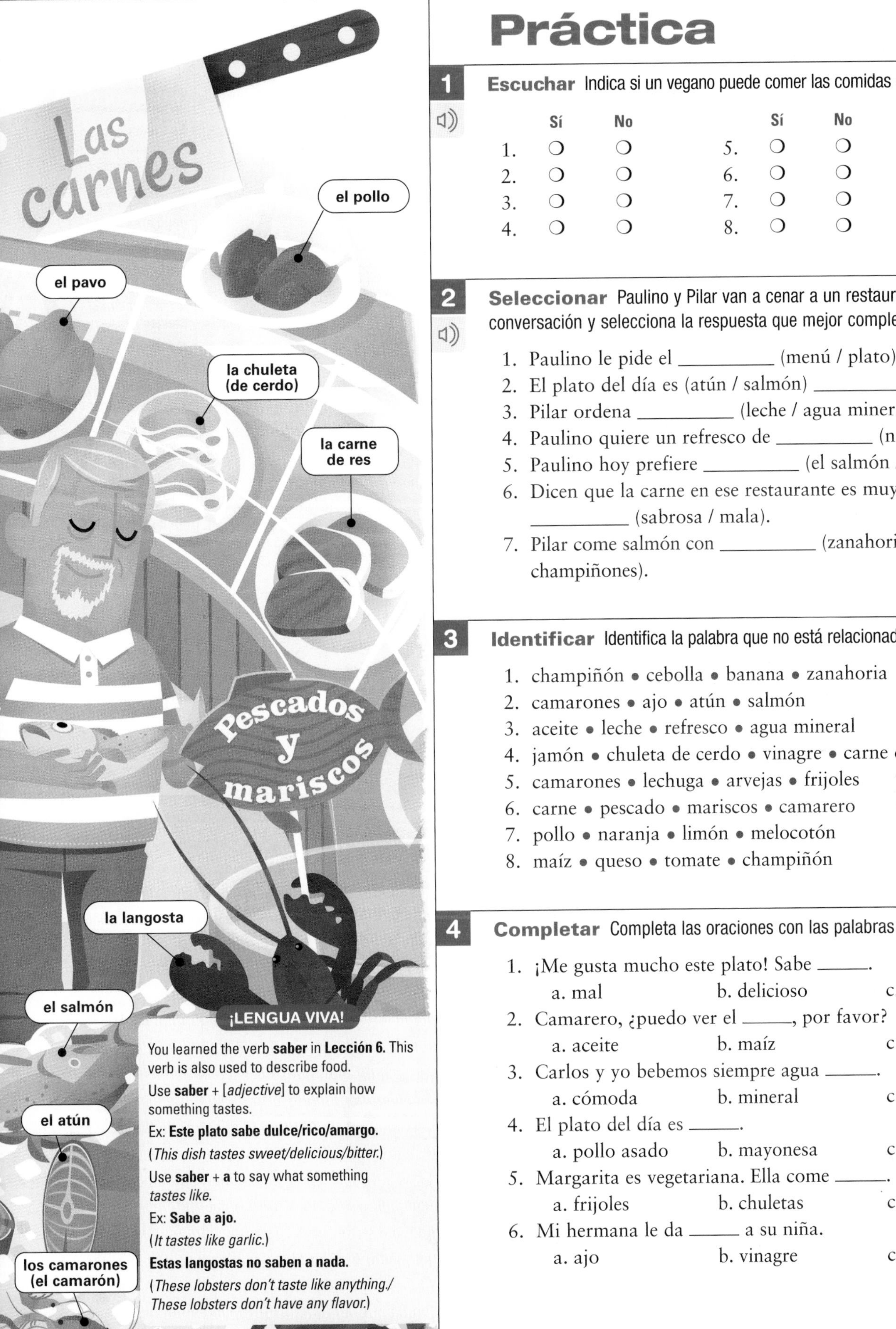

¡LENGUA VIVA!

You learned the verb **saber** in **Lección 6.** This verb is also used to describe food.

Use **saber** + [*adjective*] to explain how something tastes.

Ex: **Este plato sabe dulce/rico/amargo.**
(*This dish tastes sweet/delicious/bitter.*)

Use **saber** + **a** to say what something *tastes like.*

Ex: **Sabe a ajo.**
(*It tastes like garlic.*)

Estas langostas no saben a nada.
(*These lobsters don't taste like anything./ These lobsters don't have any flavor.*)

Práctica

1 Escuchar Indica si un vegano puede comer las comidas que vas a escuchar.

	Sí	No			Sí	No
1.	❍	❍		5.	❍	❍
2.	❍	❍		6.	❍	❍
3.	❍	❍		7.	❍	❍
4.	❍	❍		8.	❍	❍

2 Seleccionar Paulino y Pilar van a cenar a un restaurante. Escucha la conversación y selecciona la respuesta que mejor completa cada oración.

1. Paulino le pide el __________ (menú / plato) al camarero.
2. El plato del día es (atún / salmón) __________.
3. Pilar ordena __________ (leche / agua mineral) para beber.
4. Paulino quiere un refresco de __________ (naranja / limón).
5. Paulino hoy prefiere __________ (el salmón / la chuleta).
6. Dicen que la carne en ese restaurante es muy __________ (sabrosa / mala).
7. Pilar come salmón con __________ (zanahorias / champiñones).

3 Identificar Identifica la palabra que no está relacionada con cada grupo.

1. champiñón • cebolla • banana • zanahoria
2. camarones • ajo • atún • salmón
3. aceite • leche • refresco • agua mineral
4. jamón • chuleta de cerdo • vinagre • carne de res
5. camarones • lechuga • arvejas • frijoles
6. carne • pescado • mariscos • camarero
7. pollo • naranja • limón • melocotón
8. maíz • queso • tomate • champiñón

4 Completar Completa las oraciones con las palabras más lógicas.

1. ¡Me gusta mucho este plato! Sabe ______.
   a. mal b. delicioso c. antipático
2. Camarero, ¿puedo ver el ______, por favor?
   a. aceite b. maíz c. menú
3. Carlos y yo bebemos siempre agua ______.
   a. cómoda b. mineral c. principal
4. El plato del día es ______.
   a. pollo asado b. mayonesa c. ajo
5. Margarita es vegetariana. Ella come ______.
   a. frijoles b. chuletas c. jamón
6. Mi hermana le da ______ a su niña.
   a. ajo b. vinagre c. yogur

el desayuno

el almuerzo

la cena

NOTA CULTURAL

En Guatemala, un desayuno típico incluye huevos, frijoles, fruta, tortillas, jugo y café.

Otros desayunos populares son:

madalenas (*muffins*) España

pan dulce (*assorted breads/pastries*) México

champurradas (*sugar cookies*) Guatemala

gallo pinto (*fried rice and beans*) Costa Rica

perico (*scrambled eggs with peppers and onions*) Venezuela

¿Cómo es un desayuno típico en la región donde vives?

Más vocabulario

escoger	*to choose*
merendar (e:ie)	*to snack*
probar (o:ue)	*to taste; to try*
recomendar (e:ie)	*to recommend*
servir (e:i)	*to serve*
el té	*tea*

5 **Completar** Trabaja con un(a) compañero/a de clase para relacionar cada producto con el grupo alimenticio (*food group*) correcto.

modelo

La carne es del grupo de las proteínas.

el arroz	los frijoles	el pan
las bananas	los huevos	el pescado
los cereales	la leche	el yogur
los espárragos	la lechuga	

1. ____________ y el queso son de los lácteos.
2. ____________ son de los vegetales.
3. ____________ y el pollo son de las proteínas.
4. ____________ es de los lácteos.
5. ____________ es de los granos.
6. Las manzanas y ____________ son de las frutas.
7. ____________ es de los vegetales.
8. ____________ son de los granos.
9. ____________ y los tomates son de los vegetales.
10. La salchicha y ____________ son de las proteínas.

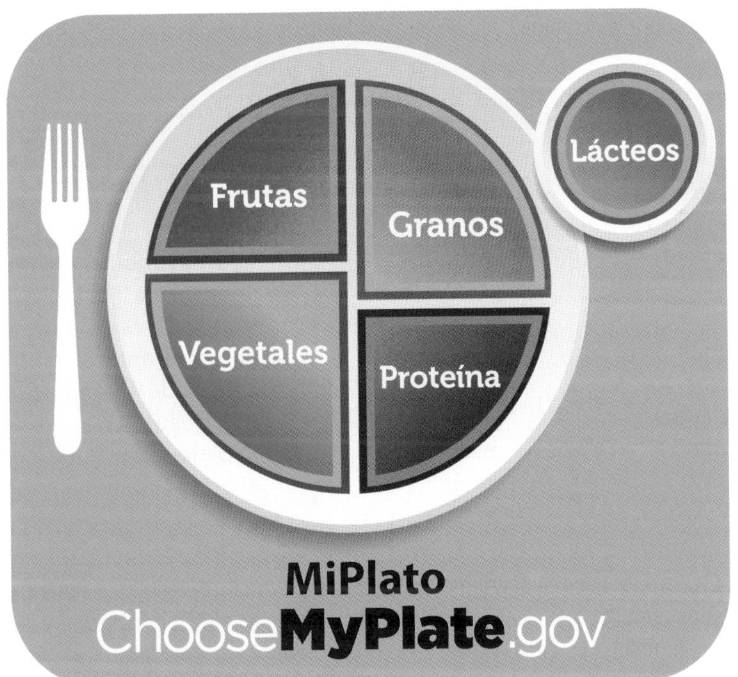

6  **Mi Plato** Utilizando el gráfico de MiPlato de USDA, crea tu plan de alimentación personalizado, según tus propias necesidades y preferencias. Comparte tu plan con un grupo de compañeros/as.

7 **¿Cierto o falso?** Consulta el diagrama de MiPlato e indica si lo que dice cada oración es **cierto** o **falso**. Si la oración es falsa, escribe algunas de las comidas que sí están en el grupo indicado.

modelo

El queso está en el grupo de los granos.
Falso. En ese grupo están el maíz, el pan, los cereales y el arroz.

1. La manzana, la banana y el limón están en el grupo de las frutas.
2. En el grupo de los lácteos están los huevos, la leche y el aceite.
3. El tomate está en el grupo de los vegetales.
4. En el grupo de los granos están el pan, el arroz y el maíz.
5. El pollo está en el grupo de las proteínas.
6. En el grupo de los vegetales están la manzana, la naranja, la pera, las uvas y el limón.
7. El helado y el yogur están en el mismo grupo.
8. En el grupo de los lácteos está el arroz.
9. El pescado, el yogur y el bistec están en el grupo de las proteínas.

8 **Combinar** Combina palabras de cada columna, en cualquier (*any*) orden, para formar nueve oraciones lógicas sobre las comidas. Añade otras palabras si es necesario.

modelo

La camarera nos sirve la ensalada.

A	B	C
el/la camarero/a	almorzar	el patio
el/la dueño/a	escoger	el desayuno
mi familia	gustar	la ensalada
mi tío	merendar	las uvas
mis amigos y yo	pedir	el restaurante
mis padres	preferir	el jugo de naranja
mi hermano/a	probar	el refresco
el/la médico/a	recomendar	el plato
yo	servir	el arroz

NOTA CULTURAL

El arroz es un alimento básico en el Caribe, Centroamérica y México, entre otros países. Aparece frecuentemente como acompañamiento del plato principal y muchas veces se sirve con frijoles. Un plato muy popular en varios países es **el arroz con pollo** *(chicken and rice casserole).*

9 **Un menú** En parejas, usen el diagrama de MiPlato para crear un menú para una cena especial. Incluyan alimentos de todos los grupos para los entremeses, los platos principales y las bebidas. Luego presenten el menú a la clase.

modelo

La cena especial que vamos a preparar es deliciosa. Primero, hay dos entremeses: ensalada César y sopa de langosta. El plato principal es salmón con salsa de ajo y espárragos. También vamos a servir arroz…

Comunicación

10 **Conversación** En parejas, túrnense para hacerse estas preguntas.

1. ¿Meriendas mucho durante el día? ¿Qué comes? ¿A qué hora?
2. ¿Qué te gusta cenar?
3. ¿A qué hora, dónde y con quién almuerzas?
4. ¿Cuáles son las comidas más (*most*) típicas de tu almuerzo?
5. ¿Desayunas? ¿Qué comes y bebes por la mañana?
6. ¿Qué comida te gusta más? ¿Qué comida no conoces y quieres probar?
7. ¿Comes cada día alimentos de los diferentes grupos? ¿Cuáles son los alimentos y bebidas más frecuentes en tu dieta?
8. ¿Qué comida recomiendas a tus amigos? ¿Por qué?
9. ¿Eres vegetariano/a o vegano/a? ¿Crees que ser vegetariano/a o vegano/a es una buena idea? ¿Por qué?
10. ¿Te gusta cocinar (*to cook*)? ¿Qué comidas preparas para tus amigos? ¿Para tu familia?

11 **Describir** Con dos compañeros/as de clase, describe las dos fotos, contestando estas preguntas.

- ¿Quiénes están en las fotos?
- ¿Dónde están?
- ¿Qué hora es?
- ¿Qué comen y qué beben?

12 **Crucigrama** Tu profesor(a) les va a dar a ti y a tu compañero/a un crucigrama (*crossword puzzle*) incompleto. Tú tienes las palabras que necesita tu compañero/a y él/ella tiene las palabras que tú necesitas. Tienen que darse pistas (*clues*) para completarlo. No pueden decir la palabra; deben utilizar definiciones, ejemplos y frases.

modelo

6 vertical: Es un condimento que normalmente viene con la sal.
2 horizontal: Es una fruta amarilla.

PUEDO identificar algunos alimentos comunes y hablar sobre su importancia en la nutrición.

¡Vamos a comer tapas!

Manuel, Sara y Daniel van al Mercado de San Miguel para comer tapas.

ANTES DE VER

Ojea los pies de foto (*Scan the captions*) y busca vocabulario relacionado con la comida.

1

SARA Manuel, ¡vas a conocer el mejor mercado de Madrid!

DANIEL El de San Miguel. (*rapeando*) En el Mercado San Miguel de todo hay de comer. Si no te gusta el champiñón, tenemos el jamón. Si no te gusta el jamón, tenemos boquerón...

DANIEL Y SARA (*rapeando*) De merienda, pan tostado, y para almuerzo, pollo asado.

MANUEL ¡Chicos! ¡Chicos! ¡¿Podemos ir a comer ya?!

2

MANUEL, SARA Y DANIEL ¡Croquetas!

DANIEL ¡Quiero de... jamón! ¡Las de jamón son las mejores!

SARA Seis croquetas de jamón, por favor.

VENDEDORA ¿Qué más?

MANUEL ¡Uy! Me gustan las de pollo tanto como las de pescado.

SARA ¿Nos sirve seis de pollo y seis de pescado, por favor?

4

DANIEL ¡Aquí va un calamar!

MANUEL ¡Los calamares me gustan más que las croquetas!

SARA Sabéis que este juego es tontísimo, ¿no?

DANIEL ¿Qué quieres ahora?

MANUEL ¡Uno de boquerón! (*a Sara*) Te lo recomiendo.

5

SARA Manuel, ¿qué te parece la comida del mercado?

MANUEL Hasta ahora ¡riquísima! Nos sirvieron unas croquetas deliciosas.

DANIEL ¡Pedimos probarlas todas, y al final Manuel prefirió los calamares!

MANUEL Y ahora...

DANIEL Y MANUEL ¡Más tapas!

PERSONAJES

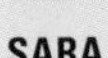
SARA

DANIEL

MANUEL

VENDEDORA

VENDEDOR

GUITARRISTA

3

SARA ¿Cuánto es?

VENDEDORA Son dieciocho euros.

SARA Son seis euros cada uno.

VENDEDORA ¿Se las pongo con alioli?

SARA Sí, por favor.

6

VENDEDOR Tortilla de patatas. Queso manchego y aceitunas.

MANUEL ¿Qué otro plato nos recomienda?

VENDEDOR La paella de marisco está muy buena y el gazpacho también.

SARA La paella está más rica que el gazpacho. Paella, por favor.

DANIEL No sé por dónde empezar.

MANUEL ¡Yo tampoco sé por dónde empezar!

Expresiones útiles

las aceitunas *olives*
el alioli *aioli (garlic mayonnaise)*
el boquerón *anchovy*
¡Buen provecho! *Enjoy your meal!*
el calamar *calamari (squid)*
la croqueta *croquette*
el gazpacho *cold tomato soup*
la tortilla *omelet (in Spain)*

---

ahogarse *to choke*
la maniobra de Heimlich *Heimlich maneuver*
tirar *to throw*
la vitrina *display case/window*

Mercado de San Miguel

Muy cerca de la Plaza Mayor de Madrid se encuentra el Mercado de San Miguel. Abrió sus puertas en 1916 como un mercado de abastos (*wholesale food market*). Hoy en día los visitantes pueden probar en sus puestos los mejores jamones, arroces y quesos de toda España.

¿Hay lugares como este mercado en tu comunidad? ¿Qué venden?

¿Qué pasó?

1 Escoger Escoge la palabra o frase que completa mejor cada oración.

1. Los chicos comen croquetas de __________.
   a. jamón, pollo y pavo b. jamón, pollo y patatas c. jamón, pollo y pescado
2. Los chicos pagan __________ por todas las croquetas.
   a. 6 euros b. 15 euros c. 18 euros
3. Manuel dice que las croquetas están __________.
   a. sabrosas b. deliciosas c. buenas
4. Sara opina que el juego de los chicos es __________.
   a. divertido b. tonto c. aburrido
5. El vendedor les recomienda __________ a los chicos.
   a. gazpacho y aceitunas b. queso manchego y paella c. paella y gazpacho
6. Sara pide __________.
   a. paella b. gazpacho c. camarones
7. Manuel toma la última __________.
   a. aceituna b. croqueta c. patata

2 Identificar Indica quién dice las oraciones equivalentes.

1. ¿Te gusta la comida del mercado?
2. Prefiero las croquetas de jamón.
3. Me gustan las croquetas de pollo y las croquetas de pescado.
4. Nos sirvieron unas croquetas sabrosas.
5. Me gusta la paella más que el gazpacho.
6. ¡El mercado es muy divertido!

MANUEL

DANIEL

SARA

3 Ordenar Indica el orden correcto de los eventos.

___ a. Manuel se ahoga.
___ b. Los chicos pagan dieciocho euros.
___ c. Sara y Daniel rapean delante del mercado.
___ d. Los chicos comen croquetas.
___ e. Los chicos comen tortilla de patatas y paella.
___ f. Manuel y Daniel juegan con la comida.

4 En el mercado En parejas, representen una conversación entre un(a) vendedor/a y su cliente/a en un mercado de comida.

Vendedor/a

1. Saludas al/a la cliente/a y preguntas qué quiere beber.
2. Preguntas qué quiere comer. Le das recomendaciones.
3. Pides su opinión sobre la comida.

Cliente/a

1. Saludas al/a la vendedor(a) y pides una bebida.
2. Pides una de las recomendaciones.
3. Das tu opinión sobre la comida.

PUEDO pedir comida en un mercado popular.

Pronunciación

ll, ñ, c, and z

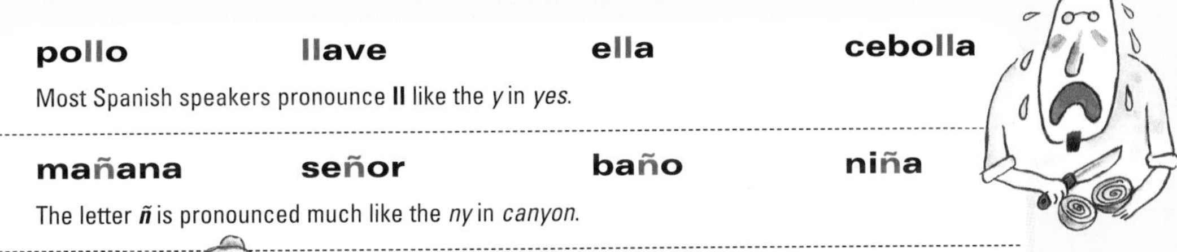

pollo **llave** **ella** **cebolla**

Most Spanish speakers pronounce **ll** like the *y* in *yes*.

mañana **señor** **baño** **niña**

The letter ***ñ*** is pronounced much like the *ny* in *canyon*.

café **colombiano** **cuando** **rico**

Before **a**, **o**, or **u**, the Spanish **c** is pronounced like the *c* in *car*.

cereales **delicioso** **conducir** **conocer**

Before **e** or **i**, the Spanish **c** is pronounced like the *s* in *sit*. (In parts of Spain, **c** before **e** or **i** is pronounced like the *th* in *think*.)

zeta **zanahoria** **almuerzo** **cerveza**

The Spanish **z** is pronounced like the *s* in *sit*. (In parts of Spain, **z** is pronounced like the *th* in *think*.)

Práctica Lee las palabras en voz alta.

1. mantequilla
2. cuñada
3. aceite
4. manzana
5. español
6. cepillo
7. zapato
8. azúcar
9. quince
10. compañera
11. almorzar
12. calle

Oraciones Lee las oraciones en voz alta.

1. Mi compañero de cuarto se llama Toño Núñez. Su familia es de la ciudad de Guatemala y de Quetzaltenango.
2. Dice que la comida de su mamá es deliciosa, especialmente su pollo al champiñón y sus tortillas de maíz.
3. Creo que Toño tiene razón porque hoy cené en su casa y quiero volver mañana para cenar allí otra vez.

Refranes Lee los refranes en voz alta.

Panza llena, corazón contento.[2]

Las apariencias engañan.[1]

1 Looks can be deceiving.
2 A full belly makes a happy heart.

Objetivo comunicativo: Hablar sobre comidas típicas en mi cultura y en otras

EN DETALLE

Desayunos exquisitos

¿Hay algo más rico que disfrutar un delicioso desayuno? Desde España hasta el Caribe, desde México a Argentina, existe una variedad de posibilidades a la hora de comenzar el día. Café, chocolate, mate, huevos, frutas, queso y hasta arroz y caldo° hacen parte de la oferta gastronómica para esta comida, que según muchos médicos es la más importante del día.

Las bebidas Como en buena parte del mundo, el **café** es el rey° de las bebidas para acompañar la primera comida del día. Se consume en casi todos los países de habla hispana, como en España, Colombia, Costa Rica y Cuba, país donde se prepara con mucho azúcar. El **chocolate** es otra bebida muy popular en estos países; está presente en las mesas de México, Colombia y Guatemala, y puede tomarse oscuro° o con leche. Muchos argentinos, al igual que paraguayos y uruguayos, optan por el **mate** a la hora del desayuno. En México es muy popular el **atole**, una bebida de origen prehispánico a base de maíz cocido° en agua al que se le adicionan especias, como canela° y vainilla.

La harina° Si el café es el rey, la harina es la reina° del desayuno. Bien sea° de trigo o de maíz, está siempre presente en los desayunos de los hispanoamericanos. Además del universal **pan**, la **arepa** es indispensable en países como Colombia y Venezuela, y consiste en una torta° de maíz sola o cubierta de mantequilla o queso, o bien rellena° de diversos ingredientes. En Centroamérica y México, las **pupusas** y **gorditas** son similares a la arepa. Hablando de México, es la cuna° de los famosos

tamales, que consisten en una masa de maíz rellena y envuelta° en hojas de vegetales. Los tamales pueden ser dulces o salados°. Son también populares en Centroamérica, el Caribe, algunos países de Suramérica, ¡y hasta en ciudades estadounidenses como Miami!

Otras opciones Hay otras opciones muy diversas en los diferentes países de habla hispana. En las zonas costeras de Ecuador, por ejemplo, son típicos los desayunos a base de **pescados** y **mariscos**. En El Salvador es muy común desayunar con **fríjoles** molidos° y fritos, y en Nicaragua y Costa Rica no puede faltar el **gallo pinto** (una mezcla de arroz y fríjoles). Algunos colombianos (sobre todo en las zonas frías) no pueden comenzar el día sin un **caldo de costilla°**, e incluso algunos toman **changua** (un caldo a base de leche, huevo, queso y cilantro).

¿Cuál de todas estas opciones te parece más apetitosa? ¿Se parecen al desayuno que tomas todos los días?

caldo *broth* rey *king* oscuro *dark* cocida *boiled* canela *cinnamon* harina *flour* reina *queen* Bien sea *Either* torta *cake* rellena *stuffed* cuna *cradle* masa *dough* envuelta *wrapped* salados *salty, savory* molidos *ground* costilla *rib*

ASÍ SE DICE

La comida

el banano (Col.), el cambur (Ven.), el guineo (Nic.), el plátano (Amér. L., Esp.)	la banana
el choclo (Amér. S.), el elote (Méx.), el jojoto (Ven.), la mazorca (Esp.)	el maíz
las caraotas (Ven.), los porotos (Amér. S.), las habichuelas (P. R.)	los frijoles
el durazno (Méx.)	el melocotón
el jitomate (Méx.)	el tomate

ACTIVIDADES

1 **¿Cierto o falso?** Indica si lo que dicen las oraciones es **cierto** o **falso**. Corrige la información falsa.

1. Muchos médicos opinan que el desayuno es la comida más importante del día.
2. El café en Cuba se toma sin azúcar.
3. El chocolate es una bebida muy popular en los desayunos de los países hispanos.
4. Mexicanos y guatemaltecos tienen por costumbre tomar mate al desayuno.
5. En México, la gente acompaña el desayuno con chocolate o con atole.
6. En Estados Unidos no es posible conseguir tamales.
7. Los tamales pueden ser dulces.
8. Los pescados y mariscos son comunes en los desayunos de zonas costeras.

2 **Entrevista** Habla con un(a) compañero/a sobre sus preferencias para el desayuno. Utilicen las preguntas como guía.

1. ¿Te gusta tomar el desayuno? ¿Por qué?
2. ¿A qué hora tomas el desayuno entre semana (*during the week*)? ¿Y los fines de semana?
3. ¿Con qué bebida te gusta acompañar tus desayunos?
4. ¿Qué es lo que no puede faltar en tu casa a la hora del desayuno?
5. ¿Cuáles de los desayunos de los países hispanos te gustaría probar? ¿Por qué?

3 **Un visitante** A tu escuela acaba de llegar un estudiante de intercambio (*exchange*) y quiere saber qué toman al desayuno en tu país. Dile cómo es un desayuno típico en tu área y cuéntale además de las costumbres en otras regiones del país. Menciona además algunas similitudes y diferencias que puede haber con los desayunos típicos en su país de origen.

ENTRE CULTURAS

¿Cómo es un almuerzo típico en los países hispanohablantes? Elige un país e investiga en internet cuál es el almuerzo más típico allí. Compáralo con los almuerzos de tu región.

*Go to **vhlcentral.com** to find out more cultural information related to this **Cultura** section.*

PUEDO hablar sobre los desayunos y almuerzos típicos en mi cultura y en otras.

PERFIL

Ferran Adrià: arte en la cocina°

¿Qué haces si un amigo te invita a comer croquetas líquidas o paella de *Kellogg's*? ¿Piensas que es una broma°? ¡Cuidado! Puedes estar perdiendo la oportunidad de probar los platos de uno de los chefs más innovadores del mundo: **Ferran Adrià**.

Pea ravioli

Este artista de la cocina basa su éxito° en la creatividad y en la química. Adrià modifica combinaciones de ingredientes y juega con contrastes de gustos y sensaciones: frío-caliente, crudo-cocido°, dulce-salado°... A partir de nuevas técnicas, altera la textura de los alimentos sin alterar su sabor°. Sus platos sorprendentes° y divertidos atraen a muchos nuevos chefs a su academia de cocina experimental. Quizás un día compraremos° en el supermercado té esférico°, carne líquida y espuma° de tomate.

cocina *kitchen* **broma** *joke* **éxito** *success* **crudo-cocido** *raw-cooked* **dulce-salado** *sweet-savory* **sabor** *taste* **sorprendentes** *surprising* **compraremos** *we will buy* **esférico** *spherical* **espuma** *foam*

Comprensión Contesta las preguntas con base en la lectura.

1. ¿En qué se basa el éxito del chef Ferran Adrià?
2. Menciona un par de los contrastes con los que juega Adrià.
3. Indica dos palabras con las que se puede definir la cocina de Adrià.

8.1 Preterite of stem-changing verbs

ANTE TODO As you learned in **Lección 6**, **-ar** and **-er** stem-changing verbs have no stem change in the preterite. **-Ir** stem-changing verbs, however, do have a stem change. Study the following chart and observe where the stem changes occur.

CONSULTA

There are a few high-frequency irregular verbs in the preterite. You will learn more about them in **Estructura 9.1**, p. 352.

Preterite of -ir stem-changing verbs

		servir *(to serve)*	**dormir** *(to sleep)*
SINGULAR FORMS	yo	serví	dormí
	tú	serviste	dormiste
	Ud./él/ella	s**i**rvió	d**u**rmió
PLURAL FORMS	nosotros/as	servimos	dormimos
	vosotros/as	servisteis	dormisteis
	Uds./ellos/ellas	s**i**rvieron	d**u**rmieron

- Stem-changing **-ir** verbs, in the preterite only, have a stem change in the third-person singular and plural forms. The stem change consists of either **e** to **i** or **o** to **u**.

  (e → i) pedir: p**i**dió, p**i**dieron (o → u) morir (*to die*): m**u**rió, m**u**rieron

Nos sirvieron unas croquetas deliciosas.

¡Pedimos probarlas todas, y al final Manuel prefirió los calamares!

¡INTÉNTALO! Cambia cada infinitivo al pretérito.

1. Yo *serví, dormí, pedí...* ______. (servir, dormir, pedir, preferir, repetir, seguir)
2. Usted ______. (morir, conseguir, pedir, sentirse, servir, vestirse)
3. Tú ______. (conseguir, servir, morir, pedir, dormir, repetir)
4. Ellas ______. (repetir, dormir, seguir, preferir, morir, servir)
5. Nosotros ______. (seguir, preferir, servir, vestirse, pedir, dormirse)
6. Ustedes ______. (sentirse, vestirse, conseguir, pedir, repetir, dormirse)
7. Él ______. (dormir, morir, preferir, repetir, seguir, pedir)

Práctica

1

Completar Completa estas oraciones para describir lo que pasó anoche en el restaurante El Famoso.

1. Paula y Humberto Suárez llegaron al restaurante El Famoso a las ocho y __________ (seguir) al camarero a una mesa en el patio.
2. El señor Suárez __________ (pedir) una chuleta de cerdo.
3. La señora Suárez __________ (preferir) probar los camarones.
4. De tomar, los dos __________ (pedir) agua mineral.
5. El camarero __________ (repetir) el pedido (*the order*) para confirmarlo.
6. La comida tardó mucho (*took a long time*) en llegar y los señores Suárez __________ (dormirse) esperando la comida.
7. A las nueve y media el camarero les __________ (servir) la comida.
8. Después de comer la chuleta, el señor Suárez __________ (sentirse) muy mal.
9. Pobre señor Suárez... ¿por qué no __________ (pedir) los camarones?

2

El camarero loco En el restaurante La Hermosa trabaja un camarero muy loco que siempre comete muchos errores. Indica lo que los clientes pidieron y lo que el camarero les sirvió.

modelo

Armando / papas fritas

Armando pidió papas fritas, pero el camarero le sirvió pan.

1. nosotros / jugo de naranja

2. Beatriz / queso

3. tú / arroz

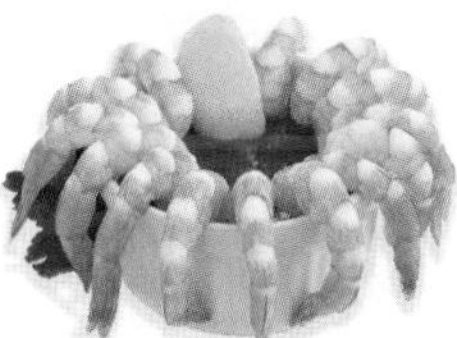

4. Elena y Alejandro / atún

5. usted / agua mineral

6. yo / hamburguesa

Comunicación

3 **El almuerzo** Trabajen en parejas. Túrnense para completar las oraciones de César de una manera lógica.

modelo

Mi abuelo se despertó temprano, pero yo...
Mi abuelo se despertó temprano, pero yo me despierté tarde.

1. Yo llegué al restaurante a tiempo, pero mis amigos...
2. Beatriz pidió la ensalada de frutas, pero yo...
3. Yolanda les recomendó el bistec, pero Eva y Paco...
4. Nosotros preferimos las papas fritas, pero Yolanda...
5. El camarero sirvió la carne, pero yo...
6. Beatriz y yo pedimos café, pero Yolanda y Paco...
7. Eva se sintió enferma, pero Paco y yo...
8. Nosotros repetimos postre, pero Eva...

¡LENGUA VIVA!

In Spanish, the verb **repetir** is used to express *to have a second helping (of something)*.

Cuando mi mamá prepara sopa de champiñones, yo siempre repito.
When my mom makes mushroom soup, I always have a second helping.

4 **Entrevista** Trabajen en parejas y túrnense para entrevistar a su compañero/a.

1. ¿Te acostaste tarde o temprano anoche? ¿A qué hora te dormiste? ¿Dormiste bien?
2. ¿A qué hora te despertaste esta mañana? Y, ¿a qué hora te levantaste?
3. ¿A qué hora vas a acostarte esta noche?
4. ¿Qué almorzaste ayer? ¿Quién te sirvió el almuerzo?
5. ¿Qué cenaste ayer?
6. ¿Cenaste en un restaurante recientemente? ¿Con quién(es)?
7. ¿Qué pediste en el restaurante? ¿Qué pidieron los demás?
8. ¿Se durmió alguien en alguna de tus clases la semana pasada? ¿En qué clase?

Síntesis

5 **Describir** En grupos, estudien la foto y las preguntas. Luego, describan la primera (¿y la última?) cita de César y Libertad.

- ¿Adónde salieron a cenar?
- ¿Qué pidieron?
- ¿Les gustó la comida?
- ¿Quién prefirió una comida vegetariana? ¿Por qué?
- ¿Cómo se vistieron?
- ¿De qué hablaron? ¿Les gustó la conversación?
- ¿Van a volver a verse? ¿Por qué?

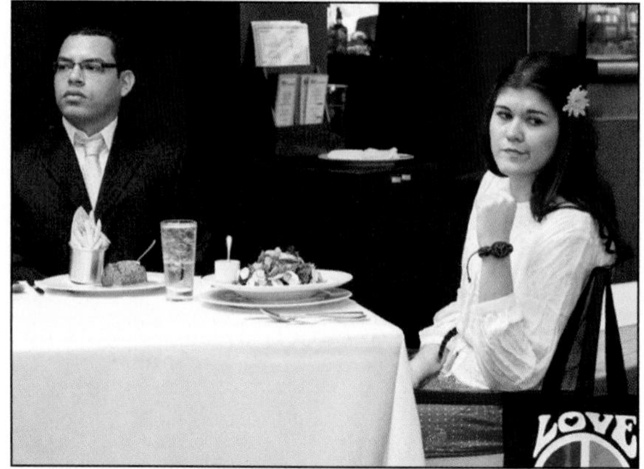

CONSULTA

To review words commonly associated with the preterite, such as **anoche**, see **Estructura 6.3**, p. 243.

PUEDO describir los detalles de una cita de dos personas en un restaurante.

8.2 Double object pronouns

ANTE TODO In **Lecciones 5** and **6**, you learned that direct and indirect object pronouns replace nouns and that they often refer to nouns that have already been referenced. You will now learn how to use direct and indirect object pronouns together. Observe the following diagram.

Indirect Object Pronouns			Direct Object Pronouns	
me	nos	+	lo	los
te	os		la	las
le (se)	les (se)			

▶ When direct and indirect object pronouns are used together, the indirect object pronoun always precedes the direct object pronoun.

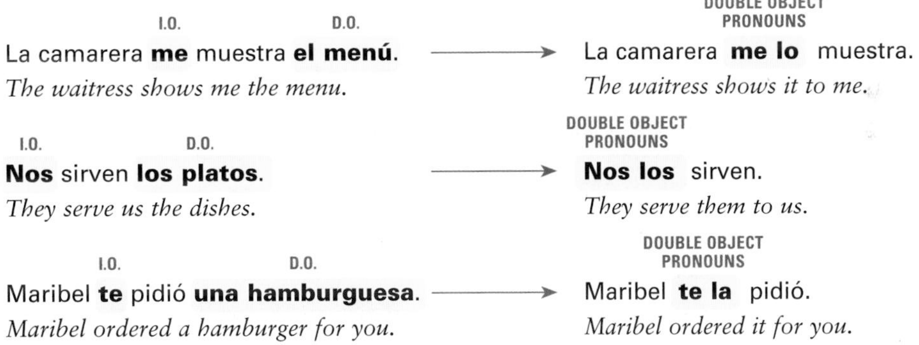

I.O. / D.O.		DOUBLE OBJECT PRONOUNS
La camarera **me** muestra **el menú**. *The waitress shows me the menu.*	→	La camarera **me lo** muestra. *The waitress shows it to me.*
Nos sirven **los platos**. *They serve us the dishes.*	→	**Nos los** sirven. *They serve them to us.*
Maribel **te** pidió **una hamburguesa**. *Maribel ordered a hamburger for you.*	→	Maribel **te la** pidió. *Maribel ordered it for you.*

¿Se las pongo con alioli?

Te lo recomiendo.

▶ In Spanish, two pronouns that begin with the letter **l** cannot be used together. Therefore, the indirect object pronouns **le** and **les** always change to **se** when they are used with **lo, los, la,** and **las.**

I.O. / D.O.		DOUBLE OBJECT PRONOUNS
Le escribí **la carta**. *I wrote him the letter.*	→	**Se la** escribí. *I wrote it to him.*
Les sirvió **los sándwiches**. *He served them the sandwiches.*	→	**Se los** sirvió. *He served them to them.*

VERIFICA

- Because **se** has multiple meanings, Spanish speakers often clarify to whom the pronoun refers by adding **a usted, a él, a ella, a ustedes, a ellos,** or **a ellas.**

¿El sombrero? Carlos **se** lo vendió **a ella.**
The hat? Carlos sold it to her.

¿Las zanahorias? Ellos **se** las sirven **a usted.**
The carrots? They are serving them to you.

- Double object pronouns are placed before a conjugated verb. With infinitives and present participles, they may be placed before the conjugated verb or attached to the end of the infinitive or present participle.

DOUBLE OBJECT PRONOUNS
Te lo voy a mostrar.

DOUBLE OBJECT PRONOUNS
Voy a mostrár**telo**.

DOUBLE OBJECT PRONOUNS
Nos las están comprando.

DOUBLE OBJECT PRONOUNS
Están comprándo**noslas**.

La vendedora se las está sirviendo.
La vendedora está sirviéndoselas.

Sara se la va a comer.
Sara va a comérsela.

- As you can see above, when double object pronouns are attached to an infinitive or a present participle, an accent mark is added to maintain the original stress.

¡INTÉNTALO! Escribe el pronombre de objeto directo o indirecto que falta en cada oración.

Objeto directo

1. ¿La ensalada? El camarero nos __la__ sirvió.
2. ¿El salmón? La dueña me _______ recomienda.
3. ¿La comida? Voy a preparárte_______.
4. ¿Las bebidas? Estamos pidiéndose_______.
5. ¿Los refrescos? Te _______ puedo traer ahora.
6. ¿Los platos de arroz? Van a servírnos_______ después.

Objeto indirecto

1. —¿Puedes traerme tu plato? —No, no __te__ lo puedo traer.
2. —¿Quieres mostrarle la carta? —Sí, voy a mostrár_______la ahora.
3. —¿Les serviste la carne? —No, no _______ la serví.
4. —¿Vas a leerle el menú? —No, no _______ lo voy a leer.
5. —¿Me recomiendas la langosta? —Sí, _______ la recomiendo.
6. —¿Cuándo vas a prepararnos la cena? —_______ la voy a preparar en una hora.

Práctica

1

Responder Imagínate que trabajas de camarero/a en un restaurante. Responde a los pedidos (requests) de estos clientes usando pronombres.

modelo

Sra. Gómez: Una ensalada, por favor.
Sí, señora. Enseguida (Right away) se la traigo.

AYUDA

Here are some other useful expressions:
ahora mismo *right now*
inmediatamente *immediately*
¡Ya! *¡Right away!*

1. Sres. López: La mantequilla, por favor.
2. Srta. Rivas: Los camarones, por favor.
3. Sra. Lugones: El pollo asado, por favor.
4. Tus compañeros/as de clase: Café, por favor.
5. Tu profesor(a) de español: Papas fritas, por favor.
6. Dra. González: La chuleta de cerdo, por favor.
7. Tu padre: Los champiñones, por favor.
8. Dr. Torres: La cuenta (*check*), por favor.

2

¿Quién? La señora Cevallos está planeando una cena. Se pregunta cómo va a resolver ciertas situaciones. En parejas, túrnense para decir lo que ella está pensando. Cambien los sustantivos subrayados por pronombres de objeto directo y hagan los otros cambios necesarios.

modelo

¡No tengo carne! ¿Quién va a traerme la carne del supermercado? (mi esposo)
Mi esposo va a traérmela./Mi esposo me la va a traer.

1. ¡Las invitaciones! ¿Quién les manda las invitaciones a los invitados (*guests*)? (mi hija)
2. No tengo tiempo de ir a la tienda. ¿Quién me puede comprar el vinagre? (mi hijo)
3. ¡Ay! No tengo suficientes platos (*plates*). ¿Quién puede prestarme los platos que necesito? (mi mamá)
4. Nos falta mantequilla. ¿Quién nos trae la mantequilla? (mi cuñada)
5. ¡Los entremeses! ¿Quién está preparándonos los entremeses? (Silvia y Renata)
6. No hay suficientes sillas. ¿Quién nos trae las sillas que faltan? (Héctor y Lorena)
7. No tengo tiempo de pedirle el aceite a Mónica. ¿Quién puede pedirle el aceite? (mi hijo)
8. ¿Quién va a servirles la cena a los invitados? (mis hijos)
9. Quiero poner buena música de fondo (*background*). ¿Quién me va a recomendar la música? (mi esposo)
10. ¡Los postres! ¿Quién va a preparar los postres para los invitados? (Sra. Villalba)

Comunicación

3

Una fiesta Escucha la conversación entre Eva y Marcela. Luego, indica si las inferencias son **lógicas** o **ilógicas**, según lo que escuchaste.

	Lógico	Ilógico
1. Sebastián no es vegetariano.	❍	❍
2. A una de las chicas no le gustan los vegetales	❍	❍
3. Las dos chicas van a prepararle platos diferentes a Sebastián.	❍	❍
4. A Sebastián le encantan los vegetales.	❍	❍
5. La fiesta de Sebastián se va a celebrar en un restaurante de mariscos.	❍	❍

4

Preguntas Contesta las preguntas de tu compañero/a.

modelo

Estudiante 1: *¿Les prestas tu casa a tus amigos? ¿Por qué?*
Estudiante 2: *No, no se la presto a mis amigos porque no son muy responsables.*

1. ¿Quién te presta dinero cuando lo necesitas?
2. ¿Les prestas dinero a tus amigos cuando lo necesitan? ¿Por qué?
3. ¿Les escribes mensajes electrónicos a tus amigos? ¿Y a tu familia?
4. ¿Les das regalos a tus amigos? ¿Cuándo?
5. ¿Quién te va a preparar la cena esta noche?
6. ¿Quién te va a preparar el desayuno mañana?

5

Contestar Trabajen en parejas. Túrnense para hacer preguntas, usando las palabras interrogativas **¿quién?** o **¿cuándo?**, y para contestarlas. Sigan el modelo.

modelo

nos enseña español
Estudiante 1: *¿Quién nos enseña español?*
Estudiante 2: *La profesora Camacho nos lo enseña.*

1. te puede explicar la tarea cuando no la entiendes
2. les vende el almuerzo a los estudiantes
3. va a prepararles una cena a tus amigos
4. te escribe mensajes de texto
5. te prepara comida
6. me vas a recomendar un libro
7. nos va a dar la tarea

Síntesis

6

Regalos Recibiste muchos regalos de cumpleaños. Escríbele un mensaje electrónico a un(a) amigo/a contándole sobre los regalos que recibiste y quiénes te los dieron.

PUEDO describir quién hace una acción determinada y cuándo.

8.3 Comparisons

ANTE TODO Both Spanish and English use comparisons to indicate a lesser, equal, or greater amount of something—an adjective or adverb or noun.

Comparisons

menos interesante	**más grande**	**tan sabroso como**
less interesting	*bigger*	*as delicious as*

Comparisons of inequality

▶ Comparisons of inequality are formed by placing **más** (*more*) or **menos** (*less*) before adjectives, adverbs, and nouns and **que** (*than*) after them.

más/menos + [*adjective* / *adverb* / *noun*] + **que**

▶ **¡Atención!** Note that while English has a comparative form for some adjectives (*taller*), such forms do not exist in Spanish (**más** alto).

adjectives

Los bistecs son **más caros que** el pollo.
Steaks are more expensive than chicken.

Estas uvas son **menos ricas que** esa pera.
These grapes are less tasty than that pear.

adverbs

Me acuesto **más tarde que** tú.
I go to bed later than you (do).

Luis se despierta **menos tarde que** yo.
Luis wakes up earlier than I (do).

nouns

Juan prepara **más platos que** José.
Juan prepares more dishes than José (does).

Susana come **menos carne que** Enrique.
Susana eats less meat than Enrique (does).

¡Los calamares me gustan más que las croquetas!

La paella está más rica que el gazpacho.

▶ When the comparison involves a numerical expression, **de** is used before the number instead of **que**.

Hay más **de** cincuenta naranjas.
There are more than fifty oranges.

Llego en menos **de** diez minutos.
I'll be there in less than ten minutes.

▶ With verbs, this construction is used to make comparisons of inequality.

[*verb*] + **más/menos que**

Mis hermanos **comen más que** yo.
My brothers eat more than I (do).

Arturo **duerme menos que** su padre.
Arturo sleeps less than his father (does).

Comparisons of equality

- This construction is used to make comparisons of equality.

tan + [*adjective* / *adverb*] + **como**

tanto/a(s) + [*singular noun* / *plural noun*] + **como**

Me gustan las de pollo tanto como las de pescado.

¡No eres tan rápido como yo!

- **¡Atención!** Note that unlike **tan**, **tanto** acts as an adjective and therefore agrees in number and gender with the noun it modifies.

Estas uvas son **tan ricas como** aquéllas.
These grapes are as tasty as those ones (are).

Yo probé **tantos platos como** él.
I tried as many dishes as he did.

- **Tan** and **tanto** can also be used for emphasis, rather than to compare, with these meanings: **tan** *so*, **tanto** *so much*, **tantos/as** *so many*.

¡Tu almuerzo es **tan** grande!
Your lunch is so big!

¡Comes **tantas** manzanas!
You eat so many apples!

¡Comes **tanto**!
You eat so much!

¡Preparan **tantos** platos!
They prepare so many dishes!

- Comparisons of equality with verbs are formed by placing **tanto como** after the verb. Note that in this construction **tanto** does not change in number or gender.

[*verb*] + **tanto como**

Tú viajas **tanto como** mi tía.
You travel as much as my aunt (does).

Ellos hablan **tanto como** mis hermanas.
They talk as much as my sisters.

Comemos **tanto como** ustedes.
We eat as much as you (do).

No estudio **tanto como** Felipe.
I don't study as much as Felipe (does).

VERIFICA

Irregular comparisons

- Some adjectives have irregular comparative forms in both languages.

Irregular comparative forms

Adjective		Comparative form	
bueno/a	*good*	**mejor**	*better*
malo/a	*bad*	**peor**	*worse*
grande	*big, grown, adult*	**mayor**	*bigger, older*
pequeño/a	*small*	**menor**	*smaller*
joven	*young*	**menor**	*younger*
viejo/a	*old*	**mayor**	*older*

CONSULTA

To review how descriptive adjectives like **bueno**, **malo**, and **grande** are shortened before nouns, see **Estructura 3.1**, p. 120.

- When **grande** and **pequeño/a** refer to age, the irregular comparative forms, **mayor** and **menor**, are used. However, when these adjectives refer to size, the regular forms, **más grande** and **más pequeño/a**, are used.

Yo soy **menor** que tú.
I'm younger than you.

Pedí un plato **más pequeño**.
I ordered a smaller dish.

Nuestro hijo es **mayor** que el hijo de los Andrade.
Our son is older than the Andrades' son.

El plato de Isabel es **más grande** que ése.
Isabel's dish is bigger than that one.

- The adverbs **bien** and **mal** have the same irregular comparative forms as the adjectives **bueno/a** and **malo/a**.

Julio nada **mejor** que los otros chicos.
Julio swims better than the other boys.

Ellas cantan **peor** que las otras chicas.
They sing worse than the other girls.

¡INTÉNTALO! Escribe el equivalente de las palabras en inglés.

1. Ernesto mira más televisión ___que___ (*than*) Alberto.
2. Tú eres ________ (*less*) simpático que Federico.
3. La camarera sirve ________ (*as much*) carne como pescado.
4. Conozco ________ (*more*) restaurantes que tú.
5. No estudio ________ (*as much as*) tú.
6. ¿Sabes jugar al tenis tan bien ________ (*as*) tu hermana?
7. ¿Puedes beber ________ (*as many*) refrescos como yo?
8. Mis amigos parecen ________ (*as*) simpáticos como ustedes.

Práctica

1 **Escoger** Escoge la palabra correcta para comparar a dos hermanas muy diferentes. Haz los cambios necesarios.

1. Lucila es más alta y más bonita ________ Tita. (de, más, menos, que)
2. Tita es más delgada porque come ________ vegetales que su hermana. (de, más, menos, que)
3. Lucila es más ________ que Tita porque es alegre. (listo, simpático, bajo)
4. A Tita le gusta comer en casa. Va a ________ restaurantes que su hermana. (más, menos, que) Es tímida, pero activa. Hace ________ ejercicio (*exercise*) que su hermana. (más, tanto, menos) Todos los días toma más ________ cinco vasos (*glasses*) de agua mineral. (que, tan, de)
5. Lucila come muchas papas fritas y se preocupa ________ que Tita por comer frutas. (de, más, menos) ¡Son ________ diferentes! Pero se llevan (*they get along*) muy bien. (como, tan, tanto)

2 **Emparejar** Compara a Mario y a Luis, los novios de Lucila y Tita, completando las oraciones de la columna A con las palabras o frases de la columna B.

A

1. Mario es ____________ como Luis.
2. Mario viaja tanto ____________ Luis.
3. Luis toma ____________ clases de cocina (cooking) como Mario.
4. Luis habla ____________ tan bien como Mario.
5. Mario tiene tantos ____________ como Luis.
6. ¡Qué casualidad (coincidence)! Mario y Luis también son hermanos, pero no hay tanta ____________ entre ellos como entre Lucila y Tita.

B

- tantas
- diferencia
- tan interesante
- amigos extranjeros
- como
- francés

3 **Oraciones** Combina elementos de las columnas A, B y C para hacer comparaciones. Escribe oraciones completas.

modelo

George Clooney tiene tantos autos como el presidente de los EE.UU.
Emma Stone es menor que George Clooney.

A	B	C
la comida japonesa	costar	la gente de Montreal
el fútbol	saber	la música *country*
George Clooney	ser	el brócoli
el pollo	tener	el presidente de los EE.UU.
la gente de Vancouver	¿?	la comida italiana
la primera dama (*lady*) de los EE.UU.		el hockey
las escuelas privadas		Emma Stone
las espinacas		las escuelas públicas
la música rap		la carne de res

Comunicación

4 **La cena de aniversario** Lucía y Andrés quieren celebrar el aniversario de sus padres en un restaurante. Lee el mensaje de Lucía a Andrés. Luego, indica si las inferencias son **lógicas** o **ilógicas**, según lo que leíste.

¡Hola, Andrés!: ¿Conoces los restaurantes Pomodoro y Chez Lucien? Bueno, Pomodoro sirve comida italiana y Chez Lucien sirve comida francesa. En primer lugar, la comida de Pomodoro es tan buena como la comida de Chez Lucien. Los entremeses de Pomodoro me gustaron más que los de Chez Lucien, pero los platos principales de Chez Lucien, en mi opinión, son mejores. En Pomodoro hay más opciones para escoger: su menú tiene más de cuarenta platos. Pero Chez Lucien tiene más de veinte platos vegetarianos diferentes y Papá es vegetariano. Por otro lado, los camareros de Chez Lucien no son tan amables como los camareros de Pomodoro. Tú sabes que a mamá le importa el servicio de un restaurante más que su comida. Pero Pomodoro no acepta reservaciones, y a mí me molesta mucho esperar. ¿Qué piensas? ¿Adónde vamos?

Lucía.

	Lógico	Ilógico
1. Lucía probó entremeses y platos principales en los dos restaurantes.	❍	❍
2. Al papá de Andrés y de Lucía le va a gustar Chez Lucien más que Pomodoro.	❍	❍
3. A la mamá de Andrés y de Lucía le va a gustar Chez Lucien más que Pomodoro.	❍	❍
4. Lucía va a preferir ir a Pomodoro.	❍	❍
5. El menú de Chez Lucien tiene menos de veinte platos.	❍	❍

5 **Conversar** En grupos, túrnense para hacer comparaciones entre ustedes mismos (*yourselves*) y una persona de cada categoría.

- un pariente
- un(a) amigo/a
- una persona famosa

6 **Intercambiar** En parejas, hagan comparaciones sobre diferentes cosas: restaurantes, comidas, tiendas, profesores, libros, películas, etc.

Síntesis

7 **La familia López** Escribe comparaciones entre Sara, Sabrina, Cristina, Ricardo y David.

PUEDO comparar los miembros de una familia.

8.4 Superlatives

ANTE TODO Both English and Spanish use superlatives to express the highest or lowest degree of a quality.

el/la mejor	**el/la peor**	**el/la más alto/a**
the best	*the worst*	*the tallest*

- This construction is used to form superlatives. Note that the noun is always preceded by a definite article and that **de** is equivalent to the English *in* or *of*.

el/la/los/las + [*noun*] + **más/menos** + [*adjective*] + **de**

- The noun can be omitted if the person, place, or thing referred to is clear.

¿El restaurante Las Delicias?
Es **el más elegante** de la ciudad.
The restaurant Las Delicias?
It's the most elegant (one) in the city.

Recomiendo el pollo asado.
Es **el más sabroso** del menú.
I recommend the roast chicken.
It's the most delicious (one) on the menu.

- Here are some irregular superlative forms.

Irregular superlatives

Adjective		Superlative form	
bueno/a	*good*	**el/la mejor**	*(the) best*
malo/a	*bad*	**el/la peor**	*(the) worst*
grande	*big, grown, adult*	**el/la mayor**	*(the) biggest (the) oldest*
pequeño/a	*small*	**el/la menor**	*(the) smallest*
joven	*young*	**el/la menor**	*(the) youngest*
viejo/a	*old*	**el/la mayor**	*(the) oldest*

- The absolute superlative is equivalent to *extremely, super,* or *very*. To form the absolute superlative of most adjectives and adverbs, drop the final vowel, if there is one, and add **-ísimo/a(s)**.

malo → **mal-** → **malísimo**

¡El bistec está **malísimo**!

mucho → **much-** → **muchísimo**

Comes **muchísimo**.

- Note these spelling changes.

rico → **riquísimo** **largo** → **larguísimo** **feliz** → **felicísimo**

fácil → **facilísimo** **joven** → **jovencísimo** **trabajador** → **trabajadorcísimo**

¡ATENCIÓN!

While **más** alone means *more*, after **el, la, los,** or **las**, it means *most*. Likewise, **menos** can mean *less* or *least*.

Es **el café más rico del** país.
It's the most delicious coffee in the country.

Es **el menú menos caro de** todos éstos.
It is the least expensive menu of all of these.

CONSULTA

The rule you learned in **Estructura 8.3** (p. 323) regarding the use of **mayor/menor** with age, but not with size, is also true with superlative forms.

¡INTÉNTALO! Escribe el equivalente de las palabras en inglés.

1. Marisa es la más inteligente (*the most intelligent*) de todas.
2. Ricardo y Tomás son ______________ (*the least boring*) de la fiesta.
3. Miguel y Antonio son ______________ (*the worst*) estudiantes de la clase.
4. Mi profesor de biología es ______________ (*the oldest*) de la escuela.

Práctica y Comunicación

1 **El más...** Contesta las preguntas afirmativamente. Usa las palabras entre paréntesis.

modelo
El cuarto es pequeñísimo, ¿no? (casa)
Sí, es el más pequeño de la casa.

1. El almacén Velasco es buenísimo, ¿no? (centro comercial)
2. La silla de tu madre es comodísima, ¿no? (casa)
3. Ángela y Julia están nerviosísimas por el examen, ¿no? (clase)
4. Jorge es jovencísimo, ¿no? (mis amigos)

2 **El absoluto** Utiliza el superlativo absoluto (-**ísimo/a**) para escribir oraciones completas.

modelo
elefantes / animales / grandes
Los elefantes son unos animales grandísimos

1. diamantes / joyas / caro
2. avión / medio de transporte / rápido
3. la clase de inglés / fácil

3 **Las cafeterías** Lee la descripción que hace un estudiante de las cafeterías de su escuela e indica si las inferencias son **lógicas** o **ilógicas**.

Mi escuela es grandísima y tiene varias cafeterías. La cafetería La Merced tiene la mejor comida. El problema es que también es la cafetería menos ordenada. Muchísimos estudiantes van a esa cafetería y las mesas siempre están sucísimas. Las sillas son las menos cómodas de la escuela y nunca están en su lugar. Cuando no voy con mis amigos a comer allí, prefiero traer mi almuerzo de casa. La cafetería Mérida es la más cómoda: hay muchísimas sillas y mesas, y siempre está limpísima... pero la comida es la peor. Siempre veo a los estudiantes más inteligentes de mis clases en esa cafetería... ¡estudiando!

	Lógico	Ilógico
1. Los estudiantes prefieren la comida de la cafetería La Merced.	❍	❍
2. Las cafeterías de la escuela tienen las mismas sillas.	❍	❍
3. Es difícil encontrar una mesa libre en la cafetería Mérida.	❍	❍
4. Algunos estudiantes van a la cafetería Mérida pero no comen allí.	❍	❍
5. Las mesas de La Merced son las más limpias de la escuela.	❍	❍

4 **Un mensaje electrónico** Escríbele un mensaje electrónico a un(a) amigo/a para contarle tu experiencia en dos restaurantes diferentes (uno bueno y uno malo). Escribe la mayor cantidad posible de comparaciones entre los dos restaurantes.

PUEDO comparar dos restaurantes que conozco.

Recapitulación

Completa estas actividades para repasar los conceptos de gramática que aprendiste en esta lección.

1 Completar Completa la tabla con la forma correcta del pretérito. 18 pts.

Infinitive	yo	usted	ellos
dormir			
servir			
vestirse			

2 La cena Completa la conversación con el pretérito de los verbos. 14 pts.

PAULA ¡Hola, Daniel! ¿Qué tal el fin de semana?

DANIEL Muy bien. Marta y yo (1) __________ (conseguir) hacer muchas cosas, pero lo mejor fue la cena del sábado.

PAULA Ah, ¿sí? ¿Adónde fueron?

DANIEL Al restaurante Vistahermosa. Es elegante, así que (nosotros) (2) __________ (vestirse) bien.

PAULA Y ¿qué platos (3) __________ (pedir, ustedes)?

DANIEL Yo (4) __________ (pedir) camarones y Marta (5) __________ (preferir) el pollo. Y al final, el camarero nos (6) __________ (servir) flan.

PAULA ¡Qué rico!

DANIEL Sí. Pero después de la cena Marta no (7) __________ (sentirse) bien.

3 Camareros Genaro y Úrsula son camareros en un restaurante. Usa pronombres para completar la conversación que tienen con su jefe. 8 pts.

JEFE Úrsula, ¿le ofreciste agua fría al cliente de la mesa 22?

ÚRSULA Sí, (1) ____________________ de inmediato.

JEFE Genaro, ¿los clientes de la mesa 5 te pidieron ensaladas?

GENARO Sí, (2) ____________________.

ÚRSULA Genaro, ¿recuerdas si ya me mostraste los vinos nuevos?

GENARO Sí, ya (3) ____________________.

JEFE Genaro, ¿van a pagarte la cuenta (*bill*) los clientes de la mesa 5?

GENARO Sí, (4) ____________________ ahora mismo.

RESUMEN GRAMATICAL

8.1 Preterite of stem-changing verbs *p. 314*

servir	dormir
serví	dormí
serviste	dormiste
sirvió	durmió
servimos	dormimos
servisteis	dormisteis
sirvieron	durmieron

8.2 Double object pronouns *pp. 317–318*

Indirect Object Pronouns: **me, te, le (se), nos, os, les (se)**

Direct Object Pronouns: **lo, la, los, las**

Le escribí la carta. → Se la escribí.

Nos van a servir los platos. → Nos los van a servir./ Van a servírnoslos.

8.3 Comparisons *pp. 321–322*

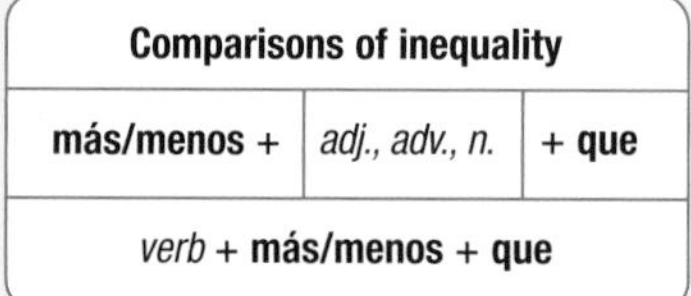

Comparisons of inequality		
más/menos +	*adj., adv., n.*	+ que
verb + más/menos + que		

Comparisons of equality		
tan +	*adj., adv.*	+ como
tanto/a(s) +	*noun*	+ como
verb + tanto como		

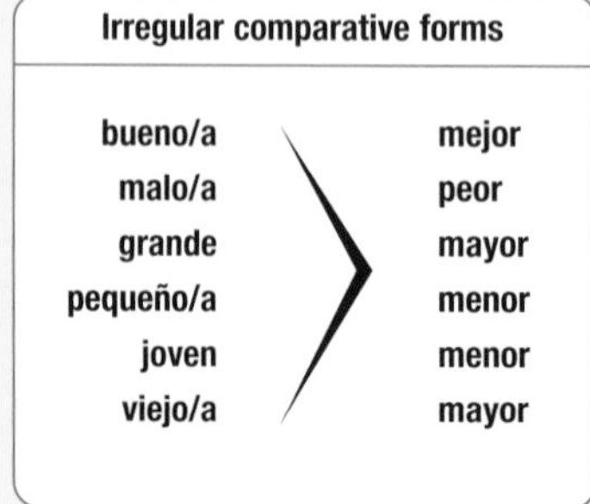

Irregular comparative forms	
bueno/a	mejor
malo/a	peor
grande	mayor
pequeño/a	menor
joven	menor
viejo/a	mayor

8.4 Superlatives p. 326

el/la/ los/las +	*noun*	+ más/ menos +	*adjective*	+ de

► Irregular superlatives follow the same pattern as irregular comparatives.

4 **El menú** Observa el menú y sus características. Completa las oraciones basándote en los elementos dados. Usa comparativos y superlativos. 14 pts.

Ensaladas	*Precio*	*Calorías*
Ensalada de tomates	$9.00	170
Ensalada de mariscos	$12.99	325
Ensalada de zanahorias	$9.00	200
Platos principales		
Pollo con champiñones	$13.00	495
Cerdo con papas	$10.50	725
Atún con esparrágos	$18.95	495

1. ensalada de mariscos / otras ensaladas / costar
   La ensalada de mariscos __________ las otras ensaladas.
2. pollo con champiñones / cerdo con papas / calorías
   El pollo con champiñones tiene __________ el cerdo con papas.
3. atún con espárragos / pollo con champiñones / calorías
   El atún con espárragos tiene __________ el pollo con champiñones.
4. ensalada de tomates / ensalada de zanahorias / caro
   La ensalada de tomates es __________ la ensalada de zanahorias.
5. cerdo con papas / platos principales / caro
   El cerdo con papas es __________ los platos principales.
6. ensalada de zanahorias / ensalada de tomates / costar
   La ensalada de zanahorias __________ la ensalada de tomates.
7. ensalada de mariscos / ensaladas / caro
   La ensalada de mariscos es __________ las ensaladas.

5 **Dos restaurantes** ¿Cuál es el mejor restaurante que conoces? ¿Y el peor? Escribe un párrafo de por lo menos (*at least*) seis oraciones donde expliques por qué piensas así. Puedes hablar de la calidad de la comida, el ambiente, los precios, el servicio, etc. 46 pts.

6 **Adivinanza** Completa la adivinanza y adivina la respuesta. ¡4 puntos EXTRA!

"En el campo yo nací°,
mis hermanos son
los ________ (*garlic, pl.*),
y aquél que llora° por mí
me está partiendo°
en pedazos°".
¿Quién soy? ________

nací *was born* llora *cries* partiendo *cutting* pedazos *pieces*

Lectura

Antes de leer

Estrategia

Reading for the main idea

As you know, you can learn a great deal about a reading selection by looking at the format and looking for cognates, titles, and subtitles. You can skim to get the gist of the reading selection and scan it for specific information. Reading for the main idea is another useful strategy; it involves locating the topic sentences of each paragraph to determine the author's purpose for writing a particular piece. Topic sentences can provide clues about the content of each paragraph, as well as the general organization of the reading. Your choice of which reading strategies to use will depend on the style and format of each reading selection.

Examinar el texto

En esta sección tenemos dos textos diferentes. ¿Qué estrategias puedes usar para leer la crítica culinaria°? ¿Cuáles son las apropiadas para familiarizarte con el menú? Utiliza las estrategias más eficaces° para cada texto. ¿Qué tienen en común? ¿Qué tipo de comida sirven en el restaurante?

Identificar la idea principal

Lee la primera oración de cada párrafo de la crítica culinaria del restaurante **La feria del maíz.** Apunta° el tema principal de cada párrafo. Luego lee todo el primer párrafo. ¿Crees que el restaurante le gustó al autor de la crítica culinaria? ¿Por qué? Ahora lee la crítica entera. En tu opinión, ¿cuál es la idea principal de la crítica? ¿Por qué la escribió el autor? Compara tus opiniones con las de un(a) compañero/a.

crítica culinaria *restaurant review* eficaces *effective* Apunta *Jot down*

MENÚ

Entremeses

Tortilla servida con
- Ajiaceite (chile, aceite)
- Alioli

Pan tostado servido con
- Queso frito a la pimienta
- Salsa de ajo y tomate

Sopas

- Tomate
- Cebolla
- Vegetales
- Pollo y huevo
- Carne de res
- Mariscos

Entradas

Tomaticán
(tomate, papas, maíz, chile, arvejas y zanahorias)

Tamales
(maíz, carne, ajo, cebolla)

Frijoles enchilados
(frijoles negros, carne de cerdo o de res, arroz, chile)

Chilaquiles
(tortilla de maíz, queso, hierbas y chile)

Tacos
(tortillas, pollo, verduras y salsa)

Cóctel de mariscos
(camarones, langosta, vinagre, sal, pimienta, aceite)

Postres

- Plátanos caribeños
- Cóctel de frutas
- Torta de chocolate
- Flan napolitano
- Helado de piña y naranja

Después de leer

Preguntas

En parejas, contesten estas preguntas sobre la crítica culinaria de **La feria del maíz.**

1. ¿Quién es el dueño y chef de **La feria del maíz**?
2. ¿Qué tipo de comida se sirve en el restaurante?
3. ¿Cuál es el problema con el servicio?
4. ¿Cómo es el ambiente del restaurante?
5. ¿Qué comidas probó el autor?
6. ¿Quieren ir ustedes al restaurante **La feria del maíz**? ¿Por qué?

23F

Gastronomía

Por Eduardo Fernández

La feria del maíz

Sobresaliente°. En el nuevo restaurante **La feria del maíz** va a encontrar la perfecta combinación entre la comida tradicional y el encanto° de la vieja ciudad de Antigua. Ernesto Sandoval, antiguo jefe de cocina° del famoso restaurante **El fogón**, está teniendo mucho éxito° en su nueva aventura culinaria.

El gerente°, el experimentado° José Sierra, controla a la perfección la calidad del servicio. El camarero que me atendió esa noche fue muy amable en todo momento. Sólo hay que comentar que, debido al éxito inmediato de **La feria del maíz**, se necesitan más camareros para atender a los clientes de una forma más eficaz. En esta ocasión, el mesero se tomó unos veinte minutos en traerme la bebida.

Afortunadamente, no me importó mucho la espera entre plato y plato, pues el ambiente es tan agradable que me sentí como en casa. El restaurante mantiene el estilo colonial de Antigua. Por dentro°, es elegante y rústico a la vez. Cuando el tiempo lo permite, se puede comer también en el patio, donde hay muchas flores.

El servicio de camareros y el ambiente agradable del local pasan a un segundo plano cuando llega la comida, de una calidad extraordinaria. Las tortillas de casa se sirven con un ajiaceite delicioso. La sopa de mariscos es excelente y los tamales, pues, tengo que confesar que son mejores que los de mi abuelita. También recomiendo los tacos de pollo, servidos con un mole buenísimo. De postre, don Ernesto me preparó su especialidad, unos plátanos caribeños sabrosísimos.

Los precios pueden parecer altos° para una comida tradicional, pero la calidad de los productos con que se cocinan los platos y el exquisito ambiente de **La feria del maíz** garantizan° una experiencia inolvidable°.

La feria del maíz
13 calle 4-41 Zona 1
La Antigua, Guatemala
2329912

lunes a sábado
10:30am-11:30pm
domingo 10:00am-10:00pm

Comida 🍴🍴🍴🍴🍴
Servicio 🍴🍴🍴
Ambiente 🍴🍴🍴🍴
Precio 🍴🍴🍴

Bebidas

- Chilate (bebida de maíz, chile y cacao)
- Jugos de fruta
- Agua mineral
- Té helado
- Vino tinto/blanco
- Ron

Sobresaliente *Outstanding* **encanto** *charm* **jefe de cocina** *head chef* **éxito** *success* **gerente** *manager* **experimentado** *experienced* **Por dentro** *Inside* **altos** *high* **garantizan** *guarantee* **inolvidable** *unforgettable*

Un(a) guía turístico/a

Tú eres un(a) guía turístico/a en Guatemala. Estás en el restaurante **La feria del maíz** con un grupo de turistas norteamericanos. Ellos no hablan español y quieren pedir de comer, pero necesitan tu ayuda. Lee nuevamente el menú e indica qué error comete cada turista.

1. La señora Johnson está a dieta y no puede comer mucho. Pide sopa de vegetales y tamales. Pide helado y plátanos de postre.
2. Los señores Petit son vegetarianos y piden sopa de tomate, frijoles enchilados y plátanos caribeños.
3. El señor Smith, que es alérgico al chocolate, pide tortilla servida con ajiaceite, chilaquiles y chilate para beber.
4. La adorable hija del señor Smith tiene sólo cuatro años y no les gusta el chile. Su papá le pide tomaticán y un cóctel de frutas.
5. La señorita Jackson es diabética y pide tacos, flan napolitano y helado.

PUEDO identificar la idea principal de una lectura y de sus diferentes párrafos.

Escritura

Estrategia

Expressing and supporting opinions

Written reviews are just one of the many kinds of writing which require you to state your opinions. In order to convince your reader to take your opinions seriously, it is important to support them as thoroughly as possible. Details, facts, examples, and other forms of evidence are necessary. In a restaurant review, for example, it is not enough just to rate the food, service, and atmosphere. Readers will want details about the dishes you ordered, the kind of service you received, and the type of atmosphere you encountered. If you were writing a concert or album review, what kinds of details might your readers expect to find?

It is easier to include details that support your opinions if you plan ahead. Before going to a place or event that you are planning to review, write a list of questions that your readers might ask. Decide which aspects of the experience you are going to rate and list the details that will help you decide upon a rating. You can then organize these lists into a questionnaire and a rating sheet. Bring these with you to help you form your opinions and to remind you of the kinds of information you need to gather in order to support those opinions. Later, these materials will help you organize your review into logical categories. They can also provide the details and other evidence you need to convince your readers of your opinions.

PUEDO escribir una crítica culinaria, sustentando mis opiniones con detalles específicos.

Tema

Escribir una crítica

Escribe una crítica culinaria sobre un restaurante local para el periódico de la escuela. Clasifica el restaurante, dándole de una a cinco estrellas°, y anota tus recomendaciones para futuros clientes del restaurante. Incluye tus opiniones acerca de°:

- La comida
  ¿Qué tipo de comida es? ¿Es de buena calidad? ¿Qué tipo de ingredientes usan?
  ¿Cuál es el mejor plato? ¿Y el peor?
  ¿Quién es el/la chef?
- El servicio
  ¿Es necesario esperar mucho para conseguir una mesa?
  ¿Tienen los camareros un buen conocimiento del menú?
  ¿Atienden° a los clientes con rapidez° y cortesía?
- El ambiente
  ¿Cómo es la decoración del restaurante?
  ¿Es el ambiente informal o elegante?
  ¿Hay música o algún tipo de entretenimiento°?
  ¿Hay un balcón? ¿Un patio?
- Información práctica
  ¿Cómo son los precios?
  ¿Se aceptan tarjetas de crédito?
  ¿Cuál es la dirección° y el número de teléfono?
  ¿Quién es el/la dueño/a? ¿El/La gerente?

estrellas *stars* **acerca de** *about* **Atienden** *They take care of* **rapidez** *speed* **entretenimiento** *entertainment* **dirección** *address*

Escuchar

Estrategia

Jotting down notes as you listen

Jotting down notes while you listen to a conversation in Spanish can help you keep track of the important points or details. It will help you to focus actively on comprehension rather than on remembering what you have heard.

To practice this strategy, you will now listen to a paragraph. Jot down the main points you hear.

Preparación

Mira la foto. ¿Dónde están estas personas y qué hacen? ¿Sobre qué crees que están hablando?

Ahora escucha

Rosa y Roberto están en un restaurante. Escucha la conversación entre ellos y la camarera y toma nota de cuáles son los especiales del día, qué pidieron y qué bebidas se mencionan.

Especiales del día

Entremeses

____

Plato principal

____

____

____

¿Qué pidieron?

Roberto

____

Rosa

____

Bebidas

____

____

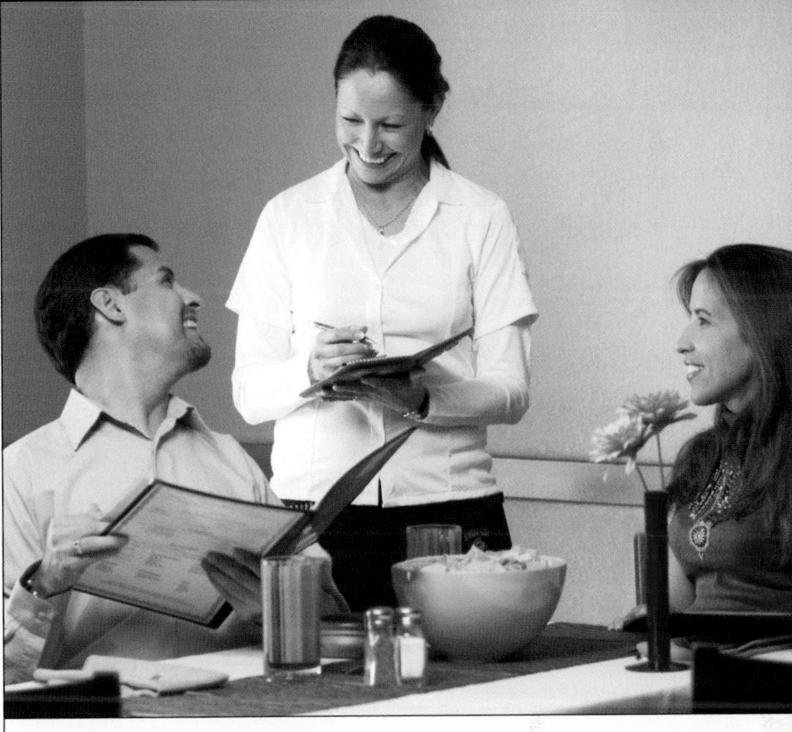

Comprensión

Seleccionar

Usa tus notas para seleccionar la opción correcta para completar cada oración.

1. Dos de los mejores platos del restaurante son _____.
   a. los entremeses del día y el cerdo
   b. el salmón y el arroz con pollo
   c. la carne y el arroz con pollo
2. La camarera _____.
   a. los lleva a su mesa, les muestra el menú y les sirve el postre
   b. les habla de los especiales del día, les recomienda unos platos y ellos deciden qué van a comer
   c. les lleva unas bebidas, les recomienda unos platos y les sirve pan
3. Roberto va a comer _____ Rosa.
   a. tantos platos como
   b. más platos que
   c. menos platos que

Preguntas

En grupos de tres o cuatro, respondan a las preguntas: ¿Conocen los platos que Rosa y Roberto pidieron? ¿Conocen platos con los mismos ingredientes? ¿En qué son diferentes o similares? ¿Cuál les gusta más? ¿Por qué?

PUEDO tomar notas durante una conversación, para comprender mejor sus detalles.

Cocina con Álex

Es perfecta para un día tan caluroso°. ¡Salud!

Preparación

Contesta las preguntas en español.

1. ¿Normalmente qué comes para el desayuno? ¿Y qué comes para el almuerzo y la cena?
2. ¿Te gustan las comidas frías? ¿Qué comidas frías son populares en tu comunidad?

La sopa

La sopa es un plato muy importante en las cocinas° del mundo hispano. Se pueden tomar° frías, como el famoso gazpacho español, a base de tomate y otras verduras y servida totalmente líquida. La mayoría se sirven calientes, como el pozole de México, un plato precolombino preparado con nixtamal°, cerdo, chiles y otras especias°. Otra sopa de origen indígena es la changua, de la región andina central de Colombia. Aunque° las sopas normalmente forman parte del almuerzo, la changua siempre se toma en el desayuno: se hace con agua, leche, huevo y cilantro.

caluroso *hot* **cocinas** *cuisines* **tomar** *to eat (soup)* **nixtamal** *hominy* **especias** *spices* **Aunque** *Although*

Vocabulario útil

congelar	*to freeze*
el hueso	*pit*
mezclar	*to mix*
picante	*spicy*
vaciar	*to empty*

Comprensión

Selecciona los ingredientes necesarios para la crema de aguacate.

agua	cilantro	sal
aguacates	hielo (*ice*)	tomates
ajo	jalapeños	vinagre
azúcar	leche	zanahoria

Conversación

Contesta estas preguntas con un(a) compañero/a.

¿Con qué frecuencia comes sopa? ¿Cuál es tu sopa favorita? ¿Quién la prepara o dónde la compras? ¿Qué ingredientes tiene? ¿Con qué se sirve? ¿Cómo la prefieres, caliente o fría? ¿La tomas en el almuerzo o en la cena? ¿En invierno o en verano?

Aplicación

Escoge una de tus recetas (*recipes*) favoritas para compartir con un grupo de compañeros/as. Explícale al grupo por qué escogiste esta receta (¿Es tradicional en tu familia? ¿La encontraste al viajar o al leer algo interesante?) y cuáles son los ingredientes que te gustan. Prepara un póster o una presentación digital de tu receta: dale un título a la receta, identifica e ilustra los ingredientes, y escribe un párrafo para explicar por qué compartes esta receta con el grupo.

PUEDO explicar una receta culinaria.

La comida latina

1 **La mejor comida latina no sólo se encuentra en los grandes restaurantes.**

2 **Marta nos mostrará° algunos de los platos de la comida mexicana.**

3 **... hay más lugares donde podemos comprar productos hispanos.**

Preparación

¿A qué tipo de restaurante te gusta ir cuando sales a comer? ¿Te gusta probar comidas de diferentes nacionalidades? ¿Cuáles son tus favoritas?

La comida latina

Los países hispanos tienen una producción muy abundante de frutas y verduras. Por eso, en los hogares° hispanos se cocina° con productos frescos° más que con alimentos° que vienen en latas° o frascos°. Las salsas mexicanas, el gazpacho español y el sancocho colombiano, por ejemplo, deben prepararse con ingredientes frescos para que mantengan° su sabor° auténtico. En este episodio de *Flash cultura* vas a ver algunos ingredientes típicos de la comida hispana.

hogares *homes* se cocina *they cook* frescos *fresh* alimentos *foods* latas *cans* frascos *jars* para que mantengan *so that they keep* sabor *flavor*

Vocabulario útil

¿Está listo/a para ordenar?	*Are you ready to order?*
¿Has probado?	*Have you tried?*
Se me hace agua la boca	*It makes my mouth water.*
Pruébalo.	*Try it, taste it.*
¿Qué me recomienda/n?	*What do you recommend?*
Todo se ve rico.	*Everything looks delicious.*

Conversación

Contesta estas preguntas con un(a) compañero/a.

¿Qué comidas te gustan? ¿Tienen ustedes las mismas preferencias? ¿Qué plato o comida es popular en tu comunidad? ¿Qué ingredientes lleva? ¿De qué origen es, estadounidense o de otra nacionalidad? ¿Qué restaurante lo prepara mejor? ¿Pueden prepararlo también en casa? ¿Por qué te gusta?

Aplicación

¿Cómo puedes describir un plato tradicional estadounidense o de tu comunidad a una persona de otro país? Con un(a) compañero/a, escojan varios platos que consideran representativos de la comida estadounidense (o que a ustedes les gusten). Preparen una conversación entre un(a) turista y el/la camarero/a del restaurante donde se sirven esos platos típicos. El/La camarero/a tiene que explicar tres platos que ofrece el restaurante, y el/la turista debe hacer preguntas y escoger uno. Usen el video como modelo. Luego, presenten la escena a la clase.

PUEDO hablar sobre la comida en mi cultura y en otras.

Objetivo comunicativo: Identificar aspectos de la geografía y la cultura de Guatemala

Guatemala

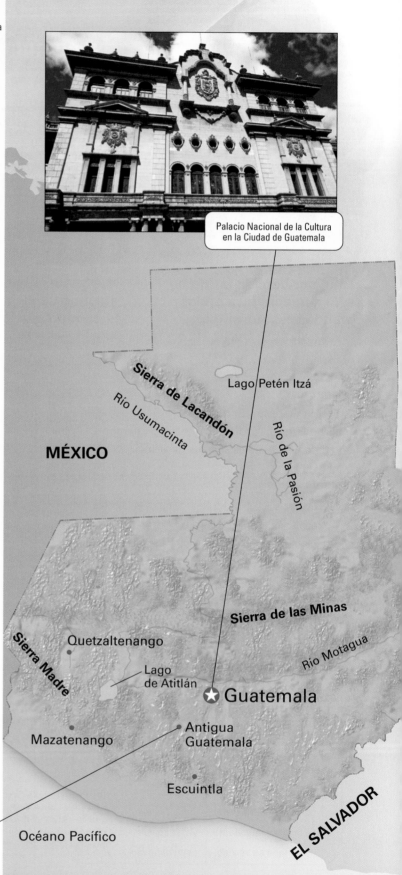

Bandera de Guatemala

El país en cifras

- **Área:** 108.890 km^2 (42.042 millas^2), *un poco más pequeño que Tennessee*
- **Población:** 15.460.732
- **Capital:** Ciudad de Guatemala—2.918.000
- **Ciudades principales:** Quetzaltenango, Escuintla, Mazatenango, Puerto Barrios
- **Moneda:** quetzal
- **Idiomas:** español (oficial), lenguas mayas, xinca, garífuna

El español es la lengua de un 60 por ciento° de la población; el otro 40 por ciento tiene como lengua materna el xinca, el garífuna o, en su mayoría°, una de las lenguas mayas (cakchiquel, quiché y kekchícomo, entre otras). Una palabra que las lenguas mayas tienen en común es ixim, *que significa "maíz", un cultivo° de mucha importancia en estas culturas.*

por ciento *percent* en su mayoría *most of them* cultivo *crop*

Palacio Nacional de la Cultura en la Ciudad de Guatemala

Lago Petén Itzá
Sierra de Lacandón
Río Usumacinta
Río de la Pasión
MÉXICO
Sierra de las Minas
Sierra Madre
Quetzaltenango
Río Motagua
Lago de Atitlán
Guatemala
Antigua Guatemala
Mazatenango
Escuintla
Océano Pacífico
EL SALVADOR

Mujeres indígenas preparando tortillas

Iglesia de la Merced en Antigua Guatemala

Ciudades • Antigua Guatemala

Antigua Guatemala fue fundada en 1543. Fue una capital de gran importancia hasta 1773, cuando un terremoto° la destruyó. Sin embargo, conserva el carácter original de su arquitectura y hoy es uno de los centros turísticos del país. Su celebración de la Semana Santa° es, para muchas personas, la más importante del hemisferio.

Naturaleza • El quetzal

El quetzal simbolizó la libertad para los antiguos° mayas porque creían° que este pájaro° no podía° vivir en cautiverio°. Hoy el quetzal es el símbolo nacional. El pájaro da su nombre a la moneda nacional y aparece también en los billetes° del país. Desafortunadamente, está en peligro° de extinción. Para su protección, el gobierno mantiene una reserva ecológica especial.

Historia • Los mayas

Desde 1500 a.C. hasta 900 d.C., los mayas habitaron gran parte de lo que ahora es Guatemala. Su civilización fue muy avanzada. Los mayas fueron arquitectos y constructores de pirámides, templos y observatorios. También descubrieron° y usaron el cero antes que los europeos, e inventaron un calendario complejo° y preciso.

terremoto *earthquake* Semana Santa *Holy Week* antiguos *ancient* creían *they believed* pájaro *bird* no podía *couldn't* cautiverio *captivity* los billetes *bills* peligro *danger* descubrieron *they discovered* complejo *complex* amor *love* flores *flowers* diseños *designs* vivos *bright* edad *age*

Artesanía • La ropa tradicional

La ropa tradicional de los guatemaltecos se llama *huipil* y muestra el amor° de la cultura maya por la naturaleza. Ellos se inspiran en las flores°, plantas y animales para crear sus diseños° de colores vivos° y formas geométricas. El diseño y los colores de cada *huipil* indican el pueblo de origen y a veces también el sexo y la edad° de la persona que lo lleva.

CON RITMO HISPANO

Ricardo Arjona (1964–)

Lugar de nacimiento:
Jocotenango, Guatemala

Las canciones de Ricardo Arjona abordan (*tackle*) temas como el amor, el racismo y la política. Antes de ser cantante, fue jugador de baloncesto y profesor de escuela primaria.

*Go to **vhlcentral.com** to find out more about **Ricardo Arjona** and his music.*

¿Qué aprendiste?

1 **Preguntas** Responde a cada pregunta con una oración completa.

1. ¿Qué significa la palabra *ixim*?
2. ¿Qué pájaro representa a Guatemala?
3. ¿Qué simbolizó el quetzal para los mayas?
4. ¿Cuál es la moneda nacional de Guatemala?
5. ¿De qué fueron arquitectos los mayas?
6. ¿Qué celebración de la Antigua Guatemala es la más importante del hemisferio para muchas personas?
7. ¿Qué descubrieron los mayas antes que los europeos?
8. ¿Qué muestra la ropa tradicional de los guatemaltecos?
9. ¿Qué indica un *huipil* con su diseño y sus colores?
10. ¿Cuáles son algunos de los temas de las canciones de Ricardo Arjona?

2 **Conversación** Contesta las siguientes preguntas con un(a) compañero/a.

1. ¿Cuáles son las principales características de la historia y la cultura guatemalteca?
2. ¿Qué importancia tiene el quetzal como símbolo de la cultura de Guatemala?
3. ¿Qué te gustaría hacer y qué lugares te gustaría visitar en un viaje a Guatemala? ¿Por qué?

3 **Ensayo** Escribe un ensayo de 12 oraciones o más para contestar estas preguntas: ¿Qué aprendiste sobre la historia y la cultura de Guatemala? ¿Por qué esos elementos son importantes para el país en la actualidad?

Contesta citando (*citing*) evidencia de la lectura de *Panorama*, así como las cifras, categorías e imágenes de la lectura y los videos. Escribe con tus propias palabras en vez de (*instead of*) copiar directamente del texto.

Utiliza la siguiente estructura para organizar tu ensayo:

- un párrafo de introducción con tu tesis
- 2-3 párrafos con datos sobre el país, explicando por qué son importantes en la Guatemala de hoy, con detalles y evidencia de *Panorama*
- un párrafo para resumir (*summarize*) y presentar tu conclusión

ENTRE CULTURAS

Investiga sobre estos temas en vhlcentral.com.

1. **Busca información sobre Rigoberta Menchú. ¿De dónde es? ¿Qué libros publicó? ¿Por qué es famosa?**
2. **Estudia un sitio arqueológico de Guatemala para aprender más sobre los mayas y prepara un breve informe para tu clase.**

PUEDO leer textos informativos para conocer datos sobre la cultura y geografía de Guatemala.

PUEDO escribir un ensayo sobre la historia y la cultura de Guatemala y su importancia para el país actualmente.

Las comidas

el/la camarero/a	*waiter/waitress*
la comida	*food; meal*
el/la dueño/a	*owner; landlord*
el menú	*menu*
el almuerzo	*lunch*
la cena	*dinner*
el desayuno	*breakfast*
los entremeses	*hors d'oeuvres; appetizers*
el plato (principal)	*(main) dish*
delicioso/a	*delicious*
rico/a	*tasty; delicious*
sabroso/a	*tasty; delicious*

Las frutas

la banana	*banana*
las frutas	*fruits*
el limón	*lemon*
la manzana	*apple*
el melocotón	*peach*
la naranja	*orange*
la pera	*pear*
la uva	*grape*

Las verduras

las arvejas	*peas*
la cebolla	*onion*
el champiñón	*mushroom*
la ensalada	*salad*
los espárragos	*asparagus*
los frijoles	*beans*
la lechuga	*lettuce*
el maíz	*corn*
las papas/patatas (fritas)	*(fried) potatoes; French fries*
el tomate	*tomato*
las verduras	*vegetables*
la zanahoria	*carrot*

La carne y el pescado

el atún	*tuna*
el bistec	*steak*
los camarones	*shrimp*
la carne	*meat*
la carne de res	*beef*
la chuleta (de cerdo)	*(pork) chop*
la hamburguesa	*hamburger*
el jamón	*ham*
la langosta	*lobster*
los mariscos	*shellfish*
el pavo	*turkey*
el pescado	*fish*
el pollo (asado)	*(roast) chicken*
la salchicha	*sausage*
el salmón	*salmon*

Otras comidas

el aceite	*oil*
el ajo	*garlic*
el arroz	*rice*
el azúcar	*sugar*
los cereales	*cereal; grains*
el helado	*ice cream*
el huevo	*egg*
la mantequilla	*butter*
la margarina	*margarine*
la mayonesa	*mayonnaise*
el pan (tostado)	*(toasted) bread*
la pimienta	*black pepper*
el postre	*dessert*
el queso	*cheese*
la sal	*salt*
el sándwich	*sandwich*
la sopa	*soup*
el vinagre	*vinegar*
el yogur	*yogurt*

Las bebidas

el agua (mineral)	*(mineral) water*
la bebida	*drink*
el café	*coffee*
el jugo (de fruta)	*(fruit) juice*
la leche	*milk*
el refresco	*soft drink; soda*
el té (helado)	*(iced) tea*

Verbos

escoger	*to choose*
merendar (e:ie)	*to snack*
morir (o:ue)	*to die*
pedir (e:i)	*to order (food)*
probar (o:ue)	*to taste; to try*
recomendar (e:ie)	*to recommend*
saber (a)	*to taste (like)*
servir (e:i)	*to serve*

Las comparaciones

como	*like; as*
más de (+ *number*)	*more than*
más… que	*more… than*
menos de (+ *number*)	*fewer than*
menos… que	*less… than*
tan… como	*as… as*
tantos/as… como	*as many… as*
tanto… como	*as much… as*
el/la mayor	*the oldest*
el/la mejor	*the best*
el/la menor	*the youngest*
el/la peor	*the worst*
mejor	*better*
peor	*worse*

Expresiones útiles	*See page 309.*

A primera vista

- ¿Cuál crees que es la relación entre las personas de la foto?
- ¿Qué están haciendo? ¿Por qué?
- ¿Cómo se sienten, alegres o tristes?
- ¿Qué llevan puesto? ¿Cómo es su ropa?

Essential Questions

1. How does culture influence the way we celebrate events with family and friends?
2. What are the traditional celebrations and holidays in the Spanish-speaking world and how do they compare to those in our community and in the rest of my country?
3. What products and practices are typical of family celebrations in my country and in Spanish-speaking cultures?

9 Las fiestas

Can Do Goals

By the end of this lesson I will be able to:

- Make plans for a party
- Describe a party I attended
- Ask and answer questions about a party
- Say what I did during the weekend
- Describe my latest birthday celebration

Also, I will learn about:

Culture

- New Year's Eve traditions in Spanish-speaking countries
- Viña del Mar Festival
- **Día de Reyes Magos** in Puerto Rico
- Chile's geography and culture

Skills

- Reading: Recognizing word families
- Writing: Planning and writing a comparative analysis
- Listening: Guessing the meaning of words through context

Lesson 9 Integrated Performance Assessment

Context: You recently met a new student from a Spanish-speaking country who wants to know about the most important celebration in your area.

Una piñata tradicional mexicana

Producto: Las piñatas son parte esencial en las fiestas de cumpleaños en México.
¿Qué es lo más importante en las fiestas de cumpleaños en tu comunidad?

Las fiestas

Más vocabulario

la alegría	*happiness*
la amistad	*friendship*
el amor	*love*
la sorpresa	*surprise*
el aniversario (de bodas)	*(wedding) anniversary*
la boda	*wedding*
el cumpleaños	*birthday*
el día de fiesta	*holiday*
el divorcio	*divorce*
el matrimonio	*marriage*
la Navidad	*Christmas*
la pareja	*(married) couple; partner*
la quinceañera	*young woman celebrating her fifteenth birthday*
el/la recién casado/a	*newlywed*
cambiar (de)	*to change*
celebrar	*to celebrate*
divertirse (e:ie)	*to have fun*
graduarse (de/en)	*to graduate (from/in)*
invitar	*to invite*
jubilarse	*to retire (from work)*
nacer	*to be born*
odiar	*to hate*
pasarlo bien/mal	*to have a good/bad time*
reírse (e:i)	*to laugh*
relajarse	*to relax*
sonreír (e:i)	*to smile*
sorprender	*to surprise*
juntos/as	*together*

Variación léxica

pastel ⟷ torta (*Arg., Col., Venez.*)
comprometerse ⟷ prometerse (*Esp.*)

Relaciones personales

casarse (con)	*to get married (to)*
comprometerse (con)	*to get engaged (to)*
divorciarse (de)	*to get divorced (from)*
enamorarse (de)	*to fall in love (with)*
llevarse bien/mal (con)	*to get along well/ badly (with)*
romper (con)	*to break up (with)*
salir (con)	*to go out (with); to date*
separarse (de)	*to separate (from)*
tener una cita	*to have a date; to have an appointment*

Práctica

1 **Escuchar** Escucha la conversación sobre la fiesta de 21 años de Silvia, e indica si las oraciones son **ciertas** o **falsas**.

1. A Silvia no le gusta mucho el chocolate.
2. Silvia sabe que sus amigos le van a hacer una fiesta.
3. Los amigos de Silvia le compraron un pastel de chocolate.
4. Los amigos brindan por Silvia con refrescos.
5. Silvia y sus amigos van a comer helado.
6. Los amigos de Silvia le van a servir flan y galletas.

2 **Ordenar** Escucha la narración y ordena las oraciones de acuerdo con los eventos de la vida de Beatriz.

____ a. Beatriz se compromete con Roberto.
____ b. Beatriz se gradúa.
____ c. Beatriz sale con Emilio.
____ d. Sus padres le hacen una gran fiesta.
____ e. La pareja se casa.
____ f. Beatriz nace en Montevideo.

3 **Emparejar** Indica la letra de la frase que mejor completa cada oración.

a. **cambió de**	d. **nos divertimos**	g. **se llevan bien**
b. **lo pasaron mal**	e. **se casaron**	h. **sonrió**
c. **nació**	f. **se jubiló**	i. **tenemos una cita**

1. María y sus compañeras de clase ____. Son buenas amigas.
2. Pablo y yo ____ en la fiesta. Bailamos y comimos mucho.
3. Manuel y Felipe ____ en el cine. La película fue muy mala.
4. ¡Tengo una nueva sobrina! Ella ____ ayer por la mañana.
5. Mi madre ____ profesión. Ahora es artista.
6. Mi padre ____ el año pasado. Ahora no trabaja.
7. Jorge y yo ____ esta noche. Vamos a ir a un restaurante muy elegante.
8. Jaime y Laura ____ el septiembre pasado. La boda fue maravillosa.

4 **Definiciones** En parejas, definan las palabras y escriban una oración para cada ejemplo.

modelo

romper (con) una pareja termina la relación
Marta rompió con su novio.

1. regalar
2. helado
3. pareja
4. invitado
5. casarse
6. pasarlo bien
7. sorpresa
8. amistad

Las etapas de la vida de Sergio

el nacimiento

la niñez

la adolescencia

la juventud

la madurez

la vejez

Más vocabulario

la edad	*age*
el estado civil	*marital status*
las etapas de la vida	*the stages of life*
la muerte	*death*
casado/a	*married*
divorciado/a	*divorced*
separado/a	*separated*
soltero/a	*single*
viudo/a	*widower/widow*

5 **Las etapas de la vida** Identifica las etapas de la vida que se describen en estas oraciones.

1. Mi abuela se jubiló y se mudó (*moved*) a Viña del Mar.
2. Mi padre trabaja para una compañía grande en Santiago.
3. ¿Viste a mi nuevo sobrino en el hospital? Es precioso y ¡tan pequeño!
4. Mi abuelo murió este año.
5. Mi hermana celebró su fiesta de quince años.
6. Mi hermana pequeña juega con muñecas (*dolls*).

NOTA CULTURAL

Viña del Mar es una ciudad en la costa de Chile, situada al oeste de Santiago. Tiene playas hermosas, excelentes hoteles, casinos y buenos restaurantes. El poeta Pablo Neruda pasó muchos años allí.

¡LENGUA VIVA!

The term **quinceañera** refers to a girl who is celebrating her 15th birthday. The party is called **la fiesta de quince años**.

6 **Cambiar** En parejas, imaginen que son dos hermanos/as de diferentes edades. Cada vez que el/la hermano/a menor dice algo, se equivoca. El/La hermano/a mayor lo/la corrige (*corrects him/her*), cambiando las expresiones subrayadas (*underlined*). Túrnense para ser mayor y menor, decir algo equivocado y corregir.

modelo

Estudiante 1: *La niñez es cuando trabajamos mucho.*
Estudiante 2: *No, te equivocas (you're wrong). La madurez es cuando trabajamos mucho.*

1. El nacimiento es el fin de la vida.
2. La juventud es la etapa cuando nos jubilamos.
3. A los sesenta y cinco años, muchas personas comienzan a trabajar.
4. Julián y nuestra prima se divorcian mañana.
5. Mamá odia a su hermana.
6. El abuelo murió, por eso la abuela es separada.
7. Cuando te gradúas de la universidad, estás en la etapa de la adolescencia.
8. Mi tío nunca se casó; es viudo.

AYUDA

Other ways to contradict someone:

No es verdad. *It's not true.*

Creo que no. *I don't think so.*

¡Claro que no! *Of course not!*

¡Qué va! *No way!*

Comunicación

7 **La invitación** Lee el mensaje electrónico de Marcela a su amigo Adrián. Luego, indica si las inferencias son lógicas o ilógicas, según lo que leíste.

De: Marcela
Para: Adrián
Asunto: Fiesta

Adrián, te quiero invitar a la fiesta que vamos a hacerle a mi bisabuelo Alfonso por su cumpleaños. ¡Cumple cien años! Queremos celebrar su larga y extraordinaria vida a lo grande: va a haber deliciosos entremeses, riquísimos dulces y muchos refrescos. También vamos a tener tu postre favorito, pastel de chocolate. Tienes que venir a la fiesta. Te vas a relajar mucho y no vas a pensar en los exámenes finales que tenemos el próximo mes. ¡Vas a bailar toda la noche! También vamos a darle una sorpresa a mi bisabuelo: su mejor amigo de la niñez, Roberto, va a venir desde Santiago. ¡Ellos se vieron por última vez en 1940! Te espero entonces este sábado a las 7:30 p.m. en la casa de mis padres.

	Lógico	Ilógico
1. Marcela y Adrián van a la misma escuela.	❍	❍
2. La fiesta es una cena formal.	❍	❍
3. A Adrián no le gustan los postres.	❍	❍
4. Alfonso conoce a Roberto desde la muerte de su esposa.	❍	❍
5. En la fiesta van a brindar por Alfonso.	❍	❍

8 **Preguntas** Contesta las preguntas de tu compañero/a.

1. ¿Te importa la amistad? ¿Por qué?
2. ¿Es mejor tener un(a) buen(a) amigo/a o muchos/as amigos/as?
3. ¿Cuáles son las características que buscas en tus amigos/as?
4. ¿A qué edad es posible enamorarse?
5. ¿Deben las parejas hacer todo juntos? ¿Deben tener las mismas opiniones? ¿Por qué?

¡LENGUA VIVA!
While a **buen(a) amigo/a** is a *good friend,* the term **amigo/a íntimo/a** refers to a *close friend,* or a very good friend, without any romantic overtones.

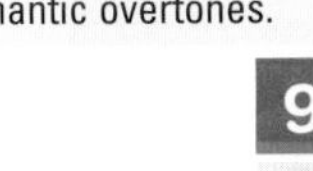

9 **Una fiesta** Trabaja con un(a) compañero/a para planear una fiesta. Recuerda incluir la siguiente información.

- tipo de fiesta
- lugar
- fecha
- invitados
- comida
- bebidas
- música

PUEDO planear una fiesta con un(a) compañero/a.

Objetivo comunicativo: Hablar sobre fiestas familiares

Es *mi* cumpleaños

Todos celebran el cumpleaños de Valentina.

ANTES DE VER
Mira las imágenes y haz predicciones sobre lo que va a pasar en el video.

1

JUANJO ¿No sabes jugar a la brisca?

VALENTINA ¡Parad de reíros, me vais a hacer perder!

GLORIA ¡Por fin!

MANUEL Y FELIPE (*a Valentina*)¡Perdiste! ¡Perdiste!

VALENTINA ¡Chicos! Es *mi* cumpleaños.

TODOS ¡Felicidades!

2

MANUEL ¡La fiesta de cumpleaños ya comenzó! Quiero saber cuándo van a llegar las flores que pedí.

SARA Primo, ¿quieres un pincho de tortilla?

MANUEL ¿A qué hora? Eso no fue lo que me dijo la persona con quien hablé esta mañana. ¡No, no me importa si tuvo muchos pedidos!

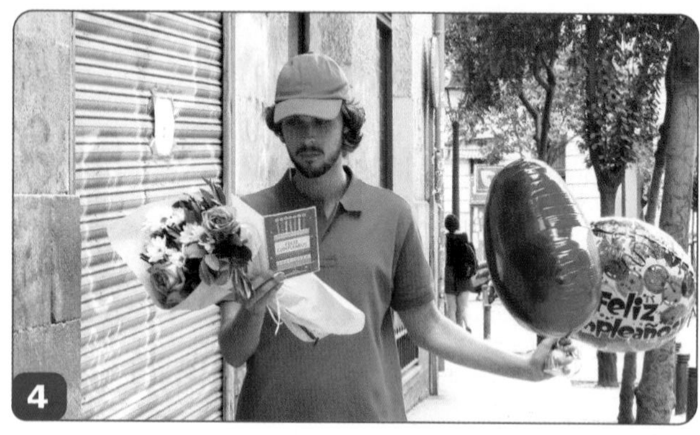

4

JUANJO ¿Sí?

MENSAJERO Flores para Valentina Herrera.

JUANJO ¿Quién las envía?

MENSAJERO Son de parte de Manuel.

JUANJO Aquí no es.

5

JUANJO Valentina no está. Puedes entregarme las flores a mí.

MENSAJERO Lo siento, tengo que dárselas a Valentina. Son para ella.

JUANJO ¿Qué dice en la tarjeta?

MENSAJERO (*leyendo la tarjeta*) Para Valentina. Con amor, de Manuel: cuando te conocí, supe que eras muy especial. ¡Feliz cumpleaños!

PERSONAJES

FELIPE

JUANJO

VALENTINA

GLORIA

MANUEL

OLGA LUCÍA

SARA

MENSAJERO

SARA ¿Le trajiste un regalo a Valentina? ¡Así nunca va a enamorarse de ti!

MANUEL ¡Sí, tengo un regalo para ella!

SARA ¿Y cuál es? ¡Yo sólo veo el oso gigante que le dio Juanjo!

MANUEL Entre tú y yo... ¡es feísimo!

MANUEL ¡¿Qué pasa?!

MENSAJERO (*a los chicos en la puerta*) ¿Quién es Valentina?

OLGA LUCÍA Y SARA (*señalando a Valentina*) ¡Ella!

MENSAJERO (*a Valentina*) Las flores son para ti. Quise entregártelas pero...

VALENTINA ¿Pero?

Expresiones útiles

entregar *to hand over; to deliver*
enviar *to send*
eras *were*
las flores *flowers*
el pedido *order*
el pincho *a type of appetizer (in Spain)*
sólo *only*
tropezarse con *to run into*

---

el globo *balloon*
el juego de las sillas *musical chairs*
el/la mensajero/a *messenger*

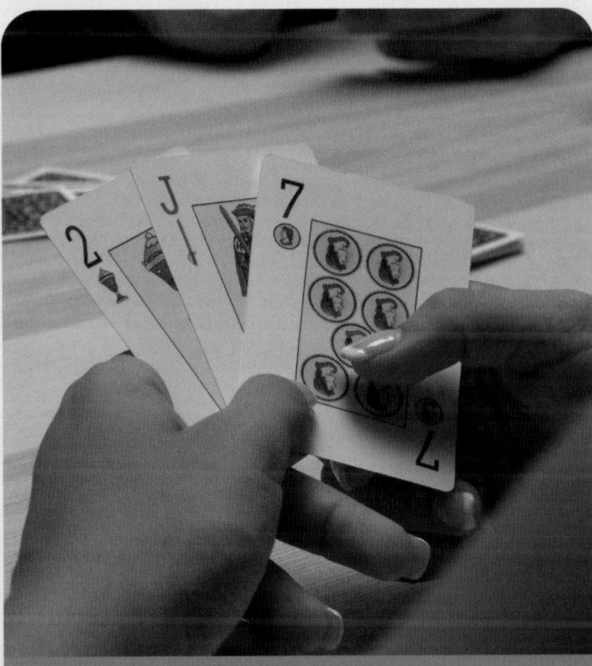

La brisca

La brisca es un juego de cartas español. Se juega entre dos o más jugadores; lo más común son dos o cuatro. Cuando hay cuatro jugadores, es posible jugar en parejas. Se usa una baraja (*deck*) de cuarenta cartas.

¿Te gusta jugar a las cartas? ¿Qué juegos de cartas conoces?

¿Qué pasó?

1 **¿Cierto o falso?** Indica si lo que dicen estas oraciones es **cierto** o **falso**. Corrige las oraciones falsas.

	Cierto	Falso
1. Valentina juega muy bien a las cartas.	❍	❍
2. Manuel está enojado porque no llega su regalo todavía.	❍	❍
3. Daniel le regala a Valentina un oso gigante.	❍	❍
4. Manuel dice que el regalo de Juanjo es hermoso.	❍	❍
5. Gloria gana en el juego de las sillas.	❍	❍

2 **Identificar** Identifica quién dice estas oraciones.

1. ¿No sabes jugar a la brisca?
2. Es *mi* cumpleaños.
3. ¡Así nunca va a enamorarse de ti!
4. ¡Sí, tengo un regalo para ella!
5. Entre tú y yo... ¡es feísimo!
6. ¿Qué dice en la tarjeta?

JUANJO

MANUEL

SARA

VALENTINA

3 **Completar** Completa las oraciones. Usa las palabras del recuadro.

amor	cumpleaños	enamorados	pastel
brindar	divertirse	invitados	sorprender

1. Hoy Valentina celebra su ________________.
2. Entre los ________________, están Juanjo y Manuel.
3. Los invitados juegan a la brisca para ________________.
4. Manuel quiere ________________ a Valentina.
5. La tarjeta para Valentina es una nota de ________________.
6. Juanjo y Manuel están ________________ de Valentina.

4  **Preguntas personales** En parejas, túrnense para hacerse estas preguntas. ¿Tienen respuestas en común?

1. ¿Qué fiestas celebras con tu familia?
2. De las celebraciones, ¿cuál es tu favorita? ¿Por qué?
3. ¿Cómo celebras tu cumpleaños?
4. ¿Qué te gusta comer en tu cumpleaños?
5. ¿Te gusta dar y recibir regalos? ¿Por qué?
6. ¿Qué les regalas a tus amigos/as en su cumpleaños?

PUEDO hablar sobre fiestas familiares.

Pronunciación

The letters h, j, and g

helado **hombre** **hola** **hermosa**

The Spanish **h** is always silent.

José **jubilarse** **dejar** **pareja**

The letter **j** is pronounced much like the English *h* in *his.*

agencia **general** **Gil** **Gisela**

The letter **g** can be pronounced three different ways. Before **e** or **i**, the letter **g** is pronounced much like the English *h*.

Gustavo, gracias por llamar el domingo.

At the beginning of a phrase or after the letter **n**, the Spanish **g** is pronounced like the English *g* in *girl.*

Me gradué en agosto.

In any other position, the Spanish **g** has a somewhat softer sound.

guerra **conseguir** **guantes** **agua**

In the combinations **gue** and **gui**, the **g** has a hard sound and the **u** is silent. In the combinations **gua y guo**, the **g** has a hard sound and the **u** is pronounced like the English *w.*

Práctica Lee las palabras en voz alta, prestando atención a la **h,** la **j** y la **g.**

1. hamburguesa
2. jugar
3. antiguo
4. guapa
5. geografía
6. magnífico
7. espejo
8. hago
9. seguir
10. gracias
11. hijo
12. galleta
13. Jorge
14. tengo
15. ahora
16. guantes

Oraciones Lee las oraciones en voz alta, prestando atención a la **h,** la **j** y la **g.**

1. Hola. Me llamo Gustavo Hinojosa Lugones y vivo en Santiago de Chile.
2. Tengo una familia grande; somos tres hermanos y tres hermanas.
3. Voy a graduarme en mayo.
4. Para celebrar mi graduación, mis padres van a regalarme un viaje a Egipto.
5. ¡Qué generosos son!

Refranes Lee los refranes en voz alta, prestando atención a la **h,** la **j** y la **g.**

A la larga, lo más dulce amarga.[1]
El hábito no hace al monje.[2]

1 Too much of a good thing.
2 The clothes don't make the man.

EN DETALLE

Año Nuevo

Una sola fiesta con muchas variaciones

"Año nuevo, vida nueva, más alegres° los días serán°
Año nuevo, vida nueva, con salud y con prosperidad"
Así dice una canción popular que se canta en varios países en los primeros minutos del 1 de enero, con la esperanza° de que el nuevo año será mucho mejor que el anterior. Mientras bailan y cantan esta canción, los familiares y amigos se dan abrazos y besos, deseando lo mejor para el año que comienza.

En todo el mundo hispano se recibe el año nuevo con diversas tradiciones. Estas son tres de las más populares:

Las 12 uvas Esta tradición española está extendida por muchos países de Latinoamérica. Consiste en que exactamente a la medianoche se deben comer 12 uvas para tener buena suerte° en los doce meses del año. Pero ¡ojo!, para que tenga efecto, se debe comer una uva con cada campanada° del reloj. Es una tradición tan extendida, ¡que cada año se comen unos 500 millones de uvas en la fiesta de fin de año en todo el mundo!

El muñeco° de año viejo En países como Ecuador, Colombia, Venezuela, Panamá, México, Perú y Chile, es común elaborar un muñeco de trapo°, relleno° con ropa vieja, cartón o papel, como representación del año viejo. La tradición consiste en prender fuego° al muñeco a la medianoche, con el fin de alejar° la mala suerte y las malas energías del año que termina. En algunas partes, la gente hace los muñecos con la apariencia de figuras políticas, como una forma de protesta, y esperando que la situación política y social mejore° en el año nuevo.

La ropa de colores En varios países se cree que usar ropa de ciertos colores en la noche vieja trae suerte para el año nuevo, sobre todo si se trata de ropa interior. Los más comunes son: ropa amarilla para la prosperidad, ropa roja para tener suerte en el amor y ropa verde para la salud.

alegres *happy* **serán** *will be* **esperanza** *hope* **suerte** *luck* **campanada** *chime* **muñeco** *doll* **trapo** *rag* **relleno** *stuffed* **prender fuego** *to burn* **alejar** *to ward off* **mejore** *gets better*

ASÍ SE DICE

Fiestas y celebraciones

la despedida de soltero/a	*bachelor(ette) party*
el día feriado/festivo	**el día de fiesta**
disfrutar	*to enjoy*
festejar	**celebrar**
los fuegos artificiales	*fireworks*
pasarlo en grande	**divertirse mucho**
la vela	*candle*

ACTIVIDADES

1 **¿Cierto o falso?** Indica si lo que dicen las oraciones es **cierto** o **falso**. Corrige las falsas.

1. Todo el mundo hispano come 12 uvas para recibir el año nuevo.
2. Las uvas representan 12 días de buena suerte en el año nuevo.
3. La gente tiene que comer una uva con cada campanada del reloj.
4. En algunos países, la gente hace muñecos y les prenden fuego para despedir el año viejo.
5. Se cree que llevar ropa de colores específicos trae buena suerte.

2 **Conversación** Responde a las preguntas y coméntalas con un(a) compañero/a.

1. ¿Cuál de las tradiciones de Año Viejo te gustaría incorporar en tus celebraciones?
2. ¿Crees que prender fuego a un muñeco puede ayudar a eliminar las cosas malas del año viejo? ¿Qué tipo de muñeco te gustaría hacer? ¿De una persona famosa, un político, otro? ¿Qué le pondrías dentro?
3. ¿Qué color de ropa prefieres usar para recibir el próximo año nuevo? ¿Por qué?

3 **Un párrafo** ¿Cómo celebras el año nuevo? ¿Con tu familia? ¿Con amigos? ¿Qué hacen? ¿Qué aspectos tiene en común esta celebración con las celebraciones en países del mundo hispano? ¿En qué se diferencia de las tradiciones hispanas? Escribe un párrafo sobre tus tradiciones de año nuevo y las del mundo hispano. Trabaja con dos compañeros/as. Cada estudiante lee su párrafo en voz alta (*aloud*). Luego, los tres comentan los párrafos.

ENTRE CULTURAS

¿Qué es el Día de Reyes y cómo se celebra en los países hispanos?

*Go to **vhlcentral.com** to find out more cultural information related to this **Cultura** section.*

PUEDO hablar sobre tradiciones de Año Nuevo en mi cultura y en otras.

PERFIL

Festival de Viña del Mar

En 1959 unos estudiantes de **Viña del Mar**, Chile, celebraron una fiesta en una casa de campo conocida como la Quinta Vergara donde hubo° un espectáculo° musical. En 1960 repitieron el evento. Asistió tanta gente que muchos vieron el espectáculo parados° o sentados en el suelo°. Algunos se subieron a los árboles°.

Años después, se convirtió en el **Festival Internacional de la Canción.** Se celebra en febrero, en el mismo lugar donde empezó. ¡Pero ahora nadie necesita subirse a un árbol para verlo! Hay un anfiteatro con capacidad para quince mil personas y el evento se transmite por la televisión. En el festival hay concursos° musicales y conciertos de artistas famosos como Calle 13 y Nelly Furtado.

Nelly Furtado

hubo *there was* **espectáculo** *show* **parados** *standing* **suelo** *floor* **se subieron a los árboles** *climbed trees* **concursos** *competitions*

Comprensión Contesta las preguntas con base en la lectura.

1. ¿En qué década comenzó el Festival de Viña del Mar?
2. ¿En qué mes se celebra el festival?
3. ¿Cuántas personas por día pueden asistir al Festival de Viña del Mar?

9.1 Irregular preterites

ANTE TODO You already know that the verbs **ir** and **ser** are irregular in the preterite. You will now learn other verbs whose preterite forms are also irregular.

Preterite of tener, venir, and decir

		tener (u-stem)	venir (i-stem)	decir (j-stem)
SINGULAR FORMS	yo	tuv**e**	vin**e**	dij**e**
	tú	tuv**iste**	vin**iste**	dij**iste**
	Ud./él/ella	tuv**o**	vin**o**	dij**o**
PLURAL FORMS	nosotros/as	tuv**imos**	vin**imos**	dij**imos**
	vosotros/as	tuv**isteis**	vin**isteis**	dij**isteis**
	Uds./ellos/ellas	tuv**ieron**	vin**ieron**	dij**eron**

- **¡Atención!** The endings of these verbs are the regular preterite endings of **-er/-ir** verbs, except for the **yo** and **usted/él/ella** forms. Note that these two endings are unaccented.

- These verbs observe similar stem changes to **tener, venir,** and **decir**.

INFINITIVE	U-STEM	PRETERITE FORMS
poder	pud-	pude, pudiste, pudo, pudimos, pudisteis, pudieron
poner	pus-	puse, pusiste, puso, pusimos, pusisteis, pusieron
saber	sup-	supe, supiste, supo, supimos, supisteis, supieron
estar	estuv-	estuve, estuviste, estuvo, estuvimos, estuvisteis, estuvieron

INFINITIVE	I-STEM	PRETERITE FORMS
querer	quis-	quise, quisiste, quiso, quisimos, quisisteis, quisieron
hacer	hic-	hice, hiciste, hizo, hicimos, hicisteis, hicieron

¡ATENCIÓN! Note the **c** → **z** spelling change in the third-person singular form of **hacer**: **hizo**.

INFINITIVE	J-STEM	PRETERITE FORMS
traer	traj-	traje, trajiste, trajo, trajimos, trajisteis, trajeron
conducir	conduj-	conduje, condujiste, condujo, condujimos, condujisteis, condujeron
traducir	traduj-	traduje, tradujiste, tradujo, tradujimos, tradujisteis, tradujeron

- **¡Atención!** Most verbs that end in **-cir** are **j**-stem verbs in the preterite. For example, **producir** → **produje, produjiste,** etc.

  Produjimos un documental sobre los accidentes en la casa.
  We produced a documentary about accidents in the home.

- Notice that the preterites with **j**-stems omit the letter **i** in the **ustedes/ellos/ellas** form.

  Mis amigos **trajeron** comida a la fiesta.
  My friends brought food to the party.

  Ellos **dijeron** la verdad.
  They told the truth.

VERIFICA

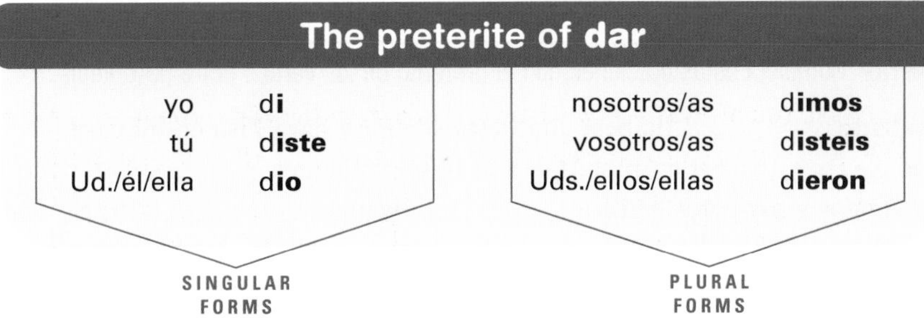

The preterite of dar

SINGULAR FORMS		PLURAL FORMS	
yo	d**i**	nosotros/as	d**imos**
tú	d**iste**	vosotros/as	d**isteis**
Ud./él/ella	d**io**	Uds./ellos/ellas	d**ieron**

▶ The endings for **dar** are the same as the regular preterite endings for **-er** and **-ir** verbs, except that there are no accent marks.

La camarera me **dio** el menú.
The waitress gave me the menu.

Le **di** a Juan algunos consejos.
I gave Juan some advice.

Los invitados le **dieron** un regalo.
The guests gave him/her a gift.

Nosotros **dimos** una gran fiesta.
We gave a great party.

▶ The preterite of **hay** (*inf.* **haber**) is **hubo** (*there was; there were*).

¡No me importa si tuvo muchos pedidos!

¿Le trajiste un regalo a Valentina?

¡INTÉNTALO! Escribe la forma correcta del pretérito de cada verbo que está entre paréntesis.

1. (querer) tú quisiste
2. (decir) usted ________
3. (hacer) nosotras ________
4. (traer) yo ________
5. (conducir) ellas ________
6. (estar) ella ________
7. (tener) tú ________
8. (dar) ella y yo ________
9. (traducir) yo ________
10. (haber) ayer ________
11. (saber) usted ________
12. (poner) ellos ________
13. (venir) yo ________
14. (poder) tú ________
15. (querer) ustedes ________
16. (estar) nosotros ________
17. (decir) tú ________
18. (saber) ellos ________
19. (hacer) él ________
20. (poner) yo ________
21. (traer) nosotras ________
22. (tener) yo ________
23. (dar) tú ________
24. (poder) ustedes ________

Práctica

1 **Completar** Completa estas oraciones con el pretérito de los verbos entre paréntesis.

1. El sábado __________ (haber) una fiesta sorpresa para Elsa en mi casa.
2. Sofía _______ (hacer) un pastel para la fiesta y Miguel ________ (traer) un flan.
3. Los amigos y parientes de Elsa __________ (venir) y __________ (traer) regalos.
4. El hermano de Elsa no ________ (venir) porque _________ (tener) que trabajar.
5. Su tía María Dolores tampoco __________ (poder) venir.
6. Cuando Elsa abrió la puerta, todos gritaron: "¡Feliz cumpleaños!" y su esposo le __________ (dar) un beso.
7. Elsa no __________ (saber) cómo reaccionar (*to react*). __________ (Estar) un poco nerviosa al principio, pero pronto sus amigos __________ (poner) música y ella __________ (poder) relajarse bailando con su esposo.
8. Al final de la noche, todos __________ (decir) que se divirtieron mucho.

NOTA CULTURAL

El **flan** es un postre muy popular en los países de habla hispana. Se prepara con huevos, leche y azúcar y se sirve con salsa de caramelo. Existen variedades deliciosas como el flan de chocolate o el flan de coco. ¿Cuál es el postre más popular en tu estado? ¿Qué ingredientes tiene?

2 **Describir** En parejas, usen verbos de la lista para describir lo que estas personas hicieron. Deben dar por lo menos dos oraciones por cada dibujo.

conducir	estar	poder	traer
dar	hacer	tener	venir

1. Gabriel y Natalia

2. Sergio

3. anoche nosotros

4. la señora Rojas

Comunicación

3 **La petición de mano** Lee el mensaje electrónico de Marta a su amiga Victoria. Luego, indica si las inferencias son **lógicas** o **ilógicas**, según lo que leíste.

De: Marta
Para: Victoria
Asunto: David

¡Me acabo de comprometer con David! Estoy muy feliz. Es muy inteligente y simpático. ¡Y guapo también! Como David es muy tradicional, habló con mi papá primero. Condujo tres horas para ir a la casa de mis padres. David no habla bien el español; tradujo varias frases en Internet y se las aprendió de memoria para decírselas a mi papá. ¡Pobre! La comunicación no fue ideal, pero a mi papá le gustó el gesto (*gesture*) de David. ¿Y la petición de mano? Bueno, ese día David hizo una reservación en mi restaurante favorito. La cena estuvo deliciosa y nos divertimos mucho como siempre. Después de cenar, David dijo algo, pero yo no oí bien lo que dijo. Luego vi el hermoso anillo (*ring*) de diamantes: ¡qué sorpresa! David preguntó otra vez: "¿Quieres casarte conmigo?" Hubo un silencio muy largo. Cuando yo pude hablar, le dije: "¡Sí!".

	Lógico	Ilógico
1. Marta está enamorada de David.	❍	❍
2. A David no le importa la opinión del padre de Marta.	❍	❍
3. David y el padre de Marta tuvieron una conversación muy larga e interesante.	❍	❍
4. Los padres de Marta viven en la misma ciudad que David y Marta.	❍	❍
5. David trajo el anillo al restaurante.	❍	❍

4 **Preguntas** Contesta las preguntas de tu compañero/a.

1. ¿Fuiste a una fiesta de cumpleaños el año pasado? ¿De quién?
2. ¿Quiénes fueron a la fiesta?
3. ¿Cómo estuvo el ambiente de la fiesta?
4. ¿Quién llevó regalos, bebidas o comida?
5. ¿Hubo comida? ¿Quién la hizo?
6. ¿Qué regalos trajeron los invitados?
7. ¿Cuántos invitados hubo en la fiesta?
8. ¿Qué tipo de música hubo?

5 **Una fiesta** Describe una fiesta a la que fuiste. Incluye en tu descripción cuál fue la ocasión, quién dio la fiesta, quiénes estuvieron allí, qué trajeron los invitados y qué hicieron los invitados.

Síntesis

6 **Conversación** En parejas, preparen una conversación en la que uno/a de ustedes va a visitar a su hermano/a para explicarle por qué no fue a su fiesta de graduación y para saber cómo estuvo la fiesta. Incluyan esta información en la conversación:

- cuál fue el menú
- quiénes vinieron a la fiesta y quiénes no pudieron venir
- quiénes prepararon la comida o trajeron algo
- si él/ella tuvo que preparar algo
- lo que la gente hizo antes y después de comer
- cómo lo pasaron, bien o mal

PUEDO describir una fiesta a la que asistí y hacer preguntas sobre una fiesta a la que no asistí.

9.2 Verbs that change meaning in the preterite

ANTE TODO The verbs **conocer, saber, poder,** and **querer** change meanings when used in the preterite. Because of this, each of them corresponds to more than one verb in English, depending on its tense.

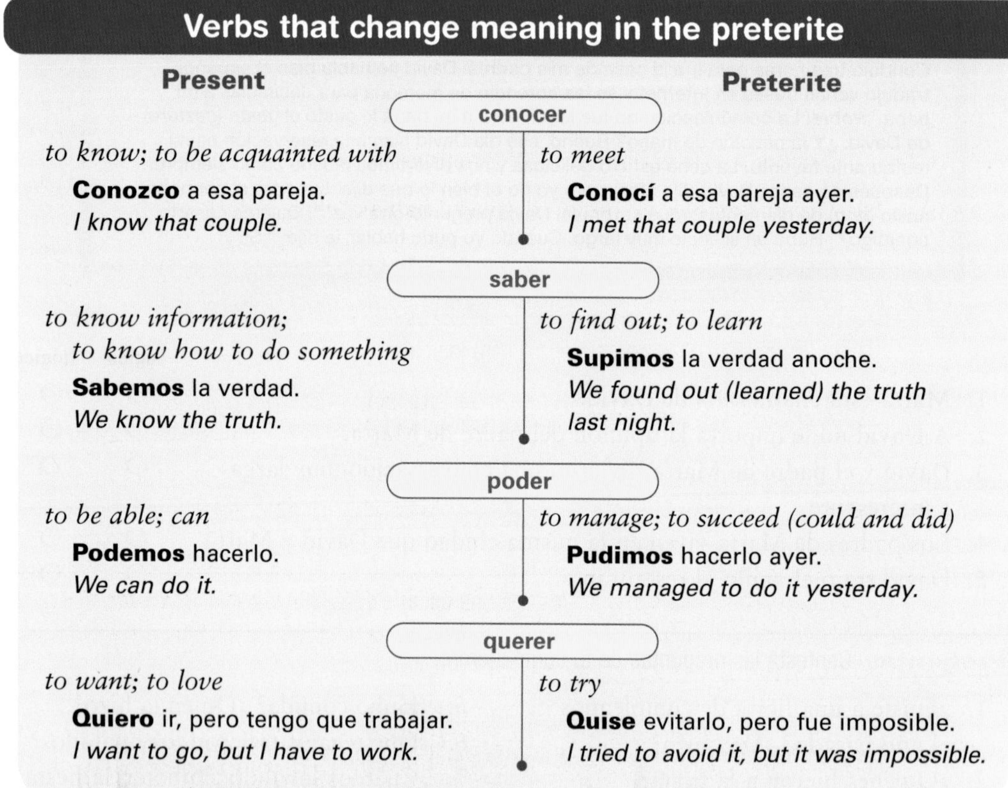

Verbs that change meaning in the preterite

Present		Preterite
	conocer	
to know; to be acquainted with **Conozco** a esa pareja. *I know that couple.*		*to meet* **Conocí** a esa pareja ayer. *I met that couple yesterday.*
	saber	
to know information; to know how to do something **Sabemos** la verdad. *We know the truth.*		*to find out; to learn* **Supimos** la verdad anoche. *We found out (learned) the truth last night.*
	poder	
to be able; can **Podemos** hacerlo. *We can do it.*		*to manage; to succeed (could and did)* **Pudimos** hacerlo ayer. *We managed to do it yesterday.*
	querer	
to want; to love **Quiero** ir, pero tengo que trabajar. *I want to go, but I have to work.*		*to try* **Quise** evitarlo, pero fue imposible. *I tried to avoid it, but it was impossible.*

¡ATENCIÓN!

In the preterite, the verbs **poder** and **querer** have different meanings when they are used in affirmative or negative sentences.

pude / *succeeded*
no pude / *failed (to)*
quise / *tried (to)*
no quise / *refused (to)*

¡INTÉNTALO! Elige la respuesta más lógica.

1. Yo no hice lo que me pidieron mis padres. ¡Tengo mis principios!
   a. No quise hacerlo. b. No supe hacerlo.
2. Hablamos por primera vez con Nuria y Ana en la boda.
   a. Las conocimos en la boda. b. Les dijimos en la boda.
3. Por fin hablé con mi hermano después de llamarlo siete veces.
   a. No quise hablar con él. b. Pude hablar con él.
4. Josefina se acostó para relajarse. Se durmió inmediatamente.
   a. Pudo relajarse. b. No pudo relajarse.
5. Después de mucho buscar, encontraste la definición en el diccionario.
   a. No supiste la respuesta. b. Supiste la respuesta.
6. Las chicas fueron a la fiesta. Cantaron y bailaron mucho.
   a. Ellas pudieron divertirse. b. Ellas no supieron divertirse.

Práctica y Comunicación

1 **Carlos y Eva** Forma oraciones con los siguientes elementos. Usa el pretérito y haz todos los cambios necesarios. Al final, inventa la razón del divorcio de Carlos y Eva.

1. anoche / mi esposa y yo / saber / que / Carlos y Eva / divorciarse
2. los / conocer / viaje / isla de Pascua
3. no / poder / hablar / mucho / con / ellos / ese día
4. pero / ellos / ser / simpático / y / nosotros / hacer planes / vernos / con más / frecuencia
5. yo / poder / encontrar / su / número / teléfono / páginas / amarillo
6. (yo) querer / llamar / los / ese día / pero / no / tener / tiempo
7. cuando / (nosotros) / los / llamar / poder /hablar / Eva
8. nosotros / saber / razón / divorcio / después / hablar / ella
9. ______________________________

NOTA CULTURAL

La isla de Pascua es un remoto territorio chileno situado en el océano Pacífico Sur. Sus inmensas estatuas son uno de los mayores misterios del mundo: nadie sabe cómo o por qué se crearon. Para más información, véase **Panorama**, p. 371.

2  **Completar** Completa estas frases de una manera lógica.

1. Ayer mi compañero/a de clase supo...
2. Esta mañana no pude...
3. Conocí a mi mejor amigo/a en...
4. Mis padres no quisieron...
5. Mi mejor amigo/a no pudo...
6. Mi novio/a y yo nos conocimos en...
7. La semana pasada supe...
8. Ayer mis amigos quisieron...

3 **Telenovela** En parejas, escriban el diálogo para una escena de una telenovela (*soap opera*). La escena trata de una situación amorosa entre tres personas: Mirta, Daniel y Raúl. Usen el pretérito de **conocer, poder, querer** y **saber** en su diálogo.

Síntesis

4   **Conversación** En una hoja de papel, escribe dos listas: las cosas que hiciste durante el fin de semana y las cosas que quisiste hacer, pero no pudiste. Luego, compara tu lista con la de un(a) compañero/a, y expliquen ambos por qué no pudieron hacer esas cosas.

PUEDO describir una escena de un programa de televisión.

PUEDO describir lo que hice durante el fin de semana.

9.3 ¿Qué? and ¿cuál?

ANTE TODO You've already learned how to use interrogative words and phrases. As you know, **¿qué?** and **¿cuál?** or **¿cuáles?** mean *what?* or *which?* However, they are not interchangeable.

- **¿Qué?** is used to ask for a definition or an explanation.

  ¿**Qué** es el flan?
  What is flan?

  ¿**Qué** estudias?
  What do you study?

- **¿Cuál(es)?** is used when there is more than one possibility to choose from.

  ¿**Cuál** de los dos prefieres, las galletas o el helado?
  Which of these (two) do you prefer, cookies or ice cream?

  ¿**Cuáles** son tus medias, las negras o las blancas?
  Which ones are your socks, the black ones or the white ones?

- **¿Cuál?** should not be used before a noun; in this case, **¿qué?** is used.

  ¿**Qué** sorpresa te dieron tus amigos?
  What surprise did your friends give you?

  ¿**Qué** colores te gustan?
  What colors do you like?

- **¿Qué?** used before a noun has the same meaning as **¿cuál?**

  ¿**Qué regalo** te gusta?
  What (Which) gift do you like?

  ¿**Qué dulces** quieren ustedes?
  What (Which) sweets do you want?

Review of interrogative words and phrases

¿a qué hora?	*at what time?*	**¿cuántos/as?**	*how many?*
¿adónde?	*(to) where?*	**¿de dónde?**	*from where?*
¿cómo?	*how?*	**¿dónde?**	*where?*
¿cuál(es)?	*what?; which?*	**¿por qué?**	*why?*
¿cuándo?	*when?*	**¿qué?**	*what?; which?*
¿cuánto/a?	*how much?*	**¿quién(es)?**	*who?*

¡INTÉNTALO! Completa las preguntas con **¿qué?** o **¿cuál(es)?**, según el contexto.

1. ¿ Cuál de los dos te gusta más?
2. ¿ ________ es tu teléfono?
3. ¿ ________ tipo de pastel pediste?
4. ¿ ________ es una galleta?
5. ¿ ________ haces ahora?
6. ¿ ________ son tus platos favoritos?
7. ¿ ________ bebidas te gustan más?
8. ¿ ________ es esto?
9. ¿ ________ es el mejor?
10. ¿ ________ es tu opinión?
11. ¿ ________ fiestas celebras tú?
12. ¿ ________ regalo prefieres?
13. ¿ ________ es tu helado favorito?
14. ¿ ________ pones en la mesa?
15. ¿ ________ restaurante prefieres?
16. ¿ ________ estudiantes estudian más?
17. ¿ ________ quieres comer esta noche?
18. ¿ ________ es la sorpresa mañana?
19. ¿ ________ postre prefieres?
20. ¿ ________ opinas?

Práctica y Comunicación

1 **Completar** Tu clase de español va a crear un sitio web. Completa estas preguntas con palabras interrogativas. Luego, con un(a) compañero/a, hagan y contesten las preguntas para obtener la información para el sitio web.

1. ¿__________ es la fecha de tu cumpleaños?
2. ¿__________ naciste?
3. ¿__________ es tu estado civil?
4. ¿________________ te relajas?
5. ¿__________ es tu mejor amigo/a?
6. ¿__________ cosas te hacen reír?
7. ¿__________ postres te gustan? ¿__________ te gusta más?
8. ¿__________ problemas tuviste el primer día en esta escuela?

2 **Una invitación** En parejas, lean esta invitación. Luego, túrnense para hacer y contestar preguntas con **qué** y **cuál** basadas en la información de la invitación.

modelo

Estudiante 1: ¿Cuál es el nombre del padre de la novia?
Estudiante 2: Su nombre es Fernando Sandoval Valera.

Fernando Sandoval Valera — *Lorenzo Vásquez Amaral*
Isabel Arzipe de Sandoval — *Elena Soto de Vásquez*

tienen el agrado de invitarlos
a la boda de sus hijos

María Luisa y José Antonio

La ceremonia religiosa tendrá lugar
el sábado 10 de junio a las dos de la tarde
en el Templo de Santo Domingo
(Calle Santo Domingo, 961).

Después de la ceremonia, sírvanse pasar a la recepción en el salón de baile del Hotel Metrópoli (Sotero del Río, 465).

¡LENGUA VIVA!

The word **invitar** is not always used exactly like *invite*. Sometimes, if you say **Te invito un café,** it means that you are offering to buy that person a coffee.

3 **Quinceañera** Trabaja con un(a) compañero/a. Uno/a de ustedes es el/la director(a) del salón de fiestas "Renacimiento". La otra persona es el padre/la madre de Sandra, quien quiere hacer la fiesta de quince años de su hija gastando menos de $25 por invitado. Su profesor(a) va a darles la información necesaria para confirmar la reservación.

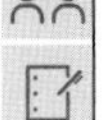

modelo

Estudiante 1: ¿Cuánto cuestan los entremeses?
Estudiante 2: Depende. Puede escoger champiñones por 50 centavos o camarones por dos dólares.
Estudiante 1: ¡Uf! A mi hija le gustan los camarones, pero son muy caros.
Estudiante 2: Bueno, también puede escoger quesos por un dólar por invitado.

PUEDO hacer y responder preguntas sobre los detalles de una fiesta.

9.4 Pronouns after prepositions

ANTE TODO In Spanish, as in English, the object of a preposition is the noun or pronoun that follows the preposition. Observe the following diagram.

La sopa es para Alicia y para él.

Prepositional pronouns

	Singular		Plural	
preposition +	**mí**	*me*	**nosotros/as**	*us*
	ti	*you (fam.)*	**vosotros/as**	*you (fam.)*
	Ud.	*you (form.)*	**Uds.**	*you (form.)*
	él	*him*	**ellos**	*them (m.)*
	ella	*her*	**ellas**	*them (f.)*

- Note that, except for **mí** and **ti,** these pronouns are the same as the subject pronouns. **¡Atención! Mí** (*me*) has an accent mark to distinguish it from the possessive adjective **mi** (*my*).

- The preposition **con** combines with **mí** and **ti** to form **conmigo** and **contigo,** respectively.

  —¿Quieres venir **conmigo** a Concepción?
  Do you want to come with me to Concepción?

  —Sí, gracias, me gustaría ir **contigo.**
  Yes, thanks, I would like to go with you.

- The preposition **entre** is followed by **tú** and **yo** instead of **ti** and **mí.**

  Papá va a sentarse **entre tú y yo**.
  Dad is going to sit between you and me.

CONSULTA

For more prepositions, refer to **Estructura 2.3,** p. 88.

¡INTÉNTALO! Completa estas oraciones con las preposiciones y los pronombres apropiados.

1. *(with him)* No quiero ir con él.
2. *(for her)* Las galletas son ________.
3. *(for me)* Los mariscos son ________.
4. *(with you,* pl. form.*)* Preferimos estar ________.
5. *(with you,* sing. fam.*)* Me gusta salir ________.
6. *(with me)* ¿Por qué no quieres tener una cita ________?
7. *(for her)* La cuenta es ________.
8. *(for them,* m.*)* La habitación es muy pequeña ________.
9. *(with them,* f.*)* Anoche celebré la Navidad ________.
10. *(for you,* sing. fam.*)* Este beso es ________.
11. *(with you,* sing. fam.*)* Nunca me aburro ________.
12. *(with you,* pl. form.*)* ¡Qué bien que vamos ________!
13. *(for you,* sing. fam.*)* ________ la vida es muy fácil.
14. *(for them,* f.*)* ________ no hay sorpresas.

Práctica y Comunicación

1 **Completar** David sale con sus amigos a comer. Para saber quién come qué, lee el mensaje electrónico que David le envió (*sent*) a Cecilia dos días después y completa el diálogo en el restaurante con los pronombres apropiados.

modelo

Camarero: Los camarones en salsa verde, ¿para quién son?
David: Son para ___ella___.

Para: Cecilia	Asunto: El menú

Hola, Cecilia:
¿Recuerdas la comida del viernes? Quiero repetir el menú en mi casa el miércoles. ¿Me ayudas a recordar qué pidió cada uno? Yo pedí el filete de pescado y Maribel camarones en salsa verde. Tatiana pidió un plato de machas a la parmesana. Diana y Silvia pidieron langostas, ¿te acuerdas? Y tú pediste un bistec grande con papas, ¿verdad? Héctor también pidió un bistec, pero más pequeño. Miguel pidió pollo y agua mineral para todos. Y la profesora comió ensalada verde. ¿Falta algo? Espero tu mensaje. Hasta pronto. David.

NOTA CULTURAL

Las **machas a la parmesana** son un plato muy típico de Chile. Se prepara con machas, un tipo de almeja (*clam*) que se encuentra en Suramérica. Las machas a la parmesana se hacen con queso parmesano, limón, sal, pimienta y mantequilla, y luego se ponen en el horno (*oven*).

CAMARERO El filete de pescado, ¿para quién es?
DAVID Es para (1)__________.
CAMARERO Aquí está. ¿Y las machas a la parmesana y las langostas?
DAVID Las machas son para (2)__________.
SILVIA Y DIANA Las langostas son para (3)__________.
CAMARERO Tengo un bistec grande...
DAVID Cecilia, es para (4)__________, ¿no es cierto? Y el bistec más pequeño es para (5)__________.
CAMARERO ¿Y la botella de agua mineral?
MIGUEL Es para todos (6)__________, y el pollo es para (7)__________.
CAMARERO (*a la profesora*) Entonces la ensalada verde es para (8)__________.

2  **Preguntas** En parejas, túrnense para hacerse preguntas tomando las frases de la lista. Usen los pronombres apropiados en sus respuestas.

modelo

tú / acordarte de tus amigos de la infancia
Estudiante 1: *¿Te acuerdas de tus amigos de la infancia?*
Estudiante 2: *No, no me acuerdo de ellos.*

- tu familia / vivir contigo
- yo / poder estudiar contigo
- tú / llevarte bien con tus parientes
- tú / querer practicar el español conmigo
- tus padres / preocuparse mucho por ti
- tú / comprar regalos para tus amigos

3 **Mi cumpleaños** Tu amigo/a no pudo asistir a tu fiesta de cumpleaños. Escríbele un mensaje de texto en el que describas cómo estuvo la fiesta y qué hicieron los invitados. Usa el pretérito y los pronombres que acabas de aprender.

PUEDO describir mi último cumpleaños.

SUBJECT Javier CONJUGATED FORM empiezo Main clause Dudan

Recapitulación

Completa estas actividades para repasar los conceptos de gramática que aprendiste en esta lección.

1 **Completar** Completa la tabla con el pretérito de los verbos. 18 pts.

Infinitive	yo	ella	nosotros
conducir			
hacer			
saber			

2 **Mi fiesta** Completa este mensaje electrónico con el pretérito de los verbos de la lista. Vas a usar cada verbo sólo una vez. 20 pts.

dar	haber	tener
decir	hacer	traer
estar	poder	venir
	poner	

Hola, Omar:

Como tú no (1) ________ venir a mi fiesta de cumpleaños, quiero contarte cómo fue. El día de mi cumpleaños, muy temprano por la mañana, mis hermanos me (2) ________ una gran sorpresa: ellos (3) ________ un regalo delante de la puerta de mi habitación: ¡una bicicleta roja preciosa! Mi madre nos preparó un desayuno riquísimo. Después de desayunar, mis hermanos y yo (4) ________ que limpiar toda la casa, así que (*therefore*) no (5) ________ más celebración hasta la tarde. A las seis y media (nosotros) (6) ________ una barbacoa (*barbecue*) en el patio de la casa. Todos los invitados (7) ________ bebidas y regalos. (8) ________ todos mis amigos, excepto tú, ¡qué pena! :-(La fiesta (9) ________ muy animada hasta las diez de la noche, cuando mis padres (10) ________ que los vecinos (*neighbors*) iban a (*were going to*) protestar y entonces todos se fueron a sus casas.

Tu amigo,
Andrés

RESUMEN GRAMATICAL

9.1 Irregular preterites *pp. 352–353*

u-stem	estar poder poner saber tener	estuv- pud- pus- sup- tuv-	-e, -iste, -o, -imos, -isteis, -(i)eron
i-stem	hacer querer venir	hic- quis- vin-	
j-stem	conducir decir traducir traer	conduj- dij- traduj- traj-	

- Preterite of **dar**: **di, diste, dio, dimos, disteis, dieron**
- Preterite of **hay** (*inf.* **haber**): **hubo**

9.2 Verbs that change meaning in the preterite *p. 356*

Present	Preterite
conocer	
to know; to be acquainted with	*to meet*
saber	
to know info.; to know how to do something	*to find out; to learn*
poder	
to be able; can	*to manage; to succeed*
querer	
to want; to love	*to try*

9.3 ¿Qué? and ¿cuál? *p. 358*

- Use **¿qué?** to ask for a definition or an explanation.
- Use **¿cuál(es)?** when there is more than one possibility to choose from.
- **¿Cuál?** cannot be used before a noun; use **¿qué?** instead.
- **¿Qué?** used before a noun has the same meaning as **¿cuál?**

9.4 Pronouns after prepositions *p. 360*

Prepositional pronouns

	Singular	Plural
Preposition +	mí ti Ud. él ella	nosotros/as vosotros/as Uds. ellos ellas

► Exceptions: **conmigo, contigo, entre tú y yo**

3 **¿Presente o pretérito?** Escoge la forma correcta de los verbos entre paréntesis. 12 pts.

1. Después de muchos intentos (*tries*), (podemos/pudimos) hacer una piñata.
2. —¿Conoces a Pepe?
   —Sí, lo (conozco/conocí) en tu fiesta.
3. Como no es de aquí, Cristina no (sabe/supo) mucho de las celebraciones locales.
4. Yo no (quiero/quise) ir a un restaurante grande, pero tú decides.
5. Ellos (quieren/quisieron) darme una sorpresa, pero Nina me lo dijo todo.
6. Mañana se terminan las vacaciones; por fin (podemos/pudimos) volver a la escuela.

4 **Preguntas** Escribe una pregunta para cada respuesta con los elementos dados. Empieza con **qué**, **cuál** o **cuáles** de acuerdo con el contexto y haz los cambios necesarios. 8 pts.

1. —¿? / pastel / querer —Quiero el pastel de chocolate.
2. —¿? / ser / flan —El flan es un postre típico hispano.
3. —¿? / ser / restaurante favorito —Mis restaurantes favoritos son Dalí y Jaleo.
4. —¿? / ser / dirección electrónica —Mi dirección electrónica es paco@email.com.

5 **¿Dónde me siento?** Completa la conversación con los pronombres apropiados. 14 pts.

JUAN A ver, te voy a decir dónde te vas a sentar. Manuel, ¿ves esa silla? Es para __________. Y esa otra silla es para tu hermana, que todavía no está aquí.

MANUEL Muy bien, yo la reservo para __________.

HUGO ¿Y esta silla es para __________?

JUAN No, Hugo. No es para __________. Es para Carmina, que viene con Julio.

HUGO No, Carmina y Julio no pueden venir. Hablé con __________ y me avisaron.

JUAN Pues ellos se lo pierden (*it's their loss*). ¡Más comida para __________ (*us*)!

CAMARERO Aquí tienen el menú. Les doy un minuto y enseguida estoy con __________.

6 **Cumpleaños feliz** Escribe cinco oraciones que describan cómo celebraste tu último cumpleaños. Usa el pretérito y los pronombres que aprendiste en esta lección. 28 pts.

7 **Adivinanza** Completa la adivinanza con la palabra que falta y adivina la respuesta. ¡4 puntos EXTRA!

“Sólo una vez al año
tú celebras ese día,
y conmemoras° la fecha
en que llegaste a la vida.
¿__________ es?”

(El __________)

conmemoras *commemorate*

Objetivo comunicativo: Usar familias de palabras para ayudarme a comprender una lectura

Lectura

Antes de leer

Estrategia

Recognizing word families

Recognizing root words can help you guess the meaning of words in context, ensuring better comprehension of a reading selection. Using this strategy will enrich your Spanish vocabulary as you will see below.

Examinar el texto

Familiarízate con el texto usando las estrategias de lectura más efectivas para ti. ¿Qué tipo de documento es? ¿De qué tratan° las cuatro secciones del documento? Explica tus respuestas.

Raíces°

Completa el siguiente cuadro° para ampliar tu vocabulario. Usa palabras de la lectura de esta lección y vocabulario de las lecciones anteriores. ¿Qué significan las palabras que escribiste en el cuadro?

Verbo	Sustantivos	Otras formas
1. agradecer *to thank, to be grateful for*	*agradecimiento/ gracias* *gratitude/thanks*	*agradecido* *grateful, thankful*
2. estudiar	________	________
3. ________	________	celebrado
4. ________	baile	________
5. bautizar	________	________

¿De qué tratan...? *What are... about?* Raíces *Roots* cuadro *chart*

EL INFORMANTE

Actualidad | Opinión | Vida social | Entretenimiento

Matrimonio

Espinoza Álvarez- Reyes Salazar

El día sábado 17 de junio a las 19 horas, se celebró el matrimonio de Silvia Reyes y Carlos Espinoza en la catedral de Santiago. La ceremonia fue oficiada por el pastor Federico Salas y participaron los padres de los novios, el señor Jorge Espinoza y señora y el señor José Alfredo Reyes y señora. Después de la ceremonia, los padres de los recién casados ofrecieron una fiesta bailable en el restaurante La Misión.

Bautismo

José María recibió el bautismo el 26 de junio.

Sus padres, don Roberto Lagos Moreno y doña María Angélica Sánchez, compartieron la alegría de la fiesta con todos sus parientes y amigos. La ceremonia religiosa tuvo lugar° en la catedral de Aguas Blancas. Después de la ceremonia, padres, parientes y amigos celebraron una fiesta en la residencia de la familia Lagos.

Lunes, 30 de junio de 2018

Tecnología | Deportes | Economía

Fiesta de quince años Señorita Ana Ester

El doctor don Amador Larenas Fernández y la señora Felisa Vera de Larenas celebraron los quince años de su hija Ana Ester junto a sus parientes y amigos. La quinceañera reside en la ciudad de Valparaíso y es estudiante del Colegio Francés. La fiesta de presentación en sociedad de la señorita Ana Ester fue el día viernes 2 de junio a las 19 horas en el Club Español. Entre los invitados especiales asistieron el alcalde° de la ciudad, don Pedro Castedo, y su esposa. La música estuvo a cargo de la Orquesta Americana. ¡Feliz cumpleaños, le deseamos a la señorita Ana Ester en su fiesta bailable!

Expresión de gracias Carmen Godoy Tapia

Agradecemos° sinceramente a todas las personas que nos acompañaron en el último adiós a nuestra apreciada esposa, madre, abuela y tía, la señora Carmen Godoy Tapia. El funeral tuvo lugar el día 28 de junio en la ciudad de Viña del Mar. La vida de Carmen Godoy fue un ejemplo de trabajo, amistad, alegría y amor para todos nosotros. Su esposo, hijos y familia agradecen de todo corazón° su asistencia° al funeral a todos los parientes y amigos.

tuvo lugar *took place* **alcalde** *mayor* **agradecemos** *we thank* **de todo corazón** *deeply* **asistencia** *attendance*

Después de leer

Corregir

Escribe estos comentarios otra vez para corregir la información errónea.

1. El alcalde y su esposa asistieron a la boda de Silvia y Carlos.
2. Todos los anuncios (*announcements*) describen eventos felices.
3. Felisa Vera de Larenas cumple quince años.
4. Roberto Lagos y María Angélica Sánchez son hermanos.
5. Carmen Godoy Tapia les dio las gracias a las personas que asistieron al funeral.

Identificar

Escribe los nombres de la(s) persona(s) descrita(s) (*described*).

1. Dejó viudo a su esposo el 28 de junio.
2. Sus padres y todos los invitados brindaron por él, pero él no entendió por qué.
3. El Club Español les presentó una cuenta considerable.
4. Unió a los novios en santo matrimonio.
5. Su fiesta de cumpleaños se celebró en Valparaíso.

Un anuncio

Trabajen en grupos pequeños para inventar un anuncio breve sobre una celebración importante. Puede ser una graduación, un cumpleaños o una gran fiesta en la que ustedes participan. Incluyan la siguiente información.

1. nombres de los participantes
2. la fecha, la hora y el lugar
3. qué se celebra
4. otros detalles de interés

PUEDO leer un texto apoyándome en familias de palabras.

Escritura

Estrategia

Planning and writing a comparative analysis

Writing any kind of comparative analysis requires careful planning. Venn diagrams are useful for organizing your ideas visually before comparing and contrasting people, places, objects, events, or issues. To create a Venn diagram, draw two circles that overlap one another and label the top of each circle. List the differences between the two elements in the outer rings of the two circles, then list their similarities where the two circles overlap. Review the following example.

Diferencias y similitudes

Boda de Silvia Reyes y Carlos Espinoza		Fiesta de quince años de Ana Ester Larenas Vera
Diferencias:	**Similitudes:**	**Diferencias:**
1. Primero hay una celebración religiosa.	1. Las dos fiestas se celebran por la noche.	1. Se celebra en un club.
2. Se celebra en un restaurante.	2. Las dos fiestas son bailables.	2. Vienen invitados especiales.

La lista de palabras y expresiones a la derecha puede ayudarte a escribir este tipo de ensayo (*essay*).

PUEDO escribir una composición en la que compare dos celebraciones distintas.

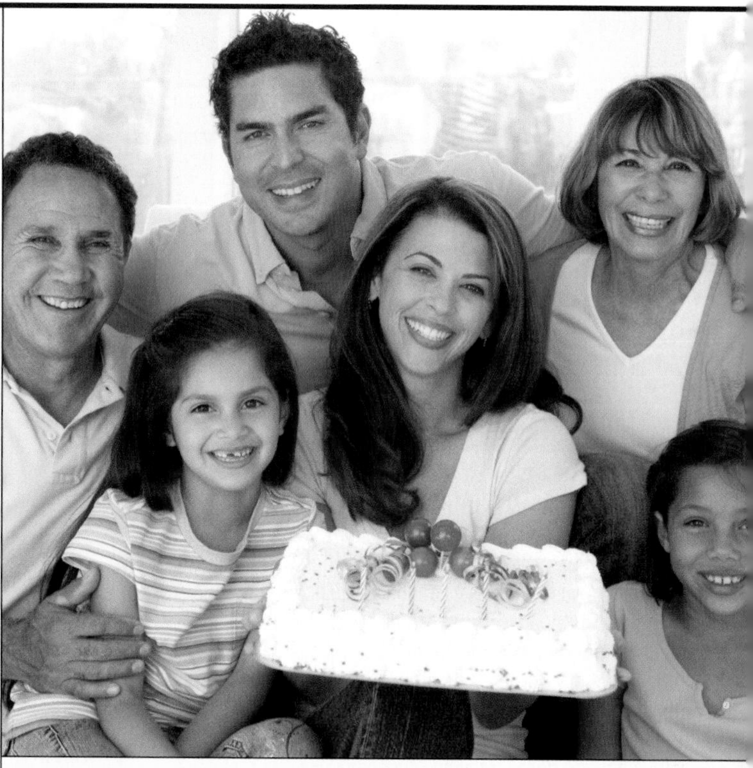

Tema

Escribir una composición

Compara una celebración familiar (como una boda, una fiesta de cumpleaños o una graduación) a la que tú asististe recientemente con otro tipo de celebración. Utiliza palabras y expresiones de esta lista.

Para expresar similitudes

además; también	*in addition; also*
al igual que	*the same as*
como	*as; like*
de la misma manera	*in the same manner (way)*
del mismo modo	*in the same manner (way)*
tan + [*adjetivo*] + como	*as* + [adjective] + *as*
tanto/a(s) + [*sustantivo*] + como	*as many/much* + [noun] + *as*

Para expresar diferencias

a diferencia de	*unlike*
a pesar de	*in spite of*
aunque	*although*
en cambio	*on the other hand*
más/menos... que	*more/less . . . than*
no obstante	*nevertheless; however*
por otro lado	*on the other hand*
por el contrario	*on the contrary*
sin embargo	*nevertheless; however*

Escuchar

Estrategia

Guessing the meaning of words through context

When you hear an unfamiliar word, you can often guess its meaning by listening to the words and phrases around it.

To practice this strategy, you will now listen to a paragraph. Jot down the unfamiliar words that you hear. Then listen to the paragraph again and jot down the word or words that give the most useful clues to the meaning of each unfamiliar word.

Margarita Robles de García
y Roberto García Olmos

Piden su presencia en la celebración
del décimo aniversario de bodas
el día 13 de marzo
con una misa en la Iglesia Virgen del Coromoto
a las 6:30

seguida por cena y baile
en el restaurante El Campanero,
Calle Principal, Las Mercedes
a las 8:30

Preparación

Lee la invitación. ¿De qué crees que van a hablar Rosa y Josefina?

Ahora escucha

Ahora escucha la conversación entre Josefina y Rosa. Cuando oigas una de las palabras de la columna A, usa el contexto para identificar el sinónimo o la definición en la columna B.

A	B
____ festejar	a. conmemoración religiosa de una muerte
____ dicha	b. tolera
____ bien parecido	c. suerte
____ finge (fingir)	d. celebrar
____ soporta (soportar)	e. me divertí
____ yo lo disfruté (disfrutar)	f. horror
	g. crea una ficción
	h. guapo

PUEDO inferir el vocabulario en una conversación para ayudarme a comprenderla.

Comprensión

¿Cierto o falso?

Lee cada oración e indica si lo que dice es **cierto** o **falso.** Corrige las oraciones falsas.

1. No invitaron a mucha gente a la fiesta de Margarita y Roberto porque ellos no conocen a muchas personas.
2. Algunos fueron a la fiesta con pareja y otros fueron sin compañero/a.
3. Margarita y Roberto decidieron celebrar el décimo aniversario porque no hicieron una fiesta el día de su boda.
4. Rafael les parece interesante a Rosa y a Josefina.
5. Josefina se divirtió mucho en la fiesta porque bailó toda la noche con Rafael.

Preguntas

Responde a estas preguntas con oraciones completas.

1. ¿Son solteras Rosa y Josefina? ¿Cómo lo sabes?
2. ¿Tienen las chicas una amistad de mucho tiempo con la pareja que celebra su aniversario? ¿Cómo lo sabes?

La Guelaguetza en Oaxaca

La fiesta étnica y folclórica más importante de todo el continente: ¡la Guelaguetza!

Preparación

Contesta las siguientes preguntas y después comparte las respuestas con un grupo de compañeros/as.

1. ¿Cuál es la fiesta popular más importante de tu comunidad? ¿Cómo se celebra?
2. ¿Cuál es la fiesta popular que más recuerdas? ¿Qué fue lo que más te llamó la atención?
3. ¿Por qué es importante mantener vivas las celebraciones folclóricas?

Las fiestas populares y folclóricas son muy importantes para la cultura y la identidad de los países hispanoamericanos. En toda la región, fiestas como las Fallas de Valencia (España), el Carnaval de Barranquilla (Colombia) o el Carnaval de Oruro (Bolivia), ocupan momentos centrales de la vida de las comunidades. En este video, un par de *Youtubers* mexicanos, Jose y Rubi, describen una colorida y animada fiesta que se celebra en Oaxaca (México) cada año durante el mes de julio. Música, gastronomía, bailes y desfiles hacen parte de esta importante celebración que resalta la herencia cultural oaxaqueña.

Vocabulario útil

artesanía	*crafts*
desfile	*parade*
diosa	*goddess*
folclórico	*folk*
herencia	*heritage*
mezcla	*mix*
ofrenda	*offering*
vestimenta	*clothing*

Comprensión

Responde a las preguntas con base en el video.

1. ¿En qué mes se celebra la Guelaguetza?
2. ¿Cuántas regiones tiene el estado de Oaxaca?
3. ¿Cuál es el espectáculo principal de esta celebración?
4. ¿Qué significa la palabra *guelaguetza*?
5. La celebración es una mezcla de dos tradiciones. ¿Cuáles son?

Conversación

Discute estas preguntas con un(a) compañero/a.

¿En tu país existen fiestas similares a la Guelaguetza? ¿Cómo se celebran? ¿Qué es lo que más te llama la atención de la Guelaguetza? ¿Por qué?

Aplicación

En grupos pequeños, graben (*record*) un video de dos o tres minutos sobre una fiesta o evento importante en la vida de sus familias o su comunidad. Incluyan imágenes en su presentación y describan estos aspectos: cuándo y dónde se celebra, quiénes la celebran, los elementos que identifican esta celebración y la diferencian de otras, los alimentos, la música y la vestimenta que forman parte del evento. Suban (*Upload*) el video en línea y compártanlo con compañeros de su escuela y con personas de otras comunidades.

PUEDO describir oralmente los detalles de una celebración popular.

Las fiestas

1 **Los cabezudos son una tradición [...] de España.**

2 **Hay mucha gente y mucho arte.**

3 **Es una fiesta de pueblo... una tradición. Vengo todos los años.**

Preparación

¿Cuáles son algunas fiestas que se celebran en los países del mundo hispano? ¿Cuáles son algunos aspectos que tienen en común muchas de estas fiestas? ¿Cuáles se celebran también en tu familia o comunidad?

Navidad y Reyes Magos

El Día de los Reyes Magos* es una celebración muy popular en muchos países hispanos. No sólo es el día en que los reyes les traen regalos a los niños, sino además una fiesta llena° de tradiciones. La tarde del 5 de enero, en muchas ciudades como Barcelona, España, se hace un desfile° en que los reyes regalan dulces a los niños y reciben sus cartas con peticiones. Esa noche, antes de irse a dormir, los niños deben dejar° un zapato junto a la ventana y un bocado° para los reyes. En Puerto Rico, por ejemplo, los niños ponen una caja con hierba° bajo su cama para alimentar a los camellos° de los reyes.

Vocabulario útil

los artesanos	*artisans*
los carteles	*posters*
la clausura	*closing ceremony or event*
la parranda	*group of people out for fun*
la procesión	*religious procession*
los santos de palo	*wooden figures of saints*

llena *full* desfile *parade* dejar *leave* bocado *snack* hierba *grass* alimentar los camellos *feed the camels*

Conversación

Responde a estas preguntas y coméntalas con un(a) compañero/a.

1. ¿Qué aspectos de la fiesta descrita en este episodio te gustan más? ¿Por qué?
2. ¿Qué fiestas se celebran cada año en tu país? ¿Qué diferencias encuentras con la forma como se celebra la Navidad en Puerto Rico?
3. ¿Qué fiestas de tu comunidad o tu país se celebran en la calle? ¿Cómo son?
4. ¿Qué puedes decir sobre la cultura puertorriqueña después de ver el video?

Aplicación

En parejas, seleccionen una calle importante o popular de su comunidad y preparen un cartel para anunciar una fiesta callejera que van a celebrar allí. ¿Cómo se llama la fiesta? ¿En honor a quién o a qué se celebra? ¿Qué día es? ¿Qué actividades y comida hay? incluyan imágenes de cómo va a ser la fiesta. Presenten su cartel a la clase y entre todos decidan qué fiesta les interesa más y por qué.

PUEDO hacer un cartel para anunciar una fiesta popular en mi comunidad.

Objetivo comunicativo: Identificar aspectos de la geografía y la cultura de Chile

Chile

Bandera de Chile

El país en cifras

- **Área:** 756.950 km² (292.259 millas²), *dos veces el área de Montana*
- **Población:** 17.789.000

Aproximadamente el 85 por ciento de la población del país es urbana.

- **Capital:** Santiago de Chile—6.507.000
- **Ciudades principales:** Valparaíso, Concepción, Viña del Mar, Temuco
- **Moneda:** peso chileno
- **Idiomas:** español (oficial), mapuche

PERÚ

BOLIVIA

Pampa del Tamarugal

Cordillera de los Andes

La costa de Viña del Mar

Edificio antiguo en Santiago

Viña del Mar

Valparaíso

Santiago

ARGENTINA

Concepción

Océano Pacífico

Temuco

El puerto de Valparaíso

Una celebración en Temuco

Lago Buenos Aires

Punta Arenas

Océano Atlántico

Isla Grande de Tierra del Fuego

Estrecho de Magallanes

Torres del Paine

Lugares • La isla de Pascua

La isla de Pascua° recibió ese nombre porque los exploradores holandeses° llegaron a la isla por primera vez el día de Pascua de 1722. Ahora es parte del territorio de Chile. La isla de Pascua es famosa por los *moái*, estatuas enormes que representan personas con rasgos° muy exagerados. Estas estatuas las construyeron los *rapa nui*, los antiguos habitantes de la zona. Todavía no se sabe mucho sobre los *rapa nui*, ni tampoco se sabe por qué decidieron abandonar la isla.

Economía • La industria del vino

La producción de vino comenzó en Chile en el siglo° XVI. Ahora la industria del vino constituye una parte importante de la actividad agrícola del país y la exportación de sus productos está aumentando° cada vez más. Los vinos chilenos son muy apreciados internacionalmente por su gran variedad, su calidad y su precio moderado. Los más conocidos son los vinos de Aconcagua y del valle del Maipo.

Deportes • Los deportes de invierno

Hay muchos lugares para practicar deportes de invierno en Chile porque las montañas nevadas de los Andes ocupan gran parte del país. El Parque Nacional Villarrica, por ejemplo, situado al pie de un volcán y junto a° un lago, es un sitio popular para el esquí y el *snowboard*. Para los que prefieren deportes más extremos, el centro de esquí Valle Nevado organiza excursiones para practicar heliesquí.

Ciencias • Astronomía

Los observatorios chilenos, situados en los Andes, son lugares excelentes para las observaciones astronómicas. Científicos° de todo el mundo van a Chile para estudiar las estrellas° y otros cuerpos celestes°.

Hoy día Chile está construyendo nuevos observatorios y telescopios para mejorar las imágenes del universo.

La isla de Pascua *Easter Island* holandeses *Dutch* rasgos *features* junto a *beside* siglo *century* aumentando *increasing* Científicos *Scientists* estrellas *stars* cuerpos celestes *celestial bodies*

CON RITMO HISPANO

Ana Tijoux (1977–)

Ciudad de nacimiento: Lille, Francia

Ana Tijoux, hija de la socióloga chilena María Emilia Tijoux, es una de las raperas más importantes de América Latina. Desde 1997 hasta 2006 formó parte de la banda de rap Makiza.

Go to ***vhlcentral.com*** *to find out more about* ***Ana Tijoux.***

¿Qué aprendiste?

1 **Responder** Responde a cada pregunta con una oración completa.

1. ¿Qué porcentaje (*percentage*) de la población chilena es urbana?
2. ¿Qué son los moái? ¿Dónde están?
3. ¿Qué deporte extremo ofrece el centro de esquí Valle Nevado?
4. ¿Por qué van a Chile científicos de todo el mundo?
5. ¿Cuándo comenzó la producción de vino en Chile?
6. ¿Por qué la isla de Pascua tiene ese nombre?
7. ¿Qué cordillera ocupa gran parte del territorio chileno?

2 **Conversación** Contesta las siguientes preguntas con un(a) compañero/a.

1. Según el mapa y las fotos de *Panorama*, ¿cómo puedes describir a Chile?
2. ¿Crees que Chile es una potencia en la investigación astronómica? ¿Por qué?
3. Si vas de vacaciones a Chile, ¿qué lugares te gustaría visitar y por qué?

3 **Ensayo** Escribe un ensayo de 12 oraciones o más para contestar esta pregunta:

¿Qué aspectos de Chile te interesan más y por qué te gustaría visitar este país?

Contesta citando (*citing*) evidencia de la lectura de Panorama, así como las cifras, categorías e imágenes de la lectura y los videos. Escribe con tus propias palabras en vez de (*instead of*) copiar directamente del texto.

Usa algunas de estas expresiones para organizar bien tus ideas con las categorías de la información presentada:

para comenzar (*to begin*)	también
primero / segundo / tercero	además (*besides*)
en mi opinión	en conclusión/para concluir

Utiliza la siguiente estructura para organizar tu ensayo:

- un párrafo de introducción con tu tesis
- 2-3 párrafos con datos sobre el país, explicando por qué te interesan y utilizando detalles y evidencia de *Panorama*
- un párrafo para resumir (*summarize*) y presentar tu conclusión

ENTRE CULTURAS

Investiga estos temas en vhlcentral.com.

1. **Busca información sobre Pablo Neruda e Isabel Allende. ¿Dónde y cuándo nacieron? ¿Cuáles son algunas de sus obras (*works*)? ¿Cuáles son algunos de los temas de sus obras?**
2. **Busca información sobre sitios donde los chilenos y los turistas practican deportes de invierno en Chile. Selecciona un sitio y descríbeselo a tu clase.**

PUEDO leer textos informativos para conocer datos sobre la cultura y geografía de Chile.

PUEDO escribir un ensayo sobre los aspectos que más me llaman la atención de Chile.

Las celebraciones

el aniversario (de bodas)	*(wedding) anniversary*
la boda	*wedding*
el cumpleaños	*birthday*
el día de fiesta	*holiday*
la fiesta	*party*
el/la invitado/a	*guest*
la Navidad	*Christmas*
la quinceañera	*young woman celebrating her fifteenth birthday*
la sorpresa	*surprise*
brindar	*to toast (drink)*
celebrar	*to celebrate*
divertirse (e:ie)	*to have fun*
invitar	*to invite*
pasarlo bien/mal	*to have a good/bad time*
regalar	*to give (a gift)*
reírse (e:i)	*to laugh*
relajarse	*to relax*
sonreír (e:i)	*to smile*
sorprender	*to surprise*

Los postres y otras comidas

la botella	*bottle*
el champán	*champagne*
los dulces	*sweets; candy*
el flan (de caramelo)	*baked (caramel) custard*
la galleta	*cookie*
el pastel (de chocolate)	*(chocolate) cake; pie*

Las relaciones personales

la amistad	*friendship*
el amor	*love*
el divorcio	*divorce*
el estado civil	*marital status*
el matrimonio	*marriage*
la pareja	*(married) couple; partner*
el/la recién casado/a	*newlywed*
casarse (con)	*to get married (to)*
comprometerse (con)	*to get engaged (to)*
divorciarse (de)	*to get divorced (from)*
enamorarse (de)	*to fall in love (with)*
llevarse bien/mal (con)	*to get along well/badly (with)*
odiar	*to hate*
romper (con)	*to break up (with)*
salir (con)	*to go out (with); to date*
separarse (de)	*to separate (from)*
tener una cita	*to have a date; to have an appointment*
casado/a	*married*
divorciado/a	*divorced*
juntos/as	*together*
separado/a	*separated*
soltero/a	*single*
viudo/a	*widower/widow*

Las etapas de la vida

la adolescencia	*adolescence*
la edad	*age*
el estado civil	*marital status*
las etapas de la vida	*the stages of life*
la juventud	*youth*
la madurez	*maturity; middle age*
la muerte	*death*
el nacimiento	*birth*
la niñez	*childhood*
la vejez	*old age*
cambiar (de)	*to change*
graduarse (de/en)	*to graduate (from/in)*
jubilarse	*to retire (from work)*
nacer	*to be born*

Palabras adicionales

la alegría	*happiness*
el beso	*kiss*
conmigo	*with me*
contigo	*with you*

Expresiones útiles	*See page 347.*

Consulta

Glossary of Grammatical Terms

ADJECTIVE A word that modifies, or describes, a noun or pronoun.

muchos libros ***many*** *books*	un hombre **rico** *a* ***rich*** *man*
las mujeres **altas** *the* ***tall*** *women*	

Demonstrative adjective An adjective that specifies which noun a speaker is referring to.

esta fiesta ***this*** *party*	**ese** chico ***that*** *boy*
aquellas flores ***those*** *flowers*	

Possessive adjective An adjective that indicates ownership or possession.

mi mejor vestido ***my*** *best dress*	Éste es **mi** hermano. *This is* ***my*** *brother.*

Stressed possessive adjective A possessive adjective that emphasizes the owner or possessor.

Es un libro **mío**.
It's ***my*** ***book.****/It's a book* ***of mine.***

Es amiga **tuya**; yo no la conozco.
She's a friend ***of yours****; I don't know her.*

ADVERB A word that modifies, or describes, a verb, adjective, or other adverb.

Pancho escribe **rápidamente**.
Pancho writes ***quickly.***

Este cuadro es **muy** bonito.
This picture is ***very*** *pretty.*

ARTICLE A word that points out a noun in either a specific or a non-specific way.

Definite article An article that points out a noun in a specific way.

el libro ***the*** *book*	**la** maleta ***the*** *suitcase*
los diccionarios ***the*** *dictionaries*	**las** palabras ***the*** *words*

Indefinite article An article that points out a noun in a general, non-specific way.

un lápiz ***a*** *pencil*	**una** computadora ***a*** *computer*
unos pájaros ***some*** *birds*	**unas** escuelas ***some*** *schools*

CLAUSE A group of words that contains both a conjugated verb and a subject, either expressed or implied.

Main (or Independent) clause A clause that can stand alone as a complete sentence.

Pienso ir a cenar pronto.
I plan to go to dinner soon.

Subordinate (or Dependent) clause A clause that does not express a complete thought and therefore cannot stand alone as a sentence.

Trabajo en la cafetería **porque necesito dinero para la escuela.**
I work in the cafeteria ***because I need money for school.***

COMPARATIVE A construction used with an adjective or adverb to express a comparison between two people, places, or things.

Este programa es **más interesante que** el otro.
This program is ***more interesting than*** *the other one.*

Tomás no es **tan alto como** Alberto.
Tomás is not ***as tall as*** *Alberto.*

CONJUGATION A set of the forms of a verb for a specific tense or mood or the process by which these verb forms are presented.

Preterite conjugation of **cantar:**

cant**é**	cant**amos**
cant**aste**	cant**asteis**
cant**ó**	cant**aron**

CONJUNCTION A word used to connect words, clauses, or phrases.

Susana es de Cuba **y** Pedro es de España.
Susana is from Cuba ***and*** *Pedro is from Spain.*

No quiero estudiar **pero** tengo que hacerlo.
I don't want to study, ***but*** *I have to.*

CONTRACTION The joining of two words into one. The only contractions in Spanish are **al** and **del**.

Mi hermano fue **al** concierto ayer.
*My brother went **to the** concert yesterday.*

Saqué dinero **del** banco.
*I took money **from the** bank.*

DIRECT OBJECT A noun or pronoun that directly receives the action of the verb.

Tomás lee **el libro**. — *Tomás reads **the book**.*
La pagó ayer. — *She paid **it** yesterday.*

GENDER The grammatical categorizing of certain kinds of words, such as nouns and pronouns, as masculine, feminine, or neuter.

Masculine
articles **el, un**
pronouns **él, lo, mío, éste, ése, aquél**
adjective **simpático**

Feminine
articles **la, una**
pronouns **ella, la, mía, ésta, ésa, aquélla**
adjective **simpática**

IMPERSONAL EXPRESSION A third-person expression with no expressed or specific subject.

Es muy importante. — *It's very important.*
Llueve mucho. — *It's raining hard.*

Aquí **se habla** español.
*Spanish **is spoken** here.*

INDIRECT OBJECT A noun or pronoun that receives the action of the verb indirectly; the object, often a living being, to or for whom an action is performed.

Eduardo **le** dio un libro **a Linda**.
*Eduardo gave a book **to Linda**.*

La profesora **me** puso una C en el examen.
*The professor gave **me** a C on the test.*

INFINITIVE The basic form of a verb. Infinitives in Spanish end in **-ar**, **-er**, or **-ir**.

hablar — *to speak*
correr — *to run*
abrir — *to open*

INTERROGATIVE An adjective or pronoun used to ask a question.

¿**Quién** habla? — ***Who** is speaking?*
¿**Cuántos** compraste? — ***How many** did you buy?*

¿**Qué** piensas hacer hoy?
***What** do you plan to do today?*

INVERSION Changing the word order of a sentence, often to form a question.

Statement: Elena pagó la cuenta del restaurante.

Inversion: ¿Pagó Elena la cuenta del restaurante?

MOOD A grammatical distinction of verbs that indicates whether the verb is intended to make a statement or command or to express a doubt, emotion, or condition contrary to fact.

Imperative mood Verb forms used to make commands.

Di la verdad. — ***Tell** the truth.*
Caminen ustedes conmigo. — ***Walk** with me.*

¡**Comamos** ahora!
***Let's eat** now!*

Indicative mood Verb forms used to state facts, actions, and states considered to be real.

Sé que **tienes** el dinero.
*I know that **you have** the money.*

Subjunctive mood Verb forms used principally in subordinate (dependent) clauses to express wishes, desires, emotions, doubts, and certain conditions, such as contrary-to-fact situations.

Prefieren que **hables** en español.
*They prefer that **you speak** in Spanish.*

Dudo que Luis **tenga** el dinero necesario.
*I doubt that Luis **has** the necessary money.*

NOUN A word that identifies people, animals, places, things, and ideas.

hombre — *man*
gato — *cat*
México — *Mexico*
casa — *house*
libertad — *freedom*
libro — *book*

NUMBER A grammatical term that refers to singular or plural. Nouns in Spanish and English have number. Other parts of a sentence, such as adjectives, articles, and verbs, can also have number.

Singular	Plural
una cosa *a thing*	**unas** cosas *some things*
el profesor *the professor*	**los** profesores *the professors*

NUMBERS Words that represent amounts.

Cardinal numbers Words that show specific amounts.

cinco minutos
five minutes

el año **dos mil veintitrés**
the year 2023

Ordinal numbers Words that indicate the order of a noun in a series.

el **cuarto** jugador *the **fourth** player*	la **décima** hora *the **tenth** hour*

PAST PARTICIPLE A past form of the verb used in compound tenses. The past participle may also be used as an adjective, but it must then agree in number and gender with the word it modifies.

Han **buscado** por todas partes.
*They have **searched** everywhere.*

Yo no había **estudiado** para el examen.
*I hadn't **studied** for the exam.*

Hay una **ventana abierta** en la sala.
*There is an **open window** in the living room.*

PERSON The form of the verb or pronoun that indicates the speaker, the one spoken to, or the one spoken about. In Spanish, as in English, there are three persons: first, second, and third.

Person	Singular	Plural
1st	**yo** *I*	**nosotros/as** *we*
2nd	**tú, Ud.** *you*	**vosotros/as, Uds.** *you*
3rd	**él, ella** *he, she*	**ellos, ellas** *they*

PREPOSITION A word or words that describe(s) the relationship, most often in time or space, between two other words.

Anita es **de** California.
*Anita is **from** California.*

La chaqueta está **en** el carro.
*The jacket is **in** the car.*

Marta se peinó **antes de** salir.
*Marta combed her hair **before** going out.*

PRESENT PARTICIPLE In English, a verb form that ends in *-ing*. In Spanish, the present participle ends in **-ndo**, and is often used with **estar** to form a progressive tense.

Mi hermana está **hablando** por teléfono ahora mismo.
*My sister is **talking** on the phone right now.*

PRONOUN A word that takes the place of a noun or nouns.

Demonstrative pronoun A pronoun that takes the place of a specific noun.

Quiero **ésta**.
*I want **this one**.*

¿Vas a comprar **ése**?
*Are you going to buy **that one**?*

Juan prefirió **aquéllos**.
*Juan preferred **those** (over there).*

Object pronoun A pronoun that functions as a direct or indirect object of the verb.

Te digo la verdad.
*I'm telling **you** the truth.*

Me lo trajo Juan.
*Juan brought **it** to **me**.*

Reflexive pronoun A pronoun that indicates that the action of a verb is performed by the subject on itself. These pronouns are often expressed in English with *-self: myself, yourself*, etc.

Yo **me bañé** antes de salir.
***I bathed (myself)** before going out.*

Elena **se acostó** a las once y media.
*Elena **went to bed** at eleven-thirty.*

Relative pronoun A pronoun that connects a subordinate clause to a main clause.

El chico **que** nos escribió viene a visitar mañana.
*The boy **who** wrote us is coming to visit tomorrow.*

Ya sé **lo que** tenemos que hacer.
*I already know **what** we have to do.*

Subject pronoun A pronoun that replaces the name or title of a person or thing, and acts as the subject of a verb.

Tú debes estudiar más.
***You** should study more.*

Él llegó primero.
***He** arrived first.*

SUBJECT A noun or pronoun that performs the action of a verb and is often implied by the verb.

María va al supermercado.
***María** goes to the supermarket.*

(**Ellos**) Trabajan mucho.
***They** work hard.*

Esos **libros** son muy caros.
*Those **books** are very expensive.*

SUPERLATIVE A word or construction used with an adjective or adverb to express the highest or lowest degree of a specific quality among three or more people, places, or things.

De todas mis clases, ésta es la **más interesante**.
*Of all my classes, this is the **most interesting**.*

Raúl es el **menos simpático** de los chicos.
*Raúl is the **least pleasant** of the boys.*

TENSE A set of verb forms that indicates the time of an action or state: past, present, or future.

Compound tense A two-word tense made up of an auxiliary verb and a present or past participle. In Spanish, there are two auxiliary verbs: **estar** and **haber**.

En este momento, **estoy estudiando**.
*At this time, **I am studying**.*

El paquete no **ha llegado** todavía.
*The package **has** not **arrived** yet.*

Simple tense A tense expressed by a single verb form.

María **estaba** enferma anoche.
*María **was** sick last night.*

Juana **hablará** con su mamá mañana.
*Juana **will speak** with her mom tomorrow.*

VERB A word that expresses actions or states-of-being.

Auxiliary verb A verb used with a present or past participle to form a compound tense. **Haber** is the most commonly used auxiliary verb in Spanish.

Los chicos **han** visto los elefantes.
*The children **have** seen the elephants.*

Espero que **hayas** comido.
*I hope you **have** eaten.*

Reflexive verb A verb that describes an action performed by the subject on itself and is always used with a reflexive pronoun.

Me compré un carro nuevo.
*I **bought myself** a new car.*

Pedro y Adela **se levantan** muy temprano.
*Pedro and Adela **get (themselves) up** very early.*

Spelling-change verb A verb that undergoes a predictable change in spelling, in order to reflect its actual pronunciation in the various conjugations.

practicar	c→qu	practico	practi**qu**é
dirigir	g→j	dirigí	diri**j**o
almorzar	z→c	almorzó	almor**c**é

Stem-changing verb A verb whose stem vowel undergoes one or more predictable changes in the various conjugations.

entender (i:ie)	ent**ie**ndo
pedir (e:i)	p**i**den
dormir (o:ue, u)	d**ue**rmo, d**u**rmieron

Verb Conjugation Tables

The verb lists

The list of verbs below and the model verb tables that start on page 381 show you how to conjugate every verb taught in **DESCUBRE**. Each verb in the list is followed by a model verb conjugated according to the same pattern. The number in parentheses indicates where in the verb tables you can find the conjugated forms of the model verb. If you want to find out how to conjugate **divertirse**, for example, look up number 33, **sentir**, the model for verbs that follow the e:ie stem-change pattern.

How to use the verb tables

In the tables you will find the infinitive, present and past participles, and all the simple forms of each model verb. The formation of the compound tenses of any verb can be inferred from the table of compound tenses, pages 381–382, either by combining the past participle of the verb with a conjugated form of **haber** or by combining the present participle with a conjugated form of **estar**.

abrazar (z:c) like cruzar (37)
abrir like vivir (3) *except* past participle is abierto
aburrir(se) like vivir (3)
acabar de like hablar (1)
acampar like hablar (1)
acompañar like hablar (1)
aconsejar like hablar (1)
acordarse (o:ue) like contar (24)
acostarse (o:ue) like contar (24)
adelgazar (z:c) like cruzar (37)
afeitarse like hablar (1)
ahorrar like hablar (1)
alegrarse like hablar (1)
aliviar like hablar (1)
almorzar (o:ue) like contar (24) *except* (z:c)
alquilar like hablar (1)
andar like hablar (1) *except* preterite stem is anduv-
anunciar like hablar (1)
apagar (g:gu) like llegar (41)
aplaudir like vivir (3)
apreciar like hablar (1)
aprender like comer (2)
apurarse like hablar (1)
arrancar (c:qu) like tocar (43)
arreglar like hablar (1)
asistir like vivir (3)
aumentar like hablar (1)
ayudar(se) like hablar (1)
bailar like hablar (1)
bajar(se) like hablar (1)
bañarse like hablar (1)
barrer like comer (2)
beber like comer (2)
besar(se) like hablar (1)
borrar like hablar (1)
brindar like hablar (1)
bucear like hablar (1)
buscar (c:qu) like tocar (43)
caber (4)
caer(se) (5)
calentarse (e:ie) like pensar (30)
calzar (z:c) like cruzar (37)
cambiar like hablar (1)
caminar like hablar (1)
cantar like hablar (1)
casarse like hablar (1)
cazar (z:c) like cruzar (37)
celebrar like hablar (1)
cenar like hablar (1)
cepillarse like hablar (1)
cerrar (e:ie) like pensar (30)
cobrar like hablar (1)
cocinar like hablar (1)
comenzar (e:ie) (z:c) like empezar (26)
comer (2)
compartir like vivir (3)
comprar like hablar (1)
comprender like comer (2)
comprometerse like comer (2)
comunicarse (c:qu) like tocar (43)
conducir (c:zc) (6)
confirmar like hablar (1)
conocer (c:zc) (35)
conseguir (e:i) (gu:g) like seguir (32)
conservar like hablar (1)
consumir like vivir (3)
contaminar like hablar (1)
contar (o:ue) (24)
contestar like hablar (1))
contratar like hablar (1)
controlar like hablar (1)
conversar like hablar (1)
correr like comer (2)
costar (o:ue) like contar (24)
creer (y) (36)
cruzar (z:c) (37)
cuidar like hablar (1)
cumplir like vivir (3)
dañar like hablar (1)
dar (7)
deber like comer (2)
decidir like vivir (3)
decir (e:i) (8)
declarar like hablar (1)
dejar like hablar (1)
depositar like hablar (1)
desarrollar like hablar (1)
desayunar like hablar (1)
descansar like hablar (1)
descargar (g:gu) like llegar (41)
describir like vivir (3) *except* past participle is descrito
descubrir like vivir (3) *except* past participle is descubierto
desear like hablar (1)
despedirse (e:i) like pedir (29)
despertarse (e:ie) like pensar (30)
destruir (y) (38)
dibujar like hablar (1)
dirigir like vivir (3) *except* (g:j)
disfrutar like hablar (1)
divertirse (e:ie) like sentir (33)
divorciarse like hablar (1)
doblar like hablar (1)
doler (o:ue) like volver (34) *except* past participle is regular
dormir(se) (o:ue) (25)
ducharse like hablar (1)
dudar like hablar (1)
durar like hablar (1)
echar like hablar (1)
elegir (e:i) like pedir (29) *except* (g:j)
emitir like vivir (3)
empezar (e:ie) (z:c) (26)

enamorarse like hablar (1)
encantar like hablar (1)
encontrar(se) (o:ue) like contar (24)
enfermarse like hablar (1)
engordar like hablar (1)
enojarse like hablar (1)
enseñar like hablar (1)
ensuciar like hablar (1)
entender (e:ie) (27)
entrenarse like hablar (1)
entrevistar like hablar (1)
enviar (envío) (39)
escalar like hablar (1)
escanear like hablar (1)
escoger (g:j) like proteger (42)
escribir like vivir (3) *except* past participle is escrito
escuchar like hablar (1)
esculpir like vivir (3)
esperar like hablar (1)
esquiar (esquío) like enviar (39)
establecer (c:zc) like conocer (35)
estacionar like hablar (1)
estar (9)
estornudar like hablar (1)
estudiar like hablar (1)
evitar like hablar (1)
explicar (c:qu) like tocar (43)
faltar like hablar (1)
fascinar like hablar (1)
firmar like hablar (1)
fumar like hablar (1)
funcionar like hablar (1)
ganar like hablar (1)
gastar like hablar (1)
grabar like hablar (1)
graduarse (gradúo) (40)
guardar like hablar (1)
gustar like hablar (1)
haber (hay) (10)
hablar (1)
hacer (11)
importar like hablar (1)
imprimir like vivir (3)
indicar (c:qu) like tocar (43)
informar like hablar (1)
insistir like vivir (3)
interesar like hablar (1)
invertir (e:ie) like sentir (33)
invitar like hablar (1)
ir(se) (12)
jubilarse like hablar (1)
jugar (u:ue) (g:gu) (28)
lastimarse like hablar (1)
lavar(se) like hablar (1)
leer (y) like creer (36)
levantar(se) like hablar (1)
limpiar like hablar (1)
llamar(se) like hablar (1)
llegar (g:gu) (41)
llenar like hablar (1)
llevar(se) like hablar (1)
llover (o:ue) like volver (34) *except* past participle is regular
luchar like hablar (1)
mandar like hablar (1)
manejar like hablar (1)
mantener(se) like tener (20)
maquillarse like hablar (1)
mejorar like hablar (1)
merendar (e:ie) like pensar (30)
mirar like hablar (1)
molestar like hablar (1)
montar like hablar (1)
morir (o:ue) like dormir (25) *except* past participle is *muerto*
mostrar (o:ue) like contar (24)
mudarse like hablar (1)
nacer (c:zc) like conocer (35)
nadar like hablar (1)
navegar (g:gu) like llegar (41)
necesitar like hablar (1)
negar (e:ie) like pensar (30) *except* (g:gu)
nevar (e:ie) like pensar (30)
obedecer (c:zc) like conocer (35)
obtener like tener (20)
ocurrir like vivir (3)
odiar like hablar (1)
ofrecer (c:zc) like conocer (35)
oír (y) (13)
olvidar like hablar (1)
pagar (g:gu) like llegar (41)
parar like hablar (1)
parecer (c:zc) like conocer (35)
pasar like hablar (1)
pasear like hablar (1)
patinar like hablar (1)
pedir (e:i) (29)
peinarse like hablar (1)
pensar (e:ie) (30)
perder (e:ie) like entender (27)
pescar (c:qu) like tocar (43)
pintar like hablar (1)
planchar like hablar (1)
poder (o:ue) (14)
poner(se) (15)
practicar (c:qu) like tocar (43)
preferir (e:ie) like sentir (33)
preguntar like hablar (1)
prender like comer (2)
preocuparse like hablar (1)
preparar like hablar (1)
presentar like hablar (1)
prestar like hablar (1)
probar(se) (o:ue) like contar (24)
prohibir like vivir (3)
proteger (g:j) (42)
publicar (c:qu) like tocar (43)
quedar(se) like hablar (1)
querer (e:ie) (16)
quitar(se) like hablar (1)
recetar like hablar (1)
recibir like vivir (3)
reciclar like hablar (1)
recoger (g:j) like proteger (42)
recomendar (e:ie) like pensar (30)
recordar (o:ue) like contar (24)
reducir (c:zc) like conducir (6)
regalar like hablar (1)
regatear like hablar (1)
regresar like hablar (1)
reír(se) (e:i) (31)
relajarse like hablar (1)
renunciar like hablar (1)
repetir (e:i) like pedir (29)
resolver (o:ue) like volver (34)
respirar like hablar (1)
revisar like hablar (1)
rogar (o:ue) like contar (24) *except* (g:gu)
romper(se) like comer (2) *except* past participle is roto
saber (17)
sacar (c:qu) like tocar (43)
sacudir like vivir (3)
salir (18)
saludar(se) like hablar (1)
secar(se) (c:q) like tocar (43)
seguir (e:i) (32)
sentarse (e:ie) like pensar (30)
sentir(se) (e:ie) (33)
separarse like hablar (1)
ser (19)
servir (e:i) like pedir (29)
solicitar like hablar (1)
sonar (o:ue) like contar (24)
sonreír (e:i) like reír(se) (31)
sorprender like comer (2)
subir like vivir (3)
sudar like hablar (1)
sufrir like vivir (3)
sugerir (e:ie) like sentir (33)
suponer like poner (15)
temer like comer (2)
tener (20)
terminar like hablar (1)
tocar (c:qu) (43)
tomar like hablar (1)
torcerse (o:ue) like volver (34) *except* (c:z) and past participle is regular; e.g. yo tuerzo
toser like comer (2)
trabajar like hablar (1)
traducir (c:zc) like conducir (6)
traer (21)
transmitir like vivir (3)
tratar like hablar (1)
usar like hablar (1)
vencer (c:z) (44)
vender like comer (2)
venir (22)
ver (23)
vestirse (e:i) like pedir (29)
viajar like hablar (1)
visitar like hablar (1)
vivir (3)
volver (o:ue) (34)
votar like hablar (1)

Regular verbs: simple tenses

	Infinitive	INDICATIVE					SUBJUNCTIVE		IMPERATIVE
		Present	Imperfect	Preterite	Future	Conditional	Present	Past	
1	hablar	hablo	hablaba	hablé	hablaré	hablaría	hable	hablara	
		hablas	hablabas	hablaste	hablarás	hablarías	hables	hablaras	habla tú (no hables)
	Participles:	habla	hablaba	habló	hablará	hablaría	hable	hablara	hable Ud.
	hablando	hablamos	hablábamos	hablamos	hablaremos	hablaríamos	hablemos	habláramos	hablemos
	hablado	habláis	hablabais	hablasteis	hablaréis	hablaríais	habléis	hablarais	hablad (no habléis)
		hablan	hablaban	hablaron	hablarán	hablarían	hablen	hablaran	hablen Uds.
2	comer	como	comía	comí	comeré	comería	coma	comiera	
		comes	comías	comiste	comerás	comerías	comas	comieras	come tú (no comas)
	Participles:	come	comía	comió	comerá	comerían	coma	comiera	coma Ud.
	comiendo	comemos	comíamos	comimos	comeremos	comeríamos	comamos	comiéramos	comamos
	comido	coméis	comíais	comisteis	comeréis	comeríais	comáis	comierais	comed (no comáis)
		comen	comían	comieron	comerán	comerían	coman	comieran	coman Uds.
3	vivir	vivo	vivía	viví	viviré	viviría	viva	viviera	
		vives	vivías	viviste	vivirás	vivirías	vivas	vivieran	vive tú (no vivas)
	Participles:	vive	vivía	vivió	vivirá	viviría	viva	viviera	viva Ud.
	viviendo	vivimos	vivíamos	vivimos	viviremos	viviríamos	vivamos	viviéramos	vivamos
	vivido	vivís	vivíais	vivisteis	viviréis	viviríais	viváis	vivierais	vivid (no viváis)
		viven	vivían	vivieron	vivirán	vivirían	vivan	vivieran	vivan Uds.

All verbs: compound tenses

PERFECT TENSES											
INDICATIVE								SUBJUNCTIVE			
Present Perfect		Past Perfect		Future Perfect		Conditional Perfect		Present Perfect		Past Perfect	
he		había		habré		habría		haya		hubiera	
has	hablado	habías	hablado	habrás	hablado	habrías	hablado	hayas	hablado	hubieras	hablado
ha	comido	había	comido	habrá	comido	habría	comido	haya	comido	hubiera	comido
hemos	vivido	habíamos	vivido	habremos	vivido	habríamos	vivido	hayamos	vivido	hubiéramos	vivido
habéis		habíais		habréis		habríais		hayáis		hubierais	
han		habían		habrán		habrían		hayan		hubieran	

PROGRESSIVE TENSES					
INDICATIVE				SUBJUNCTIVE	
Present Progressive	Past Progressive	Future Progressive	Conditional Progressive	Present Progressive	Past Progressive
estoy estás está estamos estáis están } hablando / comiendo / viviendo	estaba estabas estaba estábamos estabais estaban } hablando / comiendo / viviendo	estaré estarás estará estaremos estaréis estarán } hablando / comiendo / viviendo	estaría estarías estaría estaríamos estaríais estarían } hablando / comiendo / viviendo	esté estés esté estemos estéis estén } hablando / comiendo / viviendo	estuviera estuvieras estuviera estuviéramos estuvierais estuvieran } hablando / comiendo / viviendo

Irregular verbs

		INDICATIVE					SUBJUNCTIVE		IMPERATIVE
	Infinitive	Present	Imperfect	Preterite	Future	Conditional	Present	Past	
4	caber	**quepo**	cabía	**cupe**	**cabré**	**cabría**	**quepa**	**cupiera**	
		cabes	cabías	**cupiste**	**cabrás**	**cabrías**	**quepas**	**cupieras**	cabe tú (no **quepas**)
	Participles:	cabe	cabía	**cupo**	**cabrá**	**cabría**	**quepa**	**cupiera**	**quepa** Ud.
	cabiendo	cabemos	cabíamos	**cupimos**	**cabremos**	**cabríamos**	**quepamos**	**cupiéramos**	**quepamos**
	cabido	cabéis	cabíais	**cupisteis**	**cabréis**	**cabríais**	**quepáis**	**cupierais**	cabed (no **quepáis**)
		caben	cabían	**cupieron**	**cabrán**	**cabrían**	**quepan**	**cupieran**	**quepan** Uds.
5	caer(se)	**caigo**	caía	caí	caeré	caería	**caiga**	**cayera**	
		caes	caías	**caíste**	caerás	caerías	**caigas**	**cayeras**	cae tú (no **caigas**)
	Participles:	cae	caía	**cayó**	caerá	caería	**caiga**	**cayera**	**caiga** Ud.
	cayendo	caemos	caíamos	**caímos**	caeremos	caeríamos	**caigamos**	**cayéramos**	**caigamos**
	caído	caéis	caíais	**caísteis**	caeréis	caeríais	**caigáis**	**cayerais**	caed (no **caigáis**)
		caen	caían	**cayeron**	caerán	caerían	**caigan**	**cayeran**	**caigan** Uds.
6	conducir (c:zc)	**conduzco**	conducía	**conduje**	conduciré	conduciría	**conduzca**	**condujera**	
		conduces	conducías	**condujiste**	conducirás	conducirías	**conduzcas**	**condujeras**	conduce tú (no **conduzcas**)
		conduce	conducía	**condujo**	conducirá	conduciría	**conduzca**	**condujera**	**conduzca** Ud.
	Participles:	conducimos	conducíamos	**condujimos**	conduciremos	conduciríamos	**conduzcamos**	**condujéramos**	**conduzcamos**
	conduciendo	conducís	conducíais	**condujisteis**	conduciréis	conduciríais	**conduzcáis**	**condujerais**	conducid (no **conduzcáis**)
	conducido	conducen	conducían	**condujeron**	conducirán	conducirían	**conduzcan**	**condujeran**	**conduzcan** Uds.

		INDICATIVE					SUBJUNCTIVE		IMPERATIVE
	Infinitive	Present	Imperfect	Preterite	Future	Conditional	Present	Past	
7	dar	**doy**	daba	**di**	daré	daría	**dé**	**diera**	
		das	dabas	**diste**	darás	darías	des	**dieras**	da tú (no des)
	Participles:	da	daba	**dio**	dará	daría	**dé**	**diera**	**dé** Ud.
	dando	damos	dábamos	**dimos**	daremos	daríamos	demos	**diéramos**	demos
	dado	**dais**	dabais	**disteis**	daréis	daríais	**deis**	**dierais**	dad (no **deis**)
		dan	daban	**dieron**	darán	darían	den	**dieran**	den Uds.
8	decir (e:i)	**digo**	decía	**dije**	**diré**	**diría**	**diga**	**dijera**	
		dices	decías	**dijiste**	**dirás**	**dirías**	**digas**	**dijeras**	**di** tú (no **digas**)
	Participles:	**dice**	decía	**dijo**	**dirá**	**diría**	**diga**	**dijera**	**diga** Ud.
	diciendo	decimos	decíamos	**dijimos**	**diremos**	**diríamos**	**digamos**	**dijéramos**	**digamos**
	dicho	decís	decíais	**dijisteis**	**diréis**	**diríais**	**digáis**	**dijerais**	decid (no **digáis**)
		dicen	decían	**dijeron**	**dirán**	**dirían**	**digan**	**dijeran**	**digan** Uds.
9	estar	**estoy**	estaba	**estuve**	estaré	estaría	**esté**	**estuviera**	
		estás	estabas	**estuviste**	estarás	estarías	**estés**	**estuvieras**	**está** tú (no **estés**)
	Participles:	**está**	estaba	**estuvo**	estará	estaría	**esté**	**estuviera**	**esté** Ud.
	estando	estamos	estábamos	**estuvimos**	estaremos	estaríamos	estemos	**estuviéramos**	estemos
	estado	estáis	estabais	**estuvisteis**	estaréis	estaríais	estéis	**estuvierais**	estad (no estéis)
		están	estaban	**estuvieron**	estarán	estarían	**estén**	**estuvieran**	**estén** Uds.
10	haber	**he**	había	**hube**	**habré**	**habría**	**haya**	**hubiera**	
		has	habías	**hubiste**	**habrás**	**habrías**	**hayas**	**hubieras**	
	Participles:	**ha**	había	**hubo**	**habrá**	**habría**	**haya**	**hubiera**	
	habiendo	**hemos**	habíamos	**hubimos**	**habremos**	**habríamos**	**hayamos**	**hubiéramos**	
	habido	habéis	habíais	**hubisteis**	**habréis**	**habríais**	**hayáis**	**hubierais**	
		han	habían	**hubieron**	**habrán**	**habrían**	**hayan**	**hubieran**	
11	hacer	**hago**	hacía	**hice**	**haré**	**haría**	**haga**	**hiciera**	
		haces	hacías	**hiciste**	**harás**	**harías**	**hagas**	**hicieras**	**haz** tú (no **hagas**)
	Participles:	hace	hacía	**hizo**	**hará**	**haría**	**haga**	**hiciera**	**haga** Ud.
	haciendo	hacemos	hacíamos	**hicimos**	**haremos**	**haríamos**	**hagamos**	**hiciéramos**	**hagamos**
	hecho	hacéis	hacíais	**hicisteis**	**haréis**	**haríais**	**hagáis**	**hicierais**	haced (no **hagáis**)
		hacen	hacían	**hicieron**	**harán**	**harían**	**hagan**	**hicieran**	**hagan** Uds.
12	ir	**voy**	**iba**	**fui**	iré	iría	**vaya**	**fuera**	
		vas	**ibas**	**fuiste**	irás	irías	**vayas**	**fueras**	**ve** tú (no **vayas**)
	Participles:	**va**	**iba**	**fue**	irá	iría	**vaya**	**fuera**	**vaya** Ud.
	yendo	**vamos**	**íbamos**	**fuimos**	iremos	iríamos	**vayamos**	**fuéramos**	**vamos** (no **vayamos**)
	ido	**vais**	**ibais**	**fuisteis**	iréis	iríais	**vayáis**	**fuerais**	id (no **vayáis**)
		van	**iban**	**fueron**	irán	irían	**vayan**	**fueran**	**vayan** Uds.
13	oír (y)	**oigo**	oía	oí	oiré	oiría	**oiga**	**oyera**	
		oyes	oías	**oíste**	oirás	oirías	**oigas**	**oyeras**	**oye** tú (no **oigas**)
	Participles:	**oye**	oía	**oyó**	oirá	oiría	**oiga**	**oyera**	**oiga** Ud.
	oyendo	**oímos**	oíamos	**oímos**	oiremos	oiríamos	**oigamos**	**oyéramos**	**oigamos**
	oído	oís	oíais	**oísteis**	oiréis	oiríais	**oigáis**	**oyerais**	**oíd** (no **oigáis**)
		oyen	oían	**oyeron**	oirán	oirían	**oigan**	**oyeran**	**oigan** Uds.

		INDICATIVE					SUBJUNCTIVE		IMPERATIVE
	Infinitive	**Present**	**Imperfect**	**Preterite**	**Future**	**Conditional**	**Present**	**Past**	
14	poder (o:ue)	**puedo**	podía	**pude**	**podré**	**podría**	**pueda**	**pudiera**	
		puedes	podías	**pudiste**	**podrás**	**podrías**	**puedas**	**pudieras**	**puede** tú (no **puedas**)
	Participles:	**puede**	podía	**pudo**	**podrá**	**podría**	**pueda**	**pudiera**	**pueda** Ud.
	pudiendo	podemos	podíamos	**pudimos**	**podremos**	**podríamos**	podamos	**pudiéramos**	podamos
	podido	podéis	podíais	**pudisteis**	**podréis**	**podríais**	podáis	**pudierais**	poded (no podáis)
		pueden	podían	**pudieron**	**podrán**	**podrían**	**puedan**	**pudieran**	**puedan** Uds.
15	poner	**pongo**	ponía	**puse**	**pondré**	**pondría**	**ponga**	**pusiera**	
		pones	ponías	**pusiste**	**pondrás**	**pondrías**	**pongas**	**pusieras**	**pon** tú (no **pongas**)
	Participles:	pone	ponía	**puso**	**pondrá**	**pondría**	**ponga**	**pusiera**	**ponga** Ud.
	poniendo	ponemos	poníamos	**pusimos**	**pondremos**	**pondríamos**	**pongamos**	**pusiéramos**	**pongamos**
	puesto	ponéis	poníais	**pusisteis**	**pondréis**	**pondríais**	**pongáis**	**pusierais**	poned (no **pongáis**)
		ponen	ponían	**pusieron**	**pondrán**	**pondrían**	**pongan**	**pusieran**	**pongan** Uds.
16	querer (e:ie)	**quiero**	quería	**quise**	**querré**	**querría**	**quiera**	**quisiera**	
		quieres	querías	**quisiste**	**querrás**	**querrías**	**quieras**	**quisieras**	**quiere** tú (no **quieras**)
	Participles:	**quiere**	quería	**quiso**	**querrá**	**querría**	**quiera**	**quisiera**	**quiera** Ud.
	queriendo	queremos	queríamos	**quisimos**	**querremos**	**querríamos**	queramos	**quisiéramos**	queramos
	querido	queréis	queríais	**quisisteis**	**querréis**	**querríais**	queráis	**quisierais**	quered (no queráis)
		quieren	querían	**quisieron**	**querrán**	**querrían**	**quieran**	**quisieran**	**quieran** Uds.
17	saber	**sé**	sabía	**supe**	**sabré**	**sabría**	**sepa**	**supiera**	
		sabes	sabías	**supiste**	**sabrás**	**sabrías**	**sepas**	**supieras**	sabe tú (no **sepas**)
	Participles:	sabe	sabía	**supo**	**sabrá**	**sabría**	**sepa**	**supiera**	**sepa** Ud.
	sabiendo	sabemos	sabíamos	**supimos**	**sabremos**	**sabríamos**	**sepamos**	**supiéramos**	**sepamos**
	sabido	sabéis	sabíais	**supisteis**	**sabréis**	**sabríais**	**sepáis**	**supierais**	sabed (no **sepáis**)
		saben	sabían	**supieron**	**sabrán**	**sabrían**	**sepan**	**supieran**	**sepan** Uds.
18	salir	**salgo**	salía	salí	**saldré**	**saldría**	**salga**	saliera	
		sales	salías	saliste	**saldrás**	**saldrías**	**salgas**	salieras	**sal** tú (no **salgas**)
	Participles:	sale	salía	salió	**saldrá**	**saldría**	**salga**	saliera	**salga** Ud.
	saliendo	salimos	salíamos	salimos	**saldremos**	**saldríamos**	**salgamos**	saliéramos	**salgamos**
	salido	salís	salíais	salisteis	**saldréis**	**saldríais**	**salgáis**	salierais	salid (no **salgáis**)
		salen	salían	salieron	**saldrán**	**saldrían**	**salgan**	salieran	**salgan** Uds.
19	ser	**soy**	**era**	**fui**	seré	sería	**sea**	**fuera**	
		eres	**eras**	**fuiste**	serás	serías	**seas**	**fueras**	**sé** tú (no **seas**)
	Participles:	**es**	**era**	**fue**	será	sería	**sea**	**fuera**	**sea** Ud.
	siendo	**somos**	**éramos**	**fuimos**	seremos	seríamos	**seamos**	**fuéramos**	**seamos**
	sido	**sois**	**erais**	**fuisteis**	seréis	seríais	**seáis**	**fuerais**	sed (no **seáis**)
		son	**eran**	**fueron**	serán	serían	**sean**	**fueran**	**sean** Uds.
20	tener	**tengo**	tenía	**tuve**	**tendré**	**tendría**	**tenga**	**tuviera**	
		tienes	tenías	**tuviste**	**tendrás**	**tendrías**	**tengas**	**tuvieras**	**ten** tú (no **tengas**)
	Participles:	**tiene**	tenía	**tuvo**	**tendrá**	**tendría**	**tenga**	**tuviera**	**tenga** Ud.
	teniendo	tenemos	teníamos	**tuvimos**	**tendremos**	**tendríamos**	**tengamos**	**tuviéramos**	**tengamos**
	tenido	tenéis	teníais	**tuvisteis**	**tendréis**	**tendríais**	**tengáis**	**tuvierais**	tened (no **tengáis**)
		tienen	tenían	**tuvieron**	**tendrán**	**tendrían**	**tengan**	**tuvieran**	**tengan** Uds.

	Infinitive	INDICATIVE					SUBJUNCTIVE		IMPERATIVE
		Present	Imperfect	Preterite	Future	Conditional	Present	Past	
21	traer	**traigo**	traía	**traje**	traeré	traería	**traiga**	**trajera**	
		traes	traías	**trajiste**	traerás	traerías	**traigas**	**trajeras**	trae tú (no **traigas**)
	Participles:	trae	traía	**trajo**	traerá	traería	**traiga**	**trajera**	**traiga** Ud.
	trayendo	traemos	traíamos	**trajimos**	traeremos	traeríamos	**traigamos**	**trajéramos**	**traigamos**
	traído	traéis	traíais	**trajisteis**	traeréis	traeríais	**traigáis**	**trajerais**	traed (no **traigáis**)
		traen	traían	**trajeron**	traerán	traerían	**traigan**	**trajeran**	**traigan** Uds.
22	venir	**vengo**	venía	**vine**	**vendré**	**vendría**	**venga**	**viniera**	
		vienes	venías	**viniste**	**vendrás**	**vendrías**	**vengas**	**vinieras**	**ven** tú (no **vengas**)
	Participles:	**viene**	venía	**vino**	**vendrá**	**vendría**	**venga**	**viniera**	**venga** Ud.
	viniendo	venimos	veníamos	**vinimos**	**vendremos**	**vendríamos**	**vengamos**	**viniéramos**	**vengamos**
	venido	venís	veníais	**vinisteis**	**vendréis**	**vendríais**	**vengáis**	**vinierais**	venid (no **vengáis**)
		vienen	venían	**vinieron**	**vendrán**	**vendrían**	**vengan**	**vinieran**	**vengan** Uds.
23	ver	**veo**	**veía**	**vi**	veré	vería	**vea**	viera	
		ves	**veías**	viste	verás	verías	**veas**	vieras	ve tú (no **veas**)
	Participles:	ve	**veía**	**vio**	verá	vería	**vea**	viera	**vea** Ud.
	viendo	vemos	**veíamos**	vimos	veremos	veríamos	**veamos**	viéramos	**veamos**
	visto	**veis**	**veíais**	visteis	veréis	veríais	**veáis**	vierais	ved (no **veáis**)
		ven	**veían**	vieron	verán	verían	**vean**	vieran	**vean** Uds.

Stem-changing verbs

	Infinitive	INDICATIVE					SUBJUNCTIVE		IMPERATIVE
		Present	Imperfect	Preterite	Future	Conditional	Present	Past	
24	contar	**cuento**	contaba	conté	contaré	contaría	**cuente**	contara	
	(o:ue)	**cuentas**	contabas	contaste	contarás	contarías	**cuentes**	contaras	**cuenta** tú (no **cuentes**)
		cuenta	contaba	contó	contará	contaría	**cuente**	contara	**cuente** Ud.
	Participles:	contamos	contábamos	contamos	contaremos	contaríamos	contemos	contáramos	contemos
	contando	contáis	contabais	contasteis	contaréis	contaríais	contéis	contarais	contad (no contéis)
	contado	**cuentan**	contaban	contaron	contarán	contarían	**cuenten**	contaran	**cuenten** Uds.
25	dormir	**duermo**	dormía	dormí	dormiré	dormiría	**duerma**	**durmiera**	
	(o:ue)	**duermes**	dormías	dormiste	dormirás	dormirías	**duermas**	**durmieras**	**duerme** tú (no **duermas**)
		duerme	dormía	**durmió**	dormirá	dormiría	**duerma**	**durmiera**	**duerma** Ud.
	Participles:	dormimos	dormíamos	dormimos	dormiremos	dormiríamos	**durmamos**	**durmiéramos**	**durmamos**
	durmiendo	dormís	dormíais	dormisteis	dormiréis	dormiríais	**durmáis**	**durmierais**	dormid (no **durmáis**)
	dormido	**duermen**	dormían	**durmieron**	dormirán	dormirían	**duerman**	**durmieran**	**duerman** Uds.
26	empezar	**empiezo**	empezaba	**empecé**	empezaré	empezaría	**empiece**	empezara	
	(e:ie) (z:c)	**empiezas**	empezabas	empezaste	empezarás	empezarías	**empieces**	empezaras	**empieza** tú (no **empieces**)
		empieza	empezaba	empezó	empezará	empezaría	**empiece**	empezara	**empiece** Ud.
	Participles:	empezamos	empezábamos	empezamos	empezaremos	empezaríamos	**empecemos**	empezáramos	**empecemos**
	empezando	empezáis	empezabais	empezasteis	empezaréis	empezaríais	**empecéis**	empezarais	empezad (no **empecéis**)
	empezado	**empiezan**	empezaban	empezarán	empezarán	empezarían	**empiecen**	empezaran	**empiecen** Uds.

	Infinitive	INDICATIVE					SUBJUNCTIVE		IMPERATIVE
		Present	Imperfect	Preterite	Future	Conditional	Present	Past	
27	entender	**entiendo**	entendía	entendí	entenderé	entendería	**entienda**	entendiera	
	(e:ie)	**entiendes**	entendías	entendiste	entenderás	entenderías	**entiendas**	entendieras	**entiende** tú (no **entiendas**)
		entiende	entendía	entendió	entenderá	entendería	**entienda**	entendiera	**entienda** Ud.
	Participles:	entendemos	entendíamos	entendimos	entenderemos	entenderíamos	entendamos	entendiéramos	entendamos
	entendiendo	entendéis	entendíais	entendisteis	entenderéis	entenderíais	entendáis	entendierais	entended (no entendáis)
	entendido	**entienden**	entendían	entendieron	entenderán	entenderían	**entiendan**	entendieran	**entiendan** Uds.
28	jugar (u:ue)	**juego**	jugaba	**jugué**	jugaré	jugaría	**juegue**	jugara	
	(g:gu)	**juegas**	jugabas	jugaste	jugarás	jugarías	**juegues**	jugaras	**juega** tú (no **juegues**)
		juega	jugaba	jugó	jugará	jugaría	**juegue**	jugara	**juegue** Ud
	Participles:	jugamos	jugábamos	jugamos	jugaremos	jugaríamos	**juguemos**	jugáramos	**juguemos**
	jugando	jugáis	jugabais	jugasteis	jugaréis	jugaríais	**juguéis**	jugarais	jugad (no **juguéis**)
	jugado	**juegan**	jugaban	jugaron	jugarán	jugarían	**jueguen**	jugaran	**jueguen** Uds.
29	pedir (e:i)	**pido**	pedía	pedí	pediré	pediría	**pida**	**pidiera**	
		pides	pedías	pediste	pedirás	pedirías	**pidas**	**pidieras**	**pide** tú (no **pidas**)
	Participles:	**pide**	pedía	**pidió**	pedirá	pediría	**pida**	**pidiera**	**pida** Ud.
	pidiendo	pedimos	pedíamos	pedimos	pediremos	pediríamos	**pidamos**	**pidiéramos**	**pidamos**
	pedido	pedís	pedíais	pedisteis	pediréis	pediríais	**pidáis**	**pidierais**	pedid (no **pidáis**)
		piden	pedían	**pidieron**	pedirán	pedirían	**pidan**	**pidieran**	**pidan** Uds.
30	pensar	**pienso**	pensaba	pensé	pensaré	pensaría	**piense**	pensara	
	(e:ie)	**piensas**	pensabas	pensaste	pensarás	pensarías	**pienses**	pensaras	**piensa** tú (no **pienses**)
		piensa	pensaba	pensó	pensará	pensaría	**piense**	pensara	**piense** Ud.
	Participles:	pensamos	pensábamos	pensamos	pensaremos	pensaríamos	pensemos	pensáramos	pensemos
	pensando	pensáis	pensabais	pensasteis	pensaréis	pensaríais	penséis	pensarais	pensad (no penséis)
	pensado	**piensan**	pensaban	pensaron	pensarán	pensarían	**piensen**	pensaran	**piensen** Uds.
31	reír (e:i)	**río**	reía	reí	reiré	reiría	**ría**	**riera**	
		ríes	reías	**reíste**	reirás	reirías	**rías**	**rieras**	**ríe** tú (no **rías**)
	Participles:	**ríe**	reía	**rió**	reirá	reiría	**ría**	**riera**	**ría** Ud.
	riendo	**reímos**	reíamos	**reímos**	reiremos	reiríamos	**riamos**	**riéramos**	**riamos**
	reído	reís	reíais	**reísteis**	reiréis	reiríais	**riáis**	**rierais**	**reíd** (no **riáis**)
		ríen	reían	**rieron**	reirán	reirían	**rían**	**rieran**	**rían** Uds.
32	seguir (e:i)	**sigo**	seguía	seguí	seguiré	seguiría	**siga**	**siguiera**	
	(gu:g)	**sigues**	seguías	seguiste	seguirás	seguirías	**sigas**	**siguieras**	**sigue** tú (no **sigas**)
		sigue	seguía	**siguió**	seguirá	seguiría	**siga**	**siguiera**	**siga** Ud.
	Participles:	seguimos	seguíamos	seguimos	seguiremos	seguiríamos	**sigamos**	**siguiéramos**	**sigamos**
	siguiendo	seguís	seguíais	seguisteis	seguiréis	seguiríais	**sigáis**	**siguierais**	seguid (no **sigáis**)
	seguido	**siguen**	seguían	**siguieron**	seguirán	seguirían	**sigan**	**siguieran**	**sigan** Uds.
33	sentir (e:ie)	**siento**	sentía	sentí	sentiré	sentiría	**sienta**	**sintiera**	
		sientes	sentías	sentiste	sentirás	sentirías	**sientas**	**sintieras**	**siente** tú (no **sientas**)
	Participles:	**siente**	sentía	**sintió**	sentirá	sentiría	**sienta**	**sintiera**	**sienta** Ud.
	sintiendo	sentimos	sentíamos	sentimos	sentiremos	sentiríamos	**sintamos**	**sintiéramos**	**sintamos**
	sentido	sentís	sentíais	sentisteis	sentiréis	sentiríais	**sintáis**	**sintierais**	sentid (no **sintáis**)
		sienten	sentían	**sintieron**	sentirán	sentirían	**sientan**	**sintieran**	**sientan** Uds.

	INDICATIVE					SUBJUNCTIVE		IMPERATIVE
Infinitive	**Present**	**Imperfect**	**Preterite**	**Future**	**Conditional**	**Present**	**Past**	
34 volver	**vuelvo**	volvía	volví	volveré	volvería	**vuelva**	volviera	
(o:ue)	**vuelves**	volvías	volviste	volverás	volverías	**vuelvas**	volvieras	**vuelve** tú (no **vuelvas**)
	vuelve	volvía	volvió	volverá	volvería	**vuelva**	volviera	**vuelva** Ud.
Participles:	volvemos	volvíamos	volvimos	volveremos	volveríamos	volvamos	volviéramos	volvamos
volviendo	volvéis	volvíais	volvisteis	volveréis	volveríais	volváis	volvierais	volved (no volváis)
vuelto	**vuelven**	volvían	volvieron	volverán	volverían	**vuelvan**	volvieran	**vuelvan** Uds.

Verbs with spelling changes only

	INDICATIVE					SUBJUNCTIVE		IMPERATIVE
Infinitive	**Present**	**Imperfect**	**Preterite**	**Future**	**Conditional**	**Present**	**Past**	
35 conocer	**conozco**	conocía	conocí	conoceré	conocería	**conozca**	conociera	
(c:zc)	conoces	conocías	conociste	conocerás	conocerías	**conozcas**	conocieras	conoce tú (no **conozcas**)
	conoce	conocía	conoció	conocerá	conocería	**conozca**	conociera	**conozca** Ud.
Participles:	conocemos	conocíamos	conocimos	conoceremos	conoceríamos	**conozcamos**	conociéramos	**conozcamos**
conociendo	conocéis	conocíais	conocisteis	conoceréis	conoceríais	**conozcáis**	conocierais	conoced (no **conozcáis**)
conocido	conocen	conocían	conocieron	conocerán	conocerían	**conozcan**	conocieran	**conozcan** Uds.
36 creer (y)	creo	creía	creí	creeré	creería	crea	**creyera**	
	crees	creías	**creíste**	creerás	creerías	creas	**creyeras**	cree tú (no creas)
Participles:	cree	creía	**creyó**	creerá	creería	crea	**creyera**	crea Ud.
creyendo	creemos	creíamos	**creímos**	creeremos	creeríamos	creamos	**creyéramos**	creamos
creído	creéis	creíais	**creísteis**	creeréis	creeríais	creáis	**creyerais**	creed (no creáis)
	creen	creían	**creyeron**	creerán	creerían	crean	**creyeran**	crean Uds.
37 cruzar (z:c)	cruzo	cruzaba	**crucé**	cruzaré	cruzaría	**cruce**	cruzara	
	cruzas	cruzabas	cruzaste	cruzarás	cruzarías	**cruces**	cruzaras	cruza tú (no **cruces**)
Participles:	cruza	cruzaba	cruzó	cruzará	cruzaría	**cruce**	cruzara	**cruce** Ud.
cruzando	cruzamos	cruzábamos	cruzamos	cruzaremos	cruzaríamos	**crucemos**	cruzáramos	**crucemos**
cruzado	cruzáis	cruzabais	cruzasteis	cruzaréis	cruzaríais	**crucéis**	cruzarais	cruzad (no **crucéis**)
	cruzan	cruzaban	cruzaron	cruzarán	cruzarían	**crucen**	cruzaran	**crucen** Uds.
38 destruir (y)	**destruyo**	destruía	destruí	destruiré	destruiría	**destruya**	**destruyera**	
	destruyes	destruías	destruiste	destruirás	destruirías	**destruyas**	**destruyeras**	**destruye** tú (no **destruyas**)
Participles:	**destruye**	destruía	**destruyó**	destruirá	destruiría	**destruya**	**destruyera**	**destruya** Ud.
destruyendo	destruimos	destruíamos	destruimos	destruiremos	destruiríamos	**destruyamos**	**destruyéramos**	**destruyamos**
destruido	destruís	destruíais	destruisteis	destruiréis	destruiríais	**destruyáis**	**destruyerais**	destruid (no **destruyáis**)
	destruyen	destruían	**destruyeron**	destruirán	destruirían	**destruyan**	**destruyeran**	**destruyan** Uds.
39 enviar	**envío**	enviaba	envié	enviaré	enviaría	**envíe**	enviara	
(envío)	**envías**	enviabas	enviaste	enviarás	enviarías	**envíes**	enviaras	**envía** tú (no **envíes**)
	envía	enviaba	envió	enviará	enviaría	**envíe**	enviara	**envíe** Ud.
Participles:	enviamos	enviábamos	enviamos	enviaremos	enviaríamos	enviemos	enviáramos	enviemos
enviando	enviáis	enviabais	enviasteis	enviaréis	enviaríais	enviéis	enviarais	enviad (no enviéis)
enviado	**envían**	enviaban	enviaron	enviarán	enviarían	**envíen**	enviaran	**envíen** Uds.

	Infinitive	INDICATIVE					SUBJUNCTIVE		IMPERATIVE
		Present	Imperfect	Preterite	Future	Conditional	Present	Past	
40	graduarse	**gradúo**	graduaba	gradué	graduaré	graduaría	**gradúe**	graduara	
	(gradúo)	**gradúas**	graduabas	graduaste	graduarás	graduarías	**gradúes**	graduaras	**gradúa** tú (no **gradúes**)
		gradúa	graduaba	graduó	graduará	graduaría	**gradúe**	graduara	**gradúe** Ud.
	Participles:	graduamos	graduábamos	graduamos	graduaremos	graduaríamos	graduemos	graduáramos	graduemos
	graduando	graduáis	graduabais	graduasteis	graduaréis	graduaríais	graduéis	graduarais	graduad (no graduéis)
	graduado	**gradúan**	graduaban	graduaron	graduarán	graduarían	**gradúen**	graduaran	**gradúen** Uds.
41	llegar (g:gu)	llego	llegaba	**llegué**	llegaré	llegaría	**llegue**	llegara	
		llegas	llegabas	llegaste	llegarás	llegarías	**llegues**	llegaras	llega tú (no **llegues**)
	Participles:	llega	llegaba	llegó	llegará	llegaría	**llegue**	llegara	**llegue** Ud.
	llegando	llegamos	llegábamos	llegamos	llegaremos	llegaríamos	**lleguemos**	llegáramos	**lleguemos**
	llegado	llegáis	llegabais	llegasteis	llegaréis	llegaríais	**lleguéis**	llegarais	llegad (no **lleguéis**)
		llegan	llegaban	llegaron	llegarán	llegarían	**lleguen**	llegaran	**lleguen** Uds.
42	proteger	**protejo**	protegía	protegí	protegeré	protegería	**proteja**	protegiera	
	(g:j)	proteges	protegías	protegiste	protegerás	protegerías	**protejas**	protegieras	protege tú (no **protejas**)
		protege	protegía	protegió	protegerá	protegería	**proteja**	protegiera	**proteja** Ud.
	Participles:	protegemos	protegíamos	protegimos	protegeremos	protegeríamos	**protejamos**	protegiéramos	**protejamos**
	protegiendo	protegéis	protegíais	protegisteis	protegeréis	protegeríais	**protejáis**	protegierais	proteged (no **protejáis**)
	protegido	protegen	protegían	protegieron	protegerán	protegerían	**protejan**	protegieran	**protejan** Uds.
43	tocar (c:qu)	toco	tocaba	**toqué**	tocaré	tocaría	**toque**	tocara	
		tocas	tocabas	tocaste	tocarás	tocarías	**toques**	tocaras	toca tú (no **toques**)
	Participles:	toca	tocaba	tocó	tocará	tocaría	**toque**	tocara	**toque** Ud.
	tocando	tocamos	tocábamos	tocamos	tocaremos	tocaríamos	**toquemos**	tocáramos	**toquemos**
	tocado	tocáis	tocabais	tocasteis	tocaréis	tocaríais	**toquéis**	tocarais	tocad (no **toquéis**)
		tocan	tocaban	tocaron	tocarán	tocarían	**toquen**	tocaran	**toquen** Uds.
44	vencer (c:z)	**venzo**	vencía	vencí	venceré	vencería	**venza**	venciera	
		vences	vencías	venciste	vencerás	vencerías	**venzas**	vencieras	vence tú (no **venzas**)
	Participles:	vence	vencía	venció	vencerá	vencería	**venza**	venciera	**venza** Ud.
	venciendo	vencemos	vencíamos	vencimos	venceremos	venceríamos	**venzamos**	venciéramos	**venzamos**
	vencido	vencéis	vencíais	vencisteis	venceréis	venceríais	**venzáis**	vencierais	venced (no **venzáis**)
		vencen	vencían	vencieron	vencerán	vencerían	**venzan**	vencieran	**venzan** Uds.

Guide to Vocabulary

Contents of the glossary

This glossary contains the words and expressions listed on the **Vocabulario** page found at the end of each lesson in **DESCUBRE** as well as other useful vocabulary. The number following an entry indicates the **DESCUBRE** level and lesson where the word or expression was introduced. Check the **Estructura** sections of each lesson for words and expressions related to those grammar topics.

Abbreviations used in this glossary

adj.	adjective	*f.*	feminine	*m.*	masculine	*prep.*	preposition
adv.	adverb	*fam.*	familiar	*n.*	noun	*pron.*	pronoun
art.	article	*form.*	formal	*obj.*	object	*ref.*	reflexive
conj.	conjunction	*indef.*	indefinite	*p.p.*	past participle	*sing.*	singular
def.	definite	*interj.*	interjection	*pl.*	plural	*sub.*	subject
d.o.	direct object	*i.o.*	indirect object	*poss.*	possessive	*v.*	verb

Note on alphabetization

In current practice, for purposes of alphabetization, **ch** and **ll** are not treated as separate letters, but **ñ** still follows **n**. Therefore, in this glossary you will find that **año**, for example, appears after **anuncio**.

Spanish-English

A

a *prep.* at; to 1.1
a bordo aboard 1.1
a la derecha to the right 1.2
a la izquierda to the left 1.2
a la(s) + ***time*** at + *time* 1.1
a nombre de in the name of 1.5
¿A qué hora...? At what time...? 1.1
a ver let's see 1.2
abeja *f.* bee
abierto/a *adj.* open 1.5
abrazo *m.* hug
abrigo *m.* coat 1.6
abril *m.* April 1.5
abrir *v.* to open 1.3
abuelo/a *m., f.* grandfather; grandmother 1.3
abuelos *pl.* grandparents 1.3
aburrido/a *adj.* bored; boring 1.5
aburrir *v.* to bore 1.7
acabar de (+ ***inf.*****)** *v.* to have just (*done something*) 1.6
acampar *v.* to camp 1.5
aceite *m.* oil 1.8
acordarse (de) (o:ue) *v.* to remember 1.7
acostarse (o:ue) *v.* to go to bed 1.7
acuático/a *adj.* aquatic 1.4
adicional *adj.* additional
adiós *m.* good-bye 1.1
adjetivo *m.* adjective
administración de empresas *f.* business administration 1.2
adolescencia *f.* adolescence 1.9
¿adónde? *adv.* where (to)? (*destination*) 1.2
aduana *f.* customs 1.5
aeropuerto *m.* airport 1.5
afeitarse *v.* to shave 1.7
aficionado/a *adj.* fan 1.4
afirmativo/a *adj.* affirmative
agencia de viajes *f.* travel agency 1.5
agente de viajes *m., f.* travel agent 1.5
agosto *m.* August 1.5
agradable *adj.* pleasant
agua *f.* water 1.8
agua mineral mineral water 1.8
ahora *adv.* now 1.2
ahora mismo right now 1.5
aire *m.* air 1.5
ajo *m.* garlic 1.8
al (*contraction of* **a + el)** 1.2
al aire libre open-air 1.6
al lado de beside 1.2
alegre *adj.* happy; joyful 1.5
alegría *f.* happiness 1.9
alemán, alemana *adj.* German 1.3
algo *pron.* something; anything 1.7
algodón *m.* cotton 1.6
alguien *pron.* someone; somebody; anyone 1.7
algún, alguno/a(s) *adj.* any; some 1.7
alimento *m.* food
alimentación *f.* diet
allá *adv.* over there 1.2
allí *adv.* there 1.2
almacén *m.* department store 1.6
almorzar (o:ue) *v.* to have lunch 1.4
almuerzo *m.* lunch 1.8
alto/a *adj.* tall 1.3
amable *adj.* nice; friendly 1.5
amarillo/a *adj.* yellow 1.3
amigo/a *m., f.* friend 1.3
amistad *f.* friendship 1.9
amor *m.* love 1.9
anaranjado/a *adj.* orange 1.6
andar *v.* **en patineta** to skateboard 1.4
aniversario (de bodas) *m.* (wedding) anniversary 1.9
anoche *adv.* last night 1.6
anteayer *adv.* the day before yesterday 1.6
antes *adv.* before 1.7
antes de *prep.* before 1.7
antipático/a *adj.* unpleasant 1.3
año *m.* year 1.5
año pasado last year 1.6
aparato *m.* appliance
apellido *m.* last name 1.3
aprender (a + ***inf.*****)** *v.* to learn 1.3
aquel, aquella *adj.* that 1.6
aquél, aquélla *pron.* that 1.6
aquello *neuter pron.* that; that thing; that fact 1.6
aquellos/as *pl. adj.* those (over there) 1.6
aquéllos/as *pl. pron.* those (ones) (over there) 1.6
aquí *adv.* here 1.1
Aquí está... Here it is... 1.5
Aquí estamos en... Here we are at/in...
Argentina *f.* Argentina 1.1
argentino/a *adj.* Argentine 1.3

arqueología *f.* archaeology 1.2
arriba *adv.* up
arroz *m.* rice 1.8
arte *m.* art 1.2
artista *m., f.* artist 1.3
arveja *m.* pea 1.8
asado/a *adj.* roast 1.8
ascensor *m.* elevator 1.5
asistir (a) *v.* to attend 1.3
atún *m.* tuna 1.8
aunque *conj.* although
autobús *m.* bus 1.1
automático/a *adj.* automatic
auto(móvil) *m.* auto(mobile) 1.5
avenida *f.* avenue
avergonzado/a *adj.* embarrassed 1.5
avión *m.* airplane 1.5
¡Ay! *interj.* Oh!
¡Ay, qué dolor! Oh, what pain!
ayer *adv.* yesterday 1.6
azúcar *m.* sugar 1.8
azul *adj.* blue 1.3

B

bailar *v.* to dance 1.2
bajo/a *adj.* short (*in height*) 1.3
bajo control under control 1.7
baloncesto *m.* basketball 1.4
banana *f.* banana 1.8
bandera *f.* flag
bañarse *v.* to bathe; to take a bath 1.7
baño *m.* bathroom 1.7
barato/a *adj.* cheap 1.6
barco *m.* boat 1.5
beber *v.* to drink 1.3
bebida *f.* drink 1.8
béisbol *m.* baseball 1.4
beso *m.* kiss 1.9
biblioteca *f.* library 1.2
bicicleta *f.* bicycle 1.4
bien *adj., adv.* well 1.1
billete *m.* paper money; ticket
billón *m.* trillion
biología *f.* biology 1.2
bisabuelo/a *m.* great-grandfather; great-grandmother 1.3
bistec *m.* steak 1.8
bizcocho *m.* biscuit
blanco/a *adj.* white 1.3
(blue)jeans *m., pl.* jeans 1.6
blusa *f.* blouse 1.6
boda *f.* wedding 1.9
bolsa *f.* purse, bag 1.6
bonito/a *adj.* pretty 1.3
borrador *m.* eraser 1.2
bota *f.* boot 1.6
botella *f.* bottle 1.9
botones *m., f. sing* bellhop 1.5
brindar *v.* to toast (*drink*) 1.9
bucear *v.* to scuba dive 1.4
bueno *adv.* well 1.2
buen, bueno/a *adj.* good 1.3, 1.6
¡Buen viaje! Have a good trip! 1.1
Buena idea. Good idea. 1.4
Buenas noches. Good evening.; Good night. 1.1
Buenas tardes. Good afternoon. 1.1
buenísimo extremely good
¿Bueno? Hello. (*on telephone*)
Buenos días. Good morning. 1.1
bulevar *m.* boulevard
buscar *v.* to look for 1.2

C

caballo *m.* horse 1.5
cada *adj.* each 1.6
café *m.* café 1.4; *adj.* brown 1.6; *m.* coffee 1.8
cafetería *f.* cafeteria 1.2
caja *f.* cash register 1.6
calcetín (calcetines) *m.* sock(s) 1.6
calculadora *f.* calculator 1.2
caldo *m.* soup
calidad *f.* quality 1.6
calor *m.* heat 1.4
calzar *v.* to take size... shoes 1.6
cama *f.* bed 1.5
camarero/a *m., f.* waiter/ waitress 1.8
camarón *m.* shrimp 1.8
cambiar (de) *v.* to change 1.9
cambio *m.* **de moneda** currency exchange
caminar *v.* to walk 1.2
camino *m.* road
camión *m* truck; bus
camisa *f.* shirt 1.6
camiseta *f.* t-shirt 1.6
campo *m.* countryside 1.5
canadiense *adj.* Canadian 1.3
cansado/a *adj.* tired 1.5
cantar *v.* to sing 1.2
capital *f.* capital city 1.1
cara *f.* face 1.7
caramelo *m.* caramel 1.9
carne *f.* meat 1.8
carne de res *f.* beef 1.8
caro/a *adj.* expensive 1.6
carta *f.* letter 1.4; (*playing*) card 1.5
cartera *f.* wallet 1.6
casa *f.* house; home 1.2
casado/a *adj.* married 1.9
casarse (con) *v.* to get married (to) 1.9
catorce *n., adj.* fourteen 1.1
cebolla *f.* onion 1.8
celebrar *v.* to celebrate 1.9
cena *f.* dinner 1.8
cenar *v.* to have dinner 1.2
centro *m.* downtown 1.4
centro comercial shopping mall 1.6
cepillarse los dientes/el pelo *v.* to brush one's teeth/one's hair 1.7
cerca de *prep.* near 1.2
cerdo *m.* pork 1.8
cereales *m., pl.* cereal; grains 1.8
cero *m.* zero 1.1
cerrado/a *adj.* closed 1.5
cerrar (e:ie) *v.* to close 1.4
cerveza *f.* beer 1.8
ceviche *m.* marinated fish dish 1.8
ceviche de camarón *m.* lemon-marinated shrimp 1.8
chaleco *m.* vest
champán *m.* champagne 1.9
champiñón *m.* mushroom 1.8
champú *m.* shampoo 1.7
chaqueta *f.* jacket 1.6
chau *fam. interj.* bye 1.1
chévere *adj., fam.* terrific
chico/a *m., f.* boy; girl 1.1
chino/a *adj.* Chinese 1.3
chocar (con) *v.* to run into
chocolate *m.* chocolate 1.9
chuleta *f.* chop (*food*) 1.8
chuleta de cerdo *f.* pork chop 1.8
cibercafé *m.* cybercafé
ciclismo *m.* cycling 1.4
cien(to) *n., adj.* one hundred 1.2
ciencia *f.* science 1.2
cinco *n., adj.* five 1.1
cincuenta *n., adj.* fifty 1.2
cine *m.* movie theater 1.4
cinta *f.* (audio)tape
cinturón *m.* belt 1.6
cita *f.* date; appointment 1.9
ciudad *f.* city 1.4
clase *f.* class 1.2
cliente/a *m., f.* customer 1.6
color *m.* color 1.3, 1.6
comenzar (e:ie) *v.* to begin 1.4
comer *v.* to eat 1.3
comida *f.* food; meal 1.8
como *prep., conj.* like; as 1.8
¿cómo? *adv.* what?; how? 1.1
¿Cómo es...? What's... like? 1.3
¿Cómo está usted? *form.* How are you? 1.1
¿Cómo estás? *fam.* How are you? 1.1
¿Cómo se llama (usted)? *form.* What's your name? 1.1
¿Cómo te llamas (tú)? *fam.* What's your name? 1.1
cómodo/a *adj.* comfortable 1.5
compañero/a de clase *m., f.* classmate 1.2
compañero/a de cuarto *m., f.* roommate 1.2

compartir *v.* to share 1.3
completamente *adv.* completely 1.5
comprar *v.* to buy 1.2
compras *f., pl.* purchases 1.5
  ir de compras to go shopping 1.5
comprender *v.* to understand 1.3
comprobar (o:ue) *v.* to check
comprometerse (con) *v.* to get engaged (to) 1.9
computación *f.* computer science 1.2
computadora *f.* computer 1.1
comunidad *f.* community 1.1
con *prep.* with 1.2
  Con permiso. Pardon me.; Excuse me. 1.1
concordar (o:ue) *v.* to agree
conducir *v.* to drive 1.6
conductor(a) *m., f.* driver 1.1
confirmar *v.* to confirm 1.5
  confirmar *v.* **una reservación** *f.* to confirm a reservation 1.5
confundido/a *adj.* confused 1.5
conmigo *pron.* with me 1.4, 1.9
conocer *v.* to know; to be acquainted with 1.6
conocido/a *adj.; p.p.* known
conseguir (e:i) *v.* to get; to obtain 1.4
consejo *m.* advice
construir *v.* to build
contabilidad *f.* accounting 1.2
contar (o:ue) *v.* to count; to tell 1.4
contento/a *adj.* happy; content 1.5
contestar *v.* to answer 1.2
contigo *fam. pron.* with you 1.9
control *m.* control 1.7
conversación *f.* conversation 1.1
conversar *v.* to converse, to chat 1.2
corbata *f.* tie 1.6
correo electrónico *m.* e-mail 1.4
correr *v.* to run 1.3
cortesía *f.* courtesy
corto/a *adj.* short (in length) 1.6
cosa *f.* thing 1.1
Costa Rica *f.* Costa Rica 1.1
costar (o:ue) *f.* to cost 1.6
costarricense *adj.* Costa Rican 1.3
creer (en) *v.* to believe (in) 1.3
crema de afeitar *f.* shaving cream 1.7
cuaderno *m.* notebook 1.1
¿cuál(es)? *pron.* which?; which one(s)? 1.2
  ¿Cuál es la fecha de hoy? What is today's date? 1.5
cuando *conj.* when 1.7
  ¿cuándo? *adv.* when? 1.2
¿cuánto(s)/a(s)? *adj.* how much/how many? 1.1
  ¿Cuánto cuesta...? How much does... cost? 1.6
  ¿Cuántos años tienes? How old are you? 1.3
cuarenta *n., adj.* forty 1.2
cuarto *m.* room 1.2; 1.7
  cuarto de baño *m.* bathroom 1.7
cuarto/a *n., adj.* fourth 1.5
  menos cuarto quarter to (*time*)
  y cuarto quarter after (*time*) 1.1
cuatro *n., adj.* four 1.1
cuatrocientos/as *n., adj.* four hundred 1.2
Cuba *f.* Cuba 1.1
cubano/a *adj.* Cuban 1.3
cubiertos *m., pl.* silverware
cubierto/a *p.p.* covered
cubrir *v.* to cover
cultura *f.* culture 1.2
cuenta *f.* bill 1.8
cuidado *m.* care 1.3
cumpleaños *m., sing.* birthday 1.9
cumplir años *v.* to have a birthday 1.9
cuñado/a *m., f.* brother-in-law; sister-in-law 1.3
curso *m.* course 1.2

D

dar *v.* to give 1.6, 1.9
  dar un consejo *v.* to give advice
de *prep.* of; from 1.1
  ¿De dónde eres? *fam.* Where are you from? 1.1
  ¿De dónde es usted? *form.* Where are you from? 1.1
  ¿de quién...? whose...? *sing.* 1.1
  ¿de quiénes...? whose...? *pl.* 1.1
  de algodón (made) of cotton 1.6
  de buen humor in a good mood 1.5
  de compras shopping 1.5
  de cuadros plaid 1.6
  de excursión hiking 1.4
  de hecho in fact
  de ida y vuelta roundtrip 1.5
  de la mañana in the morning; A.M. 1.1
  de la noche in the evening; at night; P.M. 1.1
  de la tarde in the afternoon; in the early evening; P.M. 1.1
  de lana (made) of wool 1.6
  de lunares polka-dotted 1.6
  de mal humor in a bad mood 1.5
  de moda in fashion 1.6
  De nada. You're welcome. 1.1
  de rayas striped 1.6
  de repente *adv.* suddenly 1.6
  de seda (made) of silk 1.6
debajo de *prep.* below; under 1.2
deber (+ *inf.***)** *v.* should; must; ought to 1.3
  Debe ser... It must be... 1.6
decidir (+ *inf.***)** *v.* to decide 1.3
décimo/a *adj.* tenth 1.5
decir (e:i) *v.* to say; to tell 1.4, 1.9
  decir la respuesta to say the answer 1.4
  decir la verdad to tell the truth 1.4
  decir mentiras to tell lies 1.4
dejar una propina *v.* to leave a tip 1.9
del (contraction of **de + el**) of the; from the
delante de *prep.* in front of 1.2
delgado/a *adj.* thin; slender 1.3
delicioso/a *adj.* delicious 1.8
demás *adj.* the rest
demasiado *adj., adv.* too much 1.6
dependiente/a *m., f.* clerk 1.6
deporte *m.* sport 1.4
deportista *m.* sports person
deportivo/a *adj.* sports-related 1.4
derecha *f.* right 1.2
  a la derecha de to the right of 1.2
derecho *adj.* straight (ahead)
desayunar *v.* to have breakfast 1.2
desayuno *m.* breakfast 1.8
descansar *v.* to rest 1.2
describir *v.* to describe 1.3
desde *prep.* from 1.6
desear *v.* to wish; to desire 1.2
desordenado/a *adj.* disorderly 1.5
despedida *f.* farewell; good-bye
despedirse (e:i) (de) *v.* to say good-bye (to)
despejado/a *adj.* clear (*weather*)
despertador *m.* alarm clock 1.7
despertarse (e:ie) *v.* to wake up 1.7
después *adv.* afterwards; then 1.7

después de *prep.* after 1.7
detrás de *prep.* behind 1.2
día *m.* day 1.1
día de fiesta holiday 1.9
diario/a *adj.* daily 1.7
diccionario *m.* dictionary 1.1
diciembre *m.* December 1.5
diecinueve *n., adj.* nineteen 1.1
dieciocho *n., adj.* eighteen 1.1
dieciséis *n., adj.* sixteen 1.1
diecisiete *n., adj.* seventeen 1.1
diente *m.* tooth 1.7
diez *n., adj.* ten 1.1
difícil *adj.* difficult; hard 1.3
dinero *m.* money 1.6
diseño *m.* design
diversión *f.* fun activity; entertainment; recreation 1.4
divertido/a *adj.* fun
divertirse (e:ie) *v.* to have fun 1.9
divorciado/a *adj.* divorced 1.9
divorciarse (de) *v.* to get divorced (from) 1.9
divorcio *m.* divorce 1.9
doble *adj.* double
doce *n., adj.* twelve 1.1
doctor(a) *m., f.* doctor 1.3
documentos de viaje *m., pl.* travel documents
domingo *m.* Sunday 1.2
don *m.* Mr.; sir 1.1
doña *m.* Mrs.; ma'am 1.1
donde *prep.* where
¿dónde? *adv.* where? 1.1
¿Dónde está...? Where is...? 1.2
dormir (o:ue) *v.* to sleep 1.4
dormirse (o:ue) *v.* to go to sleep; to fall asleep 1.7
dos *n., adj.* two 1.1
dos veces *f.* twice; two times 1.6
doscientos/as *n., adj.* two hundred 1.2
ducha *f.* shower 1.7
ducharse *v.* to shower; to take a shower 1.7
dueño/a *m., f.* owner; landlord 1.8
dulces *m., pl.* sweets; candy 1.9
durante *prep.* during 1.7

E

e *conj.* (used instead of ***y*** before words beginning with ***i*** and ***hi***) and 1.4
economía *f.* economics 1.2
Ecuador *m.* Ecuador 1.1
ecuatoriano/a *adj.* Ecuadorian 1.3
edad *f.* age 1.9
(en) efectivo *m.* cash 1.6
el *m., sing., def. art.* the 1.1
él *sub. pron.* he 1.1; *pron., obj. of prep.* him 1.9
elegante *adj.* elegant 1.6
ella *sub. pron.* she 1.1; *pron., obj. of prep.* her 1.9
ellos/as *sub. pron.* they 1.1; *pron., obj. of prep.* them 1.9
emocionante *adj.* exciting
empezar (e:ie) *v.* to begin 1.4
empleado/a *m., f.* employee 1.5
en *prep.* in; on; at 1.2
en casa at home 1.7
en línea inline 1.4
en mi nombre in my name
en punto on the dot; exactly; sharp (*time*) 1.1
en qué in what; how 1.2
¿En qué puedo servirles? How can I help you? 1.5
enamorado/a (de) *adj.* in love (with) 1.5
enamorarse (de) *v.* to fall in love (with) 1.9
encantado/a *adj.* delighted; pleased to meet you 1.1
encantar *v.* to like very much; to love (*inanimate objects*) 1.7
encima de *prep.* on top of 1.2
encontrar (o:ue) *v.* to find 1.4
enero *m.* January 1.5
enojado/a *adj.* mad; angry 1.5
enojarse (con) *v.* to get angry (with) 1.7
ensalada *f.* salad 1.8
enseguida *adv.* right away 1.8
enseñar *v.* to teach 1.2
entender (e:ie) *v.* to understand 1.4
entonces *adv.* then 1.7
entre *prep.* between; among 1.2
entremeses *m., pl.* hors d'oeuvres; appetizers 1.8
equipaje *m.* luggage 1.5
equipo *m.* team 1.4
equivocado/a *adj.* wrong 1.5
eres *fam.* you are 1.1
es he/she/it is 1.1
Es de... He/She is from... 1.1
Es la una. It's one o'clock. 1.1
esa(s) *f., adj.* that; those 1.6
ésa(s) *f., pron.* those (ones) 1.6
escalar *v.* to climb 1.4
escalar montañas *v.* to climb mountains 1.4
escoger *v.* to choose 1.8
escribir *v.* to write 1.3
escribir un mensaje electrónico to write an e-mail message 1.4
escribir una carta to write a letter 1.4
escribir una postal to write a postcard
escritorio *m.* desk 1.2
escuchar *v.* to listen (to) 1.2
escuchar la radio to listen to the radio 1.2
escuchar música to listen to music 1.2
escuela *f.* school 1.1
ese *m., sing., adj.* that 1.6
ése *m., sing., pron.* that (one) 1.6
eso *neuter pron.* that; that thing 1.6
esos *m., pl., adj.* those 1.6
ésos *m., pl., pron.* those (ones) 1.6
España *f.* Spain 1.1
español *m.* Spanish (language) 1.2
español(a) *adj.* Spanish 1.3
espárragos *m., pl.* asparagus 1.8
especialización *f.* major 1.2
espejo *m.* mirror 1.7
esperar (+ *inf.*) *v.* to wait (for); to hope 1.2
esposo/a *m., f.* husband; wife; spouse 1.3
esquí (acuático) *m.* (water) skiing 1.4
esquiar *v.* to ski 1.4
está he/she/it is, you are 1.2
Está (muy) despejado. It's (very) clear. (*weather*)
Está lloviendo. It's raining. 1.5
Está nevando. It's snowing. 1.5
Está (muy) nublado. It's (very) cloudy. (*weather*) 1.5
esta(s) *f., adj.* this; these 1.6
esta noche tonight 1.4
ésta(s) *f., pron.* this (one); these (ones) 1.6
Ésta es... *f.* This is... (*introducing someone*) 1.1
estación *f.* station; season 1.5
estación de autobuses bus station 1.5
estación del metro subway station 1.5
estación de tren train station 1.5
estadio *m.* stadium 1.2
estado civil *m.* marital status 1.9
Estados Unidos *m.* (EE.UU.; E.U.) United States 1.1
estadounidense *adj.* from the United States 1.3
estampado/a *adj.* print
estar *v.* to be 1.2
estar aburrido/a to be bored 1.5
estar bajo control to be under control 1.7
estar de moda to be in fashion 1.6

estar de vacaciones to be on vacation 1.5
estar seguro/a to be sure 1.5
No está nada mal. It's not bad at all. 1.5
este *m., sing., adj.* this 1.6
éste *m., sing., pron.* this (one) 1.6
Éste es... *m.* This is... (*introducing someone*) 1.1
estilo *m.* style
esto *neuter pron.* this; this thing 1.6
estos *m., pl., adj.* these 1.6
éstos *m., pl., pron.* these (ones) 1.6
estudiante *m., f.* student 1.1, 1.2
estudiantil *adj.* student 1.2
estudiar *v.* to study 1.2
estupendo/a *adj.* stupendous 1.5
etapa *f.* stage 1.9
examen *m.* test; exam 1.2
excelente *adj.* excellent 1.5
excursión *f.* hike; tour; excursion 1.4
excursionista *m., f.* hiker
explicar *v.* to explain 1.2
explorar *v.* to explore
expresión *f.* expression

F

fabuloso/a *adj.* fabulous 1.5
fácil *adj.* easy 1.3
falda *f.* skirt 1.6
faltar *v.* to lack; to need 1.7
familia *f.* family 1.3
fascinar *v.* to fascinate 1.7
favorito/a *adj.* favorite 1.4
febrero *m.* February 1.5
fecha *f.* date 1.5
feliz *adj.* happy 1.5
¡Feliz cumpleaños! Happy birthday! 1.9
¡Felicidades! Congratulations! 1.9
¡Felicitaciones! Congratulations! 1.9
fenomenal *adj.* great, phenomenal 1.5
feo/a *adj.* ugly 1.3
fiesta *f.* party 1.9
fijo/a *adj.* fixed, set 1.6
fin *m.* end 1.4
fin de semana weekend 1.4
física *f.* physics 1.2
flan (de caramelo) *m.* baked (caramel) custard 1.9
folleto *m.* brochure
foto(grafía) *f.* photograph 1.1
francés, francesa *adj.* French 1.3
frenos *m., pl.* brakes
fresco/a *adj.* cool 1.5
frijoles *m., pl.* beans 1.8
frío/a *adj.* cold 1.5
frito/a *adj.* fried 1.8
fruta *f.* fruit 1.8
frutilla *f.* strawberry
fuera *adv.* outside
fútbol *m.* soccer 1.4
fútbol americano *m.* football 1.4

G

gafas (de sol) *f., pl.* (sun)glasses 1.6
gafas (oscuras) *f., pl.* (sun)glasses
galleta *f.* cookie 1.9
ganar *v.* to win 1.4
ganga *f.* bargain 1.6
gastar *v.* to spend (*money*) 1.6
gemelo/a *m., f.* twin 1.3
gente *f.* people 1.3
geografía *f.* geography 1.2
gimnasio *m.* gymnasium 1.4
golf *m.* golf 1.4
gordo/a *adj.* fat 1.3
gracias *f., pl.* thank you; thanks 1.1
Gracias por todo. Thanks for everything. 1.9
Gracias una vez más. Thanks again. 1.9
graduarse (de/en) *v.* to graduate (from/in) 1.9
gran, grande *adj.* big; large 1.3
grillo *m.* cricket
gris *adj.* gray 1.6
gritar *v.* to scream 1.7
guantes *m., pl.* gloves 1.6
guapo/a *adj.* handsome; good-looking 1.3
guía *m., f.* guide
gustar *v.* to be pleasing to; to like 1.2
Me gustaría... I would like...
gusto *m.* pleasure 1.1
El gusto es mío. The pleasure is mine. 1.1
Mucho gusto. Pleased to meet you. 1.1

H

habitación *f.* room 1.5
habitación doble double room 1.5
habitación individual single room 1.5
hablar *v.* to talk; to speak 1.2
hacer *v.* to do; to make 1.4
Hace buen tiempo. The weather is good. 1.5
Hace (mucho) calor. It's (very) hot. (*weather*) 1.5
Hace fresco. It's cool. (*weather*) 1.5
Hace (mucho) frío. It's very cold. (*weather*) 1.5
Hace mal tiempo. The weather is bad. 1.5
Hace (mucho) sol. It's (very) sunny. (*weather*) 1.5
Hace (mucho) viento. It's (very) windy. (*weather*) 1.5
hacer juego (con) to match (with) 1.6
hacer las maletas to pack (one's) suitcases 1.5
hacer (wind)surf to (wind) surf 1.5
hacer turismo to go sightseeing
hacer un viaje to take a trip 1.5
hacer una excursión to go on a hike; to go on a tour
hambre *f.* hunger 1.3
hamburguesa *f.* hamburger 1.8
hasta *prep.* until 1.6; toward
Hasta la vista. See you later. 1.1
Hasta luego. See you later. 1.1
Hasta mañana. See you tomorrow. 1.1
Hasta pronto. See you soon. 1.1
hay *v.* there is; there are 1.1
Hay (mucha) contaminación. It's (very) smoggy.
Hay (mucha) niebla. It's (very) foggy.
No hay de qué. You're welcome. 1.1
helado/a *adj.* iced 1.8
helado *m.* ice cream 1.9
hermanastro/a *m., f.* stepbrother; stepsister 1.3
hermano/a *m., f.* brother; sister 1.3
hermano/a mayor/menor *m., f.* older/younger brother/sister 1.3
hermanos *m., pl.* siblings (brothers and sisters) 1.3
hermoso/a *adj.* beautiful 1.6
hijastro/a *m., f.* stepson; stepdaughter 1.3
hijo/a *m., f.* son; daughter 1.3
hijo/a único/a *m., f.* only child 1.3
hijos *m., pl.* children 1.3
historia *f.* history 1.2
hockey *m.* hockey 1.4
hola *interj.* hello; hi 1.1
hombre *m.* man 1.1

hora *f.* hour 1.1; the time
horario *m.* schedule 1.2
hotel *m.* hotel 1.5
hoy *adv.* today 1.2
  hoy día *adv.* nowadays
  Hoy es... Today is... 1.2
huésped *m., f.* guest 1.5
huevo *m.* egg 1.8
humanidades *f., pl.* humanities 1.2

I

ida *f.* one way (*travel*)
idea *f.* idea 1.4
iglesia *f.* church 1.4
igualmente *adv.* likewise 1.1
impermeable *m.* raincoat 1.6
importante *adj.* important 1.3
importar *v.* to be important to; to matter 1.7
increíble *adj.* incredible 1.5
individual *adj.* private (*room*) 1.5
ingeniero/a *m., f.* engineer 1.3
inglés *m.* English (*language*) 1.2
inglés, inglesa *adj.* English 1.3
inodoro *m.* toilet 1.7
inspector(a) de aduanas *m., f.* customs inspector 1.5
inteligente *adj.* intelligent 1.3
intercambiar *v.* to exchange
interesante *adj.* interesting 1.3
interesar *v.* to be interesting to; to interest 1.7
invierno *m.* winter 1.5
invitado/a *m., f.* guest 1.9
invitar *v.* to invite 1.9
ir *v.* to go 1.4
  ir a (+ *inf.*) to be going to *do something* 1.4
  ir de compras to go shopping 1.5
  ir de excursión (a las montañas) to go on a hike (in the mountains) 1.4
  ir de pesca to go fishing
  ir de vacaciones to go on vacation 1.5
  ir en autobús to go by bus 1.5
  ir en auto(móvil) to go by car 1.5
  ir en avión to go by plane 1.5
  ir en barco to go by boat 1.5
  ir en metro to go by subway
  ir en motocicleta to go by motorcycle 1.5
  ir en taxi to go by taxi 1.5
  ir en tren to go by train
irse *v.* to go away; to leave 1.7

italiano/a *adj.* Italian 1.3
izquierdo/a *adj.* left 1.2
  a la izquierda de to the left of 1.2

J

jabón *m.* soap 1.7
jamás *adv.* never; not ever 1.7
jamón *m.* ham 1.8
japonés, japonesa *adj.* Japanese 1.3
joven *adj. m., f., sing.* (**jóvenes** *pl.*) young 1.3
joven *m., f., sing.* (**jóvenes** *pl.*) youth; young person 1.1
jubilarse *v.* to retire (*from work*) 1.9
juego *m.* game
jueves *m., sing.* Thursday 1.2
jugador(a) *m., f.* player 1.4
jugar (u:ue) *v.* to play 1.4
  jugar a las cartas to play cards 1.5
jugo *m.* juice 1.8
  jugo de fruta *m.* fruit juice 1.8
julio *m.* July 1.5
junio *m.* June 1.5
juntos/as *adj.* together 1.9
juventud *f.* youth 1.9

L

la *f., sing., def. art.* the 1.1
la *f., sing., d.o. pron.* her, it; *form.* you 1.5
laboratorio *m.* laboratory 1.2
lana *f.* wool 1.6
langosta *f.* lobster 1.8
lápiz *m.* pencil 1.1
largo/a *adj.* long 1.6
las *f., pl., def. art.* the 1.1
las *f., pl., d.o. pron.* them; *form.* you 1.5
lavabo *m.* sink 1.7
lavarse *v.* to wash oneself 1.7
  lavarse la cara to wash one's face 1.7
  lavarse las manos to wash one's hands 1.7
le *sing., i.o. pron.* to/for him, her; *form.* you 1.6
  Le presento a... *form.* I would like to introduce you to (name). 1.1
lección *f.* lesson 1.1
leche *f.* milk 1.8
lechuga *f.* lettuce 1.8
leer *v.* to read 1.3
  leer correo electrónico to read e-mail 1.4
  leer un periódico to read a newspaper 1.4
  leer una revista to read a magazine 1.4
lejos de *prep.* far from 1.2
lengua *f.* language 1.2
  lenguas extranjeras *f., pl.* foreign languages 1.2
lentes (de sol) (sun)glasses
lentes de contacto *m., pl.* contact lenses
les *pl., i.o. pron.* to/for them; *form.* you 1.6
levantarse *v.* to get up 1.7
libre *adj.* free 1.4
librería *f.* bookstore 1.2
libro *m.* book 1.2
limón *m.* lemon 1.8
limpio/a *adj.* clean 1.5
línea *f.* line
listo/a *adj.* ready; smart 1.5
literatura *f.* literature 1.2
llamarse *v.* to be called; to be named 1.7
llave *f.* key 1.5
llegada *f.* arrival 1.5
llegar *v.* to arrive 1.2
llevar *v.* to carry 1.2; to wear; to take 1.6
  llevarse bien/mal (con) to get along well/badly (with) 1.9
llover (o:ue) *v.* to rain 1.5
  Llueve. It's raining. 1.5
lo *m., sing., d.o. pron.* him, it; *form.* you 1.5
  Lo siento. I'm sorry. 1.1
  Lo siento muchísimo. I'm so sorry. 1.4
loco/a *adj.* crazy 1.6
los *m., pl., def. art.* the 1.1
los *m., pl., d.o. pron.* them; *form.* you 1.5
luego *adv.* then 1.7; *adv.* later 1.1
lugar *m.* place 1.4
lunares *m.* polka dots 1.6
lunes *m., sing.* Monday 1.2

M

madrastra *f.* stepmother 1.3
madre *f.* mother 1.3
madurez *f.* maturity; middle age 1.9
magnífico/a *adj.* magnificent 1.5
maíz *m.* corn 1.8
mal, malo/a *adj.* bad 1.3
maleta *f.* suitcase 1.1
mamá *f.* mom 1.3
mano *f.* hand 1.1
  ¡Manos arriba! Hands up!
mantequilla *f.* butter 1.8
manzana *f.* apple 1.8
mañana *f.* morning, A.M. 1.1; tomorrow 1.1

mapa *m.* map 1.2
maquillaje *m.* makeup 1.7
maquillarse *v.* to put on makeup 1.7
mar *m.* sea 1.5
maravilloso/a *adj.* marvelous 1.5
margarina *f.* margarine 1.8
mariscos *m., pl.* shellfish 1.8
marrón *adj.* brown 1.6
martes *m., sing.* Tuesday 1.2
marzo *m.* March 1.5
más *pron.* more 1.2
  más de (+ *number***)** more than 1.8
  más tarde later (on) 1.7
  más... que more... than 1.8
matemáticas *f., pl.* mathematics 1.2
materia *f.* course 1.2
matrimonio *m.* marriage 1.9
mayo *m.* May 1.5
mayonesa *f.* mayonnaise 1.8
mayor *adj.* older 1.3
  el/la mayor *adj.* the eldest 1.8; the oldest
me *sing., d.o. pron.* me 1.5; *sing. i.o. pron.* to/for me 1.6
  Me gusta... I like... 1.2
  No me gustan nada. I don't like them at all. 1.2
  Me llamo... My name is... 1.1
  Me muero por... I'm dying to (for)...
mediano/a *adj.* medium
medianoche *f.* midnight 1.1
medias *f., pl.* pantyhose, stockings 1.6
médico/a *m., f.* doctor 1.3
medio/a *adj.* half 1.3
  medio/a hermano/a *m., f.* half-brother; half-sister 1.3
  mediodía *m.* noon 1.1
  y media thirty minutes past the hour (*time*) 1.1
mejor *adj.* better 1.8
  el/la mejor *adj.* the best 1.8
melocotón *m.* peach 1.8
menor *adj.* younger 1.3
  el/la menor *adj.* the youngest 1.8
menos *adv.* less
  menos cuarto..., menos quince... quarter to... (*time*) 1.1
  menos de (+ *number***)** fewer than 1.8
  menos... que less... than 1.8
mensaje electrónico *m.* e-mail message 1.4
mentira *f.* lie 1.4
menú *m.* menu 1.8
mercado *m.* market 1.6
  mercado al aire libre *m.* open-air market 1.6
merendar (e:ie) *v.* to snack 1.8; to have an afternoon snack
mes *m.* month 1.5
mesa *f.* table 1.2
metro *m.* subway 1.5
mexicano/a *adj.* Mexican 1.3
México *m.* Mexico 1.1
mí *pron., obj. of prep.* me 1.9
mi(s) *poss. adj.* my 1.3
miedo *m.* fear 1.3
miércoles *m., sing.* Wednesday 1.2
mil *m.* one thousand 1.2
  Mil perdones. I'm so sorry. (*lit. A thousand pardons.*) 1.4
mil millones *m.* billion
millón *m.* million 1.2
millones (de) *m.* millions (of)
minuto *m.* minute 1.1
mirar *v.* to look (at); to watch 1.2
  mirar (la) televisión to watch television 1.2
mismo/a *adj.* same 1.3
mochila *f.* backpack 1.2
moda *f.* fashion 1.6
módem *m.* modem
molestar *v.* to bother; to annoy 1.7
montaña *f.* mountain 1.4
montar a caballo *v.* to ride a horse 1.5
monumento *m.* monument 1.4
mora *f.* blackberry 1.8
morado/a *adj.* purple 1.6
moreno/a *adj.* brunet(te) 1.3
morir (o:ue) *v.* to die 1.8
mostrar (o:ue) *v.* to show 1.4
motocicleta *f.* motorcycle 1.5
motor *m.* motor
muchacho/a *m., f.* boy; girl 1.3
mucho/a *adj., adv.* a lot of; much 1.2; many 1.3
  (Muchas) gracias. Thank you (very much).; Thanks (a lot). 1.1
  Muchísimas gracias. Thank you very, very much. 1.9
  Mucho gusto. Pleased to meet you. 1.1
muchísimo very much 1.2
muela *f.* tooth; molar
muerte *f.* death 1.9
mujer *f.* woman 1.1
  mujer policía *f.* female police officer
multa *f.* fine
mundial *adj.* worldwide
municipal *adj.* municipal
museo *m.* museum 1.4
música *f.* music 1.2
muy *adv.* very 1.1
  Muy amable. That's very kind of you. 1.5
  (Muy) bien, gracias. (Very) well, thanks. 1.1

N

nacer *v.* to be born 1.9
nacimiento *m.* birth 1.9
nacionalidad *f.* nationality 1.1
nada *pron., adv.* nothing 1.1; not anything 1.7
  nada mal not bad at all 1.5
nadar *v.* to swim 1.4
nadie *pron.* no one, nobody, not anyone 1.7
naranja *f.* orange 1.8
natación *f.* swimming 1.4
Navidad *f.* Christmas 1.9
necesitar (+ *inf.***)** *v.* to need 1.2
negativo/a *adj.* negative
negro/a *adj.* black 1.3
nervioso/a *adj.* nervous 1.5
nevar (e:ie) *v.* to snow 1.5
  Nieva. It's snowing. 1.5
ni... ni neither... nor 1.7
niebla *f.* fog
nieto/a *m., f.* grandson; granddaughter 1.3
nieve *f.* snow
ningún, ninguno/a(s) *adj., pron.* no; none; not any 1.7
  ningún problema no problem
niñez *f.* childhood 1.9
niño/a *m., f.* child 1.3
no *adv. no; not* 1.1
  ¿no? right? 1.1
  No está nada mal. It's not bad at all. 1.5
  no estar de acuerdo to disagree
  No estoy seguro. I'm not sure.
  no hay there is not; there are not 1.1
  No hay de qué. You're welcome. 1.1
  No hay problema. No problem. 1.7
  No me gustan nada. I don't like them at all. 1.2
  no muy bien not very well 1.1
  No quiero. I don't want to. 1.4
  No sé. I don't know.
  No se preocupe. *(form.)* Don't worry. 1.7
  No te preocupes. *(fam.)* Don't worry. 1.7
  no tener razón to be wrong 1.3

noche *f.* night 1.1
nombre *m.* name 1.1
norteamericano/a *adj.* (North) American 1.3
nos *pl., d.o. pron.* us 1.5; *pl., i.o. pron.* to/for us 1.6
Nos vemos. See you. 1.1
nosotros/as *sub. pron.* we 1.1; *pron., obj. of prep.* us 1.9
novecientos/as *n., adj.* nine hundred 1.2
noveno/a *n., adj.* ninth 1.5
noventa *n., adj.* ninety 1.2
noviembre *m.* November 1.5
novio/a *m., f.* boyfriend/ girlfriend 1.3
nublado/a *adj.* cloudy 1.5
Está (muy) nublado. It's very cloudy. 1.5
nuera *f.* daughter-in-law 1.3
nuestro(s)/a(s) *poss. adj.* our 1.3
nueve *n., adj.* nine 1.1
nuevo/a *adj.* new 1.6
número *m.* number 1.1; (shoe) size 1.6
nunca *adv.* never; not ever 1.7

O

o *conj.* or 1.7
o... o; either... or 1.7
océano *m.* ocean
ochenta *n., adj.* eighty 1.2
ocho *n., adj.* eight 1.1
ochocientos/as *n., adj.* eight hundred 1.2
octavo/a *n., adj.* eighth 1.5
octubre *m.* October 1.5
ocupado/a *adj.* busy 1.5
odiar *v.* to hate 1.9
ofrecer *v.* to offer 1.6
oír *v.* to hear 1.4
Oiga./Oigan. *form., sing./pl.* Listen. (*in conversation*) 1.1
Oye. *fam., sing.* Listen. (*in conversation*) 1.1
once *n., adj.* eleven 1.1
ordenado/a *adj.* orderly 1.5
ordinal *adj.* ordinal (number)
ortografía *f.* spelling
ortográfico/a *adj.* spelling
os *fam., pl., d.o. pron.* you 1.5; *fam., pl., i.o. pron.* to/for you 1.6
otoño *m.* autumn 1.5
otro/a *adj.* other; another 1.6
otra vez *adv.* again

P

padrastro *m.* stepfather 1.3
padre *m.* father 1.3
padres *m., pl.* parents 1.3
pagar *v.* to pay 1.6, 1.9
pagar la cuenta to pay the bill 1.9
país *m.* country 1.1
paisaje *m.* landscape 1.5
palabra *f.* word 1.1
pan *m.* bread 1.8
pan tostado *m.* toasted bread 1.8
pantalones *m., pl.* pants 1.6
pantalones cortos *m., pl.* *shorts* 1.6
pantuflas *f., pl.* slippers 1.7
papa *f.* potato 1.8
papas fritas *f., pl.* fried potatoes; French fries 1.8
papá *m.* dad 1.3
papás *m., pl.* parents 1.3
papel *m.* paper 1.2
papelera *f.* wastebasket 1.2
par *m.* pair 1.6
par de zapatos *m.* pair of shoes 1.6
parecer *v.* to seem 1.6
pareja *f.* (married) couple; partner 1.9
parientes *m., pl.* relatives 1.3
parque *m.* park 1.4
párrafo *m.* paragraph
partido *m.* game; match (*sports*) 1.4
pasado/a *adj.* last; past 1.6
pasado *p.p.* passed
pasaje *m.* ticket 1.5
pasaje de ida y vuelta *m.* roundtrip ticket 1.5
pasajero/a *m., f.* passenger 1.1
pasaporte *m.* passport 1.5
pasar *v.* to go through 1.5
pasar por la aduana to go through customs
pasar tiempo to spend time
pasarlo bien/mal to have a good/bad time 1.9
pasatiempo *m.* pastime; hobby 1.4
pasear *v.* to take a walk; to stroll 1.4
pasear en bicicleta to ride a bicycle 1.4
pasear por to walk around 1.4
pasta *f.* **de dientes** toothpaste 1.7
pastel *m.* cake; pie 1.9
pastel de chocolate *m.* chocolate cake 1.9
pastel de cumpleaños *m.* birthday cake
patata *f.* potato 1.8
patatas fritas *f., pl.* fried potatoes; French fries 1.8
patinar (en línea) *v.* to (inline) skate 1.4
patineta *f.* skateboard 1.4
pavo *m.* turkey 1.8
pedir (e:i) *v.* to ask for; to request 1.4; to order (*food*) 1.8
peinarse *v.* to comb one's hair 1.7
película *f.* movie 1.4
pelirrojo/a *adj.* red-haired 1.3
pelo *m.* hair 1.7
pelota *f.* ball 1.4
pensar (e:ie) *v.* to think 1.4
pensar (+ *inf.***)** *v.* to intend to; to plan to (*do something*) 1.4
pensar en *v.* to think about 1.4
pensión *f.* boardinghouse
peor *adj.* worse 1.8
el/la peor *adj.* the worst 1.8
pequeño/a *adj.* small 1.3
pera *f.* pear 1.8
perder (e:ie) *v.* to lose; to miss 1.4
Perdón. Pardon me.; Excuse me. 1.1
perezoso/a *adj.* lazy
perfecto/a *adj.* perfect 1.5
periódico *m.* newspaper 1.4
periodismo *m.* journalism 1.2
periodista *m., f.* journalist 1.3
permiso *m.* permission
pero *conj.* but 1.2
persona *f.* person 1.3
pesca *f.* fishing
pescado *m.* fish (*cooked*) 1.8
pescador(a) *m., f.* fisherman/ fisherwoman
pescar *v.* to fish 1.5
pimienta *f.* black pepper 1.8
piña *f.* pineapple 1.8
piscina *f.* swimming pool 1.4
piso *m.* floor (*of a building*) 1.5
pizarra *f.* blackboard 1.2
planes *m., pl.* plans
planta baja *f.* ground floor 1.5
plato *m.* dish (*in a meal*) 1.8
plato principal *m.* main dish 1.8
playa *f.* beach 1.5
plaza *f.* city or town square 1.4
pluma *f.* pen 1.2
pobre *adj.* poor 1.6
pobreza *f.* poverty
poco/a *adj.* little; few 1.5
poder (o:ue) *v.* to be able to; can 1.4
pollo *m.* chicken 1.8
pollo asado *m.* roast chicken 1.8
ponchar *v.* to go flat
poner *v.* to put; to place 1.4
ponerse (+ *adj.***)** *v.* to become (+ *adj.*) 1.7; to put on 1.7

por *prep.* in exchange for; for; by; in; through; around; along; during; because of; on account of; on behalf of; in search of; by way of
por avión by plane
por favor please 1.1
por la mañana in the morning 1.7
por la noche at night 1.7
por la tarde in the afternoon 1.7
¿por qué? why? 1.2
por teléfono by phone; on the phone
por último finally 1.7
porque *conj.* because 1.2
posesivo/a *adj.* possessive 1.3
postal *f.* postcard
postre *m.* dessert 1.9
practicar *v.* to practice 1.2
practicar deportes *m., pl.* to play sports 1.4
precio (fijo) *m.* (fixed; set) price 1.6
preferir (e:ie) *v.* to prefer 1.4
pregunta *f.* question
preguntar *v.* to ask (*a question*) 1.2
preocupado/a (por) *adj.* worried (about) 1.5
preocuparse (por) *v.* to worry (about) 1.7
preparar *v.* to prepare 1.2
preposición *f.* preposition
presentación *f.* introduction
presentar *v.* to introduce
Le presento a… I would like to introduce you to (name). 1.1
Te presento a… I would like to introduce you to (name). (*fam.*) 1.1
prestado/a *adj.* borrowed
prestar *v.* to lend; to loan 1.6
primavera *f.* spring 1.5
primer, primero/a *n., adj.* first 1.5
primo/a *m., f.* cousin 1.3
principal *adj.* main 1.8
prisa *f.* haste 1.3
probar (o:ue) *v.* to taste; to try 1.8
probarse (o:ue) *v.* to try on 1.7
problema *m.* problem 1.1
profesión *f.* profession 1.3
profesor(a) *m., f.* teacher 1.1, 1.2
programa *m.* 1.1
programador(a) *m., f.* computer programmer 1.3
pronombre *m.* pronoun
propina *f.* tip 1.8
prueba *f.* test; quiz 1.2
psicología *f.* psychology 1.2
pueblo *m.* town 1.4
puerta *f.* door 1.2
Puerto Rico *m.* Puerto Rico 1.1
puertorriqueño/a *adj.* Puerto Rican 1.3
pues *conj.* well 1.2

Q

que *conj.* that; which
¡Qué…! How…! 1.3
¡Qué dolor! What pain!
¡Qué ropa más bonita! What pretty clothes! 1.6
¡Qué sorpresa! What a surprise!
¿qué? *pron.* what? 1.1
¿Qué día es hoy? What day is it? 1.2
¿Qué hay de nuevo? What's new? 1.1
¿Qué hora es? What time is it? 1.1
¿Qué les parece? What do you (*pl.*) think?
¿Qué pasa? What's happening?; What's going on? 1.1
¿Qué precio tiene? What is the price?
¿Qué tal…? How are you?; How is it going? 1.1; How is/are…? 1.2
¿Qué talla lleva/usa? What size do you wear? (*form.*) 1.6
¿Qué tiempo hace? How's the weather? 1.5
¿En qué…? In which…? 1.2
quedar *v.* to be left over; to fit (*clothing*) 1.7
quedarse *v.* to stay; to remain 1.7
querer (e:ie) *v.* to want; to love 1.4
queso *m.* cheese 1.8
quien(es) *pron.* who; whom
¿Quién es…? Who is…? 1.1
¿quién(es)? *pron.* who?; whom? 1.1
química *f.* chemistry 1.2
quince *n., adj.* fifteen 1.1
menos quince quarter to (*time*) 1.1
y quince quarter after (*time*) 1.1
quinceañera *f.* young woman celebrating her fifteenth birthday 1.9
quinientos/as *n., adj.* five hundred 1.2
quinto/a *n., adj.* fifth 1.5
quitarse *v.* to take off 1.7
quizás *adv.* maybe 1.5

R

radio *f.* radio (*medium*) 1.2
radio *m.* radio (*set*) 1.2
ratos libres *m., pl.* spare (*free*) time 1.4
raya *f.* stripe 1.6
razón *f.* reason 1.3
rebaja *f.* sale 1.6
recibir *v.* to receive 1.3
recién casado/a *m., f.* newlywed 1.9
recomendar (e:ie) *v.* to recommend 1.8
recordar (o:ue) *v.* to remember 1.4
recorrer *v.* to tour an area
refresco *m.* soft drink 1.8
regalar *v.* to give (a gift) 1.9
regalo *m.* gift 1.6
regatear *v.* to bargain 1.6
regresar *v.* to return 1.2
regular *adj.* so-so; OK 1.1
reírse (e:i) *v.* to laugh 1.9
relaciones *f., pl.* relationships
relajarse *v.* to relax 1.9
reloj *m.* clock; watch 1.2
repetir (e:i) *v.* to repeat 1.4
residencia estudiantil *f.* dormitory 1.2
respuesta *f.* answer
restaurante *m.* restaurant 1.4
revista *f.* magazine 1.4
rico/a *adj.* rich 1.6; tasty; delicious 1.8
riquísimo/a *adj.* extremely delicious 1.8
rojo/a *adj.* red 1.3
romper (con) *v.* to break up (with) 1.9
ropa *f.* clothing; clothes 1.6
ropa interior *f.* underwear 1.6
rosado/a *adj.* pink 1.6
rubio/a *adj.* blond(e) 1.3
ruso/a *adj.* Russian 1.3
rutina *f.* routine 1.7
rutina diaria *f.* daily routine 1.7

S

sábado *m.* Saturday 1.2
saber *v.* to know; to know how 1.6; to taste 1.8
saber (a) to taste (like) 1.8
sabrosísimo/a *adj.* extremely delicious 1.8
sabroso/a *adj.* tasty; delicious 1.8
sacar *v.* to take out
sacar fotos to take photos 1.5
sal *f.* salt 1.8
salchicha *f.* sausage 1.8

salida *f.* departure; exit 1.5
salir *v.* to leave 1.4; to go out
salir (con) to go out (with); to date 1.9
salir de to leave from
salir para to leave for (*a place*)
salmón *m.* salmon 1.8
saludo *m.* greeting 1.1
saludos a... greetings to... 1.1
sandalia *f.* sandal 1.6
sandía *f.* watermelon
sándwich *m.* sandwich 1.8
se *ref. pron.* himself, herself, itself; *form.* yourself, themselves, yourselves 1.7
secarse *v.* to dry oneself 1.7
secuencia *f.* sequence
sed *f.* thirst 1.3
seda *f.* silk 1.6
seguir (e:i) *v.* to follow; to continue 1.4
según *prep.* according to
segundo/a *n., adj.* second 1.5
seguro/a *adj.* sure; safe 1.5
seis *n., adj.* six 1.1
seiscientos/as *n., adj.* six hundred 1.2
semana *f.* week 1.2
fin *m.* **de semana** weekend 1.4
semana *f.* **pasada** last week 1.6
semestre *m.* semester 1.2
sentarse (e:ie) *v.* to sit down 1.7
sentir(se) (e:ie) *v.* to feel 1.7
señor (Sr.) *m.* Mr.; sir 1.1
señora (Sra.) *f.* Mrs.; ma'am 1.1
señorita (Srta.) *f.* Miss 1.1
separado/a *adj.* separated 1.9
separarse (de) *v.* to separate (from) 1.9
septiembre *m.* September 1.5
séptimo/a *adj.* seventh 1.5
ser *v.* to be 1.1
ser aficionado/a (a) to be a fan (of) 1.4
serio/a *adj.* serious
servir (e:i) *v.* to serve 1.8; to help 1.5
sesenta *n., adj.* sixty 1.2
setecientos/as *n., adj.* seven hundred 1.2
setenta *n., adj.* seventy 1.2
sexto/a *n., adj.* sixth 1.5
sí *adv.* yes 1.1
si *conj.* if 1.4
siempre *adv.* always 1.7
siete *n., adj.* seven 1.1
silla *f.* seat 1.2
similar *adj.* similar
simpático/a *adj.* nice; likeable 1.3
sin *prep.* without 1.2
sin duda without a doubt
sin embargo however
sino *conj.* but (rather) 1.7
situado/a *adj., p.p.* located
sobre *prep.* on; over 1.2
sobrino/a *m., f.* nephew; niece 1.3
sociología *f.* sociology 1.2
sol *m.* sun 1.4; 1.5
soleado/a *adj.* sunny
sólo *adv.* only 1.3
solo *adj.* alone
soltero/a *adj.* single 1.9
sombrero *m.* hat 1.6
Son las dos. It's two o'clock. 1.1
sonreír (e:i) *v.* to smile 1.9
sopa *f.* soup 1.8
sorprender *v.* to surprise 1.9
sorpresa *f.* surprise 1.9
soy I am 1.1
Soy yo. That's me. 1.1
Soy de... I'm from... 1.1
su(s) *poss. adj.* his, her, its; *form.* your, their 1.3
sucio/a *adj.* dirty 1.5
suegro/a *m., f.* father-in-law; mother-in-law 1.3
sueño *m.* sleep 1.3
suerte *f.* luck 1.3
suéter *m.* sweater 1.6
suponer *v.* to suppose 1.4
sustantivo *m.* noun

T

tabla de (wind)surf *f.* surf board/sailboard 1.5
tal vez *adv.* maybe 1.5
talla *f.* size 1.6
talla grande *f.* large
también *adv.* also; too 1.2; 1.7
tampoco *adv.* neither; not either 1.7
tan *adv.* so 1.5
tan... como as... as 1.8
tanto *adv.* so much
tanto... como as much... as 1.8
tantos/as... como as many... as 1.8
tarde *adv.* late 1.7
tarde *f.* afternoon; evening; P.M. 1.1
tarea *f.* homework 1.2
tarjeta *f.* card
tarjeta de crédito *f.* credit card 1.6
tarjeta postal *f.* postcard
taxi *m.* taxi 1.5
te *sing., fam., d.o. pron.* you 1.5; *sing., fam., i.o. pron.* to/for you 1.6
Te presento a... *fam.* I would like to introduce you to (name). 1.1
¿Te gusta(n)...? Do you like...? 1.2
té *m.* tea 1.8
té helado *m.* iced tea 1.8
televisión *f.* television 1.2
temprano *adv.* early 1.7
tener *v.* to have 1.3
tener... años to be... years old 1.3
Tengo... años. I'm... years old. 1.3
tener (mucho) calor to be (very) hot 1.3
tener (mucho) cuidado to be (very) careful 1.3
tener (mucho) frío to be (very) cold 1.3
tener ganas de (+ *inf.*) to feel like (*doing something*) 1.3
tener (mucha) hambre to be (very) hungry 1.3
tener (mucho) miedo (de) to be (very) afraid (of); to be (very) scared (of) 1.3
tener miedo (de) que to be afraid that
tener planes to have plans
tener (mucha) prisa to be in a (big) hurry 1.3
tener que (+ *inf.*) *v.* to have to (*do something*) 1.3
tener razón to be right 1.3
tener (mucha) sed to be (very) thirsty 1.3
tener (mucho) sueño to be (very) sleepy 1.3
tener (mucha) suerte *f.* to be (very) lucky 1.3
tener tiempo to have time 1.4
tener una cita to have a date; to have an appointment 1.9
tenis *m.* tennis 1.4
tercer, tercero/a *n., adj.* third 1.5
terminar *v.* to end; to finish 1.2
terminar de (+ *inf.*) *v.* to finish (*doing something*)
ti *pron., obj. of prep., fam.* you 1.9
tiempo *m.* time 1.4; weather 1.5
tiempo libre free time
tienda *f.* shop; store 1.6
tienda de campaña tent
tinto/a *adj.* red (wine) 1.8
tío/a *m., f.* uncle; aunt 1.3
tíos *m.* aunts and uncles 1.3
título *m.* title
tiza *f.* chalk 1.2
toalla *f.* towel 1.7
todavía *adv.* yet; still 1.5

todo *m.* everything 1.5
Todo está bajo control. Everything is under control. 1.7
todo(s)/a(s) *adj.* all; whole 1.4
todos *m., pl.* all of us; everybody; everyone
tomar *v.* to take; to drink 1.2
tomar clases to take classes 1.2
tomar el sol to sunbathe 1.4
tomar en cuenta to take into account
tomar fotos to take photos 1.5
tomate *m.* tomato 1.8
tonto/a *adj.* silly; foolish 1.3
tortilla *f.* tortilla 1.8
tortilla de maíz corn tortilla 1.8
tostado/a *adj.* toasted 1.8
trabajador(a) *adj.* hard-working 1.3
trabajar *v.* to work 1.2
traducir *v.* to translate 1.6
traer *v.* to bring 1.4
traje *m.* suit 1.6
traje de baño *m.* bathing suit 1.6
tranquilo/a *adj.* calm
Tranquilo. Relax. 1.7
trece *n., adj.* thirteen 1.1
treinta *n., adj.* thirty 1.1, 1.2
y treinta thirty minutes past the hour (*time*) 1.1
tren *m.* train 1.5
tres *n., adj.* three 1.1
trescientos/as *n., adj.* three hundred 1.2
trimestre *m.* trimester; quarter 1.2
triste *adj.* sad 1.5
tú *fam. sub. pron.* you 1.1
Tú eres... You are... 1.1
tu(s) *fam. poss. adj.* your 1.3
turismo *m.* tourism 1.5
turista *m., f.* tourist 1.1
turístico/a *adj.* touristic

U

Ud. *form. sing.* you 1.1
Uds. *form., pl.* you 1.1
último/a *adj.* last
un, uno/a *indef. art.* a, an; one 1.1
uno/a *m., f., sing. pron.* one 1.1
a la una at one o'clock 1.1
una vez *adv.* once; one time 1.6
una vez más one more time 1.9
unos/as *m., f., pl. indef. art.* some; *pron.* some 1.1
único/a *adj.* only 1.3
universidad *f.* university; college 1.2
usar *v.* to wear; to use 1.6
usted (Ud.) *form. sing.* you 1.1
ustedes (Uds.) *form., pl.* you 1.1
útil *adj.* useful
uva *f.* grape 1.8

V

vacaciones *f. pl.* vacation 1.5
vamos let's go 1.4
varios/as *adj., pl.* various; several 1.8
veces *f., pl.* times 1.6
veinte *n., adj.* twenty 1.1
veinticinco *n., adj.* twenty-five 1.1
veinticuatro *n., adj.* twenty-four 1.1
veintidós *n., adj.* twenty-two 1.1
veintinueve *n., adj.* twenty-nine 1.1
veintiocho *n., adj.* twenty-eight 1.1
veintiséis *n., adj.* twenty-six 1.1
veintisiete *n., adj.* twenty-seven 1.1
veintitrés *n., adj.* twenty-three 1.1
veintiún, veintiuno/a *n., adj.* twenty-one 1.1
vejez *f.* old age 1.9
vendedor(a) *m., f.* salesperson 1.6
vender *v.* to sell 1.6
venir *v.* to come 1.3
ventana *f.* window 1.2
ver *v.* to see 1.4
a ver let's see 1.2
ver películas to see movies 1.4
verano *m.* summer 1.5
verbo *m.* verb
verdad *f.* truth
¿verdad? right? 1.1
verde *adj.* green 1.3
verduras *f., pl.* vegetables 1.8
vestido *m.* dress 1.6
vestirse (e:i) *v.* to get dressed 1.7
vez *f.* time 1.6
viajar *v.* to travel 1.2
viaje *m.* trip 1.5
viajero/a *m., f.* traveler 1.5
vida *f.* life 1.9
video *m.* video 1.1
videojuego *m.* video game 1.4
viejo/a *adj.* old 1.3
viento *m.* wind 1.5
viernes *m., sing.* Friday 1.2
vinagre *m.* vinegar 1.8
visitar *v.* to visit 1.4
visitar monumentos to visit monuments 1.4
viudo/a *adj.* widower; widow 1.9
vivir *v.* to live 1.3
vivo/a *adj.* bright; lively; living
vóleibol *m.* volleyball 1.4
volver (o:ue) *v.* to return 1.4
vos *pron.* you
vosotros/as *pron., form., pl.* you 1.1
vuelta *f.* return trip
vuestro(s)/a(s) *form., poss. adj.* your 1.3

W

walkman *m.* walkman

Y

y *conj.* and 1.1
y cuarto quarter after (*time*) 1.1
y media half-past (*time*) 1.1
y quince quarter after (*time*) 1.1
y treinta thirty (minutes past the hour) 1.1
¿Y tú? *fam.* And you? 1.1
¿Y usted? *form.* And you? 1.1
ya *adv.* already 1.6
yerno *m.* son-in-law 1.3
yo *sub. pron.* I 1.1
Yo soy... I'm... 1.1
yogur *m.* yogurt 1.8

Z

zanahoria *f.* carrot 1.8
zapatos *m., pl.* shoes
zapatos de tenis tennis shoes, sneakers 1.6

English-Spanish

A

a **un, uno/a** *m., f., sing.; indef. art.* 1.1
A.M. **mañana** *f.* 1.1
able: be able to **poder (o:ue)** *v.* 1.4
aboard **a bordo** 1.1
accounting **contabilidad** *f.* 1.2
acquainted: be acquainted with **conocer** *v.* 1.6
additional **adicional** *adj.*
adjective **adjetivo** *m.*
adolescence **adolescencia** *f.* 1.9
advice **consejo** *m.* 1.6
give advice **dar consejos** 1.6
affirmative **afirmativo/a** *adj.*
afraid: be (very) afraid (of) **tener (mucho) miedo (de)** 1.3
be afraid that **tener miedo (de) que**
after **después de** *prep.* 1.7
afternoon **tarde** *f.* 1.1
afterward **después** *adv.* 1.7
again *adv.* **otra vez**
age **edad** *f.* 1.9
agree **concordar (o:ue)** *v.*
airplane **avión** *m.* 1.5
airport **aeropuerto** *m.* 1.5
alarm clock **despertador** *m.* 1.7
all **todo(s)/a(s)** *adj.* 1.4
all of us **todos** 1.1
all over the world **en todo el mundo**
alleviate **aliviar** *v.*
alone **solo/a** *adj.*
already **ya** *adv.* 1.6
also **también** *adv.* 1.2; 1.7
although *conj.* **aunque**
always **siempre** *adv.* 1.7
American (North) **norteamericano/a** *adj.* 1.3
among **entre** *prep.* 1.2
amusement **diversión** *f.*
and **y** 1.1, **e** (before words beginning with *i* or *hi*) 1.4
And you? **¿Y tú?** *fam.* 1.1; **¿Y usted?** *form.* 1.1
angry **enojado/a** *adj.* 1.5
get angry (with) **enojarse** *v.* **(con)** 1.7
anniversary **aniversario** *m.* 1.9
(wedding) anniversary **aniversario** *m.* (de bodas) 1.9
annoy **molestar** *v.* 1.7
another **otro/a** *adj.* 1.6
answer **contestar** *v.* 1.2; **respuesta** *f.*
any **algún, alguno/a(s)** *adj.* 1.7
anyone **alguien** *pron.* 1.7
anything **algo** *pron.* 1.7
appear **parecer** *v.*
appetizers **entremeses** *m., pl.* 1.8
apple **manzana** *f.* 1.8
appointment **cita** *f.* 1.9
have an appointment **tener** *v.* **una cita** 1.9
April **abril** *m.* 1.5
aquatic **acuático/a** *adj.* 1.4
archaeology **arqueología** *f.* 1.2
Argentina **Argentina** *f.* 1.1
Argentine **argentino/a** *adj.* 1.3
arrival **llegada** *f.* 1.5
arrive **llegar** *v.* 1.2
art **arte** *m.* 1.2
artist **artista** *m., f.* 1.3
as **como** 1.8
as... as **tan... como** 1.8
as many... as **tantos/as... como** 1.8
as much... as **tanto... como** 1.8
ask (a question) **preguntar** *v.* 1.2
ask for **pedir (e:i)** *v.* 1.4
asparagus **espárragos** *m., pl.* 1.8
at **a** *prep.* 1.1; **en** *prep.* 1.2
at + *time* **a la(s)** + *time* 1.1
at home **en casa** 1.7
at night **por la noche** 1.7
At what time...? **¿A qué hora...?** 1.1
attend **asistir (a)** *v.* 1.3
attract **atraer** *v.* 1.4
August **agosto** *m.* 1.5
aunt **tía** *f.* 1.3
aunts and uncles **tíos** *m., pl.* 1.3
automatic **automático/a** *adj.*
automobile **automóvil** *m.* 1.5
autumn **otoño** *m.* 1.5
avenue **avenida** *f.*

B

backpack **mochila** *f.* 1.2
bad **mal, malo/a** *adj.* 1.3
It's not at all bad. **No está nada mal.** 1.5
bag **bolsa** *f.* 1.6
ball **pelota** *f.* 1.4
banana **banana** *f.* 1.8
bargain **ganga** *f.* 1.6; **regatear** *v.* 1.6
baseball (*game*) **béisbol** *m.* 1.4
basketball (*game*) **baloncesto** *m.* 1.4
bathe **bañarse** *v.* 1.7
bathing suit **traje** *m.* **de baño** 1.6
bathroom **baño** *m.* 1.7; **cuarto de baño** *m.* 1.7
be **ser** *v.* 1.1; **estar** *v.* 1.2
be... years old **tener... años** 1.3
beach **playa** *f.* 1.5
beans **frijoles** *m., pl.* 1.8
beautiful **hermoso/a** *adj.* 1.6
because **porque** *conj.* 1.2
become (+ *adj.*) **ponerse (+** *adj.***)** 1.7; **convertirse (e:ie)** *v.*
bed **cama** *f.* 1.5
go to bed **acostarse (o:ue)** *v.* 1.7
beef **carne de res** *f.* 1.8
before **antes** *adv.* 1.7; **antes de** *prep.* 1.7
begin **comenzar (e:ie)** *v.* 1.4; **empezar (e:ie)** *v.* 1.4
behind **detrás de** *prep.* 1.2
believe (in) **creer** *v.* **(en)** 1.3
bellhop **botones** *m., f. sing.* 1.5
below **debajo de** *prep.* 1.2
belt **cinturón** *m.* 1.6
beside **al lado de** *prep.* 1.2
best **mejor** *adj.*
the best **el/la mejor** *adj.* 1.8
better **mejor** *adj.* 1.8
between **entre** *prep.* 1.2
bicycle **bicicleta** *f.* 1.4
big **gran, grande** *adj.* 1.3
bill **cuenta** *f.* 1.9
billion *m.* **mil millones**
biology **biología** *f.* 1.2
birth **nacimiento** *m.* 1.9
birthday **cumpleaños** *m., sing.* 1.9
have a birthday **cumplir** *v.* **años** 1.9
biscuit **bizcocho** *m.*
black **negro/a** *adj.* 1.3
blackberry **mora** *f.* 1.8
blackboard **pizarra** *f.* 1.2
blond(e) **rubio/a** *adj.* 1.3
blouse **blusa** *f.* 1.6
blue **azul** *adj.* 1.3
boardinghouse **pensión** *f.*
boat **barco** *m.* 1.5
book **libro** *m.* 1.2
bookstore **librería** *f.* 1.2
boot **bota** *f.* 1.6
bore **aburrir** *v.* 1.7
bored **aburrido/a** *adj.* 1.5
be bored **estar** *v.* **aburrido/a** 1.5
boring **aburrido/a** *adj.* 1.5
born: be born **nacer** *v.* 1.9
borrowed **prestado/a** *adj.*
bother **molestar** *v.* 1.7
bottle **botella** *f.* 1.9
bottom **fondo** *m.*
boulevard **bulevar** *m.*
boy **chico** *m.* 1.1; **muchacho** *m.* 1.3
boyfriend **novio** *m.* 1.3
brakes **frenos** *m., pl.*
bread **pan** *m.* 1.8
break up (with) **romper** *v.* **(con)** 1.9
breakfast **desayuno** *m.* 1.2, 1.8
have breakfast **desayunar** *v.* 1.2
bring **traer** *v.* 1.4

brochure **folleto** *m.*
brother **hermano** *m.* 1.3
brothers and sisters **hermanos** *m., pl.* 1.3
brother-in-law **cuñado** *m.* 1.3
brown **café** *adj.* 1.6; **marrón** *adj.* 1.6
brunet(te) **moreno/a** *adj.* 1.3
brush **cepillar** *v.* 1.7
brush one's hair **cepillarse el pelo** 1.7
brush one's teeth **cepillarse los dientes** 1.7
build **construir** *v.* 1.4
bus **autobús** *m.* 1.1
bus station **estación** *f.* **de autobuses** 1.5
business administration **administración** *f.* **de empresas** 1.2
busy **ocupado/a** *adj.* 1.5
but **pero** *conj.* 1.2; (*rather*) **sino** *conj.* (*in negative sentences*) 1.7
butter **mantequilla** *f.* 1.8
buy **comprar** *v.* 1.2
by plane **en avión** 1.5
bye **chau** *interj. fam.* 1.1

C

café **café** *m.* 1.4
cafeteria **cafetería** *f.* 1.2
cake **pastel** *m.* 1.9
chocolate cake **pastel de chocolate** *m.* 1.9
calculator **calculadora** *f.* 1.2
call **llamar** *v.*
call on the phone **llamar por teléfono**
be called **llamarse** *v.* 1.7
camp **acampar** *v.* 1.5
can **poder (o:ue)** *v.* 1.4
Canadian **canadiense** *adj.* 1.3
candy **dulces** *m., pl.* 1.9
capital city **capital** *f.* 1.1
car **auto(móvil)** *m.* 1.5
caramel **caramelo** *m.* 1.9
card **tarjeta** *f.*; (*playing*) **carta** *f.* 1.5
care **cuidado** *m.* 1.3
careful: be (very) careful **tener** *v.* (mucho) **cuidado** 1.3
carrot **zanahoria** *f.* 1.8
carry **llevar** *v.* 1.2
cash **(en) efectivo** 1.6
cash register **caja** *f.* 1.6
cashier **cajero/a** *m., f.*
celebrate **celebrar** *v.* 1.9
celebration **celebración** *f.*
young woman's fifteenth birthday celebration **quinceañera** *f.* 1.9
cereal **cereales** *m., pl.* 1.8
chalk **tiza** *f.* 1.2
champagne **champán** *m.* 1.9
change **cambiar** *v.* **(de)** 1.9
chat **conversar** *v.* 1.2
chauffeur **conductor(a)** *m., f.* 1.1
cheap **barato/a** *adj.* 1.6
cheese **queso** *m.* 1.8
chemistry **química** *f.* 1.2
chicken **pollo** *m.* 1.8
child **niño/a** *m., f.* 1.3
childhood **niñez** *f.* 1.9
children **hijos** *m., pl.* 1.3
Chinese **chino/a** *adj.* 1.3
chocolate **chocolate** *m.* 1.9
chocolate cake **pastel** *m.* **de chocolate** 1.9
choose **escoger** *v.* 1.8
chop (*food*) **chuleta** *f.* 1.8
Christmas **Navidad** *f.* 1.9
church **iglesia** *f.* 1.4
city **ciudad** *f.* 1.4
class **clase** *f.* 1.2
take classes **tomar clases** 1.2
classmate **compañero/a** *m., f.* **de clase** 1.2
clean **limpio/a** *adj.* 1.5
clear (*weather*) **despejado/a** *adj.*
It's (very) clear. (*weather*) **Está (muy) despejado.**
clerk **dependiente/a** *m., f.* 1.6
climb **escalar** *v.* 1.4
climb mountains **escalar montañas** 1.4
clock **reloj** *m.* 1.2
close **cerrar (e:ie)** *v.* 1.4
closed **cerrado/a** *adj.* 1.5
clothes **ropa** *f.* 1.6
clothing **ropa** *f.* 1.6
cloudy **nublado/a** *adj.* 1.5
It's (very) cloudy. **Está (muy) nublado.** 1.5
coat **abrigo** *m.* 1.6
coffee **café** *m.* 1.8
cold **frío** *m.* 1.5;
be (feel) (very) cold **tener (mucho) frío** 1.3
It's (very) cold. (*weather*) **Hace (mucho) frío.** 1.5
college **universidad** *f.* 1.2
color **color** *m.* 1.3, 1.6
comb one's hair **peinarse** *v.* 1.7
come **venir** *v.* 1.3
comfortable **cómodo/a** *adj.* 1.5
community **comunidad** *f.* 1.1
comparison **comparación** *f.*
computer **computadora** *f.* 1.1
computer disc **disco** *m.*
computer programmer **programador(a)** *m., f.* 1.3
computer science **computación** *f.* 1.2
confirm **confirmar** *v.* 1.5
confirm a reservation **confirmar una reservación** 1.5
confused **confundido/a** *adj.* 1.5
Congratulations! **¡Felicidades!; ¡Felicitaciones!** *f. pl.* 1.9
contamination **contaminación** *f.*
content **contento/a** *adj.* 1.5
continue **seguir (e:i)** *v.* 1.4
control **control** *m.*
be under control **estar bajo control** 1.7
conversation **conversación** *f.* 1.1
converse **conversar** *v.* 1.2
cookie **galleta** *f.* 1.9
cool **fresco/a** *adj.* 1.5
Be cool. **Tranquilo/a.**
It's cool. (*weather*) **Hace fresco.** 1.5
corn **maíz** *m.* 1.8
cost **costar (o:ue)** *v.* 1.6
Costa Rica **Costa Rica** *f.* **1.1**
Costa Rican **costarricense** *adj.* 1.3
cotton **algodón** *f.* 1.6
(made of) cotton **de algodón** 1.6
count (on) **contar (o:ue)** *v.* **(con)** 1.4
country (*nation*) **país** *m.* 1.1
countryside **campo** *m.* 1.5
couple (married) **pareja** *f.* 1.9
course **curso** *m.* 1.2; **materia** *f.* 1.2
courtesy **cortesía** *f.*
cousin **primo/a** *m., f.* 1.3
cover **cubrir** *v.*
covered **cubierto** *p.p.*
crazy **loco/a** *adj.* 1.6
create **crear** *v.*
credit **crédito** *m.* 1.6
credit card **tarjeta** *f.* **de crédito** 1.6
Cuba **Cuba** *f.* **1.1**
Cuban **cubano/a** *adj.* **1.3**
culture **cultura** *f.* **1.2**
currency exchange **cambio** *m.* **de moneda**
custard (*baked*) **flan** *m.* 1.9
custom **costumbre** *f.* 1.1
customer **cliente/a** *m., f.* 1.6
customs **aduana** *f.* 1.5
customs inspector **inspector(a)** *m., f.* **de aduanas** 1.5
cycling **ciclismo** *m.* 1.4

D

dad **papá** *m.* 1.3
daily **diario/a** *adj.* 1.7
daily routine **rutina** *f.* **diaria** 1.7
dance **bailar** *v.* 1.2
date *(appointment)* **cita** *f.* 1.9; *(calendar)* **fecha** *f.* 1.5; *(someone)* **salir** *v.* **con (alguien)** 1.9
have a date **tener una cita** 1.9
daughter **hija** *f.* 1.3
daughter-in-law **nuera** *f.* 1.3
day **día** *m.* 1.1

day before yesterday
anteayer *adv.* 1.6
death **muerte** *f.* 1.9
December **diciembre** *m.* 1.5
decide **decidir** *v.* **(+** *inf.***)** 1.3
delicious **delicioso/a** *adj.* 1.8; **rico/a** *adj.* 1.8; **sabroso/a** *adj.* 1.8
delighted **encantado/a** *adj.* 1.1
department store **almacén** *m.* 1.6
departure **salida** *f.* 1.5
describe **describir** *v.* 1.3
design **diseño** *m.*
desire **desear** *v.* 1.2
desk **escritorio** *m.* 1.2
dessert **postre** *m.* 1.9
diary **diario** *m.* 1.1
dictionary **diccionario** *m.* 1.1
die **morir (o:ue)** *v.* 1.8
difficult **difícil** *adj.* 1.3
dinner **cena** *f.* 1.2, 1.8
have dinner **cenar** *v.* 1.2
dirty **ensuciar** *v.*; **sucio/a** *adj.* 1.5
disagree **no estar de acuerdo**
dish **plato** *m.* 1.8
main dish *m.* **plato principal** 1.8
disk **disco** *m.*
disorderly **desordenado/a** *adj.* 1.5
dive **bucear** *v.* 1.4
divorce **divorcio** *m.* 1.9
divorced **divorciado/a** *adj.* 1.9
get divorced (from) **divorciarse** *v.* **(de)** 1.9
do **hacer** *v.* 1.4
(I) don't want to. **No quiero.** 1.4
doctor **doctor(a)** *m., f.* 1.3; **médico/a** *m., f.* 1.3
domestic **doméstico/a** *adj.*
domestic appliance **electrodoméstico** *m.*
door **puerta** *f.* 1.2
dormitory **residencia** *f.* **estudiantil** 1.2
double **doble** *adj.* 1.5
double room **habitación** *f.* **doble** 1.5
downtown **centro** *m.* 1.4
draw **dibujar** *v.* 1.2
dress **vestido** *m.* 1.6
get dressed **vestirse (e:i)** *v.* 1.7
drink **beber** *v.* 1.3; **tomar** *v.* 1.2
bebida *f.* 1.8
drive **conducir** *v.* 1.6
driver **conductor(a)** *m., f.* 1.1
dry oneself **secarse** *v.* 1.7
during **durante** *prep.* 1.7

E

each **cada** *adj.* 1.6
eagle **águila** *f.*
early **temprano** *adv.* 1.7
ease **aliviar** *v.*
easy **fácil** *adj.* 1.3
eat **comer** *v.* 1.3
economics **economía** *f.* 1.2
Ecuador **Ecuador** *m.* 1.1
Ecuadorian **ecuatoriano/a** *adj.* 1.3
effective **eficaz** *adj.*
egg **huevo** *m.* 1.8
eight **ocho** *n., adj.* 1.1
eight hundred **ochocientos/as** *n., adj.* 1.2
eighteen **dieciocho** *n., adj.* 1.1
eighth **octavo/a** *adj.* 1.5
eighty **ochenta** *n., adj.* 1.2
either… or **o… o** *conj.* 1.7
eldest **el/la mayor** *adj.* 1.8
elegant **elegante** *adj.* 1.6
elevator **ascensor** *m.* 1.5
eleven **once** *n., adj.* 1.1
e-mail **correo** *m.* **electrónico** 1.4
e-mail message **mensaje** *m.* **electrónico** 1.4
read e-mail **leer** *v.* **el correo electrónico** 1.4
embarrassed **avergonzado/a** *adj.* 1.5
employee **empleado/a** *m., f.* 1.5
end **fin** *m.* 1.4; **terminar** *v.* 1.2
engaged: get engaged (to) **comprometerse** *v.* **(con)** 1.9
engineer **ingeniero/a** *m., f.* 1.3
English (*language*) **inglés** *m.* 1.2; **inglés, inglesa** *adj.* 1.3
entertainment **diversión** *f.* 1.4
eraser **borrador** *m.* 1.2
establish **establecer** *v.*
evening **tarde** *f.* 1.1
everybody **todos** *m., pl.*
everything **todo** *m.* 1.5
Everything is under control. **Todo está bajo control.** 1.7
exactly **en punto** 1.1
exam **examen** *m.* 1.2
excellent **excelente** *adj.* 1.5
exciting **emocionante** *adj.*
excursion **excursión** *f.*
excuse **disculpar** *v.*
Excuse me. (*May I?*) **Con permiso.** 1.1; (*I beg your pardon.*) **Perdón.** 1.1
exit **salida** *f.* 1.5
expensive **caro/a** *adj.* 1.6
explain **explicar** *v.* 1.2
explore **explorar** *v.*
expression **expresión** *f.*
extremely delicious **riquísimo/a** *adj.* 1.8

F

fabulous **fabuloso/a** *adj.* 1.5
face **cara** *f.* 1.7
fact: in fact **de hecho**
fall (*season*) **otoño** *m.* 1.5
fall: fall asleep **dormirse (o:ue)** *v.* 1.7
fall in love (with) **enamorarse** *v.* **(de)** 1.9
family **familia** *f.* 1.3
fan **aficionado/a** *adj.* 1.4
be a fan (of) **ser aficionado/a (a)** 1.4
far from **lejos de** *prep.* 1.2
farewell **despedida** *f.* 1.1
fascinate **fascinar** *v.* 1.7
fashion **moda** *f.* 1.6
be in fashion **estar de moda** 1.6
fast **rápido/a** *adj.*
fat **gordo/a** *adj.* 1.3
father **padre** *m.* 1.3
father-in-law **suegro** *m.* 1.3
favorite **favorito/a** *adj.* 1.4
fear **miedo** *m.* 1.3
February **febrero** *m.* 1.5
feel **sentir(se) (e:ie)** *v.* 1.7
feel like (*doing something*) **tener ganas de (+** *inf.***)** 1.3
few **pocos/as** *adj., pl.*
fewer than **menos de** (*+ number*) 1.8
field: major field of study **especialización** *f.*
fifteen *n., adj.* **quince** 1.1
fifteen-year-old girl **quinceañera** *f.* 1.9
young woman celebrating her fifteenth birthday **quinceañera** *f.* 1.9
fifth **quinto/a** *n., adj.* 1.5
fifty **cincuenta** *n., adj.* 1.2
figure (*number*) **cifra** *f.*
finally **por último** 1.7
find **encontrar (o:ue)** *v.* 1.4
find (each other) **encontrar(se)** *v.*
fine **multa** *f.*
finish **terminar** *v.* 1.2
finish (*doing something*) **terminar** *v.* **de (+** ***inf.*****)**
first **primer, primero/a** *n., adj.* 1.5
fish (*food*) **pescado** *m.* 1.8
fisherman **pescador** *m.*
fisherwoman **pescadora** *f.*
fishing **pesca** *f.* 1.5
fit (*clothing*) **quedar** *v.* 1.7
five **cinco** *n., adj.* 1.1
five hundred **quinientos/as** *n., adj.* 1.2
fixed **fijo/a** *adj.* 1.6
flag **bandera** *f.*
flank steak **lomo** *m.* 1.8

floor (*of a building*) **piso** *m.* 1.5
ground floor **planta** *f.* **baja** 1.5
top floor **planta** *f.* **alta**
fog **niebla** *f.*
follow **seguir (e:i)** *v.* 1.4
food **comida** *f.* 1.8; **alimento** *m.*
foolish **tonto/a** *adj.* 1.3
football **fútbol** *m.* **americano** 1.4
for me **para mí** 1.8
forbid **prohibir** *v.*
foreign languages **lenguas** *f. pl.* **extranjeras** 1.2
forty **cuarenta** *n., adj.* 1.2
four **cuatro** *n., adj.* 1.1
four hundred **cuatrocientos/as** *n., adj.* 1.2
fourteen **catorce** *n., adj.* 1.1
fourth **cuarto/a** *n., adj.* 1.5
free **libre** *adj.* 1.4
free time **tiempo libre; ratos libres** 1.4
French **francés, francesa** *adj.* 1.3
French fries **papas** *f., pl.* **fritas** 1.8; **patatas** *f., pl.* **fritas** 1.8
Friday **viernes** *m., sing.* 1.2
fried **frito/a** *adj.* 1.8
fried potatoes **papas** *f., pl.* **fritas** 1.8; **patatas** *f., pl.* **fritas** 1.8
friend **amigo/a** *m., f.* 1.3
friendly **amable** *adj.* 1.5
friendship **amistad** *f.* 1.9
from **de** *prep.* 1.1; **desde** *prep.* 1.6
from the United States **estadounidense** *adj.* 1.3
He/She/It is from... **Es de....** 1.1
I'm from... **Soy de...** 1.1
fruit **fruta** *f.* 1.8
fruit juice **jugo** *m.* **de fruta** 1.8
fun **divertido/a** *adj.*
fun activity **diversión** *f.* 1.4
have fun **divertirse (e:ie)** *v.* 1.9
function **funcionar** *v.*

G

game **juego** *m.; (match)* **partido** *m.* 1.4
garlic **ajo** *m.* 1.8
geography **geografía** *f.* 1.2
German **alemán, alemana** *adj.* 1.3
get **conseguir (e:i)** *v.* 1.4
get along well/badly (with) **llevarse bien/mal (con)** 1.9
get up **levantarse** *v.* 1.7
gift **regalo** *m.* 1.6
girl **chica** *f.* 1.1; **muchacha** *f.* 1.3
girlfriend **novia** *f.* 1.3
give **dar** *v.* 1.6, 1.9; (*as a gift*) **regalar** 1.9
glasses **gafas** *f., pl.* 1.6
sunglasses **gafas** *f., pl.* **de sol** 1.6
gloves **guantes** *m., pl.* 1.6
go **ir** *v.* 1.4
go away **irse** 1.7
go by boat **ir en barco** 1.5
go by bus **ir en autobús** 1.5
go by car **ir en auto(móvil)** 1.5
go by motorcycle **ir en motocicleta** 1.5
go by taxi **ir en taxi** 1.5
go down **bajar(se)** *v.*
go on a hike (in the mountains) **ir de excursión (a las montañas)** 1.4
go out **salir** *v.* 1.9
go out (with) **salir** *v.* **(con)** 1.9
go up **subir** *v.*
Let's go. **Vamos.** 1.4
be going to (*do something*) **ir a (+** *inf.***)** 1.4
golf **golf** *m.* 1.4
good **buen, bueno/a** *adj.* 1.3, 1.6
Good afternoon. **Buenas tardes.** 1.1
Good evening. **Buenas noches.** 1.1
Good idea. **Buena idea.** 1.4
Good morning. **Buenos días.** 1.1
Good night. **Buenas noches.** 1.1
good-bye **adiós** *m.* 1.1
say good-bye (to) **despedirse (e:i) (de)** *v.*
good-looking **guapo/a** *adj.* 1.3
graduate (from/in) **graduarse** *v.* **(de/en)** 1.9
grains **cereales** *m., pl.* 1.8
granddaughter **nieta** *f.* 1.3
grandfather **abuelo** *m.* 1.3
grandmother **abuela** *f.* 1.3
grandparents **abuelos** *m. pl.* 1.3
grandson **nieto** *m.* 1.3
grape **uva** *f.* 1.8
gray **gris** *adj.* 1.6
great **fenomenal** *adj.* 1.5
great-grandfather **bisabuelo** *m.* 1.3
great-grandmother **bisabuela** *f.* 1.3
green **verde** *adj.* 1.3
greeting **saludo** *m.* 1.1
Greetings to... **Saludos a...** 1.1
ground floor **planta baja** *f.* 1.5
guest (at a house/hotel) **huésped** *m., f.* 1.5; *(invited to a function)* **invitado/a** *m., f.* 1.9
gymnasium **gimnasio** *m.* 1.4

H

hair **pelo** *m.* 1.7
half **medio/a** *adj.* 1.3
half-past... (*time*) **...y media** 1.1
half-brother **medio hermano** 1.3
half-sister **media hermana** 1.3
ham **jamón** *m.* 1.8
hamburger **hamburguesa** *f.* 1.8
hand **mano** *f.* 1.1
Hands up! **¡Manos arriba!**
handsome **guapo/a** *adj.* 1.3
happiness **alegría** *v.* 1.9
happy **alegre** *adj.* 1.5; **contento/a** *adj.* 1.5; **feliz** *adj.* 1.5
Happy birthday! **¡Feliz cumpleaños!** 1.9
hard **difícil** *adj.* 1.3
hard-working **trabajador(a)** *adj.* 1.3
haste **prisa** *f.* 1.3
hat **sombrero** *m.* 1.6
hate **odiar** *v.* 1.9
have **tener** *v.* 1.3
Have a good trip! **¡Buen viaje!** 1.1
have time **tener tiempo** 1.4
have to (*do something*) **tener que (+** *inf.***)** 1.3; **deber** *(+ inf.)*
he **él** *sub. pron.* 1.1
hear **oír** *v.* 1.4
heat **calor** *m.* 1.5
Hello. **Hola.** 1.1
help **servir (e:i)** *v.* 1.5
her **su(s)** *poss. adj.* 1.3; **la** *f., sing., d.o. pron.* 1.5
to/for her **le** *f., sing., i.o. pron.* 1.6
here **aquí** *adv.* 1.1
Here it is. **Aquí está.** 1.5
Here we are at/in... **Aquí estamos en...**
Hi. **Hola.** 1.1
hike **excursión** *f.* 1.4
go on a hike **hacer una excursión; ir de excursión** 1.4
hiker **excursionista** *m., f.*
hiking **de excursión** 1.4
him **lo** *m., sing., d.o. pron.* 1.5
to/for him **le** *m., sing., i.o. pron.* 1.6
his **su(s)** *poss. adj.* 1.3
history **historia** *f.* 1.2
hobby **pasatiempo** *m.* 1.4

hockey **hockey** *m.* 1.4
holiday **día** *m.* **de fiesta** 1.9
home **casa** *f.* 1.2
homework **tarea** *f.* 1.2
hope **esperar** *v.* **(+** *inf.***)** 1.2
hors d'oeuvres **entremeses** *m., pl.* 1.8
horse **caballo** *m.* 1.5
hot: be *(feel)* (very) hot **tener (mucho) calor** 1.3
It's (very) hot **Hace (mucho) calor** 1.5
hotel **hotel** *m.* 1.5
hour **hora** *f.* 1.1
house **casa** *f.* 1.2
How...! **¡Qué...!** 1.3
how? **¿cómo?** *adv.* 1.1
How are you? **¿Qué tal?** 1.1
How are you? **¿Cómo estás?** *fam.* 1.1
How are you? **¿Cómo está usted?** *form.* 1.1
How can I help you? **¿En qué puedo servirles?** 1.5
How is it going? **¿Qué tal?** 1.1
How is/are...? **¿Qué tal...?** 1.2
How much/many? **¿Cuánto(s)/a(s)?** 1.1
How much does... cost? **¿Cuánto cuesta...?** 1.6
How old are you? **¿Cuántos años tienes?** *fam.* 1.3
however **sin embargo**
humanities **humanidades** *f., pl.* 1.2
hundred **cien, ciento** *n., adj.* 1.2
hunger **hambre** *f.* 1.3
hungry: be (very) hungry **tener** *v.* **(mucha) hambre** 1.3
hurry
be in a (big) hurry **tener** *v.* **(mucha) prisa** 1.3
husband **esposo** *m.* 1.3

I

I **Yo** *sub. pron.* 1.1
I am... **Yo soy...** 1.1
ice cream **helado** *m.* 1.9
iced **helado/a** *adj.* 1.8
iced tea **té** *m.* **helado** 1.8
idea **idea** *f.* 1.4
if **si** *conj.* 1.4
important **importante** *adj.* 1.3
be important to **importar** *v.* 1.7
in **en** *prep.* 1.2
in a bad mood **de mal humor** 1.5
in a good mood **de buen humor** 1.5
in front of **delante de** *prep.* 1.2
in love (with) **enamorado/a (de)** 1.5
in the afternoon **de la tarde** 1.1; **por la tarde** 1.7
in the direction of **para** *prep.* 1.1
in the early evening **de la tarde** 1.1
in the evening **de la noche** 1.1; **por la tarde** 1.7
in the morning **de la mañana** 1.1; **por la mañana** 1.7
incredible **increíble** *adj.* 1.5
inside **dentro** *adv.*
intelligent **inteligente** *adj.* 1.3
intend to **pensar** *v.* **(+** *inf.***)** 1.4
interest **interesar** *v.* 1.7
interesting **interesante** *adj.* 1.3
be interesting to **interesar** *v.* 1.7
introduction **presentación** *f.*
I would like to introduce you to (name). **Le presento a...** *form.* 1.1; **Te presento a...** *fam.* 1.1
invite **invitar** *v.* 1.9
it **lo/la** *sing., d.o., pron.* 1.5
It's me. **Soy yo.** 1.1
Italian **italiano/a** *adj.* 1.3
its **su(s)** *poss. adj.* 1.3

J

jacket **chaqueta** *f.* 1.6
January **enero** *m.* 1.5
Japanese **japonés, japonesa** *adj.* 1.3
jeans **(blue)jeans** *m., pl.* 1.6
jog **correr** *v.*
journalism **periodismo** *m.* 1.2
journalist **periodista** *m., f.* 1.3
joy **alegría** *f.* 1.9
give joy **dar** *v.* **alegría** 1.9
joyful **alegre** *adj.* 1.5
juice **jugo** *m.* 1.8
July **julio** *m.* 1.5
June **junio** *m.* 1.5
just **apenas** *adv.*
have just *(done something)* **acabar de** (+ *inf.)* 1.6

K

key **llave** *f.* 1.5
kind: That's very kind of you. **Muy amable.** 1.5
kiss **beso** *m.* 1.9
know **saber** *v.* 1.6; **conocer** *v.* 1.6
know how **saber** *v.* 1.6

L

laboratory **laboratorio** *m.* 1.2
lack **faltar** *v.* 1.7
landlord **dueño/a** *m., f.* 1.8
landscape **paisaje** *m.* 1.5
language **lengua** *f.* 1.2
large **grande** *adj.* 1.3; *(clothing size)* **talla grande**
last **pasado/a** *adj.* 1.6; **último/a** *adj.*
last name **apellido** *m.* 1.3
last night **anoche** *adv.* 1.6
last week **semana** *f.* **pasada** 1.6
last year **año** *m.* **pasado** 1.6
late **tarde** *adv.* 1.7
later (on) **más tarde** 1.7
See you later. **Hasta la vista.** 1.1; **Hasta luego.** 1.1
laugh **reírse (e:i)** *v.* 1.9
lazy **perezoso/a** *adj.*
learn **aprender** *v.* **(a +** *inf.***)** 1.3
leave **salir** *v.* 1.4; **irse** *v.* 1.7
leave a tip **dejar una propina** 1.9
leave for *(a place)* **salir para**
leave from **salir de**
left **izquierdo/a** *adj.* 1.2
be left over **quedar** *v.* 1.7
to the left of **a la izquierda de** 1.2
lemon **limón** *m.* 1.8
lend **prestar** *v.* 1.6
less **menos** *adv.*
less... than **menos... que** 1.8
less than **menos de** (+ *number*) 1.8
lesson **lección** *f.* 1.1
let's see **a ver** 1.2
letter **carta** *f.* 1.4
lettuce **lechuga** *f.* 1.8
library **biblioteca** *f.* 1.2
lie **mentira** *f.* 1.4
life **vida** *f.* 1.9
like **como** *prep.* 1.8; **gustar** *v.* 1.2
Do you like...? **¿Te gusta(n)...?** 1.2
I don't like them at all. **No me gustan nada.** 1.2
I like... **Me gusta(n)...** 1.2
like very much **encantar** *v.;* **fascinar** *v.* 1.7
likeable **simpático/a** *adj.* 1.3
likewise **igualmente** *adv.* 1.1
line **línea** *f.*
listen (to) **escuchar** *v.* 1.2
Listen! *(command)* **¡Oye!** *fam., sing.* 1.1; **¡Oiga/Oigan!** *form., sing./pl.* 1.1
listen to music **escuchar música** 1.2
listen (to) the radio **escuchar la radio** 1.2
literature **literatura** *f.* 1.2
little *(quantity)* **poco/a** *adj.* 1.5
live **vivir** *v.* 1.3
loan **prestar** *v.* 1.6
lobster **langosta** *f.* 1.8

long **largo/a** *adj.* 1.6
look (at) **mirar** *v.* 1.2
look for **buscar** *v.* 1.2
lose **perder (e:ie)** *v.* 1.4
lot of, a **mucho/a** *adj.* 1.2, 1.3
love (*another person*) **querer (e:ie)** *v.* 1.4; (*inanimate objects*) **encantar** *v.* 1.7; **amor** *m.* 1.9
in love **enamorado/a** *adj.* 1.5
luck **suerte** *f.* 1.3
lucky: be (very) lucky **tener (mucha) suerte** 1.3
luggage **equipaje** *m.* 1.5
lunch **almuerzo** *m.* 1.8
have lunch **almorzar (o:ue)** *v.* 1.4

M

ma'am **señora (Sra.)** *f.* 1.1
mad **enojado/a** *adj.* 1.5
magazine **revista** *f.* 1.4
magnificent **magnífico/a** *adj.* 1.5
main **principal** *adj.* 1.8
major **especialización** *f.* 1.2
make **hacer** *v.* 1.4
makeup **maquillaje** *m.* 1.7
put on makeup **maquillarse** *v.* 1.7
man **hombre** *m.* 1.1
many **mucho/a** *adj.* 1.3
map **mapa** *m.* 1.2
March **marzo** *m.* 1.5
margarine **margarina** *f.* 1.8
marinated fish **ceviche** *m.* 1.8
lemon-marinated shrimp **ceviche** *m.* **de camarón** 1.8
marital status **estado** *m.* **civil** 1.9
market **mercado** *m.* 1.6
open-air market **mercado al aire libre** 1.6
marriage **matrimonio** *m.* 1.9
married **casado/a** *adj.* 1.9
get married (to) **casarse** *v.* **(con)** 1.9
marvelous **maravilloso/a** *adj.* 1.5
match (*sports*) **partido** *m.* 1.4
match (with) **hacer** *v.* **juego (con)** 1.6
mathematics **matemáticas** *f., pl.* 1.2
matter **importar** *v.* 1.7
maturity **madurez** *f.* 1.9
May **mayo** *m.* 1.5
maybe **tal vez** *adv.* 1.5; **quizás** *adv.* 1.5
mayonnaise **mayonesa** *f.* 1.8
me **me** *sing., d.o. pron.* 1.5; **mí** *pron., obj. of prep.* 1.9
to/for me **me** *sing., i.o. pron.* 1.6
meal **comida** *f.* 1.8
meat **carne** *f.* 1.8
medium **mediano/a** *adj.*
meet (*each other*) **conocer(se)** *v.* 1.8
menu **menú** *m.* 1.8
message **mensaje** *m.*
Mexican **mexicano/a** *adj.* 1.3
Mexico **México** *m.* 1.1
middle age **madurez** *f.* 1.9
midnight **medianoche** *f.* 1.1
milk **leche** *f.* 1.8
million **millón** *m.* 1.2
million of **millón de** *m.* 1.2
mineral water **agua** *f.* **mineral** 1.8
minute **minuto** *m.* 1.1
mirror **espejo** *m.* 1.7
Miss **señorita (Srta.)** *f.* 1.1
miss **perder (e:ie)** *v.* 1.4
mistaken **equivocado/a** *adj.*
modem **módem** *m.*
mom **mamá** *f.* 1.3
Monday **lunes** *m., sing.* 1.2
money **dinero** *m.* 1.6
month **mes** *m.* 1.5
monument **monumento** *m.* 1.4
more **más** 1.2
more... than **más... que** 1.8
more than **más de (+ *number*)** 1.8
morning **mañana** *f.* 1.1
mother **madre** *f.* 1.3
mother-in-law **suegra** *f.* 1.3
motor **motor** *m.*
motorcycle **motocicleta** *f.* 1.5
mountain **montaña** *f.* 1.4
movie **película** *f.* 1.4
movie theater **cine** *m.* 1.4
Mr. **señor (Sr.); don** *m.* 1.1
Mrs. **señora (Sra.); doña** *f.* 1.1
much **mucho/a** *adj.* 1.2, 1.3
very much **muchísimo/a** *adj.* 1.2
municipal **municipal** *adj. m., f.*
museum **museo** *m.* 1.4
mushroom **champiñón** *m.* 1.8
music **música** *f.* 1.2
must **deber** *v.* **(+ *inf.*)** 1.3
It must be... **Debe ser...** 1.6
my **mi(s)** *poss. adj.* 1.3

N

name **nombre** *m.* 1.1
be named **llamarse** *v.* 1.7
in the name of **a nombre de** 1.5
last name *m.* **apellido**
My name is... **Me llamo...** 1.1
nationality **nacionalidad** *f.* 1.1
near **cerca de** *prep.* 1.2
need **faltar** *v.* 1.7; **necesitar** *v.* **(+ *inf.*)** 1.2
negative **negativo/a** *adj.*
neither **tampoco** *adv.* 1.7
neither... nor **ni... ni** *conj.* 1.7
nephew **sobrino** *m.* 1.3
nervous **nervioso/a** *adj.* 1.5
never **nunca** *adv.* 1.7; **jamás** *adv.* 1.7
new **nuevo/a** *adj.* 1.6
newlywed **recién casado/a** *m., f.* 1.9
newspaper **periódico** *m.* 1.4
next to **al lado de** *prep.* 1.2
nice **simpático/a** *adj.* 1.3; **amable** *adj.* 1.5
niece **sobrina** *f.* 1.3
night **noche** *f.* 1.1
nine **nueve** *n., adj.* 1.1
nine hundred **novecientos/as** *n., adj.* 1.2
nineteen **diecinueve** *n., adj.* 1.1
ninety **noventa** *n., adj.* 1.2
ninth **noveno/a** *n., adj.* 1.5
no **no** *adv.* 1.1; **ningún, ninguno/a(s)** *adj.* 1.7
no one **nadie** *pron.* 1.7
No problem. **No hay problema.** 1.7
nobody **nadie** *pron.* 1.7
none **ningún, ninguno/a(s)** *pron.* 1.7
noon **mediodía** *m.* 1.1
nor **ni** *conj.* 1.7
not **no** 1.1
not any **ningún, ninguno/a(s)** *adj.* 1.7
not anyone **nadie** *pron.* 1.7
not anything **nada** *pron.* 1.7
not bad at all **nada mal** 1.5
not either **tampoco** *adv.* 1.7
not ever **nunca** *adv.* 1.7; **jamás** *adv.* 1.7
Not very well. **No muy bien.** 1.1
notebook **cuaderno** *m.* 1.1
nothing **nada** *pron.* 1.1; 1.7
noun **sustantivo** *m.*
November **noviembre** *m.* 1.5
now **ahora** *adv.* 1.2
nowadays **hoy día** *adv.*
number **número** *m.* 1.1

O

obtain **conseguir (e:i)** *v.* 1.4
o'clock: It's... o'clock. **Son las...** 1.1
It's one o'clock. **Es la una.** 1.1
October **octubre** *m.* 1.5
of **de** *prep.* 1.1
offer **ofrecer** *v.* 1.6
Oh! **¡Ay!**
oil **aceite** *m.* 1.8
OK **regular** *adj.* 1.1
It's okay. **Está bien.**
old **viejo/a** *adj.* 1.3

old age **vejez** *f.* 1.9
older **mayor** *adj.* 1.3
  older brother/sister **hermano/a mayor** *m., f.* 1.3
oldest **el/la mayor** *adj.* 1.8
on **en** *prep.* 1.2; **sobre** *prep.* 1.2
  on the dot **en punto** 1.1
  on top of **encima de** 1.2
once **una vez** 1.6
one **un, uno/a** *m., f., sing. pron.* 1.1
  one hundred **cien(to)** *n., adj.* 1.2
  one million **un millón** *m.* 1.2
  one more time **una vez más** 1.9
  one thousand **mil** *n., adj.* 1.2
  one time **una vez** 1.6
onion **cebolla** *f.* 1.8
only **sólo** *adv.* 1.3; **único/a** *adj.* 1.3
  only child **hijo/a único/a** *m., f.* 1.3
open **abierto/a** *adj.* 1.5; **abrir** *v.* 1.3
open-air **al aire libre** 1.6
or **o** *conj.* 1.7
orange **anaranjado/a** *adj.* 1.6; **naranja** *f.* 1.8
order (*food*) **pedir (e:i)** *v.* 1.8
orderly **ordenado/a** *adj.* 1.5
ordinal (*numbers*) **ordinal** *adj.*
other **otro/a** *adj.* 1.6
ought to **deber** *v.* **(+** *inf.***)** 1.3
our **nuestro(s)/a(s)** *poss. adj.* 1.3
over **sobre** *prep.* 1.2
over there **allá** *adv.* 1.2
owner **dueño/a** *m., f.* 1.8

P

P.M. **tarde** *f.* 1.1
pack (one's suitcases) **hacer** *v.* **las maletas** 1.5
pair **par** *m.* 1.6
  pair of shoes **par de zapatos** *m.* 1.6
pants **pantalones** *m., pl.* 1.6
pantyhose **medias** *f., pl.* 1.6
paper **papel** *m.* 1.2
Pardon me. (*May I?*) **Con permiso.** 1.1; (*Excuse me.*)
  Pardon me. **Perdón.** 1.1
parents **padres** *m., pl.* 1.3; **papás** *m., pl.* 1.3
park **parque** *m.* 1.4
partner (*one of a married couple*) **pareja** *f.* 1.9
party **fiesta** *f.* 1.9
passed **pasado/a** *adj., p.p.*
passenger **pasajero/a** *m., f.* 1.1
passport **pasaporte** *m.* 1.5
past **pasado/a** *adj.* 1.6
pastime **pasatiempo** *m.* 1.4
pay **pagar** *v.* 1.6
  pay the bill **pagar la cuenta** 1.9
pea **arveja** *m.* 1.8
peach **melocotón** *m.* 1.8
pear **pera** *f.* 1.8
pen **pluma** *f.* 1.2
pencil **lápiz** *m.* 1.1
people **gente** *f.* 1.3
pepper (*black*) **pimienta** *f.* 1.8
perfect **perfecto/a** *adj.* 1.5
perhaps **quizás** *adv.;* **tal vez** *adv.*
permission **permiso** *m.*
person **persona** *f.* 1.3
phenomenal **fenomenal** *adj.* 1.5
photograph **foto(grafía)** *f.* 1.1
physician **doctor(a)** *m., f.,* **médico/a** *m., f.* 1.3
physics **física** *f. sing.* 1.2
pie **pastel** *m.* 1.9
pineapple **piña** *f.* 1.8
pink **rosado/a** *adj.* 1.6
place **lugar** *m.* 1.4; **poner** *v.* 1.4
plaid **de cuadros** 1.6
plans **planes** *m., pl.*
  have plans **tener planes**
play **jugar (u:ue)** *v.* 1.4; (cards) **jugar a (las cartas)** 1.5
  play sports **practicar deportes 1.4**
player **jugador(a)** *m., f.* 1.4
pleasant **agradable** *adj.*
please **por favor** 1.1
  Pleased to meet you. **Mucho gusto.** 1.1; **Encantado/a.** *adj.* 1.1
pleasing: be pleasing to **gustar** *v.* 1.2, 1.7
pleasure **gusto** *m.* 1.1
  The pleasure is mine. **El gusto es mío.** 1.1
polka-dotted **de lunares** 1.6
pool **piscina** *f.* 1.4
poor **pobre** *adj.* 1.6
pork **cerdo** *m.* 1.8
  pork chop **chuleta** *f.* **de cerdo** 1.8
possessive **posesivo/a** *adj.* 1.3
postcard **postal** *f.*
potato **papa** *f.* 1.8; **patata** *f.* 1.8
practice **practicar** *v.* 1.2
prefer **preferir (e:ie)** *v.* 1.4
prepare **preparar** *v.* 1.2
preposition **preposición** *f.*
pretty **bonito/a** *adj.* 1.3
price **precio** *m.* 1.6
  (fixed, set) price **precio** *m.* **fijo** 1.6
print **estampado/a** *adj*
private (*room*) **individual** *adj.*
problem **problema** *m.* 1.1
profession **profesión** *f.* 1.3
professor **profesor(a)** *m., f.*
program **programa** *m.* 1.1
programmer **programador(a)** *m., f.* 1.3
pronoun **pronombre** *m.*
psychology **psicología** *f.* 1.2
Puerto Rican **puertorriqueño/a** *adj.* 1.3
Puerto Rico **Puerto Rico** *m.* 1.1
pull a tooth **sacar una muela**
purchases **compras** *f., pl.* 1.5
purple **morado/a** *adj.* 1.6
purse **bolsa** *f.* 1.6
put **poner** *v.* 1.4
  put on (*clothing*) **ponerse** *v.* 1.7
  put on makeup **maquillarse** *v.* 1.7

Q

quality **calidad** *f.* 1.6
quarter **trimestre** *m.* 1.2
  quarter after (*time*) **y cuarto** 1.1; **y quince** 1.1
  quarter to (*time*) **menos cuarto** 1.1; **menos quince** 1.1
question **pregunta** *f.* 1.2
quiz **prueba** *f.* 1.2

R

radio (*medium*) **radio** *f.* 1.2
rain **llover (o:ue)** *v.* 1.5
  It's raining. **Llueve.** 1.5; **Está lloviendo.** 1.5
raincoat **impermeable** *m.* 1.6
read **leer** *v.* 1.3.
  read e-mail **leer correo electrónico** 1.4
  read a magazine **leer una revista** 1.4
  read a newspaper **leer un periódico** 1.4
ready **listo/a** *adj.* 1.5
receive **recibir** *v.* 1.3
recommend **recomendar (e:ie)** *v.* 1.8
recreation **diversión** *f.* 1.4
red **rojo/a** *adj.* 1.3
red-haired **pelirrojo/a** *adj.* 1.3
relatives **parientes** *m., pl.* 1.3
relax **relajarse** *v.* 1.9; **Tranquilo/a.** 1.7
remain **quedarse** *v.* 1.7
remember **acordarse (o:ue)** *v.* **(de)** 1.7; **recordar (o:ue)** *v.* 1.4
repeat **repetir (e:i)** *v.* 1.4
request **pedir (e:i)** *v.* 1.4
reservation **reservación** *f.* 1.5
rest **descansar** *v.* 1.2
restaurant **restaurante** *m.* 1.4
retire (*from work*) **jubilarse** *v.* 1.9
return **regresar** *v.* 1.2; **volver (o:ue)** *v.* 1.4

return trip **vuelta** *f.*
rice **arroz** *m.* 1.8
rich **rico/a** *adj.* 1.6
ride: ride a bicycle **pasear** *v.* **en bicicleta** 1.4
ride a horse **montar** *v.* **a caballo** 1.5
right **derecha** *f.* 1.2
be right **tener razón** 1.3
right away **enseguida** *adv.* 1.9
right now **ahora mismo** 1.5
to the right of **a la derecha de** 1.2
right? (*question tag*) **¿no?** 1.1; **¿verdad?** 1.1
road **camino** *m.*
roast **asado/a** *adj.* 1.8
roast chicken **pollo** *m.* **asado** 1.8
rollerblade **patinar en línea** *v.*
room **habitación** *f.* 1.5; **cuarto** *m.* 1.2; 1.7
roommate **compañero/a** *m., f.* **de cuarto** 1.2
roundtrip **de ida y vuelta** 1.5
roundtrip ticket **pasaje** *m.* **de ida y vuelta** 1.5
routine **rutina** *f.* 1.7
run **correr** *v.* 1.3
Russian **ruso/a** *adj.* 1.3

S

sad **triste** *adj.* 1.5
safe **seguro/a** *adj.* 1.5
sailboard **tabla de windsurf** *f.* 1.5
salad **ensalada** *f.* 1.8
sale **rebaja** *f.* 1.6
salesperson **vendedor(a)** *m., f.* 1.6
salmon **salmón** *m.* 1.8
salt **sal** *f.* 1.8
same **mismo/a** *adj.* 1.3
sandal **sandalia** *f.* 1.6
sandwich **sándwich** *m.* 1.8
Saturday **sábado** *m.* 1.2
sausage **salchicha** *f.* 1.8
say **decir** *v.* 1.4
say (that) **decir (que)** *v.* 1.4, 1.9
say the answer **decir la respuesta** 1.4
scared: be (very) scared (of) **tener (mucho) miedo (de)** 1.3
schedule **horario** *m.* 1.2
school **escuela** *f.* 1.1
science *f.* **ciencia** 1.2
scuba dive **bucear** *v.* 1.4
sea **mar** *m.* 1.5
season **estación** *f.* 1.5
seat **silla** *f.* 1.2
second **segundo/a** *n., adj.* 1.5
see **ver** *v.* 1.4
see movies **ver películas** 1.4
See you. **Nos vemos.** 1.1
See you later. **Hasta la vista.** 1.1; **Hasta luego.** 1.1
See you soon. **Hasta pronto.** 1.1
See you tomorrow. **Hasta mañana.** 1.1
seem **parecer** *v.* 1.6
sell **vender** *v.* 1.6
semester **semestre** *m.* 1.2
separate (from) **separarse** *v.* **(de)** 1.9
separated **separado/a** *adj.* 1.9
September **septiembre** *m.* 1.5
sequence **secuencia** *f.*
serve **servir (e:i)** *v.* 1.8
set (*fixed*) **fijo/a** *adj.* 1.6
seven **siete** *n., adj.* 1.1
seven hundred **setecientos/as** *n., adj.* 1.2
seventeen **diecisiete** *n., adj.* 1.1
seventh **séptimo/a** *n., adj.* 1.5
seventy **setenta** *n., adj.* 1.2
several **varios/as** *adj. pl.* 1.8
shampoo **champú** *m.* 1.7
share **compartir** *v.* 1.3
sharp (*time*) **en punto** 1.1
shave **afeitarse** *v.* 1.7
shaving cream **crema** *f.* **de afeitar** 1.7
she **ella** *sub. pron.* 1.1
shellfish **mariscos** *m., pl.* 1.8
ship **barco** *m.*
shirt **camisa** *f.* 1.6
shoe **zapato** *m.* 1.6
shoe size **número** *m.* 1.6
tennis shoes **zapatos** *m., pl.* **de tenis** 1.6
shop **tienda** *f.* 1.6
shopping: to go shopping **ir de compras** 1.5
shopping mall **centro comercial** *m.* 1.6
short (*in height*) **bajo/a** *adj.* 1.3; (*in length*) **corto/a** *adj.* 1.6
shorts **pantalones cortos** *m., pl.* 1.6
should (*do something*) **deber** *v.* **(+ *inf.*)** 1.3
show **mostrar (o:ue)** *v.* 1.4
shower **ducha** *f.* 1.7; **ducharse** *v.* 1.7
shrimp **camarón** *m.* 1.8
siblings **hermanos/as** *m., f. pl.* 1.3
silk **seda** *f.* 1.6
(made of) silk **de seda** 1.6
silly **tonto/a** *adj.* 1.3
since **desde** *prep.*
sing **cantar** *v.* 1.2
single **soltero/a** *adj.* 1.9
single room **habitación** *f.* **individual** 1.5
sink **lavabo** *m.* 1.7
sir **señor (Sr.)** *m.* 1.1
sister **hermana** *f.* 1.3
sister-in-law **cuñada** *f.* 1.3
sit down **sentarse (e:ie)** *v.* 1.7
six **seis** *n., adj.* 1.1
six hundred **seiscientos/as** *n., adj.* 1.2
sixteen **dieciséis** *n., adj.* 1.1
sixth **sexto/a** *n., adj.* 1.5
sixty **sesenta** *n., adj.* 1.2
size **talla** *f.* 1.6
shoe size **número** *m.* 1.6
skate (in-line) **patinar** *v.* **(en línea)** 1.4
skateboard **andar en patineta** *v.* 1.4
ski **esquiar** *v.* 1.4
skiing **esquí** *m.* 1.4
waterskiing **esquí** *m.* **acuático** 1.4
skirt **falda** *f.* 1.6
sleep **dormir (o:ue)** *v.* 1.4; **sueño** *m.* 1.3
go to sleep **dormirse (o:ue)** *v.* 1.7
sleepy: be (very) sleepy **tener (mucho) sueño** 1.3
slender **delgado/a** *adj.* 1.3
slippers **pantuflas** *f.* 1.7
small **pequeño/a** *adj.* 1.3
smart **listo/a** *adj.* 1.5
smile **sonreír (e:i)** *v.* 1.9
smoggy: It's (very) smoggy. **Hay (mucha) contaminación.**
snack **merendar** *v.* 1.8
sneakers **los zapatos de tenis** 1.6
snow **nevar (e:ie)** *v.* 1.5; **nieve** *f.*
snowing: It's snowing. **Nieva.** 1.5; **Está nevando.** 1.5
so **tan** *adv.* 1.5
so much **tanto** *adv.*
so-so **regular** 1.1
soap **jabón** *m.* 1.7
soccer **fútbol** *m.* 1.4
sociology **sociología** *f.* 1.2
sock(s) **calcetín (calcetines)** *m.* 1.6
soft drink **refresco** *m.* 1.8
some **algún, alguno/a(s)** *adj.* 1.7; **unos/as** *pron. m., f. pl.; indef. art.* 1.1
somebody **alguien** *pron.* 1.7
someone **alguien** *pron.* 1.7
something **algo** *pron.* 1.7
son **hijo** *m.* 1.3
son-in-law **yerno** *m.* 1.3
soon **pronto** *adv.*
See you soon. **Hasta pronto.** 1.1
sorry
I'm sorry. **Lo siento.** 1.4
I'm so sorry. **Mil perdones.** 1.4; **Lo siento muchísimo.** 1.4

soup **sopa** *f.* 1.8
Spain **España** *f.* 1.1
Spanish (*language*) **español** *m.* 1.2; **español(a)** *adj.* 1.3
spare time **ratos libres** 1.4
speak **hablar** *v.* 1.2
spelling **ortografía** *f.*; **ortográfico/a** *adj.*
spend (*money*) **gastar** *v.* 1.6
sport **deporte** *m.* 1.4
sports-related **deportivo/a** *adj.* 1.4
spouse **esposo/a** *m., f.* 1.3
spring **primavera** *f.* 1.5
square (city or town) **plaza** *f.* 1.4
stadium **estadio** *m.* 1.2
stage **etapa** *f.* 1.9
station **estación** *f.* 1.5
status: marital status **estado** *m.* **civil** 1.9
stay **quedarse** *v.* 1.7
steak **bistec** *m.* 1.8
step **etapa** *f.*
stepbrother **hermanastro** *m.* 1.3
stepdaughter **hijastra** *f.* 1.3
stepfather **padrastro** *m.* 1.3
stepmother **madrastra** *f.* 1.3
stepsister **hermanastra** *f.* 1.3
stepson **hijastro** *m.* 1.3
still **todavía** *adv.* 1.5
stockings **medias** *f., pl.* 1.6
store **tienda** *f.* 1.6
strawberry **frutilla** *f.*; **fresa** *f.*
stripe **raya** *f.* 1.6
  striped **de rayas** 1.6
stroll **pasear** *v.* 1.4
student **estudiante** *m., f.* 1.1, 1.2; **estudiantil** *adj.* 1.2
study **estudiar** *v.* 1.2
stupendous **estupendo/a** *adj.* 1.5
style **estilo** *m.*
subway **metro** *m.* 1.5
  subway station **estación** *f.* **del metro** 1.5
such as **tales como**
suddenly **de repente** *adv.* 1.6
sugar **azúcar** *m.* 1.8
suit **traje** *m.* 1.6
suitcase **maleta** *f.* 1.1
summer **verano** *m.* 1.5
sun **sol** *m.* 1.5
sunbathe **tomar** *v.* **el sol** 1.4
Sunday **domingo** *m.* 1.2
sunglasses **gafas** *f., pl.* **de sol** 1.6
sunny: It's (very) sunny. **Hace (mucho) sol.** 1.5
suppose **suponer** *v.* 1.4
sure **seguro/a** *adj.* 1.5
  be sure **estar seguro/a** 1.5
surfboard **tabla de surf** *f.* 1.5
surprise **sorprender** *v.* 1.9; **sorpresa** *f.* 1.9
sweater **suéter** *m.* 1.6
sweets **dulces** *m., pl.* 1.9
swim **nadar** *v.* 1.4
swimming **natación** *f.* 1.4
swimming pool **piscina** *f.* 1.4

T

table **mesa** *f.* 1.2
take **tomar** *v.* 1.2; **llevar** *v.* 1.6
  take a bath **bañarse** *v.* 1.7
  take (*wear*) a shoe size *v.* **calzar** 1.6
  take a shower **ducharse** *v.* 1.7
  take off **quitarse** *v.* 1.7
  take photos **tomar fotos** 1.5; **sacar fotos** 1.5
talk *v.* **hablar** 1.2
tall **alto/a** *adj.* 1.3
tape (*audio*) **cinta** *f.*
taste **probar (o:ue)** *v.* 1.8; **saber** *v.* 1.8
  taste (like) **saber (a)** 1.8
tasty **rico/a** *adj.* 1.8; **sabroso/a** *adj.* 1.8
taxi **taxi** *m.* 1.5
tea **té** *m.* 1.8
teach **enseñar** *v.* 1.2
teacher **profesor(a)** *m., f.* 1.1, 1.2
team **equipo** *m.* 1.4
television **televisión** *f.* 1.2
tell **contar (o:ue)** *v.* 1.4; **decir** *v.* 1.4
tell (that) **decir** *v.* **(que)** 1.4, 1.9
  tell lies **decir mentiras** 1.4
  tell the truth **decir la verdad** 1.4
ten **diez** *n., adj.* 1.1
tennis **tenis** *m.* 1.4
tennis shoes **zapatos** *m., pl.* **de tenis** 1.6
tent **tienda** *f.* **de campaña**
tenth **décimo/a** *n., adj.* 1.5
terrific **chévere** *adj.*
test **prueba** *f.* 1.2; **examen** *m.* 1.2
Thank you. **Gracias.** 1.1
  Thank you (very much). **(Muchas) gracias.** 1.1
  Thank you very, very much. **Muchísimas gracias.** 1.9
  Thanks (a lot). **(Muchas) gracias.** 1.1
  Thanks again. (*lit. Thanks one more time.*) **Gracias una vez más.** 1.9
  Thanks for everything. **Gracias por todo.** 1.9
that (one) **ése, ésa, eso** *pron.* 1.6; **ese, esa** *adj.* 1.6
  that (*over there*) **aquél, aquélla, aquello** *pron.* 1.6; **aquel, aquella** *adj.* 1.6
  that's me **soy yo** 1.1
the **el** *m., sing.* **la** *f. sing.*, **los** *m., pl.* **las** *f., pl.*
their **su(s)** *poss. adj.* 1.3
them **los/las** *pl., d.o. pron.* 1.5; **ellos/as** *pron., obj. of prep.* 1.9
  to/for them **les** *pl., i.o. pron.* 1.6
then **después** (*afterward*) *adv.* 1.7; **entonces** (*as a result*) *adv.* 1.7; **luego** (*next*) *adv.* 1.7
there **allí** *adv.* 1.2
  There is/are... **Hay...** 1.1
  There is/are not... **No hay...** 1.1
these **éstos, éstas** *pron.* 1.6; **estos, estas** *adj.* 1.6
they **ellos** *m., pron.* **ellas** *f., pron.*
thin **delgado/a** *adj.* 1.3
thing **cosa** *f.* 1.1
think **pensar (e:ie)** *v.* 1.4; (*believe*) **creer** *v.*
  think about **pensar en** *v.* 1.4
third **tercero/a** *n., adj.* 1.5
thirst **sed** *f.* 1.3
thirsty: be (very) thirsty **tener (mucha) sed** 1.3
thirteen **trece** *n., adj.* 1.1
thirty **treinta** *n., adj.* 1.1; 1.2
  thirty minutes past the hour **y treinta; y media** 1.1
this **este, esta** *adj.*; **éste, ésta, esto** *pron.* 1.6
  This is... (*introduction*) **Éste/a es...** 1.1
those **ésos, ésas** *pron.* 1.6; **esos, esas** *adj.* 1.6
those (*over there*) **aquéllos, aquéllas** *pron.* 1.6; **aquellos, aquellas** *adj.* 1.6
thousand **mil** *n., adj.* 1.6
three **tres** *n., adj.* 1.1
three hundred **trescientos/as** *n., adj.* 1.2
Thursday **jueves** *m., sing.* 1.2
thus (*in such a way*) **así** *adj.*
ticket **pasaje** *m.* 1.5
tie **corbata** *f.* 1.6
time **vez** *f.* 1.6; **tiempo** *m.* 1.4
  have a good/bad time **pasarlo bien/mal** 1.9
  What time is it? **¿Qué hora es?** 1.1
  (At) What time...? **¿A qué hora...?** 1.1
times **veces** *f., pl.* 1.6
  two times **dos veces** 1.6
tip **propina** *f.* 1.9
tired **cansado/a** *adj.* 1.5
  be tired **estar cansado/a** 1.5
to **a** *prep.* 1.1
toast (*drink*) **brindar** *v.* 1.9
toasted **tostado/a** *adj.* 1.8
  toasted bread **pan tostado** *m.* 1.8
today **hoy** *adv.* 1.2

Today is... **Hoy es...** 1.2
together **juntos/as** *adj.* 1.9
toilet **inodoro** *m.* 1.7
tomato **tomate** *m.* 1.8
tomorrow **mañana** *f.* 1.1
See you tomorrow. **Hasta mañana.** 1.1
tonight **esta noche** *adv.* 1.4
too **también** *adv.* 1.2; 1.7
too much **demasiado** *adv.* 1.6
tooth **diente** *m.* 1.7
toothpaste **pasta** *f.* **de dientes** 1.7
tortilla **tortilla** *f.* 1.8
tour **excursión** *f.* 1.4
tour an area **recorrer** *v.*
tourism **turismo** *m.* 1.5
tourist **turista** *m., f.* 1.1; **turístico/a** *adj.*
towel **toalla** *f.* 1.7
town **pueblo** *m.* 1.4
train **tren** *m.* 1.5
train station **estación** *f.* **(de) tren** *m.* 1.5
translate **traducir** *v.* 1.6
travel **viajar** *v.* 1.2
travel agent **agente** *m., f.* **de viajes** 1.5
traveler **viajero/a** *m., f.* 1.5
trillion **billón** *m.*
trimester **trimestre** *m.* 1.2
trip **viaje** *m.* 1.5
take a trip **hacer un viaje** 1.5
truth **verdad** *f.*
try **intentar** *v.*; **probar (o:ue)** *v.* 1.8
try on **probarse (o:ue)** *v.* 1.7
t-shirt **camiseta** *f.* 1.6
Tuesday **martes** *m., sing.* 1.2
tuna **atún** *m.* 1.8
turkey **pavo** *m.* 1.8
twelve **doce** *n., adj.* 1.1
twenty **veinte** *n., adj.* 1.1
twenty-eight **veintiocho** *n., adj.* 1.1
twenty-five **veinticinco** *n., adj.* 1.1
twenty-four **veinticuatro** *n., adj.* 1.1
twenty-nine **veintinueve** *n., adj.* 1.1
twenty-one **veintiún, veintiuno/a** *n., adj.* 1.1
twenty-seven **veintisiete** *n., adj.* 1.1
twenty-six **veintiséis** *n., adj.* 1.1
twenty-three **veintitrés** *n., adj.* 1.1
twenty-two **veintidós** *n., adj.* 1.1
twice **dos veces** *adv.* 1.6
twin **gemelo/a** *m., f.* 1.3
two **dos** *n., adj.* 1.1
two hundred **doscientos/as** *n., adj.* 1.2
two times **dos veces** *adv.* 1.6

U

ugly **feo/a** *adj.* 1.3
uncle **tío** *m.* 1.3
under **bajo** *adv.* 1.7; **debajo de** *prep.* 1.2
understand **comprender** *v.* 1.3; **entender (e:ie)** *v.* 1.4
underwear **ropa interior** *f.* 1.6
United States **Estados Unidos (EE.UU.)** *m. pl.* 1.1
university **universidad** *f.* 1.2
unmarried **soltero/a** *adj.*
unpleasant **antipático/a** *adj.* 1.3
until **hasta** *prep.* 1.6
us **nos** *pl., d.o. pron.* 1.5
to/for us **nos** *pl., i.o. pron.* 1.6
use **usar** *v.* 1.6
useful **útil** *adj.*

V

vacation **vacaciones** *f. pl.* 1.5
be on vacation **estar de vacaciones** 1.5
go on vacation **ir de vacaciones** 1.5
various **varios/as** *adj., pl.* 1.8
vegetables **verduras** *pl., f.* 1.8
verb **verbo** *m.*
very **muy** *adv.* 1.1
very much **muchísimo** *adv.* 1.2
(Very) well, thank you. **(Muy) bien gracias.** 1.1
video **video** *m.* 1.1
video game **videojuego** *m.* 1.4
vinegar **vinagre** *m.* 1.8
visit **visitar** *v.* 1.4
visit monuments **visitar monumentos** 1.4
volleyball **vóleibol** *m.* 1.4

W

wait (for) **esperar** *v.* (+ *inf.*) 1.2
waiter/waitress **camarero/a** *m., f.* 1.8
wake up **despertarse (e:ie)** *v.* 1.7
walk **caminar** *v.* 1.2
take a walk **pasear** *v.* 1.4
walk around **pasear por** 1.4
walkman **walkman** *m.*
wallet **cartera** *f.* 1.6
want **querer (e:ie)** *v.* 1.4
wash **lavar** *v.*
wash one's face/hands **lavarse la cara/las manos** 1.7
wash oneself **lavarse** *v.* 1.7
wastebasket **papelera** *f.* 1.2
watch **mirar** *v.* 1.2; **reloj** *m.* 1.2
watch television **mirar (la) televisión** 1.2
water **agua** *f.* 1.8
waterskiing *m.* **esquí acuático** 1.4
we **nosotros(as)** *m., f. sub. pron.* 1.1
wear **llevar** *v.* 1.6; **usar** *v.* 1.6
weather **tiempo** *m.*
The weather is bad. **Hace mal tiempo.** 1.5
The weather is good. **Hace buen tiempo.** 1.5
wedding **boda** *f.* 1.9
Wednesday **miércoles** *m., sing.* 1.2
week **semana** *f.* 1.2
weekend **fin** *m.* **de semana** 1.4
well **pues** *adv.* 1.2; **bueno** *adv.* 1.2
(Very) well, thanks. **(Muy) bien, gracias.** 1.1
well organized **ordenado/a** *adj.*
what? **¿qué?** *pron.* 1.1
At what time...? **¿A qué hora...?** 1.1
What day is it? **¿Qué día es hoy?** 1.2
What do you guys think? **¿Qué les parece?** 1.9
What is today's date? **¿Cuál es la fecha de hoy?** 1.5
What nice clothes! **¡Qué ropa más bonita!** 1.6
What size do you take? **¿Qué talla lleva (usa)?** 1.6
What time is it? **¿Qué hora es?** 1.1
What's going on? **¿Qué pasa?** 1.1
What's happening? **¿Qué pasa?** 1.1
What's... like? **¿Cómo es...?** 1.3
What's new? **¿Qué hay de nuevo?** 1.1
What's the weather like? **¿Qué tiempo hace?** 1.5
What's your name? **¿Cómo se llama usted?** *form.* 1.1
What's your name? **¿Cómo te llamas (tú)?** *fam.* 1.1
when **cuando** *conj.* 1.7
When? **¿Cuándo?** *adv.* 1.2
where **donde** *prep.*
where (to)? (*destination*) **¿adónde?** *adv.* 1.2; (*location*) **¿dónde?** *adv.* 1.1
Where are you from? **¿De dónde eres (tú)?** *fam.* 1.1; **¿De dónde es (usted)?**

form. 1.1
Where is...? **¿Dónde está...?** 1.2
which? **¿cuál?** *pron.* 1.2; **¿qué?** *adj.* 1.2
In which...? **¿En qué...?** 1.2
which one(s)? **¿cuál(es)?** *pron.* 1.2
white **blanco/a** *adj.* 1.3
who? **¿quién(es)?** *pron.* 1.1
Who is...? **¿Quién es...?** 1.1
whole **todo/a** *adj.*
whose **¿de quién(es)?** *pron., adj.* 1.1
why? **¿por qué?** *adv.* 1.2
widower/widow **viudo/a** *adj.* 1.9
wife **esposa** *f.* 1.3
win **ganar** *v.* 1.4
wind **viento** *m.* 1.5
window **ventana** *f.* 1.2
windy: It's (very) windy. **Hace (mucho) viento.** 1.5
winter **invierno** *m.* 1.5
wish **desear** *v.* 1.2
with **con** *prep.* 1.2
with me **conmigo** 1.4; 1.9
with you **contigo** *fam.* 1.9
without **sin** *prep.* 1.2
woman **mujer** *f.* 1.1
wool **lana** *f.* 1.6
(made of) wool **de lana** 1.6
word **palabra** *f.* 1.1
work **trabajar** *v.* 1.2
worldwide **mundial** *adj.*
worried (about) **preocupado/a (por)** *adj.* 1.5
worry (about) **preocuparse** *v.* **(por)** 1.7
Don't worry. **No se preocupe.** *form.* 1.7; **No te preocupes.** *fam.* 1.7; **Tranquilo.** *adj.*
worse **peor** *adj.* 1.8
worst **el/la peor** *adj.* **lo peor** *n.* 1.8
Would you like to...? **¿Te gustaría...?** *fam.* 1.4
write **escribir** *v.* 1.3
write a letter/e-mail message **escribir una carta/un mensaje electrónico** 1.4
wrong **equivocado/a** *adj.* 1.5
be wrong **no tener razón** 1.3

X

x-ray **radiografía** *f.*

Y

year **año** *m.* 1.5
be... years old **tener... años** 1.3
yellow **amarillo/a** *adj.* 1.3
yes **sí** *interj.* 1.1
yesterday **ayer** *adv.* 1.6
yet **todavía** *adv.* 1.5
yogurt **yogur** *m.* 1.8
you *sub pron.* **tú** *fam. sing.*, **usted (Ud.)** *form. sing.*, **vosotros/as** *fam. pl.*, **ustedes (Uds.)** *form. pl.* 1.1; *d. o. pron.* **te** *fam. sing.*, **lo/la** *form. sing.*, **os** *fam. pl.*, **los/las** *form. pl.* 1.5; *obj. of prep.* **ti** *fam. sing.*, **usted (Ud.)** *form. sing.*, **vosotros/as** *fam. pl.*, **ustedes (Uds.)** *form. pl.* 1.9
(to, for) you *i.o. pron.* **te** *fam. sing.*, **le** *form. sing.*, **os** *fam. pl.*, **les** *form. pl.* 1.6
You are... **Tú eres...** 1.1
You're welcome. **De nada.** 1.1; **No hay de qué.** 1.1
young **joven** *adj., sing.* (**jóvenes** *pl.*) 1.3
young person **joven** *m., f., sing.* (**jóvenes** *pl.*) 1.1
young woman **señorita (Srta.)** *f.*
younger **menor** *adj.* 1.3
younger brother/sister *m., f.* **hermano/a menor** 1.3
youngest **el/la menor** *m., f.* 1.8
your **su(s)** *poss. adj. form.* 1.3; **tu(s)** *poss. adj. fam. sing.* 1.3; **vuestro/a(s)** *poss. adj. form. pl.* 1.3
youth *f.* **juventud** 1.9

Z

zero **cero** *m.* 1.1

MATERIAS	ACADEMIC SUBJECTS
la administración de empresas	business administration
la agronomía	agriculture
el alemán	German
el álgebra	algebra
la antropología	anthropology
la arqueología	archaeology
la arquitectura	architecture
el arte	art
la astronomía	astronomy
la biología	biology
la bioquímica	biochemistry
la botánica	botany
el cálculo	calculus
el chino	Chinese
las ciencias políticas	political science
la computación	computer science
las comunicaciones	communications
la contabilidad	accounting
la danza	dance
el derecho	law
la economía	economics
la educación	education
la educación física	physical education
la enfermería	nursing
el español	Spanish
la filosofía	philosophy
la física	physics
el francés	French
la geografía	geography
la geología	geology
el griego	Greek
el hebreo	Hebrew
la historia	history
la informática	computer science
la ingeniería	engineering
el inglés	English
el italiano	Italian
el japonés	Japanese
el latín	Latin
las lenguas clásicas	classical languages
las lenguas romances	Romance languages
la lingüística	linguistics
la literatura	literature
las matemáticas	mathematics
la medicina	medicine
el mercadeo/ la mercadotecnia	marketing
la música	music
los negocios	business
el periodismo	journalism
el portugués	Portuguese
la psicología	psychology
la química	chemistry
el ruso	Russian
los servicios sociales	social services
la sociología	sociology
el teatro	theater
la trigonometría	trigonometry

LOS ANIMALES	ANIMALS
la abeja	bee
la araña	spider
la ardilla	squirrel
el ave (*f.*), el pájaro	bird
la ballena	whale
el burro	donkey
la cabra	goat
el caimán	alligator
el camello	camel
la cebra	zebra
el ciervo, el venado	deer
el cochino, el cerdo, el puerco	pig
el cocodrilo	crocodile
el conejo	rabbit
el coyote	coyote
la culebra, la serpiente, la víbora	snake
el elefante	elephant
la foca	seal
la gallina	hen
el gallo	rooster
el gato	cat
el gorila	gorilla
el hipopótamo	hippopotamus
la hormiga	ant
el insecto	insect
la jirafa	giraffe
el lagarto	lizard
el león	lion
el lobo	wolf
el loro, la cotorra, el papagayo, el perico	parrot
la mariposa	butterfly
el mono	monkey
la mosca	fly
el mosquito	mosquito
el oso	bear
la oveja	sheep
el pato	duck
el perro	dog
el pez	fish
la rana	frog
el ratón	mouse
el rinoceronte	rhinoceros
el saltamontes, el chapulín	grasshopper
el tiburón	shark
el tigre	tiger
el toro	bull
la tortuga	turtle
la vaca	cow
el zorro	fox

EL CUERPO HUMANO Y LA SALUD — THE HUMAN BODY AND HEALTH

El cuerpo humano — The human body

la barba beard
el bigote mustache
la boca mouth
el brazo arm
la cabeza head
la cadera hip
la ceja eyebrow
el cerebro brain
la cintura waist
el codo elbow
el corazón heart
la costilla rib
el cráneo skull
el cuello neck
el dedo finger
el dedo del pie toe
la espalda back
el estómago stomach
la frente forehead
la garganta throat
el hombro shoulder
el hueso bone
el labio lip
la lengua tongue
la mandíbula jaw
la mejilla cheek
el mentón, la barba, la barbilla chin
la muñeca wrist
el músculo muscle
el muslo thigh
las nalgas, el trasero, las asentaderas buttocks
la nariz nose
el nervio nerve
el oído (inner) ear
el ojo eye
el ombligo navel, belly button
la oreja (outer) ear
la pantorrilla calf
el párpado eyelid
el pecho chest
la pestaña eyelash
el pie foot
la piel skin
la pierna leg
el pulgar thumb
el pulmón lung
la rodilla knee
la sangre blood
el talón heel
el tobillo ankle
el tronco torso, trunk
la uña fingernail
la uña del dedo del pie toenail
la vena vein

Los cinco sentidos — The five senses

el gusto taste
el oído hearing
el olfato smell
el tacto touch
la vista sight

La salud — Health

el accidente accident
alérgico/a allergic
el antibiótico antibiotic
la aspirina aspirin
el ataque cardiaco, el ataque al corazón heart attack
el cáncer cancer
la cápsula capsule
la clínica clinic
congestionado/a congested
el consultorio doctor's office
la curita adhesive bandage
el/la dentista dentist
el/la doctor(a), el/la médico/a doctor
el dolor (de cabeza) (head)ache, pain
embarazada pregnant
la enfermedad illness, disease
el/la enfermero/a nurse
enfermo/a ill, sick
la erupción rash
el examen médico physical exam
la farmacia pharmacy
la fiebre fever
la fractura fracture
la gripe flu
la herida wound
el hospital hospital
la infección infection
el insomnio insomnia
la inyección injection
el jarabe (cough) syrup
mareado/a dizzy, nauseated
el medicamento medication
la medicina medicine
las muletas crutches
la operación operation
el/la paciente patient
el/la paramédico/a paramedic
la pastilla, la píldora pill, tablet
los primeros auxilios first aid
la pulmonía pneumonia
los puntos stitches
la quemadura burn
el quirófano operating room
la radiografía x-ray
la receta prescription
el resfriado cold (illness)
la sala de emergencia(s) emergency room
saludable healthy, healthful
sano/a healthy
el seguro médico medical insurance
la silla de ruedas wheelchair
el síntoma symptom
el termómetro thermometer
la tos cough
la transfusión transfusion

la vacuna	vaccination
la venda	bandage
el virus	virus

cortar(se)	to cut (oneself)
curar	to cure, to treat
desmayar(se)	to faint
enfermarse	to get sick
enyesar	to put in a cast
estornudar	to sneeze
guardar cama	to stay in bed
hinchar(se)	to swell
internar(se) en el hospital	to check into the hospital
lastimarse (el pie)	to hurt (one's foot)
mejorar(se)	to get better; to improve
operar	to operate
quemar(se)	to burn
respirar (hondo)	to breathe (deeply)
romperse (la pierna)	to break (one's leg)
sangrar	to bleed
sufrir	to suffer
tomarle la presión a alguien	to take someone's blood pressure
tomarle el pulso a alguien	to take someone's pulse
torcerse (el tobillo)	to sprain (one's ankle)
vendar	to bandage

EXPRESIONES ÚTILES PARA LA CLASE / USEFUL CLASSROOM EXPRESSIONS

Palabras útiles / Useful words

ausente	absent
el departamento	department
el dictado	dictation
la conversación, las conversaciones	conversation(s)
la expresión, las expresiones	expression(s)
el examen, los exámenes	test(s), exam(s)
la frase	sentence
la hoja de actividades	activity sheet
el horario de clases	class schedule
la oración, las oraciones	sentence(s)
el párrafo	paragraph
la persona	person
presente	present
la prueba	test, quiz
siguiente	following
la tarea	homework

Expresiones útiles / Useful expressions

Abra(n) su(s) libro(s).	Open your book(s).
Cambien de papel.	Change roles.
Cierre(n) su(s) libro(s).	Close your book(s).
¿Cómo se dice ___ en español?	How do you say ___ in Spanish?
¿Cómo se escribe ___ en español?	How do you write ___ in Spanish?
¿Comprende(n)?	Do you understand?
(No) comprendo.	I (don't) understand.
Conteste(n) las preguntas.	Answer the questions.
Continúe(n), por favor.	Continue, please.
Escriba(n) su nombre.	Write your name.
Escuche(n) el audio.	Listen to the audio.
Estudie(n) la Lección tres.	Study Lesson three.
Haga(n) la actividad (el ejercicio) número cuatro.	Do activity (exercise) number four.
Lea(n) la oración en voz alta.	Read the sentence aloud.
Levante(n) la mano.	Raise your hand(s).
Más despacio, por favor.	Slower, please.
No sé.	I don't know.
Páse(n)me los exámenes.	Pass me the tests.
¿Qué significa ___?	What does ___ mean?
Repita(n), por favor.	Repeat, please.
Siénte(n)se, por favor.	Sit down, please.
Siga(n) las instrucciones.	Follow the instructions.
¿Tiene(n) alguna pregunta?	Do you have any questions?
Vaya(n) a la página dos.	Go to page two.

COUNTRIES & NATIONALITIES / PAÍSES Y NACIONALIDADES

North America / Norteamérica

Canada	**Canadá**	***canadiense***
Mexico	**México**	***mexicano/a***
United States	**Estados Unidos**	***estadounidense***

Central America / Centroamérica

Belize	**Belice**	***beliceño/a***
Costa Rica	**Costa Rica**	***costarricense***
El Salvador	**El Salvador**	***salvadoreño/a***
Guatemala	**Guatemala**	***guatemalteco/a***
Honduras	**Honduras**	***hondureño/a***
Nicaragua	**Nicaragua**	***nicaragüense***
Panama	**Panamá**	***panameño/a***

The Caribbean	El Caribe	
Cuba	**Cuba**	*cubano/a*
Dominican Republic	**República Dominicana**	*dominicano/a*
Haiti	**Haití**	*haitiano/a*
Puerto Rico	**Puerto Rico**	*puertorriqueño/a*
South America	**Suramérica**	
Argentina	**Argentina**	*argentino/a*
Bolivia	**Bolivia**	*boliviano/a*
Brazil	**Brasil**	*brasileño/a*
Chile	**Chile**	*chileno/a*
Colombia	**Colombia**	*colombiano/a*
Ecuador	**Ecuador**	*ecuatoriano/a*
Paraguay	**Paraguay**	*paraguayo/a*
Peru	**Perú**	*peruano/a*
Uruguay	**Uruguay**	*uruguayo/a*
Venezuela	**Venezuela**	*venezolano/a*
Europe	**Europa**	
Armenia	**Armenia**	*armenio/a*
Austria	**Austria**	*austríaco/a*
Belgium	**Bélgica**	*belga*
Bosnia	**Bosnia**	*bosnio/a*
Bulgaria	**Bulgaria**	*búlgaro/a*
Croatia	**Croacia**	*croata*
Czech Republic	**República Checa**	*checo/a*
Denmark	**Dinamarca**	*danés, danesa*
England	**Inglaterra**	*inglés, inglesa*
Estonia	**Estonia**	*estonio/a*
Finland	**Finlandia**	*finlandés, finlandesa*
France	**Francia**	*francés, francesa*
Germany	**Alemania**	*alemán, alemana*
Great Britain (United Kingdom)	**Gran Bretaña (Reino Unido)**	*británico/a*
Greece	**Grecia**	*griego/a*
Hungary	**Hungría**	*húngaro/a*
Iceland	**Islandia**	*islandés, islandesa*
Ireland	**Irlanda**	*irlandés, irlandesa*
Italy	**Italia**	*italiano/a*
Latvia	**Letonia**	*letón, letona*
Lithuania	**Lituania**	*lituano/a*
Netherlands (Holland)	**Países Bajos (Holanda)**	*holandés, holandesa*
Norway	**Noruega**	*noruego/a*
Poland	**Polonia**	*polaco/a*
Portugal	**Portugal**	*portugués, portuguesa*
Romania	**Rumania**	*rumano/a*
Russia	**Rusia**	*ruso/a*
Scotland	**Escocia**	*escocés, escocesa*
Serbia	**Serbia**	*serbio/a*
Slovakia	**Eslovaquia**	*eslovaco/a*
Slovenia	**Eslovenia**	*esloveno/a*
Spain	**España**	*español(a)*
Sweden	**Suecia**	*sueco/a*
Switzerland	**Suiza**	*suizo/a*
Ukraine	**Ucrania**	*ucraniano/a*
Wales	**Gales**	*galés, galesa*
Asia	**Asia**	
Bangladesh	**Bangladés**	*bangladesí*
Cambodia	**Camboya**	*camboyano/a*
China	**China**	*chino/a*
India	**India**	*indio/a*
Indonesia	**Indonesia**	*indonesio/a*
Iran	**Irán**	*iraní*
Iraq	**Iraq, Irak**	*iraquí*

Israel	**Israel**	***israelí***
Japan	**Japón**	***japonés, japonesa***
Jordan	**Jordania**	***jordano/a***
Korea	**Corea**	***coreano/a***
Kuwait	**Kuwait**	***kuwaití***
Lebanon	**Líbano**	***libanés, libanesa***
Malaysia	**Malasia**	***malasio/a***
Pakistan	**Pakistán**	***pakistaní***
Russia	**Rusia**	***ruso/a***
Saudi Arabia	**Arabia Saudí**	***saudí***
Singapore	**Singapur**	***singapurés, singapuresa***
Syria	**Siria**	***sirio/a***
Taiwan	**Taiwán**	***taiwanés, taiwanesa***
Thailand	**Tailandia**	***tailandés, tailandesa***
Turkey	**Turquía**	***turco/a***
Vietnam	**Vietnam**	***vietnamita***

Africa	**África**	
Algeria	**Argelia**	***argelino/a***
Angola	**Angola**	***angoleño/a***
Cameroon	**Camerún**	***camerunés, camerunesa***
Congo	**Congo**	***congolés, congolesa***
Egypt	**Egipto**	***egipcio/a***
Equatorial Guinea	**Guinea Ecuatorial**	***ecuatoguineano/a***
Ethiopia	**Etiopía**	***etíope***
Ivory Coast	**Costa de Marfil**	***marfileño/a***
Kenya	**Kenia, Kenya**	***keniano/a, keniata***
Libya	**Libia**	***libio/a***
Mali	**Malí**	***maliense***
Morocco	**Marruecos**	***marroquí***
Mozambique	**Mozambique**	***mozambiqueño/a***
Nigeria	**Nigeria**	***nigeriano/a***
Rwanda	**Ruanda**	***ruandés, ruandesa***
Somalia	**Somalia**	***somalí***
South Africa	**Sudáfrica**	***sudafricano/a***
Sudan	**Sudán**	***sudanés, sudanesa***
Tunisia	**Tunicia, Túnez**	***tunecino/a***
Uganda	**Uganda**	***ugandés, ugandesa***
Zambia	**Zambia**	***zambiano/a***
Zimbabwe	**Zimbabue**	***zimbabuense***

Australia and the Pacific	**Australia y el Pacífico**	
Australia	**Australia**	***australiano/a***
New Zealand	**Nueva Zelanda**	***neozelandés, neozelandesa***
Philippines	**Filipinas**	***filipino/a***

MONEDAS DE LOS PAÍSES HISPANOS

CURRENCIES OF HISPANIC COUNTRIES

País Country	**Moneda** Currency
Argentina	el peso
Bolivia	el boliviano
Chile	el peso
Colombia	el peso
Costa Rica	el colón
Cuba	el peso
Ecuador	el dólar estadounidense
El Salvador	el dólar estadounidense
España	el euro
Guatemala	el quetzal
Guinea Ecuatorial	el franco
Honduras	el lempira
México	el peso
Nicaragua	el córdoba
Panamá	el balboa, el dólar estadounidense
Paraguay	el guaraní
Perú	el nuevo sol
Puerto Rico	el dólar estadounidense
República Dominicana	el peso
Uruguay	el peso
Venezuela	el bolívar

EXPRESIONES Y REFRANES / EXPRESSIONS AND SAYINGS

Expresiones y refranes con partes del cuerpo / Expressions and sayings with parts of the body

A cara o cruz	Heads or tails
A corazón abierto	Open heart
A ojos vistas	Clearly, visibly
Al dedillo	Like the back of one's hand
¡Choca/Vengan esos cinco!	Put it there!/Give me five!
Codo con codo	Side by side
Con las manos en la masa	Red-handed
Costar un ojo de la cara	To cost an arm and a leg
Darle a la lengua	To chatter/To gab
De rodillas	On one's knees
Duro de oído	Hard of hearing
En cuerpo y alma	In body and soul
En la punta de la lengua	On the tip of one's tongue
En un abrir y cerrar de ojos	In a blink of the eye
Entrar por un oído y salir por otro	In one ear and out the other
Estar con el agua al cuello	To be up to one's neck with/in
Estar para chuparse los dedos	To be delicious/To be finger-licking good
Hablar entre dientes	To mutter/To speak under one's breath
Hablar por los codos	To talk a lot/To be a chatterbox
Hacer la vista gorda	To turn a blind eye on something
Hombro con hombro	Shoulder to shoulder
Llorar a lágrima viva	To sob/To cry one's eyes out
Metérsele (a alguien) algo entre ceja y ceja	To get an idea in your head
No pegar ojo	Not to sleep a wink
No tener corazón	Not to have a heart
No tener dos dedos de frente	Not to have an ounce of common sense
Ojos que no ven, corazón que no siente	Out of sight, out of mind
Perder la cabeza	To lose one's head
Quedarse con la boca abierta	To be thunderstruck
Romper el corazón	To break someone's heart
Tener buen/mal corazón	Have a good/bad heart
Tener un nudo en la garganta	Have a knot in your throat
Tomarse algo a pecho	To take something too seriously
Venir como anillo al dedo	To fit like a charm/To suit perfectly

Expresiones y refranes con animales / Expressions and sayings with animals

A caballo regalado no le mires el diente.	Don't look a gift horse in the mouth.
Comer como un cerdo	To eat like a pig
Cuando menos se piensa, salta la liebre.	Things happen when you least expect it.
Llevarse como el perro y el gato	To fight like cats and dogs
Perro ladrador, poco mordedor./Perro que ladra no muerde.	His/her bark is worse than his/her bite.
Por la boca muere el pez.	Talking too much can be dangerous.
Poner el cascabel al gato	To stick one's neck out
Ser una tortuga	To be a slowpoke

Expresiones y refranes con alimentos / Expressions and sayings with food

Agua que no has de beber, déjala correr.	If you're not interested, don't ruin it for everybody else.
Con pan y vino se anda el camino.	Things never seem as bad after a good meal.
Contigo pan y cebolla.	You are all I need.
Dame pan y dime tonto.	I don't care what you say, as long as I get what I want.
Descubrir el pastel	To let the cat out of the bag
Dulce como la miel	Sweet as honey
Estar como agua para chocolate	To furious/To be at the boiling point
Estar en el ajo	To be in the know
Estar en la higuera	To have one's head in the clouds
Estar más claro que el agua	To be clear as a bell
Ganarse el pan	To earn a living/To earn one's daily bread
Llamar al pan, pan y al vino, vino.	Not to mince words.
No hay miel sin hiel.	Every rose has its thorn./There's always a catch.
No sólo de pan vive el hombre.	Man doesn't live by bread alone.
Pan con pan, comida de tontos.	Variety is the spice of life.
Ser agua pasada	To be water under the bridge
Ser más bueno que el pan	To be kindness itself
Temblar como un flan	To shake/tremble like a leaf

Expresiones y refranes con colores / Expressions and sayings with colors

Estar verde	To be inexperienced/wet behind the ears
Poner los ojos en blanco	To roll one's eyes
Ponerle a alguien un ojo morado	To give someone a black eye
Ponerse rojo	To turn red/To blush
Ponerse rojo de ira	To turn red with anger
Ponerse verde de envidia	To be green with envy
Quedarse en blanco	To go blank
Verlo todo de color de rosa	To see the world through rose-colored glasses

Refranes | Sayings

A buen entendedor, pocas palabras bastan. A word to the wise is enough.
Ande o no ande, caballo grande. Bigger is always better.
A quien madruga, Dios le ayuda. The early bird catches the worm.
Cuídate, que te cuidaré. Take care of yourself, and then I'll take care of you.
De tal palo tal astilla. A chip off the old block.
Del dicho al hecho hay mucho trecho. Easier said than done.
Dime con quién andas y te diré quién eres. A man is known by the company he keeps.
El saber no ocupa lugar. One never knows too much.
Lo que es moda no incomoda. You have to suffer in the name of fashion.
Más vale maña que fuerza. Brains are better than brawn.
Más vale prevenir que curar. Prevention is better than cure.
Más vale solo que mal acompañado. Better alone than with people you don't like.
Más vale tarde que nunca. Better late than never.
No es oro todo lo que reluce. All that glitters is not gold.
Poderoso caballero es don Dinero. Money talks.

COMMON FALSE FRIENDS

False friends are Spanish words that look similar to English words but have very different meanings. While recognizing the English relatives of unfamiliar Spanish words you encounter is an important way of constructing meaning, there are some Spanish words whose similarity to English words is deceptive. Here is a list of some of the most common Spanish false friends.

actualmente ≠ actually
actualmente = nowadays, currently
actually = **de hecho, en realidad, en efecto**

argumento ≠ argument
argumento = plot
argument = **discusión, pelea**

armada ≠ army
armada = navy
army = **ejército**

balde ≠ bald
balde = pail, bucket
bald = **calvo/a**

batería ≠ battery
batería = drum set
battery = **pila**

bravo ≠ brave
bravo = wild; fierce
brave = **valiente**

cándido/a ≠ candid
cándido/a = innocent
candid = **sincero/a**

carbón ≠ carbon
carbón = coal
carbon = **carbono**

casual ≠ casual
casual = accidental, chance
casual = **informal, despreocupado/a**

casualidad ≠ casualty
casualidad = chance, coincidence
casualty = **víctima**

colegio ≠ college
colegio = school
college = **universidad**

collar ≠ collar (of a shirt)
collar = necklace
collar = **cuello (de camisa)**

comprensivo/a ≠ comprehensive
comprensivo/a = understanding
comprehensive = **completo, extensivo**

constipado ≠ constipated
estar constipado/a = to have a cold
to be constipated = **estar estreñido/a**

crudo/a ≠ crude
crudo/a = raw, undercooked
crude = **burdo/a, grosero/a**

divertir ≠ to divert
divertirse = to enjoy oneself
to divert = **desviar**

educado/a ≠ educated
educado/a = well-mannered
educated = **culto/a, instruido/a**

embarazada ≠ embarrassed
estar embarazada = to be pregnant
to be embarrassed = **estar avergonzado/a; dar/tener vergüenza**

eventualmente ≠ eventually
eventualmente = possibly
eventually = **finalmente, al final**

éxito ≠ exit
éxito = success
exit = **salida**

físico/a ≠ physician
físico/a = physicist
physician = **médico/a**

fútbol ≠ football
fútbol = soccer
football = **fútbol americano**

lectura ≠ lecture
lectura = reading
lecture = **conferencia**

librería ≠ library
librería = bookstore
library = **biblioteca**

máscara ≠ mascara
máscara = mask
mascara = **rímel**

molestar ≠ to molest
molestar = to bother, to annoy
to molest = **abusar**

oficio ≠ office
oficio = trade, occupation
office = **oficina**

rato ≠ rat
rato = while, time
rat = **rata**

realizar ≠ to realize
realizar = to carry out; to fulfill
to realize = **darse cuenta de**

red ≠ red
red = net
red = **rojo/a**

revolver ≠ revolver
revolver = to stir, to rummage through
revolver = **revólver**

sensible ≠ sensible
sensible = sensitive
sensible = **sensato/a, razonable**

suceso ≠ success
suceso = event
success = **éxito**

sujeto ≠ subject (topic)
sujeto = fellow; individual
subject = **tema, asunto**

LOS ALIMENTOS — FOODS

Frutas — Fruits

la aceituna olive
el aguacate avocado
el albaricoque, el damasco apricot
la banana, el plátano banana
la cereza cherry
la ciruela plum
el dátil date
la frambuesa raspberry
la fresa, la frutilla strawberry
el higo fig
el limón lemon; lime
el melocotón, el durazno peach
la mandarina tangerine
el mango mango
la manzana apple
la naranja orange
la papaya papaya
la pera pear
la piña pineapple
el pomelo, la toronja grapefruit
la sandía watermelon
las uvas grapes

Vegetales — Vegetables

la alcachofa artichoke
el apio celery
la arveja, el guisante pea
la berenjena eggplant
el brócoli broccoli
la calabaza squash; pumpkin
la cebolla onion
el champiñón, la seta mushroom
la col, el repollo cabbage
la coliflor cauliflower
los espárragos asparagus
las espinacas spinach
los frijoles, las habichuelas beans
las habas fava beans
las judías verdes, los ejotes string beans, green beans
la lechuga lettuce
el maíz, el choclo, el elote corn
la papa, la patata potato
el pepino cucumber
el pimentón bell pepper
el rábano radish
la remolacha beet
el tomate, el jitomate tomato
la zanahoria carrot

El pescado y los mariscos — Fish and shellfish

la almeja clam
el atún tuna
el bacalao cod
el calamar squid
el cangrejo crab
el camarón, la gamba shrimp
la langosta lobster
el langostino prawn
el lenguado sole; flounder
el mejillón mussel
la ostra oyster
el pulpo octopus
el salmón salmon
la sardina sardine
la vieira scallop

La carne — Meat

la albóndiga meatball
el bistec steak
la carne de res beef
el chorizo hard pork sausage
la chuleta de cerdo pork chop
el cordero lamb
los fiambres cold cuts, food served cold
el filete fillet
la hamburguesa hamburger
el hígado liver
el jamón ham
el lechón suckling pig, roasted pig
el pavo turkey
el pollo chicken
el cerdo pork
la salchicha sausage
la ternera veal
el tocino bacon

Otras comidas — Other foods

el ajo garlic
el arroz rice
el azúcar sugar
el batido milkshake
el budín pudding
el cacahuete, el maní peanut
el café coffee
los fideos noodles, pasta
la harina flour
el huevo egg
el jugo, el zumo juice
la leche milk
la mermelada marmalade, jam
la miel honey
el pan bread
el queso cheese
la sal salt
la sopa soup
el té tea
la tortilla omelet (Spain), tortilla (Mexico)
el yogur yogurt

Cómo describir la comida — Ways to describe food

ácido/a sour
al horno baked
amargo/a bitter
caliente hot
dulce sweet
duro/a tough
frío/a cold
frito/a fried
fuerte strong, heavy
ligero/a light
picante spicy
sabroso/a tasty
salado/a salty

DÍAS FESTIVOS	HOLIDAYS
enero	**January**
Año Nuevo (1)	New Year's Day
Día de los Reyes Magos (6)	Three Kings Day (Epiphany)
Día de Martin Luther King, Jr.	Martin Luther King, Jr. Day
febrero	**February**
Día de San Blas (Paraguay) (3)	St. Blas Day (Paraguay)
Día de San Valentín, Día de los Enamorados (14)	Valentine's Day
Día de los Presidentes	Presidents' Day
Carnaval	Carnival (Mardi Gras)
marzo	**March**
Día de San Patricio (17)	St. Patrick's Day
Nacimiento de Benito Juárez (México) (21)	Benito Juárez's Birthday (Mexico)
abril	**April**
Semana Santa	Holy Week
Pésaj	Passover
Pascua	Easter
Declaración de la Independencia de Venezuela (19)	Declaration of Independence of Venezuela
Día de la Tierra (22)	Earth Day
mayo	**May**
Día del Trabajo (1)	Labor Day
Cinco de Mayo (5) (México)	Cinco de Mayo (May 5th) (Mexico)
Día de las Madres	Mother's Day
Independencia Patria (Paraguay) (15)	Independence Day (Paraguay)
Día Conmemorativo	Memorial Day
junio	**June**
Día de los Padres	Father's Day
Día de la Bandera (14)	Flag Day
Día del Indio (Perú) (24)	Native People's Day (Peru)
julio	**July**
Día de la Independencia de los Estados Unidos (4)	Independence Day (United States)
Día de la Independencia de Venezuela (5)	Independence Day (Venezuela)
Día de la Independencia de la Argentina (9)	Independence Day (Argentina)
Día de la Independencia de Colombia (20)	Independence Day (Colombia)
Nacimiento de Simón Bolívar (24)	Simón Bolívar's Birthday
Día de la Revolución (Cuba) (26)	Revolution Day (Cuba)
Día de la Independencia del Perú (28)	Independence Day (Peru)
agosto	**August**
Día de la Independencia de Bolivia (6)	Independence Day (Bolivia)
Día de la Independencia del Ecuador (10)	Independence Day (Ecuador)
Día de San Martín (Argentina) (17)	San Martín Day (anniversary of his death) (Argentina)
Día de la Independencia del Uruguay (25)	Independence Day (Uruguay)
septiembre	**September**
Día del Trabajo (EE. UU.)	Labor Day (U.S.)
Día de la Independencia de Costa Rica, El Salvador, Guatemala, Honduras y Nicaragua (15)	Independence Day (Costa Rica, El Salvador, Guatemala, Honduras, Nicaragua)
Día de la Independencia de México (16)	Independence Day (Mexico)
Día de la Independencia de Chile (18)	Independence Day (Chile)
Año Nuevo Judío	Jewish New Year
Día de la Virgen de las Mercedes (Perú) (24)	Day of the Virgin of Mercedes (Peru)
octubre	**October**
Día de la Raza (12)	Columbus Day
Noche de Brujas (31)	Halloween
noviembre	**November**
Día de los Muertos (2)	All Souls Day
Día de los Veteranos (11)	Veterans' Day
Día de la Revolución Mexicana (20)	Mexican Revolution Day
Día de Acción de Gracias	Thanksgiving
Día de la Independencia de Panamá (28)	Independence Day (Panama)
diciembre	**December**
Día de la Virgen (8)	Day of the Virgin
Día de la Virgen de Guadalupe (México) (12)	Day of the Virgin of Guadalupe (Mexico)
Januká	Chanukah
Nochebuena (24)	Christmas Eve
Navidad (25)	Christmas
Año Viejo (31)	New Year's Eve

NOTE: In Spanish, dates are written with the day first, then the month. Christmas Day is **el 25 de diciembre**. In Latin America and in Europe, abbreviated dates also follow this pattern. Halloween, for example, falls on 31/10. You may also see the numbers in dates separated by periods: 27.4.16. When referring to centuries, roman numerals are always used. The 16th century, therefore, is **el siglo XVI**.

PESOS Y MEDIDAS | WEIGHTS AND MEASURES

Longitud | Length

El sistema métrico Metric system	**El equivalente estadounidense** U.S. equivalent
milímetro = 0,001 metro millimeter = 0.001 meter	= 0.039 inch
centímetro = 0,01 metro centimeter = 0.01 meter	= 0.39 inch
decímetro = 0,1 metro decimeter = 0.1 meter	= 3.94 inches
metro meter	= 39.4 inches
decámetro = 10 metros dekameter = 10 meters	= 32.8 feet
hectómetro = 100 metros hectometer = 100 meters	= 328 feet
kilómetro = 1.000 metros kilometer = 1,000 meters	= .62 mile

U.S. system **El sistema estadounidense**	Metric equivalent **El equivalente métrico**
inch **pulgada**	= 2.54 centimeters **= 2,54 centímetros**
foot = 12 inches **pie = 12 pulgadas**	= 30.48 centimeters **= 30,48 centímetros**
yard = 3 feet **yarda = 3 pies**	= 0.914 meter **= 0,914 metro**
mile = 5,280 feet **milla = 5.280 pies**	= 1.609 kilometers **= 1,609 kilómetros**

Superficie | Surface Area

El sistema métrico Metric system	**El equivalente estadounidense** U.S. equivalent
metro cuadrado square meter	= 10.764 square feet
área = 100 metros cuadrados area = 100 square meters	= 0.025 acre
hectárea = 100 áreas hectare = 100 ares	= 2.471 acres

U.S. system **El sistema estadounidense**	Metric equivalent **El equivalente métrico**

yarda cuadrada = 9 pies cuadrados = 0,836 metros cuadrados
square yard = 9 square feet = 0.836 square meters
acre = 4.840 yardas cuadradas = 0,405 hectáreas
acre = 4,840 square yards = 0.405 hectares

Capacidad | Capacity

El sistema métrico Metric system	**El equivalente estadounidense** U.S. equivalent
mililitro = 0,001 litro milliliter = 0.001 liter	= 0.034 ounces
centilitro = 0,01 litro centiliter = 0.01 liter	= 0.34 ounces
decilitro = 0,1 litro deciliter = 0.1 liter	= 3.4 ounces
litro liter	= 1.06 quarts
decalitro = 10 litros dekaliter = 10 liters	= 2.64 gallons
hectolitro = 100 litros hectoliter = 100 liters	= 26.4 gallons
kilolitro = 1.000 litros kiloliter = 1,000 liters	= 264 gallons

U.S. system **El sistema estadounidense**	Metric equivalent **El equivalente métrico**
ounce **onza**	= 29.6 milliliters **= 29,6 mililitros**
cup = 8 ounces **taza = 8 onzas**	= 236 milliliters **= 236 mililitros**
pint = 2 cups **pinta = 2 tazas**	= 0.47 liters **= 0,47 litros**
quart = 2 pints **cuarto = 2 pintas**	= 0.95 liters **= 0,95 litros**
gallon = 4 quarts **galón = 4 cuartos**	= 3.79 liters **= 3,79 litros**

Peso | Weight

El sistema métrico Metric system	**El equivalente estadounidense** U.S. equivalent
miligramo = 0,001 gramo milligram = 0.001 gram	
gramo gram	= 0.035 ounce
decagramo = 10 gramos dekagram = 10 grams	= 0.35 ounces
hectogramo = 100 gramos hectogram = 100 grams	= 3.5 ounces
kilogramo = 1.000 gramos kilogram = 1,000 grams	= 2.2 pounds
tonelada (métrica) = 1.000 kilogramos metric ton = 1,000 kilograms	= 1.1 tons

U.S. system **El sistema estadounidense**	Metric equivalent **El equivalente métrico**
ounce **onza**	= 28.35 grams **= 28,35 gramos**
pound = 16 ounces **libra = 16 onzas**	= 0.45 kilograms **= 0,45 kilogramos**
ton = 2,000 pounds **tonelada = 2.000 libras**	= 0.9 metric tons **= 0,9 toneladas métricas**

Temperatura | Temperature

Grados centígrados
Degrees Celsius
To convert from Celsius to Fahrenheit, multiply by $\frac{9}{5}$ and add 32.

Grados Fahrenheit
Degrees Fahrenheit
To convert from Fahrenheit to Celsius, subtract 32 and multiply by $\frac{5}{9}$.

NÚMEROS

Números ordinales

primer, primero/a	**1º/1ª**	first	1st
segundo/a	**2º/2ª**	second	2nd
tercer, tercero/a	**3º/3ª**	third	3rd
cuarto/a	**4º/4ª**	fourth	4th
quinto/a	**5º/5ª**	fifth	5th
sexto/a	**6º/6ª**	sixth	6th
séptimo/a	**7º/7ª**	seventh	7th
octavo/a	**8º/8ª**	eighth	8th
noveno/a	**9º/9ª**	ninth	9th
décimo/a	**10º/10ª**	tenth	10th

Fracciones

$\frac{1}{2}$	**un medio, la mitad**	one half
$\frac{1}{3}$	**un tercio**	one third
$\frac{1}{4}$	**un cuarto**	one fourth (quarter)
$\frac{1}{5}$	**un quinto**	one fifth
$\frac{1}{6}$	**un sexto**	one sixth
$\frac{1}{7}$	**un séptimo**	one seventh
$\frac{1}{8}$	**un octavo**	one eighth
$\frac{1}{9}$	**un noveno**	one ninth
$\frac{1}{10}$	**un décimo**	one tenth
$\frac{2}{3}$	**dos tercios**	two thirds
$\frac{3}{4}$	**tres cuartos**	three fourths (quarters)
$\frac{5}{8}$	**cinco octavos**	five eighths

Decimales

un décimo	**0,1**	one tenth	0.1
un centésimo	**0,01**	one hundredth	0.01
un milésimo	**0,001**	one thousandth	0.001

NUMBERS

Ordinal numbers

Fractions

Decimals

OCUPACIONES — OCCUPATIONS

OCUPACIONES	OCCUPATIONS
el/la abogado/a	lawyer
el actor, la actriz	actor
el/la administrador(a) de empresas	business administrator
el/la agente de bienes raíces	real estate agent
el/la agente de seguros	insurance agent
el/la agricultor(a)	farmer
el/la arqueólogo/a	archaeologist
el/la arquitecto/a	architect
el/la artesano/a	artisan
el/la auxiliar de vuelo	flight attendant
el/la basurero/a	garbage collector
el/la bibliotecario/a	librarian
el/la bombero/a	firefighter
el/la cajero/a	bank teller, cashier
el/la camionero/a	truck driver
el/la cantinero/a	bartender
el/la carnicero/a	butcher
el/la carpintero/a	carpenter
el/la científico/a	scientist
el/la cirujano/a	surgeon
el/la cobrador(a)	bill collector
el/la cocinero/a	cook, chef
el/la comprador(a)	buyer
el/la consejero/a	counselor, advisor
el/la contador(a)	accountant
el/la corredor(a) de bolsa	stockbroker
el/la diplomático/a	diplomat
el/la diseñador(a) (gráfico/a)	(graphic) designer
el/la electricista	electrician
el/la empresario/a de pompas fúnebres	funeral director
el/la especialista en dietética	dietician
el/la fisioterapeuta	physical therapist
el/la fotógrafo/a	photographer
el/la higienista dental	dental hygienist
el hombre/la mujer de negocios	businessperson
el/la ingeniero/a en computación	computer engineer
el/la intérprete	interpreter
el/la juez(a)	judge
el/la maestro/a	elementary school teacher
el/la marinero/a	sailor
el/la obrero/a	manual laborer
el/la obrero/a de la construcción	construction worker
el/la oficial de prisión	prision guard
el/la optometrista	optometrist
el/la panadero/a	baker
el/la paramédico/a	paramedic
el/la peluquero/a	hairdresser
el/la piloto	pilot
el/la pintor(a)	painter
el/la plomero/a	plumber
el/la político/a	politician
el/la programador(a)	computer programer
el/la psicólogo/a	psychologist
el/la quiropráctico/a	chiropractor
el/la redactor(a)	editor
el/la reportero/a	reporter
el/la sastre	tailor
el/la secretario/a	secretary
el/la supervisor(a)	supervisor
el/la técnico/a (en computación)	(computer) technician
el/la vendedor(a)	sales representative
el/la veterinario/a	veterinarian

Text Credits

T33: ACTFL; **57:** © Joaquín Salvador Lavado (QUINO), Todo Mafalda, Ediciones de la Flor; **96:** Reprinted with permission from Colegio Delibes; **252:** Botella al mar © 1989, Ricardo Mariño. © 2015, Ediciones Santillana S.A.

Video Credits

60: Mastercard; **100:** AB Marmolejos; **140:** Banco Galicia/Mercado McCann; **178:** FeelSales/ContentLine; **218:** Reprinted with permission from Santander Chile; **256:** Courtesy of Juguettos; **294:** Reprinted with permission from Asepxia, Genommalab and Kepel & Mata; **334:** With permission of La Vanguardia; **368:** Watch the full video on the YouTube Channel: Sin Portal.

Photography and Art Credits

All images © by Vista Higher Learning unless otherwise noted.

Cover: Blaine Harrington III/The Image Bank/Getty Images.

Front Matter (SE): xvi: (all) Carlos Muñoz; **xvii:** Kamira/Shutterstock; **xx:** (l) Corbis Historical/Getty Images; (r) Florian Biamm/123RF; **xxi:** (l) Lawrence Manning/Corbis; (r) Kelly Redinger/Design Pics Inc/Alamy; **xxii:** José Blanco; **xxiii:** (l) Digital Vision/Getty Images; (r) ESB Professional/Shutterstock; **xxiv:** Fotolia IV/Fotolia; **xxv:** (l) Goodshoot/Corbis; (r) Tyler Olson/Shutterstock; **xxvi:** Shelly Wall/ Shutterstock; **xxvii:** (t) Colorblind/Corbis; (b) Moodboard/Fotolia; **xxviii:** (t) Digital Vision/Getty Images; (b) Purestock/Alamy.

Front Matter (TE): T12: Asiseeit/iStockphoto; **T17:** PeopleImages/iStockphoto; **T32:** Teodor Cucu/500px; **T37:** SimmiSimons/iStockphoto; **T41:** Monkeybusiness/Deposit Photos.

Preliminary Lesson: 2–3: Brian Pineda/Offset; **3:** Daniel M Ernst/Shutterstock; **4:** (t) Eric Raptosh Photography/Media Bakery; (bl) Paula Díez; (br) Monkey Business/Deposit Photos; **4–5:** (notebook) GTS/Shutterstock; **8:** (t) Paula Díez; (mt) BST2012/Deposit Photos; (mm) Duel/AGE Fotostock; (mb) Wavebreakmedia/Shutterstock; (b) Paula Díez; **8–9:** (background) Sviat Studio/Shutterstock; **9:** (all) Pixfiction/ Shutterstock; **11:** (t) Lev Dolgachov/Alamy; (b) Pixfiction/Shutterstock; **12:** (t) Tomsickova/Fotolia; (mt) Martín Bernetti; (mb, b) Paula Díez; (Polaroid frames) Findeep/Deposit Photos; **12–13:** (background) Milos Vucicevic/Shutterstock; **14:** (all) Carlos Muñoz; **15:** (all) Carlos Muñoz; **16:** (t) Lee Snider Photo Images/Shutterstock; (b) FatCamera/iStockphoto; **17:** Jeff Malet Photography/Newscom; **20:** (post-it) Deepspacedave/Deposit Photos; (school supplies) Miflippo/Deposit Photos; (t) Bowdenimages/iStockphoto; (m) Moxie Productions/ AGE Fotostock; (b) ImageBroker/AGE Fotostock; **20–21:** (background) Logos2012/Deposit Photos; **21:** Hero Images/AGE Fotostock; **22:** (t, mt) Martín Bernetti; (mb) Jack Frog/Shutterstock; (b) José Blanco; (calendar) Sang Lee/Shutterstock; **22–23:** (background) Dgolbay/ Deposit Photos; **24:** Asiseeit/iStockphoto.

Lesson 1: 26–27: Patrick Frilet/Marka/AGE Fotostock; **27:** Tony Anderson/DigitalVision/Getty Images; **28:** John Henley/Corbis/Getty Images; **29:** Martín Bernetti; **30:** Martín Bernetti; **32–34:** (all) Carlos Muñoz; **36:** (b) Stephen Coburn/Shutterstock; (t) Carolina Zapata; **37:** (t) Ken Welsh/Alamy; (b) Paola Rios; **38:** (l) Janet Dracksdorf; (r) Tom Grill/Corbis; **42:** (l) José Girarte/iStockphoto; (r) Blend Images/ Alamy; **45:** (l) Goodluz/Shutterstock; (m) Anne Loubet; (r) Digital Vision/Getty Images; **46:** (all) Carlos Muñoz; **47:** (all) Carlos Muñoz; **51:** Carlos Muñoz; **53:** Martín Bernetti; **54:** (all) Martín Bernetti; **56–57:** (pencil) VHL; **57:** (tl) Ana Cabezas Martín; (tml) Martín Bernetti; (tmr) Kadmy/Fotolia; (tr) Vanessa Bertozzi; (bl) Corey Hochachka/Design Pics/IndexOpen; (bm) Sanek70974/Fotolia; (br) Ramiro Isaza/ Fotocolombia; **58:** Carolina Zapata; **59:** Paula Díez; **62:** (t) Jeremy Breningstall/ZUMA Press/Newscom; (b) Brandon Seidel/123RF; **63:** (t) PhotoDisc/Getty Images; (mt) Bill Bachmann/Alamy; (mb) Stocksnapper/Shutterstock; (bl) Radius Images/Alamy; (br) Chelsea Lauren/ Variety/REX/Shutterstock.

Lesson 2: 66–67: SDI Productions/E+/Getty Images; **67:** Keith Dannemiller/Alamy; **71:** Chris Schmidt/Track5/E+/Getty Images; **72–73:** (all) Carlos Muñoz; **73:** Photo by Mónica Porres/Courtesy of Fundación Estudio, Colegio "Estudio" Madrid, Spain; **76:** (b) Hill Street Studios/AGE Fotostock; (t) David Ashley/Corbis; **77:** Courtesy of Alfredo Hernando Calvo; **78:** (all) Carlos Muñoz; **83:** (all) Carlos Muñoz; **85:** Chris Schmidt/iStockphoto; **87:** (all) Carlos Muñoz; **88:** (all) Carlos Muñoz; **91:** Carlos Muñoz; **92:** Martín Bernetti; **95:** (l) Rick Gomez/Corbis/Getty Images; (r) Hola Images/Workbook.com; **97:** Courtesy of Colegio Delibes, Salamanca, Spain; **98:** (t) Sam Edwards/ Media Bakery; (b) Zdyma4/Fotolia; **99:** Kadmy/Fotolia; **102:** (t) José Blanco; (b) Jack Q/Shutterstock; **103:** (t) Jacquelyn Martin/AP/REX/ Shutterstock; (mtl) VHL; (mtr, mb) José Blanco; (bl) Iconotec/Fotosearch; (bm) *Las Meninas* (1656), Diego Velásquez. Oil on canvas, 281.5 x 320.5 cm. Museo Nacional del Prado, Madrid, Spain/Erich Lessing/Art Resource, NY; (br) S. Bukley/Shutterstock.

Lesson 3: 106–107: Aldomurillo/E+/Getty Images; **107:** Sasun Bughdaryan/Shutterstock; **109:** Martín Bernetti; **110:** (tl) Anne Loubet; (tr) Blend Images/Alamy; (tml) Ana Cabezas Martín; (tmr) Maskot/Media Bakery; (bml, bmr, br) Martín Bernetti; (bl) Himchenko/ Fotolia; **112–114:** (all) Carlos Muñoz; **113:** Raquel Rodríguez/123RF; **116:** (tl) Minerva Studio/Fotolia; (tr) Mangostock/Shutterstock; (b)

John Roman Images/Shutterstock; **117:** (t) Robin Utrecht/Sipa Press/Newscom; (b) DPA Picture Alliance/Alamy; **118:** (all) Carlos Muñoz; **120:** (all) Martín Bernetti; **122:** Andres Rodriguez/Alamy; **125:** Monkey Business Images/Shutterstock; **126:** (all) Carlos Muñoz; **127:** (l) Tyler Olson/Fotolia; (r) Michael Puche/iStockphoto/Getty Images; **128:** Martín Bernetti; **130:** (all) Carlos Muñoz; **132:** (tl) Shakzu/Fotolia; (tm) Mihailomilovanovic/iStockphoto; (tr) Rosa Images/Media Bakery; (bl) Onoky/Fotolia; (bm) Jamie Grill/Getty Images; (br) Paula Díez; **133:** Fotoluminate/123RF; **136:** (t) Glow Images/AGE Fotostock; (m) Hill Street Studios/Media Bakery; (b) Martín Bernetti; **137:** (t) Nora y Susana/Fotocolombia; (m) Monkey Business Images/Fotolia; (b) Antonio Diaz/Shutterstock; **138:** Janet Dracksdorf; **139:** ASIFE/Alamy; **142:** (t, m) Martín Bernetti; (b) Onairda/Getty Images; **143:** (tl) Marin Stefani/500px/Getty Images; (tr) Michael S. Nolan/AGE Fotostock; (ml) Martín Bernetti; (mm) Fotos593/Shutterstock; (mr) Pablo Corral/VCG/Corbis Documentary/Getty Images; (bl) Lauren Krolick; (br) PG/Splash News/Newscom.

Lesson 4: 146–147: Thomas Barwick/DigitalVision/Getty Images; **147:** Pedro Vilela/Getty Images; **149:** George Shelley/The Image Bank/Getty Images; **152–154:** (all) Carlos Muñoz; **153:** Andrii Zhezhera/123RF; **156:** (l) Natursports/123RF; (r) Carl Juste/MCT/Newscom; **157:** (t) Photoworks/Shutterstock; (b) ZUMA Press/Alamy; **158:** (all) Carlos Muñoz; **159:** (t) Radu Bercan/Shutterstock; (ml) Fotomicar/Shutterstock; (mm) David R. Frazier Photolibrary/Alamy; (mr) Iakov Filimonov/123RF; (bl) Henn Photography/Getty Images; (bm) Sigrid Olsson/AGE Fotostock; (br) Janet Dracksdorf; **160:** Jacek Chabraszewski/Fotolia; **161:** (all) Carlos Muñoz; **162:** Carlos Muñoz; **167:** Warner Bros/Kobal/Shutterstock; **168:** (all) Carlos Muñoz; **173:** Agan/Shutterstock; **174:** Martín Bernetti; **175:** Fernando Llano/AP Images; **176:** JGI/Jamie Grill/Media Bakery; **177:** Alexander Rochau/Fotolia; **180:** (t) Randy Miramontez/Shutterstock; (bl) Ruben Varela; (br) Carolina Zapata; **181:** (t) Radius Images/Alamy; (ml) *Autorretrato con mono* (1938), Frida Kahlo. Albright-Knox Art Gallery/Art Resource/© 2020 Banco de México Diego Rivera Frida Kahlo Museums Trust, Mexico, D.F./Artists Rights Society (ARS), New York; (mm) Bettmann/Getty Images; (mr) David R. Frazier Photolibrary/Alamy; (bl) Corel/Corbis; (br) RB/Bauer-Griffin/GC Images/Getty Images.

Lesson 5: 184–185: Andrew Zaeh/The Good Brigade/Offset; **185:** Mike Finn-Kelcey/Alamy; **191:** Jeff Greenberg/Alamy; **192–194:** (all) Carlos Muñoz; **193:** Tom Delano; **196:** (l) Tim Hester Photography/THPStock/Deposit Photos; (r) Glowimages/Getty Images; **197:** STR/AFP/Getty Images; **198:** (all) Carlos Muñoz; **199:** (tl) Nenetus/Fotolia; (tr) Hart Creations/iStockphoto; (bl) Fotografixx/iStockphoto; (br) Mediaphotos/iStockphoto; **200:** (all) Carlos Muñoz; **201:** Iofoto/Fotolia; **204:** (all) Carlos Muñoz; **208:** (all) Carlos Muñoz; **211:** Blend Images/Fotolia; **214:** LivetImages/Fotolia; **215:** (t) Corel/Corbis; (mt) Fotoluminate LLC/Fotolia; (mb) Ian Lishman/Media Bakery; (b) Jason Ross/123RF; **216:** Carolina Zapata; **220:** (t) José Blanco; (mt) Miguel A. Alvarez/Shutterstock; (mb) Teresa Canino Rivera/Nuevo Dia de Meta/Newscom; (b) Capricornis Photographic Inc/Shutterstock; **221:** (t) José Blanco; (ml) Anton Gvozdikov/Shutterstock; (mr) Chris Parypa Photography/Shutterstock; (bl) PhotoDisc/Getty Images; (br) Neilson Barnard/Getty Images.

Lesson 6: 224–225: Javier Larrea/AGE Fotostock; **225:** RosaIreneBetancourt 14/Alamy; **230–232:** (all) Carlos Muñoz; **231:** Dcarreño/Alamy; **234:** (r) José Caballero Digital Press Photos/Newscom; (l) Janet Dracksdorf; **235:** (all) Victor Chavez/WireImage/Getty Images; **237:** Jack Hollingsworth/Corbis; **238:** (all) Carlos Muñoz; **240:** (all) Pascal Pernix; **242:** (all) Carlos Muñoz; **245:** (all) Martín Bernetti; **246:** (all) Paula Díez; **247:** Paula Díez; **252–253:** GaudiLab/Shutterstock; **254:** Chris Schmidt/iStockphoto; **255:** Martín Bernetti; **258:** (all) Pascal Pernix; **259:** (tl) Drew A. Kelley/ZUMA Press/Newscom; (tm, tr, bl) Pascal Pernix; (bm) Road Movie Prods/Kobal/Shutterstock; (br) John Parra/Getty Images.

Lesson 7: 262–263: Stephanie Rausser/Stone/Getty Images; **263:** Courtesy of La Jabonería de Churruca, Madrid, Spain; **266:** (tl) PhotoAlto/Alamy; (tr) Radnatt/Fotolia; (mtl) Bernd Vogel/Getty Images; (mtr) Blend Images/Media Bakery; (mbl) Kemler/iStockphoto; (mbr, br) Paula Díez; (bl) Zeljkosantrac/iStockphoto; **268–270:** (all) Carlos Muñoz; **269:** Lucas Vallecillos/AGE Fotostock; **272:** Stewart Cohen/Blend Images/Corbis; **273:** (t) Ali Burafi; (b) Janet Dracksdorf; **274:** (all) Carlos Muñoz; **275:** (l) Blend Images/Alamy; (r) Arek Malang/Shutterstock; **277:** (l) Martín Bernetti; (r) Paula Díez; **278:** (all) Carlos Muñoz; **280:** José Blanco; **281:** Monkey Business Images/Shutterstock; **282:** (all) Carlos Muñoz; **284:** (all) Carlos Muñoz; **290:** (smiley faces) Didem Hizar/Fotolia; **292:** I Love Images/Alamy; **293:** Hill Street Studios/Getty Images; **296:** (tl, tr) Martín Bernetti; (m) Daniel Ferreia-Leites/123RF; (b) Kobby Dagan/123RF; **297:** (tl) Elzbieta Sekowska/Shutterstock; (tr) Marshall Bruce/iStockphoto; (bl) Mick Roessler/Corbis; (bm) Andrey Gontarev/Shutterstock; (br) Tommy Lindholm/Alamy.

Lesson 8: 300–301: Dorothy Alexander/Alamy; **301:** Nehomar Efren Hernandez Navas/123RF; **305:** US Department of Agriculture; **307:** (l) Somos Images/Alamy; (r) Cathy Yeulet/123RF; **308–310:** (all) Carlos Muñoz; **312:** (t) Esdelval/Shutterstock; (ml) Nehomar Efren Hernandez Navas/123RF; (mr) Anamaria Mejia/Alamy; (b) Fotointeractiva/123RF; **313:** (t) Pablo Cuadra/Getty Images; (b) Lucas Vallecillos/Alamy; **314:** (all) Carlos Muñoz; **315:** (t) Vanessa Bertozzi; (ml) Annie Pickert Fuller; (mm) Martín Bernetti; (mr) Margouillat Photo/Shutterstock; (bl) Susan Schmitz/Shutterstock; (bm) Nitr/Shutterstock; (br) Adlife Marketing/iStockphoto; **316:** Paula Díez; **317:** (all) Carlos Muñoz; **318:** (all) Carlos Muñoz; **321:** (all) Carlos Muñoz; **322:** (tl, tr) Carlos Muñoz; (bl) Pressmaster/Fotolia; (br) José Blanco; **323:** (l) José Blanco; (r) Gpoint Studio/iStockphoto; **332:** Vanessa Bertozzi; **333:** Jack Hollingsworth/Getty Images; **336:** (t, b) Henryk Sadura/Shutterstock; (m) Michael DeFreitas/Media Bakery; **337:** (tl) Jenkedco/Shutterstock; (tr) Michael Fischer/Media Bakery; (ml) Vladimir Korostyshevskiy/Shutterstock; (mr) Bill Bachmann/Danita Delimont Photography/Newscom; (b) Gerardo Mora/Getty Images.

Lesson 9: 340–341: Jupiter Images/Getty Images; **341:** Bill Perry/Shutterstock; **346–348:** (all) Carlos Muñoz; **350:** (t) Joaquin Sarmiento/AFP/Getty Images; (b) Martin-dm/E+/Getty Images; **351:** (t) Simon Cruz/AP Images; (b) Daniele Venturelli/Getty Images; **353:** (all) Carlos Muñoz; **364:** (l) Katrina Brown/123RF; (r) Digital Vision/Media Bakery; **365:** Carlos Hernandez/Media Bakery; **366:** Monkeybusiness/Deposit Photos; **370:** (tl, tr, m) Lauren Krolick; (bl) Kathryn Alena Korf; (br) Macarena Minguell/AFP/Getty Images; **371:** (tl) Lars Rosen Gunnilstam; (tr, bl) Lauren Krolick; (bm) Nikolay Starchenko/Shutterstock; (br) Tim Mosenfelder/Getty Images.